NOSTRADAMUS

Michel Zévaco

Premier chapitre
La sorcière

I

Les amoureux

Une claire et tiède matinée d'automne en l'an 1536. Sous un ciel d'un léger bleu satiné, le vieux Paris de François Ier respire la joie de vivre. Place de Grève, c'est toute la pétillante gaieté d'un joli dimanche, c'est Paris qui s'étire au soleil, et rit... et pourtant, là, sur cette place, dans cette lumière, entre deux gibets, se dresse une chose hideuse : un bûcher.

Pour qui ce bûcher ? Pour qui ces gibets ? La foule insoucieuse va le savoir peut-être, car voici sur son destrier, le héraut royal qui déplie un parchemin, et, d'une voix forte, proclame :

« – De par le Roi !... Nous, Jérôme Gerlaine, héraut royal juré, mandaté par monseigneur de Croixmart, grand juge prévôtal, faisons savoir à tous ici présents :

« Par la volonté royale, ledit baron Gerbaut, seigneur de Croixmart, devra rechercher, saisir et exécuter sommairement, tous sorciers, sorcières, devins, démoniaques et agents de Satan qui infestent la capitale du royaume.

« Tout loyal habitant de cette ville est tenu, à peine d'être condamné à ramer sur les galères du roi, de dénoncer lesdits suppôts d'enfer, et, afin d'exécuter la volonté royale, Monseigneur de Croixmart a fait dresser les bûchers nécessaires. »

Le héraut s'en va plus loin répéter sa proclamation. Et, de bouche en bouche, parmi de sourdes imprécations, court le nom de Croixmart.

Au bout de la place de Grève, passent un jeune homme et une jeune fille.

Elle, frêle dans sa robe à longs plis ; une de ces vierges à tresses blondes, comme les Primitifs les rêvaient pour leurs madones de vitraux.

Lui, un de ces êtres d'inoubliable aspect, qui semblent porter le sceau visible des invisibles fatalités. Une étrange physionomie, d'une beauté tourmentée. Un front où flamboie le génie. Des yeux noirs, tantôt d'une ineffable douceur, tantôt d'un éclat extranaturel.

Sur un banc de pierre, devant le fleuve, ils se sont assis, les mains unies. Une sorte de duègne, qui les suit pas à pas, s'approche alors, et, avec une révérence :

– Marie, la messe est finie ; il est temps de rentrer.

– Dame Bertrande, une minute, soupire la jeune fille.

– Déjà nous quitter ! murmure le jeune homme. Marie, Marie adorée, il me faudra donc m'éloigner de Paris pour toujours, peut-être, sans même savoir qui tu es ? Tu m'as ordonné de respecter le mystère dont tu t'entoures, et je t'ai obéi... Et pourtant, je dois rejoindre mon père... mon dieu sur la terre. Tu le sais, mon père a dû se réfugier à Montpellier. Accusé de sorcellerie, traqué par Croixmart...

– Croixmart ! balbutie la jeune fille toute pâlie.

Le jeune homme a eu un geste violent... puis il continue :

– Ma mère, me presse de partir et s'étonne de mon hésitation. C'est qu'elle ignore que je t'ai rencontrée !...

– Mon bien-aimé Renaud ! palpite Marie. Demain, tu sauras tout ce que tu dois savoir de moi. Car aujourd'hui, je consulterai une femme qui, sûrement, me guidera, me consolera dans mes angoisses...

– Une femme ? songe Renaud. Sa mère, sans doute.

– Allons, demoiselle, insiste la duègne, il est temps...

Mais Marie lève ses grands yeux sur le jeune homme :

– Mon Renaud, je t'aime pour ta soumission. Tu as bien voulu que je reste pour toi l'inconnue. Mais demain, ici, tu sauras pourquoi j'ai tremblé à te dire qui je suis. Et d'ailleurs, mon nom est Marie, et tu m'aimes. Ton nom est Renaud, et je t'adore. Que nous faut-il de plus ? Et quand je songe à cette force irrésistible qui a mis en mon cœur cet amour, il me semble qu'un vertige me saisit. Ce fut étrange. J'étais dans la rue. J'ai senti tout à coup, un de ces frémissements que jamais on n'oublie. Je me suis retournée. Et j'ai compris que tu exerçais sur moi un pouvoir magique...

– Magique ? tressaille le jeune homme.

– Alors tu m'as dit : « Rassurez-vous. Je ne veux vous tenir que de votre volonté à vous. Je m'interdis même de vous suivre. Dans un instant, je ne saurai plus où vous êtes. Je ne sais pas qui vous êtes. Mais si vous m'aimez, venez demain sous les peupliers de la Grève. » Et tu es parti. Et quand je suis rentrée, je me suis jetée à genoux pour prier. Mais alors j'ai compris que c'était à toi, inconnu de moi une heure avant, que je parlais, croyant parler à Dieu.

– Chère adorée ! frissonne Renaud.

– Et, le lendemain, je suis sortie pour aller à la messe, résolue à t'oublier. Mais c'est vers la Seine que je suis venue et je me suis retrouvée sous les peupliers, devant toi. Et depuis, le matin, à l'heure de la messe, c'est ici mon église.

Renaud, pensif, a baissé sa noble tête sur sa large poitrine.

– Je ne veux te tenir *que de ta volonté.* J'attendrai...

– Demain, tu sauras à qui tu dois demander notre union !

Et un souffle de joie monte aux lèvres du jeune homme. Ils se sont levés. Leurs mains s'enlacent. Leurs bouches balbutient :

– Demain, oh ! que sera demain !...

Sur la place de Grève, des malédictions... Au milieu d'archers, passe un seigneur de formidable aspect.

– Place à monseigneur de Croixmart ! crie rudement le chevalier des archers.

Marie est devenue blanche comme les lys. Les poings de Renaud sont crispés. Et déjà, s'efface la silhouette du baron Gerfaut, seigneur de Croixmart, grand juge prévôtal.

II

La dénonciation

Renaud s'éloigne. Marie traverse la place, tourne le dos à son logis que lui désigne la duègne. Et elle demande :

– Où demeure cette femme qui connaît l'avenir et le passé ?

– Seigneur ! Voulez-vous donc entrer chez une sorcière ?

– À qui me confier ? soupire Marie. Je n'ai pas de mère. Et je ne sais si demain j'oserai dire à Renaud... Ah ! ces cris de malédiction ! Et quel flamboyant regard de haine il avait, lui ! Ne m'as-tu pas dit que cette femme donne de précieux avis ?

– Ses conseils ont rendu service à mainte bourgeoise, et elle est si charitable aux pauvres qu'on la surnomme la bonne Providence.

– Comment dis-tu qu'elle s'appelle, Bertrande ?

– On la connaît sous le nom de la *Dame*, et nul ne sait qui elle est. Quant à sa demeure, c'est ici, juste face à l'hôtel de...

– Silence ! interrompit Marie avec effroi. Attends-moi.

Déjà elle a heurté la porte qui s'ouvre.

La jeune fille est entrée. Elle pénètre dans une salle ornée de beaux meubles sculptés. La maîtresse de cette demeure s'avance. Elle peut avoir cinquante ans. Sous ses cheveux d'argent, son visage est resté jeune. Sa physionomie est empreinte d'une indicible dignité. Dans ses attitudes se révèle la sérénité des âmes intrépides. Elle a fait asseoir Marie, et, d'une voix douce :

– Dites-moi quelle peine vous oppresse. Si je puis vous aider ou vous consoler, je le ferai de grand cœur.

– Oui, murmure Marie, déjà votre voix me calme et me berce. Voici donc le sujet de mes alarmes...

La jeune fille s'arrête. Et la *dame,* avec un sourire :

– Vous aimez, n'est-ce pas, et vous êtes venue demander à la devineresse de vous dire s'il vous aime, lui ?...

– Non ! répond Marie dans un cri. Je sais qu'il m'aime. Je sais que je serai heureuse lorsque je serai à lui. Ce n'est pas cela. C'est terrible, voyez-vous. Le nom que je porte est maudit de tous. Celui que j'aime hait ce nom d'une haine implacable. Et moi, si j'adore mon fiancé, j'aime mon père de tout mon cœur. Et voici ma douleur. Si je dis à celui que j'aime, demain, selon ma promesse, le nom de mon père, ne va-t-il pas s'écarter de moi ?... Voilà ce que je veux savoir.

La dame considère avec pitié la jeune fille :

– Vous aimez votre père ? demande-t-elle.

– Plus on lui témoigne d'horreur, et plus je tâche de lui faire oublier cette exécration qui l'enveloppe d'une atmosphère mortelle...

– Avant tout, il faut me dire le nom de votre père.

Marie rougit, hésite, puis, enfin, dans un souffle, balbutie le nom – le nom maudit. Vivement la dame s'est reculée. Elle a pâli. Mais peu à peu ses traits reprennent leur expression de mélancolie.

– Non, murmure-t-elle. Il est impossible que cette pure enfant soit une espionne envoyée pour me perdre. Mon enfant, ajoute-t-elle, j'ai eu à souffrir de celui dont vous êtes la fille. Un jour... je lui ai crié la malédiction qui montait de mon cœur... Oui, c'est une chose affreuse que d'être sa fille. La mort escorte cet homme. Mais Dieu vous envoie à moi, et, puisque vous aimez votre père ; peut-être sera-t-il sauvé...

– Sauvé ? balbutie la jeune fille.

– Oui, mon enfant. Mais, maintenant, il faut que je sache le nom de celui que vous aimez.

– Tout à l'heure. Quel danger menace mon père ?... Vous avez lu quelque chose d'effroyable dans son avenir !...

– Eh bien ! oui, effroyable...

– Sauvez-le, râle Marie, subjuguée.

La dame demeure un moment pensive.

– Le sauver ? dit-elle enfin. Soit. Dites-lui qu'il ne sorte pas de trois jours. Sinon il mourra. Dites-lui, que, pendant ces trois jours, il faut qu'il se démette de ses fonctions... Surtout qu'il ne se montre pas... il serait déchiré, dépecé, mis en pièces...

Marie n'en entend pas davantage. Elle s'élance. Oh ! tout de suite prévenir son père ! Elle reviendra plus tard pour savoir ce qu'elle doit dire à Renaud ! La dame n'a pas eu le temps de faire un geste pour la retenir.

– Ce départ précipité... murmure la dame. Cette fuite, plutôt... Une espionne ?... Qui sait ! Cet homme est capable de ruse comme de violence. Oh ! il faut que demain nous soyons partis !...

Marie a traversé la place de Grève. Elle pénètre dans un magnifique hôtel. Elle s'avance, tremblante, vers un cavalier de haute stature, de rude figure, qui met pied à terre dans la cour.

– Ma fille ! gronde cet homme. Pourquoi rentrez-vous si tard ? Pourquoi ce visage bouleversé ?

– Mon père, bégaie la jeune fille, il faut que je vous parle à l'instant ; il y va de votre vie !

– Ma vie, ricana le seigneur. Elle est bien défendue. Mais soit ; allez m'attendre en ma chambre.

Et il hausse les épaules, tandis que Marie s'éloigne.

– Ma vie, reprend-il alors sourdement. Oui. Tout ce peuple m'exècre... Mais je serai le plus fort.

Il fait quelques pas, s'arrête, et, avec un frisson :

– Cette femme m'a maudit. Elle m'a prédit que je serais déchiré, dépecé comme le cerf de la meute... Oh ! retrouver cette femme !... Gardes ! qu'on double les sentinelles !...

Et le seigneur se dirige vers sa chambre.

Ce seigneur, c'est l'homme au nom maudit ; Marie, c'est la fille du baron Gerfaut, seigneur de Croixmart !...

En entrant dans sa chambre, Gerfaut a vu sa fille agenouillée sur un prie-Dieu. Une minute, il la contemple, et murmure :

– Que deviendrait-elle, si j'étais tué ?... Cette femme m'a crié que je serais maudit jusque dans ma postérité...

Il touche à l'épaule Marie qui se relève, toute pâle.

– Mon père, supplie la jeune fille, les mains jointes, promettez-moi de ne pas sortir de trois jours !

– Caprice. Vous fûtes trop choyée par votre père, Marie... Il est vrai que je n'ai que toi au monde, mon enfant. Toute ma tendresse, c'est toi. Toute mon aversion, c'est la sorcellerie...

– Mon père, reprend Marie, avec terreur, il faut vous démettre aujourd'hui de votre mission de grand juge.

– Aujourd'hui ! s'esclaffe le baron. Me démettre. Vous devenez folle. Dans une heure, je vais aller saisir en leurs repaires, quatre truands et les faire pendre : Bouracan à la Croix du Trahoir, Trinquemaille en Grève, Strapafar à la Halle et Corpodibale à la porte d'Enfer.

Marie tremble. Elle voit son père *déchiré, dépecé, mis en pièces* comme l'a prédit la sorcière. Sa pensée s'affole. Et tout à coup, elle croit avoir trouvé la parole capable de convaincre son père :

– Si vous sortez en ce jour, vous serez déchiré, dépecé !...

Dépecé... déchiré !... Les paroles de la femme qui l'a maudit !

– Père, père ! j'en suis sûre ! sanglote Marie. La femme qui me l'a dit sait tout ! Jamais elle ne s'est trompée !...

Le baron sent la peur se glisser en lui. Mais brusquement une rage froide le saisit. Son regard pétille de malice.

– Ah ! ah ! fait-il en adoucissant sa voix, si la femme qui t'a dit cela sait tout... Je réfléchirai à me démettre. Et, pour aujourd'hui, je ne bouge pas de l'hôtel.

Marie se relève avec joie, et enlace le cou de son père.

– Voyons, reprend-il avec bonhomie, il faut que j'interroge cette femme, qui mérite une récompense. Je veux l'envoyer chercher. Où loge-t-elle ?

– Là ! dit Marie en étendant le bras.

– Là ?... Ce logis à l'angle de la place ?

– Oui. Oh ! récompensez-la, puisqu'elle vous sauve la vie !

D'un geste violent, le redoutable baron repousse sa fille. Il va à la porte, qu'il ouvre, et sa voix tonne :

– Holà, officier, vingt gardes pour aller arrêter une sorcière !... Qu'on prévienne le bourreau juré qu'il ait à venir sur l'heure allumer le bûcher de la Grève... Je la tiens ! gronde-t-il... Nous verrons si je serai déchiré comme le cerf par la meute...

Marie a frissonné. Pourtant, elle marche à son père :

– Monsieur, vous ne ferez pas cela ! Moi dénonciatrice !... Grâce pour l'honneur de votre enfant !... Pauvre femme ! Oh ! c'est affreux, cela ! Vous n'allez pas...

– Assez ! gronde le seigneur.

Et il s'élance au dehors. Marie se jette sur la porte, et la trouve fermée à clef !... Alors, un désespoir de honte s'abat sur elle...

– Qu'ai-je dit ! bégaie-t-elle. Que va penser Renaud quand il saura que j'ai envoyé au bûcher une pauvre vieille innocente ! Fille de Croixmart ! Dénonciatrice ! Moi !...

Alors, dans l'âme de cette enfant qui, jusqu'à ce jour, a adoré son père, se lève l'aube d'un sentiment inconnu... Ce père, elle le hait ! Ce nom qu'elle porte, elle le maudit... elle ne le portera plus !...

III

Deux profils de démons

Renaud s'est éloigné de la place de Grève en résistant à la tentation de se retourner pour adresser un dernier signe à Marie. Ivre de joie, il oublie tout au monde, et, le pas léger, s'avance vers deux jeunes gens qui semblent l'attendre au débouché du pont Notre-Dame : deux jeunes seigneurs ; l'un blond, l'œil gris, vêtu avec recherche, c'est le comte Jacques d'Albon de Saint-André ; l'autre, brun, le visage sombre, habillé plus pauvrement, c'est le baron Gaëtan de Roncherolles ; leurs figures portent le stigmate de l'Envie. Chez le premier, c'est l'envie doucereuse ; chez le second, c'est l'envie brutale.

– Voilà, mon cher, les dernières nouvelles de la cour, dit Albon de Saint-André, poursuivant son entretien commencé.

– Tu es heureux d'être admis dans l'intimité des princes, gronde Roncherolles. Ainsi les fils du roi sont amoureux ?...

– Le prince François et le prince Henri vont se faire la guerre pour une donzelle qui les dédaigne, car la noble demoiselle s'en va roucouler tous les matins sous les peupliers de la Grève avec un... Mais voici notre cher ami Renaud qui vient à nous !

Roncherolles a tressailli. Ses poings se sont crispés. Quant à Saint-André, son œil a lancé un éclair. La haine vient d'éployer ses ailes sur ces deux hommes.

– Oui, grince Roncherolles. Renaud ! Or çà, d'où tient-il son or ?... Et a-t-il le droit de porter l'épée ?... Qui est-il ?

– Tais-toi. J'ai d'étranges soupçons, vois-tu !... La manière dont il t'a guéri en deux jours de cette fièvre qui te minait...

– Et ce coup de poignard à la poitrine que tu reçus d'un truand et qu'il ferma, cicatrisa, effaça en quelques heures !...

– Et cette femme qu'il endormit, rien qu'en étendant le bras ! D'où lui vient cet exorbitant pouvoir ?

– À quoi pense donc Croixmart que le roi a chargé de détruire les suppôts d'enfer ?

– Tu le hais, reprend Saint-André.

– Oui. Je le hais parce qu'il est plus riche, plus beau que moi, parce qu'il possède une puissance qui m'épouvante, *parce que j'ai peur* devant lui !...

– Silence ! Le voici !...

Renaud vient à eux, les bras ouverts. Il rit, il serre les mains de ses deux amis, sa joie déborde :

– Jour de Dieu ! Le gai dimanche ! Bons amis, aujourd'hui, je régale ! Un dîner dans la plus noble auberge de Paris, chez Landry Grégoire, à l'illustre enseigne de la *Devinière* !

– Comme tu chantes la joie ! s'écrie Saint-André, – et il frémit.

– Tu embaumes le bonheur ! sourit Roncherolles – et il est livide.

– Demain, ce sera bien autre chose !... Allons, en route !

Les trois jeunes gens, causant, riant, gagnent la rue Saint-Denis, où se trouve la très fameuse auberge de la *Devinière*.

Deux heures plus tard. Dans la rue, Renaud, Saint-André, Roncherolles se donnent rendez-vous pour le lendemain.

– Ah çà ! fait Saint-André, ton dîner fut une merveille. Tu nous as dit la beauté de ton amante, et que, demain, elle va te conduire à son logis pour que tu la demandes à sa mère ; – mais tu as oublié de nous révéler son nom...

– Oui ! Le nom de ta fiancée ! demande Roncherolles.

– Je le saurai demain, répond simplement Renaud. Elle m'a défendu de le savoir... et tout ce que *j'ai voulu* savoir d'elle, c'est que son âme est blanche, c'est que je l'adore, c'est que tous les matins, depuis un mois, sous les peupliers de la Grève, elle daigne venir à moi.

Une même secousse fait frémir les deux amis de Renaud. « Sous les peupliers de la Grève », a dit Renaud. Alors, cette jeune fille serait donc la même que les deux fils du roi veulent voler à l'inconnu avec qui elle se promène, le matin ! Et cet inconnu, ce serait donc Renaud !... Ah ! ils le tiennent ! En hâte, ils ont pris congé de lui. Saint-André s'élance vers le Louvre.

– Où vas-tu ? halète Roncherolles.

– Demander audience à Monseigneur François et à Monseigneur Henri ! répond Albon de Saint-André.

– Partageons l'aubaine.

– Soit. Ce ne sera pas de trop de nos deux haines !...

IV

Le bûcher de la Grève

Renaud arrive place de Grève, entre dans ce logis à l'angle de la place, où, tout à l'heure, est entrée Marie !... Et, comme elle, il s'avance vers la dame aux cheveux d'argent ! Vers la malheureuse que Marie *vient de dénoncer à son père !* Et contre laquelle Croixmart s'apprête à marcher !... Elle sourit de joie... et il dépose un baiser sur les cheveux d'argent, et le mot qu'il murmure tendrement, c'est un mot que les fatalités de l'heure présente font tragique, c'est :

– MA MÈRE !...

L'amant de Marie de Croixmart, c'est le fils de la Sorcière...

– Je t'attendais, mon fils, a prononcé la dame.

– Chère mère, répond le jeune homme. Je sais quels reproches j'ai mérités. Voici trois jours que je ne vous ai vue. Voici un mois que nous devrions avoir quitté Paris, et, à travers l'espace, mon père nous appelle... Sous peu de jours, nous prendrons le chemin de Montpellier. Et peut-être me pardonnerez-vous, quand vous saurez que la force qui m'a emprisonné dans Paris s'appelle l'amour !

– C'est ce soir qu'il faut partir. C'est tout de suite !...

– Ma mère ! D'ailleurs sommes-nous si pressés ? Ma mère, je ne vous demande que deux jours... Si vous saviez...

– La fille de Croixmart est venue ici il y a deux heures !

– La fille de Croixmart ! gronde Renaud. Et vous l'avez reçue ! Et vous lui avez parlé ! Quelle terrible imprudence !

– J'ai fait mieux, prononce la dame. Je lui ai parlé de son père. Ce que les truands ont résolu d'exécuter, je le lui ai annoncé. Je lui ai *prédit* la mort du grand juge... Enfin, je me suis révélée à elle comme capable de lire l'avenir... oui, c'est là une terrible imprudence... mais un je ne sais quoi m'a poussé à lui parler comme si j'eusse été sa mère...

– Malheur et malédiction !...

– Oui ! Car à peine fut-elle partie que je compris !

– Elle vous a été envoyée, n'est-ce pas ?

– Qui sait !... Quoi qu'il en soit, cette jeune fille possède maintenant une preuve contre moi. Mon fils, s'il m'arrive malheur, souviens-toi que c'est la fille de Croixmart qui me tue !

– Ma mère, crie Renaud, éperdu, vous m'épouvantez !...

– Oh ! continue la dame... si je pouvais *voir*...

Et, à ce moment, sa physionomie devient étrange ! ses yeux se convulsent... Renaud la contemple. Elle continue :

– Il est possible que la pure jeune fille soit une vile espionne... silence... écoute... je vois... j'entends...

– Ma mère ! hurle Renaud en traçant un geste étrange.

– Oh ! Qu'as-tu fait ? *Tu m'as empêchée d'écouter !...*

Son visage est redevenu serein. Mais alors, elle saisit les deux mains de son fils, et, les yeux dans les yeux :

– Si je suis dénoncée par cette fille, tu n'auras ni paix ni trêve que tu n'aies vengé ton père et ta mère à la fois...

– Je vous le jure, ma mère ! répond Renaud.

– Tu as juré, mon fils. Et tu ne peux t'en dédire. Tu es d'une famille où les morts parlent aux vivants. Tu portes un nom qui est le symbole des connaissances extra-terrestres...

– Partons ! rugit le jeune homme. Je reviendrai lorsque je vous aurai mise en sûreté !

À ce moment, sous les fenêtres, un cliquetis d'armes. À la porte, de grands coups sourds, une voix menaçante :

– De par le roi !...

– Trop tard ! prononce la *sorcière*.

Et, tournée vers son fils anéanti, elle ajoute :

– N'oublie jamais que ton nom, c'est NOSTRADAMUS !...

La porte s'ouvre violemment. L'escalier apparaît plein d'archers. Un homme s'avance, couvert d'acier. Il gronde :

– Qu'on entraîne cette femme ! Moi Gerfaut, seigneur de Croixmart, déclare que j'ai contre elle une preuve suffisante de sorcellerie. Car elle m'a été dénoncée par ma propre fille ! En conséquence, je juge et ordonne que cette femme soit conduite au bûcher de la Grève, où elle subira le châtiment des démoniaques !

– Souviens-toi de ton serment ! crie la sorcière à son fils.

– Adieu, père, mère, adieu la vie ! murmure Renaud. Adieu l'amour ! Adieu, Marie adorée !

Et, il tire la pesante épée qu'il porte au côté. Des dix gardes qui s'avançaient, un tombe mort, un autre recule avec un hurlement. Aussitôt la salle s'emplit. Un tourbillon furieux. Des cuirasses qui s'entrechoquent. Des vociférations. Des blasphèmes. Des coups assénés. Et, un être hors nature, la face flamboyante, sanglant, déchiré, frappant, reculant, effroyable et sublime. C'est Renaud qui défend sa mère ! La sorcière, peu à peu, est entraînée. La lutte se continue dans l'escalier. *Et nul ne peut saisir l'homme ! Nul n'arrive à lui porter le coup mortel...* Dix cadavres, çà et là ! Lui est rouge des pieds à la tête ! Et sur la place !... l'infernale bataille se poursuit... Une foule immense accourt. De toutes les rues dévalent des torrents humains... Le groupe atroce marche sur le bûcher ! Au milieu, la sorcière, calme et terrible !... Autour, lui, Renaud qui attaque, ici, là, partout !...

Et soudain, la poigne du bourreau s'abat sur la sorcière ! Elle est portée sur le bûcher ! Une torche luit !... Une énorme clameur, un cri lugubre, épouvantable ; la clameur du fils !

– Ma mère ! Ma mère ! Ma mère !...

Dans cet instant, une fenêtre s'ouvre à l'hôtel de Croixmart... À cette fenêtre, une forme blanche... une vierge aux yeux hagards, à la figure pétrifiée... C'est Marie qui se penche sur cette scène d'horreur. Elle regarde... elle écoute... Et dans ce tumulte, elle n'entend que le cri terrible de Renaud...

Et dans cette foule furieuse, c'est sur deux figures seules que s'accroche son regard. La sorcière ! La sorcière dénoncée par elle au milieu des flammes qui se tordent... Et ce jeune homme, là, sanglant, qu'elle reconnaît, son fiancé dont l'effrayante clameur hurle encore :

– Ma mère ! Ma mère ! Ma mère !

– Sa mère ?... Que dit-il ?... Sa mère ?... je rêve !...

Les archers se ruent sur Renaud... Marie bégaie :

– Celle que j'ai livrée au bûcher... c'est... sa... mère ?...

Les hommes montrent le poing aux archers. Les femmes sanglotent. Croixmart comprend que quelque chose de terrible se prépare. Les archers, en vain, tentent d'arriver jusqu'à Renaud...

– Ma mère ! Ma mère ! Ma mère !

– Sa mère ! C'est sa mère ! râle Marie Vacillante.

V

L'émeute

Sur la place, une rafale de rumeurs, soudain. Une ruée d'êtres déguenillés, surgis on ne sait d'où. Et au moment où les archers de Croixmart vont enfin saisir Renaud, qui s'écroule, à demi-mort, le jeune homme se sent emporté par des gens qui lui crient :

– Courage ! Nous allons venger la bonne Providence !

– Maudite ! murmure Renaud, maudite soit la dénonciatrice ! Malheur à la fille de Croixmart !...

Pourtant, c'est en murmurant le nom de Marie que Renaud s'évanouit.

On l'emporte, tandis que le bûcher crépite, tandis que des vociférations éclatent, tandis qu'une tempête de fureur soulève l'océan humain qui déferle. Insensée, Marie regarde et balbutie :

– Cette femme... là... au bûcher... c'est sa mère !...

Où est Renaud ?... Elle ne le voit plus ! Mais son père est là, tout raide sur son cheval, l'estramaçon au poing, criant des ordres, protégeant le bûcher ! De toutes ses forces, il veut ! Brûle, sorcière ! Brûle, toi qui m'as menacé ! Brûle, jusqu'au bout ! En avant, mes gens d'armes ! Balayez-moi ces truands !...

– Petite-Flambe ! En avant, la Cour des Miracles !

– Trinquemaille et Saint-Pancrace ! Trinquemaille !

– Strapafar, milo dious ! Strapafar !

– Corpodibale, porco dio, Corpodibale !

– Bouracan, sacrament, Bouracan !...

Quatre jeunes truands d'une vingtaine d'années, frénétiques, en lambeaux, conduisent l'attaque...

Marie regarde le bûcher. Et, tout à coup, un immense cri d'horreur : le poteau vient de s'abattre ! Le corps de la sorcière disparaît... L'horrible supplice est consommé !...

Morte. La *dame*, la bonne Providence est morte. Il n'y a plus dans la fournaise qu'un cadavre sans apparence humaine qui achève de se réduire en cendres... Alors, Marie se détourne.

– C'est fini, prononce-t-elle tout bas.

Qu'est-ce qui est fini ? Elle ne sait pas. Le supplice ? Ou bien son amour ? Oui, tout est fini pour elle au monde, puisqu'entre elle et Renaud il y a maintenant une malédiction et un cadavre. Fuir ! Il n'y a plus que cette volonté en elle. S'en aller n'importe où, et mourir sans avoir revu Renaud !... Agenouillée dans un angle de la chambre, terrorisée, une femme...

– Bertrande, je vais partir d'ici. Veux-tu me suivre ?

– Oui, oui. C'est affreux. Partons, demoiselle.

– Allons-nous-en, dit Marie en claquant des dents.

– Votre père ! Et votre père !...

– Je n'ai pas de père. Veux-tu que je m'en aille seule ?

– Je vous suis ! Seigneur, on se massacre sur la place !...

Prudente, dame Bertrande rafle de l'or, des bijoux, diamants, perles, une fortune... Et, par un escalier dérobé, les deux femmes descendent. Quelques instants plus tard, Marie s'éloigne de l'hôtel de Croixmart...

Sur la place, l'émeute bat des ailes. Deux cents cadavres autour du bûcher ; des centaines de blessés ; des cris ; des malédictions ; des mêlées furieuses ; des groupes, où l'on s'égorge... et là, au pied de l'hôtel Croixmart, une masse plus hérissée, de tout ce qui tue... Là, entouré encore d'une vingtaine d'archers, sombre, livide, l'estramaçon rouge, le seigneur de Croixmart se défend...

– Pas de quartier ! Tue ! Tue !...

– Strapafar, vivadiou ! Corpodibale, madonna ladra !

– Bouracan ! Trinquemaille !

Une prodigieuse ruée d'êtres déguenillés qui s'entraînent. Le halètement monstrueux d'une foule en délire... et, soudain, un corps tombe !... Un corps sur lequel s'abattent des bras !... Dix minutes s'écoulent... et alors, un tonnerre de vivats, un ouragan de rires ! Et ce qu'on voit alors, c'est l'horreur d'une curée où les chiens sont des hommes, où la bête est un homme... c'est un corps *déchiré, lacéré, dépecé, mis en pièces...* C'EST TOUTE LA PRÉDICTION DE LA SORCIÈRE QUI S'ACCOMPLIT !...

Et cette tête livide, cette tête qu'on promène au bout d'une pique, c'est celle du baron Gerfaut, seigneur de Croixmart, grand juge prévôtal !... Justice est faite !...

VI

Les cendres du bûcher

Le soir tomba. Sur cette place, où l'émeute avait agité ses mille bras sanglants, la solitude paraissait plus effrayante. Sur le bûcher refroidi brillait la lueur d'un falot. Un homme, en effet, penché sur les cendres du bûcher, les fouillait de ses mains tremblantes.

De temps à autre, il ramassait d'un geste empreint d'une piété tragique un ossement blanchi et, doucement, le déposait dans une caisse en chêne... Tout à coup, il tomba à genoux : il venait de découvrir la tête de la suppliciée, une tête que les flammes avaient à peine atteinte. Un sanglot secoua les épaules du travailleur nocturne ; il murmura :

– Ma mère !...

Dans cette minute, Marie de Croixmart apparut au coin de la place de Grève et se dirigea vers ce qui avait été le bûcher. Elle était en grand deuil... Et ce deuil qu'elle portait, c'était celui de la mère de Renaud... Quant à son père, elle ignorait sa terrible fin. Dame Bertrande lui avait, par un mensonge, conté la fuite du grand juge rendu responsable par le roi de la révolte des truands ; il s'était, disait-elle, réfugié dans son château de Croixmart en Île-de-France...

Marie de Croixmart atteignit le bûcher et vit l'homme.

– Renaud ! balbutia-t-elle, pantelante. Seigneur ! Vous avez donc voulu que la fille de Croixmart s'entendît maudire par le fils de la suppliciée !...

Alors, Marie de Croixmart, secouée d'un mortel frisson, voulut fuir !... À ce moment, Renaud la vit et d'une voix d'étrange douceur, prononça :

– Je vous ai appelée, Marie, et vous voici venue à mon aide. Ô Marie, ma chère fiancée, je vous bénis !...

L'âme emplie d'une surnaturelle horreur, Marie bégaya :

– Appelée !... Vous dites que vous m'avez appelée !...

– Oui, Marie, dit le jeune homme en allant à elle. Et tu m'as entendu, puisque te voici. Tout à l'heure, lorsque j'ai commencé à fouiller ces cendres pour y trouver les restes de ma mère, j'ai eu peur de ne pouvoir aller jusqu'au bout... Alors, j'ai songé que ton amour me rendrait plus fort contre la douleur... et je t'ai appelée...

Un cri de joie retentit dans l'esprit de Marie. *Dans son esprit*, et non sur ses lèvres, qu'elle mordit jusqu'au sang...

– Puissances du ciel ! hurla l'esprit de Marie silencieuse. Renaud ne me maudit pas ! C'est que Renaud ignore que je suis la fille de Croixmart !... Renaud, aujourd'hui, ne m'a pas vue à la fenêtre !... Oh ! qu'il ignore toujours !...

Pas une seconde, la pensée ne lui vint d'avouer qui elle était, de tenter d'expliquer le fatal événement, que cette dénonciation avait été involontaire. Marie se fit le serment de vivre toute sa vie près de Renaud, sans lui dire qui elle était. Mensonge ? Hypocrisie ? Le crime, le mensonge, l'hypocrisie de Marie eût été de détruire son amour, de blesser à mort l'homme aimé, en proclamant qu'elle était la fille de l'assassin.

En quelques secondes, Marie organisa sa vie de *fille sans nom*, échafauda une existence bâtie sur le *mensonge*, et de ce mensonge, fit une vérité sublime.

– Renaud, dit-elle d'une voix calme qui vibrait seulement de son pur amour, mon bien aimé, je suis à toi, toute. Veux-tu que je t'aide ?

– Tu m'aides de ta présence, murmura Renaud, enivré par cette ineffable musique. C'est fini, tiens, regarde...

Et prenant le falot, il éclaira l'intérieur de la caisse. Marie se pencha sur ces pauvres ossements, quelques-uns tout blancs, d'autres noirs, et murmura une prière. Puis enlaçant Renaud :

– Mon fiancé, mon époux, ta douleur, c'est toute ma douleur. Cette souffrance, n'est-ce pas l'union de nos deux êtres ?...

– L'union, oui, dit-il. Rien ne peut nous séparer...

– Rien ? fit-elle dans un souffle haletant.

– Rien, Marie. Rien. *Pas même la mort*, crois-moi !

Renaud, alors, se pencha sur la tête qu'il venait d'exhumer. Doucement, il l'essuya. Marie se sentait défaillir. Renaud tremblait. Il s'y prit à deux fois avant de se sentir assez fort pour soulever ce faible poids, et déposer la tête dans le cercueil. Et, lorsqu'il l'eut prise, enfin, il la garda un instant dans ses mains.

Marie, à genoux, crut qu'elle allait mourir. Et si elle ne s'évanouit pas, c'est qu'elle se disait : « Si je succombe à la faiblesse, il pourra m'échapper un mot qui apprenne à Renaud la vérité qui nous tuerait tous deux !... » Renaud pleurait. Et Marie entendait sa voix brisée.

– Ô ma pauvre vieille mère, pardon ! Pardon pour moi, et pardon pour cet ange qui assiste à vos funérailles. N'est-ce pas, que vous lui pardonnez ? Ce n'est pas sa faute si je suis resté à Paris, et si vous y avez attendu. Si elle avait su que la fille de Croixmart vous guettait, elle m'eût crié de fuir et de vous sauver... n'est-ce pas, ma fiancée ?...

– Oui ! répondit Marie en incrustant ses ongles dans ses mains pour que la douleur l'empêchât de s'évanouir.

– Pardonnez-lui donc, mère ! poursuivait Renaud.

À ce moment, la tête... la tête morte... la tête exsangue... la tête ouvrit les yeux... Marie jeta un cri d'angoisse. Renaud vacilla et devint aussi pâle que cette tête qu'il tenait. Mais presque aussitôt il se remit et prononça :

– *Les morts entendent...*

Le silence était profond. Marie grelottait. Elle était hors le réel, hors la vie.

– Tu vois, dit Renaud avec exaltation, elle nous a pardonné. Marie ! Ma mère a béni notre amour...

Marie eut un soupir atroce...

– Ma mère, dormez en paix. Le serment que je vous ai fait, je le renouvelle : tu seras vengée... la fille de Croixmart mourra comme tu es morte : par le feu !...

Marie demeura écrasée, serrant sa langue entre ses dents pour ne pas crier : Grâce pour moi ! Grâce pour mon amour !...

Le bruit du marteau frappant sur les clous la ranima. Elle se leva... Renaud avait déposé la tête dans le petit cercueil, et il clouait le couvercle. Il dit :

– Marie, soyez brave jusqu'au bout. Éclairez-moi...

La jeune fille à demi-folle, prit le falot, s'approcha de Renaud à genoux, et se tint près de lui, tandis qu'il frappait du marteau. En cet instant, le pas sourd d'hommes en marche fit retentir les échos endormis de la place de Grève.

C'était une patrouille d'archers du guet commandée par un officier. Près de l'officier marchaient deux gentilshommes. Tous s'arrêtèrent brusquement. Cet inconnu à genoux dans les cendres du bûcher et achevant de clouer le couvercle d'un cercueil, cette femme drapée de noir, cette scène éclairée par les lueurs du falot, ce dut être pour eux une vision créatrice d'effroi... Ils reculèrent. L'un des gentilshommes s'avança, au contraire, examina les deux apparitions, étouffa un juron de joie haineuse, et revint à ses compagnons.

– Que font ces deux envoyés de Satan ? gronda l'officier.

Le gentilhomme lui saisit le bras et murmura à son oreille :

– Silence, monsieur !... Rentrez au Louvre, sans bruit. Et faites savoir aux fils du roi qu'ils aient à ne plus s'inquiéter...

L'officier obéit. La patrouille s'éloigna. Mais les deux gentilshommes étaient restés cachés dans l'ombre. Ces deux hommes étaient : l'un, le comte Jacques d'Albon de Saint-André ; l'autre, le baron Gaëtan de Roncherolles.

VII

Le cimetière des innocents

Ni Marie, ni Renaud, n'avaient rien vu, emportés qu'ils étaient bien loin des choses de ce monde. Lorsque le dernier clou fut enfoncé, Renaud se releva, le petit cercueil dans ses bras. Puis il fit signe à Marie de le suivre. Silencieusement, ils se mirent en route, lui, portant la caisse de chêne, elle, portant le falot. Bientôt, ils parvinrent à un enclos dont Renaud ouvrit la porte à claire-voie. Ils entrèrent. Et Marie vit alors qu'ils étaient dans le cimetière des Innocents.

Renaud pénétra dans une cabane qui contenait les outils du fossoyeur, et en ressortit avec une bêche. Il se mit à creuser. Quand il eut fini, il vit Marie si pâle, si pétrifiée que, pour toujours, cette vision se grava dans son esprit.

Il lui prit la main et la garda un instant dans la sienne, puis, il combla la fosse au fond de laquelle il avait déposé le cercueil.

– Dormez en paix, ma mère. Adieu. Je vais me mettre à l'œuvre. Je retrouverai la fille de Croixmart...

Un sanglot l'interrompit. Marie pantelait :

– Pourquoi ne parle-t-il pas de mon père ?... Pourquoi parle-t-il seulement de la fille de Croixmart... DE MOI !...

– Je retrouverai la dénonciatrice, continuait Renaud. Ma fiancée m'y aidera... n'est-ce pas Marie ?...

– Oui, dit-elle, je t'aiderai !...

– Vous entendez, mère ! Nous serons deux : votre fils et votre fille !... Je ne reviendrai ici que le jour où je pourrai vous appeler de votre tombe et vous dire que justice est faite !...

Les paroles de ce jeune homme qui parlait de réveiller les morts n'étonnèrent pas Marie, tant elles avaient un accent de conviction. Renaud s'approcha d'elle, lui prit la main, et, de sa voix au timbre harmonieux :

– Chère Marie, vous m'aimez ?... dit-il.

– Ah ! fit-elle dans un cri, pouvez-vous le demander !

– Eh bien, ma bien-aimée, ce que vous avez promis de me dire enfin, dites-le ici, devant cette tombe.

– Quoi ? bégaya la jeune fille, prise de vertige.

– Oh ! dites-le tout de suite, implora ardemment Renaud, afin que demain, je puisse aller vous demander... dites !

– Quoi ? répéta Marie, ivre d'épouvante et d'horreur.

– Le nom de votre mère et de votre père, dit Renaud.

Marie se raidit dans un suprême effort pour ne pas tomber. Cette question, elle s'y était préparée. Elle avait échafaudé jusque dans ses détails le *mensonge...* le mensonge qui les sauvait tous deux du désespoir, lui surtout !

– Le nom de mon père ?... balbutia-t-elle.

– Ne faut-il pas que je le sache ? fit le jeune homme.

Lentement elle appuya sa tête sur son épaule, et murmura :

– Renaud, il faut que je te fasse le sacrifice de ma fierté, puisque je veux être à toi tout entière... La honte n'est qu'un mot !

– La honte ? Que dis-tu, Marie !...

– La triste vérité. Écoute, Renaud... Je n'ai ni père ni mère, je suis... *une fille sans nom.*

Renaud tressaillit. De ses bras, il enlaça sa fiancée...

– Et c'est là ce que tu avais honte de me dire ? Oui, je sais de quels dédains féroces on poursuit les enfants sans nom !... Mais je suis, moi, toute ta famille.

– Oui, oui ! gémit-elle en l'étreignant convulsivement.

– Et quant au nom, tu vas en avoir un : le mien !

– Oui, oui ! répéta-t-elle. Ainsi tu ne me rejettes pas ?

Les lèvres de Renaud sur les lèvres de Marie répondirent. Une minute, ils demeurèrent enlacés. Alors vinrent les questions, et ce fut terrible. À chaque question, il y eut une réponse précise, comme si de longue date, Marie eût inventé les moindres détails.

Elle avait été exposée, à sa naissance, sur le parvis Notre-Dame. Une femme du peuple l'avait recueillie. C'était Bertrande. Le lendemain, Bertrande avait reçu mystérieusement une très grosse somme et des papiers constituant la propriété pour Marie d'une maison rue de la Tisseranderie. Bertrande, veuve, avait élevé l'abandonnée. Elle avait supposé que ses parents étaient de noblesse ; elle s'était habituée à l'appeler demoiselle, et à se comporter en dévouée servante. Marie avait vécu dans cette maison de la rue de Tisseranderie jusqu'au jour où elle avait rencontré Renaud.

Ce fut une série de réponses concises, faites sans hésitation.

– Ainsi, tu ne me rejettes pas ? répéta Marie.

Renaud la prit dans ses bras, l'étreignit.

– Ma mère, dit-il, soyez témoin. Je jure de consacrer ma vie au bonheur de cet ange comme j'ai juré de n'avoir ni paix ni trêve que je n'aie atteint la fille de Croixmart.

Et il sortit du cimetière, emmenant sa fiancée, d'un pas ferme, vers la rue de la Tisseranderie, l'âme noyée d'orgueil. Comme ils approchaient de la maison que lui désignait Marie, Renaud murmura :

– Puisque tu es seule au monde, puisque tu es ma fiancée...

– Je suis ta femme, dit la jeune fille exaltée.

– Dès demain, j'irai trouver à Saint-Germain-l'Auxerrois un vieux prêtre, mon ami, et nous ferons célébrer notre mariage.

Marie frissonna de terreur. Car le mariage, c'était :

Ou la signature légitime ! L'aveu de son vrai nom !...

Ou le mensonge cette fois sur les livres de Dieu !...

Ou la catastrophe !

Ou le sacrilège !

Des deux côtés, c'était la mort.

Deuxième chapitre
Le mariage

I

Le roi François Ier

Nous prierons nos lecteurs de nous suivre au château du Louvre. Nous passerons à travers la cohue des courtisans, et nous nous arrêterons un instant dans un salon écarté.

Là, quatre personnages étaient réunis. C'étaient, d'une part, François et Henri, les deux fils du roi, et, d'autre part, Roncherolles et Saint-André, qui venaient d'arriver. Les deux frères, enchaînés l'un à l'autre par la haine, ne se quittaient pas.

C'est que les deux frères adoraient la même femme. Ensemble, ils l'avaient vue pour la première fois sous les peupliers de la Seine et chez tous deux, la passion s'était déchaînée.

À l'entrée de Roncherolles et Saint-André, les deux princes eurent le même mouvement d'interrogation angoissée.

– Nous connaissons le bien-aimé ! s'écria Saint-André.

– Nous savons qui est la fille, dit Roncherolles.

– Qui est-elle ? interrompirent les deux princes.

– La fille du seigneur de Croixmart.

– Tué hier en place de Grève ! ajouta Saint-André.

Aucun des deux frères ne songea que la mort tragique du père pouvait les faire renoncer à leurs projets.

– Seule, maintenant ! dit François avec un soupir.

– Et sans défense ! dit Henri avec un sourire.

– Et l'homme qu'elle aime ?... grondèrent-ils tous deux.

– Il s'appelait Renaud, dit Roncherolles.

– Cette nuit, ajouta Saint-André, nous lui avons vu faire quelque chose d'étrange... Prenez garde, messeigneurs. Qui sait quelles protections couvrent les agents de l'enfer ?...

– Qu'avez-vous donc vu ? murmurèrent les princes.

– Quelque chose, dit Roncherolles, qui a fait reculer de terreur la ronde que nous conduisions...

– Et quelque chose, se hâta d'ajouter Saint-André, qui vous débarrassera de cet homme, s'il est d'essence humaine...

– Comment cela ? firent avidement les deux frères.

– Voici, messeigneurs. Passant sur la place de Grève, nous avons vu ce Renaud, agenouillé sur les cendres du bûcher où a été brûlée la sorcière. Un spectre noir l'accompagnait. Il enlevait les ossements de la sorcière !...

Les deux princes frémirent. Roncherolles acheva le récit :

– Ossements destinés sûrement à un maléfice. Renaud est criminel : il n'y a plus qu'à le faire brûler !

– C'est vrai ! rugit Henri. Je cours chez le roi.

– Non ! grinça François. C'est à moi, l'aîné, d'y aller !

Les deux frères se mesurèrent du regard. Des paroles confuses s'échangèrent, les grondements de deux tigres face à face. À ce moment, une tenture se souleva, et Saint-André cria :

– Le Roi !...

C'était en effet François Ier, le roi batailleur et galant, qu'il nous faut ici présenter en quelques mots. Pour cela, nous entrerons dans une magnifique salle où le roi François Ier et le connétable de Montmorency pénètrent ensemble. François Ier est rentré à Paris depuis quelques jours après une trêve signée avec Charles-Quint, et Paris lui a fait une splendide réception.

François Ier venait d'avoir son tour de triomphe. Il avait jeté sa griffe sur les Savoies, et Charles avait demandé une trêve...

Le roi de France, donc, pénétrait avec Anne de Montmorency dans son cabinet de travail. Le connétable regarda le roi qui se mit à rire.

– Eh bien ! Parle. Mais d'abord, laisse-moi te féliciter. Quel appétit ! Je voudrais avoir tous les jours des convives tels que toi à ma table ! Moi, je n'ai pas mangé.

– Sire, dit Montmorency, Sa Majesté Charles-Quint rassemble soixante à quatre-vingt mille combattants, et dans trois mois...

François Ier se mit à arpenter son cabinet. Il avait conservé cette élégance qui faisait de lui le plus beau gentilhomme de son royaume.

– Quelle entrée ! s'écria-t-il. As-tu vu comme les femmes agitaient leurs écharpes et comme elles étaient jolies ? Dieu me damne, elles sont toutes amoureuses de moi !

Anne de Montmorency redressa sa taille de géant.

– Sire, dit-il, lorsque l'empereur aura sous sa main l'armée qu'il rassemble, il rompra la trêve. Alors, sire, le vautour impérial fondra sur vos provinces, et...

– Et nous lui opposerons ta rude épée, mon connétable, cariatide de mon trône ! Ah ! par tous les diables, laisse-moi m'enivrer de vie, après m'être tant enivré de mort sur les champs de bataille !... Oui, je sais ! J'aurais dû achever le sanglier !... Que veux-tu ! Tu ne peux comprendre, toi, géant d'acier, qu'un cœur d'homme batte dans ma poitrine...

– Toujours l'amour ! Maudites soient les femmes !

– *Amen !* dit François Ier en éclatant de rire. Allons, rassure-toi. Il y aura encore de beaux carnages par le monde. Prends ton temps. Et prépare-nous une expédition qui écrase pour toujours le sanglier. En chasse. Et en attendant, vive l'amour !

Le connétable s'inclina jusqu'à terre, admirant que le roi pût parler si bellement de l'amour tout en donnant de ce ton léger un ordre de guerre qui devait mettre le feu à l'Europe.

– Sire, dit-il, ces paroles de roi me suffisent.

– Bon. Maintenant, va-t'en. Moi je m'en vais dire bonjour à mes gentilshommes qui, paraît-il, sont férus de me voir.

C'était vrai. Assemblés au Louvre, mille gentilshommes attendaient François Ier pour le féliciter de son triomphe et de son retour. Le roi se dirigea vers la réception, épanoui, saluant ses officiers avec grâce, pinçant l'oreille à ses suisses en riant, adressant aux dames qu'il rencontrait de merveilleux et lestes compliments et chacun s'apprêta à recevoir quelque étincelle de cette gerbe éblouissante qui allait retomber en faveurs.

François Iᵉʳ parvint à ce salon isolé où nous avons vu réunis quatre personnages. Devant la lourde tapisserie tendue sur la porte ouverte, le roi s'arrêta : deux voix échangeaient là des paroles où rampait l'envie, où sifflait la haine. Et ces voix, le roi les reconnut. C'étaient celles de ses deux fils : François, dauphin de France, et Henri, le jeune mari de cette adorable créature dont raffolait toute la cour, à l'exception de l'époux... Catherine de Médicis !

– Ils se haïssent ! gronda-t-il. Ah ! Devrai-je quitter ce monde avec cette pensée que je laisse derrière moi deux frères jaloux jusqu'à s'entre-tuer et à déchirer mon royaume !

Il écouta quelques minutes. Et alors, un sourire détendit ses lèvres : une flamme pétilla dans ses yeux :

– Dieu soit loué : il ne s'agit que d'une femme !...

II

Les deux fils du roi

François, héritier de la couronne, était un jeune homme d'environ vingt-quatre ans. Henri, Duc d'Orléans, deuxième fils du roi, époux de Catherine de Médicis, n'avait pas atteint son vingtième printemps. Ils avaient tous deux cette élégance native de la race des Valois à son apogée. Ils étaient également beaux. On eût cependant observé chez François plus d'orgueil violent, et chez Henri plus de douceur cauteleuse.

C'étaient deux insatiables chercheurs d'aventures amoureuses, s'aidant quelquefois, cherchant le plus souvent à se voler l'un à l'autre leurs conquêtes, sceptiques, insoucieux des déshonneurs qui naissaient sous leurs pas.

– Écoutons encore ! murmura le roi souriant.

– Mon frère, disait Henri, vous êtes le premier du royaume après le roi. Aujourd'hui, je ne suis que le fils du roi. Quand vous régnerez, je ne serai que le frère du roi. Ah ! comment pouvez-vous me disputer le pauvre bonheur d'aimer cette fille ?

– En amour, Henri, chacun pour soi et le Diable pour tous ! N'avez-vous pas cette fleur magique venue d'Italie ? Vous aimez cette petite Marie ? Mais je l'aime aussi, moi ! Mort-diable, je la disputerai à quiconque, l'épée au poing, s'il le faut !

– Enfer ! murmura Henri, plutôt que de vous céder Marie...

– Eh bien ! que ferez-vous ? gronda François.

Les deux frères se jetèrent un regard de haine.

– Le roi ! cria Albon de Saint-André.

– Le roi ! murmurèrent les deux frères en se retournant.

– Jour de Dieu ! fit joyeusement François Ier en s'avançant. Voici qu'on se dispute à propos d'un jupon ? Silence ! Allons, qu'on s'embrasse à l'instant et qu'on fasse la paix !

François et Henri se jetèrent dans les bras l'un de l'autre. Mais sans doute le baiser qu'ils échangèrent ressemblait à une morsure de haine, car le père pâlit.

– Enfants, dit-il. Deux frères qui se veulent le mal de mort pour une fille ? Eh ! morbleu, *tirez-la au sort !* Est-elle jolie, au moins ?

– Ah ! sire. Figurez-vous une admirable chevelure de madone blonde, des lèvres vermeilles comme une grenade...

– Des yeux bleus, ajouta François, si bleus que, près de ces yeux-là, l'azur du ciel semble moins pur...

– Holà ! cria le roi en riant. Je connais cette antienne. Assez, ou vous allez me forcer à me mettre sur les rangs !

Les deux princes frémirent. Car il était arrivé que François Ier les avait mis d'accord en jouant le troisième larron. Roncherolles gronda à l'oreille du dauphin :

– Et l'arrestation, monseigneur ! Si vous n'arrêtez pas l'homme, la belle vous échappe !

Albon de Saint-André pâlit de s'être laissé devancer.

– Sire, dit le dauphin, deux serviteurs de Votre Majesté, le comte de Saint-André et le baron de Roncherolles, après la bagarre d'hier, ont fait bonne garde. Menant une ronde place de Grève, ils ont vu un certain Renaud, se livrer à une besogne peut-être démoniaque et à coup sûr criminelle. Il faut que cet homme soit arrêté, jugé, condamné. Sire, un ordre de vous, et cet homme meurt !...

– Encore des histoires de sorcellerie ! grommela le roi. Elles nous réussissent bien !... Croixmart en sait quelque chose.

– Sire ! s'écria Henri. Cet homme a été vu enlevant les ossements de la sorcière brûlée hier.

– Eh bien ? fit le roi d'un ton bourru.

– Sire, il faut arrêter ce Renaud, et lui faire son procès.

– Non pas, par la mort-dieu ! Assez de procès en sorcellerie. Hier, nous avons eu une émotion qui a failli tourner à la sédition. Mes enfants, apprenez à sourire au lion, afin de le mieux dompter. Paris nous a dit hier qu'il ne veut pas qu'on lui brûle ses sorciers et ses sorcières.

François et Henri se regardèrent. Roncherolles et Saint-André soupiraient de rage. Le roi se dirigea vers la porte. La main sur le bouton de cette porte, il se retourna, la figure soudain assombrie :

– Amusez-vous, enfants, amusez-vous comme s'est amusé votre

père. Croyez-en votre roi ! Prenez garde de mettre un remords dans votre vie ! On voit une fille, on la trouve jolie, elle succombe... et on l'oublie ; alors, on croit que c'est fini ! Dix ans, vingt ans plus tard, un spectre éploré s'en vient rôder autour de vous. Alors, on s'aperçoit que ce spectre, c'est celui de la fille qu'on a cru oublier ! Alors, en entend des imprécations monter de quelque tombe solitaire, et on se dit : Je suis maudit !...

Saisis d'une sorte d'effroi, pâles, les deux princes écoutaient...

– Tout est perdu ! dit Henri. La fille nous échappe !

– Rien n'est perdu, dit tranquillement Roncherolles.

– Sans aucun doute ! se hâta d'ajouter Saint-André. Puisque le roi refuse de faire arrêter l'homme...

– Eh bien ! cria Roncherolles, nous le ferons disparaître !

– Vous vous en chargez ? haletèrent les deux princes.

– Nous nous en chargeons !

Les deux royaux sacripants furent rassurés. Et, la jalousie se déchaîna en eux. Ils se rapprochèrent l'un de l'autre.

– Suivons-nous le conseil du roi ? haleta François.

– Lequel ? grinça Henri. Celui de craindre le remords ?

– Non, rugit François, *celui de la tirer au sort !*

– J'allais vous le proposer ! gronda Henri furieusement.

– Des dés ! hurla François.

– En voici ! dit Saint-André.

Albon tira de dessous son manteau un cornet de cuir comme en portaient toujours les joueurs. Au moment où il allait y ajouter les dés, Roncherolles en jeta sur la table et dit :

– Tu fournis le cornet, moi les dés ; chacun son apport.

– Et chacun sa part. C'est juste, dit Saint-André.

– Qui commence ? fit Henri dans un grondement de fauve.

– Moi ! râla François. Par droit d'aînesse !

– Soit ! rugit Henri dont le regard flamboya d'envie.

François saisit les dés, les jeta dans le cornet, les agita.

– Convenons d'un règlement d'honneur, reprit Henri.

– C'est vrai ! grinça François. Soyons gens d'honneur.

– Celui qui aura perdu devra prêter ce soir aide et assistance loyales à l'autre. Cela vous convient-il ? Jurez !

– Je jure !...

Les deux frères, un instant, gardèrent le silence. François secoua les dés. Mais Henri l'arrêta :

– Celui qui aura perdu devra renoncer à jamais à la fille et ne jamais entreprendre contre elle. Jurez !

– Je jure, gronda François. Jurez aussi, vous !

Henri répéta le serment.

François agita le cornet, les dés roulèrent sur la table.

– Trois ! cria Saint-André.

François eut un rugissement de rage ; il avait amené *un* et *deux*, c'est-à-dire qu'il avait toutes les chances possibles de perdre, chaque dé portant six numéros, de un à six.

– C'est bien, dit François ; je crois que j'ai perdu.

Henri, à son tour, jeta les dés sans regarder, avec un sourire de triomphe. Dans cet instant même, Roncherolles disait :

– Deux !... Ah ! monseigneur, voilà un triste coup de dés.

François jeta un hurlement de joie ; Henri, hagard, mordit la main qui avait agité le cornet et râla :

– Malédiction !

III

Le mariage se fera-t-il ?

La maison de la rue de la Tisseranderie où s'était réfugiée Marie de Croixmart était petite, d'extérieur modeste, mais bien pourvue à l'intérieur. L'art imaginatif de la Renaissance triomphait là. Cette maison, Marie la tenait en propriété de sa mère, avec deux autres, dont l'une rue Saint-Martin, et l'autre, rue des Lavandières, en face du cabaret de *l'Anguille-sous-Roche*.

Au rez-de-chaussée, en cette après-midi, huit jours après les scènes que nous avons fait revivre, Bertrande s'occupait des soins du ménage. À l'étage supérieur, dans la chambre de Marie, Renaud est là, comme tous les jours.

Les deux fiancés, assis, se tenaient par la main. La sérénité des traits de Marie reposait sur le frénétique effort d'une volonté tendue à se briser. Tandis qu'elle souriait, d'effroyables tumultes se déchaînaient dans son esprit.

– Voici la catastrophe ! Rien ne peut l'empêcher ! Rien !

– Marie, continuait Renaud, voici écoulés les huit jours d'attente que tu m'as demandés. Notre mariage au lendemain du malheur eût été accompli sous de tristes auspices. Ces huit jours ont remis un peu de calme dans mon cœur... le souvenir s'estompe... l'épouvantable vision s'efface...

– Cher bien-aimé, dit Marie, attendons encore un peu. N'es-tu pas sûr de mon amour ? Et tiens, sais-tu à quoi j'ai pensé ?... Nous partirions tous deux, nous irions à Montpellier, et là, sous le regard et la bénédiction de ton vénérable père, notre union s'accomplirait...

Renaud secoua la tête.

– La catastrophe ! songea Marie. Rien ne l'empêchera !...

– Tu oublies ce que j'ai pu oublier pendant ces huit jours ; il faut que la fille de Croixmart expie son double crime... le crime d'avoir envoyé ma mère au bûcher... et le crime d'être fille d'un tel père. Ma mère a maudit cet homme *jusque dans sa postérité*. Je dois réaliser la malédiction.

– Comme tu la hais ! murmura Marie.

Un flamboyant éclair avait jailli des yeux noirs de Renaud.

– Quant à mon père, reprit-il, tu as raison de m'en parler. Il attend le philtre que je dois lui apporter...

– Le philtre ? interrogea Marie en tressaillant.

– Un philtre, que pour lui, j'ai été chercher à Leipzig, et que lui a fabriqué un mage. Un philtre qui peut prolonger sa vie, ou tout au moins lui rendre la force nécessaire à ses travaux... Je vois que cela t'étonne. Bientôt tu sauras la vérité sur mon père, sur ma mère et sur moi.

– Oh ! fit Marie avec curiosité, quand sera-ce ?...

– Quand tu seras ma femme...

– Oh ! râla Marie. Rien n'empêchera la catastrophe !

– Et ce sera demain ! acheva Renaud. Le prêtre est prévenu. Deux de mes amis, Roncherolles et Saint-André, seront témoins. Ah ! je ne veux pas courir à Montpellier avant de t'avoir donné mon nom... et surtout, avant d'avoir échangé avec toi le baiser suprême qui te fera mienne pour toujours...

– Voici la catastrophe sur moi ! hurla l'âme de Marie. Oh ! cette pensée !... Seigneur tout-puissant, c'est vous qui me l'envoyez ! *Je serai sa femme avant le mariage, et le mariage sera inutile !...* INUTILE, PUISQUE JE SERAI SIENNE SANS MARIAGE !...

D'un coup d'ailes, cet ange de pureté s'éleva aux régions d'éternelle vérité où il n'y a plus ni pureté ni impureté. Renaud s'était levé, en disant :

– Roncherolles et Saint-André m'attendent. À demain...

– Reste, balbutia Marie, ne t'en va pas encore...

– Que je reste ? bégaya Renaud enivré, ébloui.

– Oh ! tu ne vois donc pas que je me meurs d'amour !...

– Que je reste ? répéta le jeune homme, qui frémit et sentit ses veines charrier des torrents d'amour.

Elle ne répondit plus. Ses bras se nouèrent sur lui. Ses yeux se fermèrent. Ses lèvres cherchèrent les lèvres de Renaud... Marie s'évanouit à demi. Et lorsqu'elle se réveilla, l'holocauste était accompli, Marie était la femme de Renaud.

– Maintenant, se dit-elle lorsque chancelante, éperdue, elle se vit seule, oh ! *maintenant*, le mariage est inutile.

À ce moment, Renaud qui, le paradis au cœur, courait rejoindre ses deux amis, Renaud se répétait ardemment :

– Maintenant, oh ! *maintenant* plus que jamais, il faut que le mariage s'accomplisse dès demain, ou je serais infâme.

Il était environ neuf heures du soir lorsque Renaud atteignit son logis, où Saint-André et Roncherolles l'attendaient.

– Chers bons amis ! s'écria Renaud. Toujours fidèles...

– Nous eussions attendu jusqu'à demain... sans reproche.

– Oh ! pardon, pardon, mes braves amis !... Si vous saviez... Mais convenons de la grande journée de demain.

– Nous ne sommes pas les seuls à t'avoir attendu, dit Roncherolles. Il y a ici, dans la cuisine, un homme qui se restaure et t'attend depuis deux heures de l'après-midi.

– Un homme ? fit Renaud avec une vague inquiétude.

– Un courrier de Montpellier, dit Saint-André attentif.

Renaud deux secondes après, disait au courrier :

– Vous arrivez de Montpellier ?

– En onze jours, seigneur. J'ai fait environ dix-huit lieues par jour et me voici à Paris depuis midi.

Renaud tendit au courrier une bourse pleine d'or.

– Où prend-il cet or ? murmura Roncherolles.

Le courrier remit à Renaud une lettre dont le jeune homme rompit le cachet d'un geste violent... La lettre contenait ces mots :

« *Si dans les vingt jours je n'ai pas le philtre que le savant Exaël t'a sûrement remis pour moi, dans vingt jours je serai mort. Hâte-toi, mon fils. Au cas où tu arriverais trop tard, tu ouvriras ma tombe et tu liras le parchemin que tu trouveras dans le vêtement avec lequel je serai enterré. Je t'embrasse, mon enfant chéri. Console ta mère et dis-lui que je vous attends tous deux au séjour des esprits astraux. – N.* »

Lorsque Renaud releva la tête, il était blême. Il marcha à un flambeau et y brûla la lettre de son père. Puis, au courrier :

– Tu connais la personne qui t'a envoyé ?

– Non. Mais j'ai promis d'arriver ici en douze jours. J'ai tenu parole, puisque je suis venu en onze.

– Je dois, moi, mettre neuf jours. Est-ce possible ?

– Oui, en crevant une demi-douzaine de bons chevaux.

– J'en crèverai dix, et je ferai la route en huit jours.

Le courrier salua jusqu'à terre et se retira.

– Mauvaises nouvelles ? demanda Roncherolles.

– Oui ! gronda Renaud, les lèvres serrées.

– Pauvre ami ! dit Saint-André. Le malheur est donc sur toi ? Car, depuis huit jours, tu as dû être frappé par un terrible malheur. Tout le crie...

– Oui, fit Roncherolles, et cela date, tiens... cela date du jour où en place de Grève... l'on a brûlé cette sorcière...

Renaud baissa la tête. Sa poitrine se gonfla.

– Cette sorcière... murmura-t-il, c'était ma mère !...

– Ta mère ! rugit Roncherolles avec un accent indescriptible que Renaud prit pour un cri de pitié.

– Oui... ma mère ! fit le jeune homme qui, tout sanglotant, se laissa aller dans les bras du baron de Roncherolles.

Les yeux flamboyants, Roncherolles étreignit Renaud :

– Je le tiens ! Il est perdu ! gronda-t-il en lui-même. C'était sa mère ! Fils de la sorcière, essaie un peu d'épouser la fille de Croixmart !...

Renaud dompta cette émotion avec la rapidité qu'il semblait tenir d'une mystérieuse puissance sur lui-même.

– Mes amis, dit-il alors, il faut que cette nuit je parte de Paris. Roncherolles, tu me procureras un bon cheval.

– Tu auras un cheval capable de faire vingt lieues par jour.

– Saint-André, tu m'auras un laissez-passer à la porte d'Enfer.

– C'est facile, dit Saint-André.

– Il me faudra cela pour une heure de la nuit.

– Mais ton mariage ? Tu le remets donc à ton retour ?

– Non, prononça Renaud. Vous connaîtrez ma fiancée cette nuit, au lieu de demain. Il y aura une messe à Saint-Germain-l'Auxerrois une heure après minuit. Ce sera la messe de mon mariage.

– À minuit et demi, dit Saint-André. On y sera !

– On y sera dès minuit, ajouta Roncherolles.

– Oui, fit Renaud. Cela vaudra mieux. Minuit.

Les trois jeunes gens se séparèrent. Renaud pour courir chez le prêtre, Roncherolles et Saint-André de leur côté.

Il était à ce moment près de dix heures.

– Entrons là ! dit Roncherolles d'une voix rauque de joie.

Il désignait un cabaret encore ouvert malgré le couvre-feu – une de ces tavernes bien cotées, fréquentées par les gens de cour. Pourtant il n'y avait plus personne dans la salle commune, et on allait fermer. Un garçon s'approcha.

– Une bouteille de vin d'Espagne, dit Roncherolles. Des plumes. De l'encre. Une feuille. De la cire.

Les deux acolytes se regardèrent. Ils étaient livides.

– Enfin ! soupira Saint-André.

– Oui, n'est-ce pas ? Il est perdu, cette fois. Ce que nous cherchions depuis huit jours, il nous l'offre lui-même !...

– Oui. Et le Dauphin n'aura pas à se plaindre, cette nuit.

– Pour cela il ne faut pas que le mariage se fasse.

– Qu'importe ! gronda Saint-André. L'époux s'en va !

– Ce serait vrai avec tout autre que Marie de Croixmart. Cette fille succombera peut-être, si elle est encore fille. Mariée, le serment de fidélité juré, il faudra la tuer.

Le garçon déposait sur la table les objets demandés.

– Diable ! Comment faire, alors ? reprit Saint-André. Il n'y a aucun moyen d'empêcher ce mariage, à moins d'en revenir à ma première idée, et de poignarder l'homme.

– Il y a un moyen, gronda Roncherolles. Un coup de poignard, on en meurt ou on en guérit. Mais le coup que je vais porter, moi, il n'en guérira jamais, entends-tu, jamais !...

– Sur ma foi, tu me fais peur !...

– C'est pourtant bien simple. Tiens, regarde.

Et Roncherolles se mit à écrire, puis il passa la feuille à Saint-André, qui la lut, étouffa un cri et gronda :

– Oh ! ceci, mon maître, est une merveille !

Voici ce que venait d'écrire Roncherolles :

« *Monsieur Renaud,*

« *La fille que vous allez épouser s'appelle* MARIE DE CROIXMART. »

– Gervais ! appela Roncherolles.

Le garçon accourut.

– Gervais, veux-tu gagner dix écus d'or à la salamandre ?

– Je suis prêt à me jeter au feu pour les prendre !

– Bon ! fit Roncherolles. Prends cette dépêche. Trouve-toi à la demie de minuit devant Saint-Germain-l'Auxerrois. Tu la remettras à un jeune homme causant avec moi sous le porche. C'est tout. Tu auras tes dix écus. Le jeune homme s'appelle M. Renaud. Je t'éventre si tu oublies !

IV

La lettre

Quelques minutes avant minuit, Roncherolles et Saint-André s'arrêtent devant le porche de l'église. Soudain, au-dessus de leurs têtes, le bronze s'est mis à mugir douze coups sonores. À ce moment, Renaud s'avance, soutenant Marie dont il entoure la taille.

Ce n'est pas le mariage qu'elle a rendu inutile ; c'est l'holocauste d'amour qui est inutile ! Elle est venue !... En vain, elle s'est débattue contre la ferme volonté de Renaud. En vain elle a essayé de le pousser à partir sur l'heure. Tout à coup, elle a cessé de résister, avec l'intuition qu'un mot de plus allait faire naître des soupçons chez son fiancé !...

Et elle est venue, marchant au mariage comme marchent à l'enfer les damnés...

Renaud a aperçu Saint-André et Roncherolles et a eu un cri de joie reconnaissante. Puis leur serrant les mains :

– Le laissez-passer ?...

– Le voici, dit Saint-André en présentant un papier plié.

– Le cheval, ajouta-t-il.

– Attaché aux grilles du porche de l'église.

– Bien. Entrons.

– Il est trop tôt, la messe est pour une heure...

– *La messe est pour minuit,* dit simplement Renaud. J'ai obtenu cela, je gagne ainsi une heure.

Saint-André et Roncherolles demeurent foudroyés.

– Mes chers bons amis, reprend Renaud, mes frères, voici Marie, celle qui va être ma femme. Marie, ces deux-ci sont ce que j'ai de plus cher au monde après mon père et toi, le comte Jacques d'Albon de Saint-André, le baron Gaëtan de Roncherolles...

Ils murmurent quelques paroles confuses. Quant à Marie, pas un souffle. Défaillante, elle s'avance dans l'église, où elle voit éclater en lettres de feu le mot qui résonne dans sa tête :

– SACRILÈGE !...

La scène est maintenant dans l'église Saint-Germain-l'Auxerrois. Quatre cierges éclairent un vieux prêtre qui, avec des gestes lents, officie devant Renaud et Marie agenouillés. Un peu en arrière, à demi perdus dans l'ombre, Saint-André et Roncherolles, blafards, couvent de leur regard ces deux êtres si jeunes, si beaux...

Puis le vieillard présente les deux anneaux aux époux. Et tandis que s'échangent les deux signes d'union, le prêtre prononce les verbes qui cimentent à jamais l'alliance des deux âmes. Et enfin un registre est ouvert sur l'autel, entre le tabernacle et l'Évangile. Renaud signe :

– *Renaud-Michel de Notredame.*

Sans aucun doute, ce nom comportait une signification redoutable. Sans doute aussi, le vieux prêtre, ami de Renaud, avait reçu ses instructions. Car, faisant le geste de montrer la place des signatures de Marie et des deux témoins, il cacha sous sa main le nom qui venait d'être apposé sur la page.

– Mettez là votre nom, ma chère enfant, dit le vieillard.

Marie sans s'arrêter, tout d'un trait écrivit :

« *Marie, orpheline qui ne se connaît pas d'autre nom...* »

Puis elle tomba, défaillante, dans les bras de Renaud, tandis que Roncherolles et Saint-André, puis le prêtre signaient.

– Ma femme ! murmura Renaud à l'oreille de Marie.

Une longue vibration de bronze tomba dans le silence. La tête de l'épouse s'emplit de ce bruit qui lui parut formidable. Il lui semblait que des démons hurlaient :

– Sacrilège ! Sacrilège !

– Seigneur ! Damnez-moi ! Mais qu'il soit sauvé ! Oh ! que jamais il ne sache le nom maudit de sa femme !...

Ce bruit, c'était la demie après minuit qui sonnait... Renaud, Marie, Saint-André, Roncherolles sortirent...

– Roncherolles, dit Renaud, prends le cheval en bride. Mes chers amis, suivez-moi jusqu'au logis de ma femme.

– Holà ! Qui vient là ?... fit tout à coup Saint-André.

– Lequel de vous se nomme Renaud ? demanda une voix.

C'était Gervais !... La lettre écrite par Roncherolles !...

– C'est moi, dit Renaud, que me voulez-vous ?...

– Vous remettre ceci, que vous devez lire à l'instant.

Gervais tendit la lettre et disparut comme une ombre. Renaud tenait la lettre à la main. Roncherolles et Saint-André le fixaient, de leurs yeux qui luisaient. Marie tremblait, le cœur serré d'angoisse...

– Il faut que je la lise à l'instant !... prononça Renaud !... Que contient-elle ?... Oh ! le savoir tout de suite !... La lire !... Dans les ténèbres !... Oh !... Il faut que je sache !...

Il saisit les mains glacées de sa femme et demeura immobile, silencieux, haletant sous quelque prodigieux effort.

Et si les ténèbres n'eussent pas été absolues, on eût pu voir les yeux de Marie se révulser, son corps se roidir, et enfin un sourire détendre ses lèvres... Alors, dans ces ténèbres, on entendit la voix de Renaud qui disait :

– Marie, ma chère Marie, m'entends-tu ?

– Oui, répondit la jeune femme d'une voix comme voilée.

– Prends cette lettre, Marie adorée, et lis-la moi !...

Roncherolles et Saint-André reculèrent avec stupeur.

– J'essaie, répondit Marie d'une voix de surhumaine tendresse. Oui, tiens, je crois que j'y arrive... Voici un mot, deux mots... Ah ! il y a : *Monsieur Renaud...*

Marie s'arrêta un instant. Roncherolles et Saint-André grelottaient de terreur. Dans les profondes ténèbres, Marie lisait la lettre ! Marie lisait ce papier, sans même briser le cachet !...

– Très bien, mon adorée, prononça Renaud. Mais il faut continuer... Qu'y a-t-il après *Monsieur Renaud ?...*

Roncherolles et Saint-André reculèrent encore, hagards, les cheveux hérissés. Il y eut une minute de silence effrayant... Et alors la voix de Marie s'éleva de nouveau, mais hésitante.

– Attends... Oh ! fit-elle avec curiosité, il s'agit de moi... il y a... *la fille... que... vous... allez... épouser...*

Roncherolles claquait des dents. Saint-André, avait tiré de son sein un scapulaire et l'étreignait en priant. Tout à coup, un cri terrible, une clameur atroce...

– Non ! hurlait Marie. JE NE LIRAI PAS CELA !...

Renaud vacilla. Ses lèvres blêmirent. Il gronda :

– Eh bien, Marie ? Il faut lire la suite !... Lis !...

Elle se tordit les bras. Sa taille parut s'arquer.

– Seigneur ! Il faut que ce soit MOI qui lise CELA !... Seigneur, prenez-moi ! Seigneur, tuez-moi !...

– Marie ! rugit Renaud, il faut lire !...

– Non ! Non ! Grâce ! Pitié, Renaud ! Tue-moi ! Mais ne me force pas à lire cela... Lire CELA !... MOI !... MOI !...

Alors, à gestes furieux, tout à coup, elle tordit le papier dans ses doigts crispés, le lacéra, roula les morceaux en boule, et cette boule, elle la jeta... La boule de papier alla tomber dans le ruisseau qui l'emporta... Renaud n'avait pas fait un geste.

– Maintenant, je ne puis lire, dit Marie avec une joie affreuse. Aussi, c'était trop horrible, de me faire lire cela... à moi !...

Renaud saisit les deux mains de la jeune femme...

– Marie, dit Renaud, cherchez le papier... vous le voyez ?...

– Oui... oui... le ruisseau l'entraîne... Il va rouler jusqu'à la Seine... Ah !... Dieu soit loué !... Il tombe dans la Seine !...

– Suivez-le, Marie, suivez-le ! Ne le perdez pas de vue !

– Je le vois, je le vois !...

– Eh bien, lisez !...

Roncherolles et Saint-André râlaient d'épouvante.

– Lisez ! répéta Renaud.

– Non ! non !... Pas moi !... Renaud, pitié pour ta femme !

– Lisez !...

Alors, vaincue, d'une voix de détresse effroyable :

– *Monsieur Renaud... la fille... que vous allez... épouser... s'appelle... Marie... de...*

Un râle, un sanglot de tristesse ineffable :

– *S'appelle... Marie... Marie de Croixmart...*

Marie s'était affaissée sur les genoux. Elle avait entouré de ses deux bras les genoux de Renaud, y avait appuyé sa tête, et, ainsi, elle pleurait... Renaud était immobile, comme foudroyé... Seulement, il dressa au ciel ses bras et crispa les poings...

Et ce groupe dégageait une si formidable douleur que Roncherolles et Saint-André eurent l'intuition qu'ils avaient été au delà des bornes imposées à la haine elle-même.

– Ô ma mère ! prononça enfin Renaud. Ô ton pauvre corps que j'ai vu se tordre dans les flammes !... l'abominable souffrance que j'ai lue sur ton pauvre visage !... Voici, là, à mes pieds, la dénonciatrice !... La fille de Croixmart !...

Renaud abaissa ses poings comme s'il allait écraser la pauvre fille prosternée... Mais il ne toucha pas Marie :

– Non, n'est-ce pas, mère martyre ? Tu ne veux pas que je la tue ?... Ce serait trop simple, n'est-ce pas ? Que serait ce châtiment d'une seconde auprès de ce que tu as souffert... auprès de ce que je souffre, moi !... Que m'ordonnes-tu, mère ?...

– Oh ! bégaya Saint-André, il parle de la sorcière morte !... Oh ! si nous allions la voir apparaître, nous désigner !...

Renaud poursuivait de sa voix morne :

– Et pourtant, tu le sais, il faut que je parte tout de suite !... Dois-je donc la laisser impunie ?... Oh ! je t'entends... *Je dois partir ! Je dois laisser en suspens jusqu'à mon retour le choix du châtiment ! Je dois lui ordonner d'oublier ! Je dois oublier moi-même ! Et, dans vingt jours, reprendre le jugement au point précis, à la parole même où je le laisse cette nuit !...*

Renaud, brusquement, saisit les mains de Marie, et prononça :

– Oubliez !... Tout. La lettre. Est-ce effacé ?...

– Oui, mon bien-aimé !...

– Mon bien-aimé !

Un long sanglot pareil à un cri de bête fusa de ses lèvres tuméfiées. Il râla des lambeaux de paroles indistinctes. Tout à coup, Renaud parut se calmer. Il se baissa, saisit Marie dans ses bras.

– Venez, dit-il aux deux témoins de cette scène effroyable.

Il se mit en marche. Depuis l'église jusqu'à la maison de la rue de la Tisseranderie, il ne faiblit pas.

Marie dormait, la tête sur son épaule, d'un sommeil paisible, un bras gracieusement jeté autour du cou de son mari.

– Jésus ! cria dame Bertrande tremblante, en voyant Renaud, vous êtes pareil à un spectre, seigneur Renaud !...

Le jeune homme passa sans répondre. Il monta et déposa Marie sur son lit. Derrière lui, les deux amis étaient montés... En bas, dame Bertrande priait...

– Écoutez-moi, dit Renaud d'une voix rude. Je vais partir. Il me faut huit jours pour aller, huit pour revenir, deux pour rester là-bas, deux pour l'imprévu. Vingt jours. Dans vingt jours, je serai de retour. Jurez-moi de veiller sur elle.

– Je le jure ! grondèrent les deux hommes.

– Je vous la confie. Jurez-moi que dans vingt jours, je la retrouverai ici. Et vous aurez droit de vie et de mort sur moi !...

– Nous le jurons ! dirent-ils ensemble.

– Cette fille va demeurer endormie pendant deux heures. Vous ne lui direz rien de ce qui vient de se passer, mais seulement que dans vingt jours, je serai près d'elle.

Il se tourna vers Marie... Ses lèvres se crispèrent comme si les sanglots allaient être plus forts que sa volonté. Mais il se dompta, se pencha sur la jeune femme endormie, et, d'une voix qui semblait calme :

– Marie, m'entendez-vous ?...

– Oui, mon bien-aimé, je t'entends.

– Avez-vous oublié ?

– Tout ! Tout ! Puisque tu me l'as commandé.

– Bien. Rappelez-vous seulement ceci : c'est que dans vingt jours, heure pour heure, je serai de retour.

Brusquement, Renaud se retourna vers ses amis avec des traits bouleversés.

– Adieu, dit-il. J'emporte votre serment.

Il descendit l'escalier d'un pas égal. Quelques instants plus tard, les deux damnés, haletants, entendirent le galop du cheval qui partait... Lorsqu'ils furent certains qu'il était bien loin ; ils respirèrent longuement et Roncherolles gronda :

– Cours au Louvre !... Moi, je reste ici pour veiller sur elle... selon notre serment !...

Saint-André s'élança. Marie dormait d'un sommeil d'ange...

Troisième chapitre
Le fils de Nostradamus

I

Les frères rivaux

Au Louvre, le comte d'Albon de Saint-André, rapidement, gagna le salon où l'attendaient les princes.

– Messeigneurs, dit Saint-André, vous pouvez venir.

Henri devint pâle ; dans la scène du tirage au sort, il avait perdu, lui !... Il fit un pas pour se retirer.

– Y a-t-il quelque danger ? demanda rudement François.

– Heu ! fit Saint-André. À tout hasard, il serait préférable que monseigneur le Dauphin soit escorté de son auguste frère...

François marcha jusqu'à son frère, et gronda :

– En route, donc, en route !

Henri aimait ! Passion turpide, mais passion ! Tout ce qu'il y avait en lui de vivant rugissait de souffrance. François vit cette hésitation et dit :

– Par serment, vous me devez aide et assistance. Venez !

– Non ! râla Henri très bas.

– En route, Henri, en route ! Ou par Dieu, je jure que demain je vous dénonce comme félon à toute la cour assemblée.

– En route, soit ! bégaya le prince Henri. Mais vous qui me forcez à jeter dans vos bras celle que j'adore, je vous maudis, mon frère !

Tous trois sortirent et marchèrent jusqu'à la rue de la Tisseranderie. Saint-André ouvrit la porte, s'effaça. Les deux princes entrèrent. Au haut de l'escalier parut Roncherolles.

– Qui sont ces deux-là ? cria dame Bertrande.

– Allons, tais-toi, la vieille ! ricana Saint-André.

Bertrande, au pied de l'escalier, les yeux étincelants, barrait le chemin. Roncherolles commença à descendre.

– Vous ne passerez pas, cria dame Bertrande. Des amis de messire Renaud ! Oh ! vous n'êtes pas des gentilshommes !...

Henri recula d'un pas ; il espérait ! François essaya d'écarter Bertrande. Au geste, elle cria à tue-tête :

– Au feu ! Au larron ! Au truand ! Au meurtre ! Ah ! je...

Il y eut un cri déchirant – et dame Bertrande s'affaissa : Roncherolles, descendu de l'escalier, lui avait enfoncé son poignard dans le dos. La vieille se raidit, immobile, et ses yeux fixes, grands ouverts, semblaient accuser encore les larrons d'honneur.

– Passez, messeigneurs ! dit Roncherolles.

Les deux princes enjambèrent le cadavre et montèrent...

François, désignant le corps de la pauvre vieille, dit :

– Débarrassez-nous de cela tout de suite.

– Où la porterons-nous ? dit alors Albon.

– À la Seine ! répondit Gaëtan.

Sur la place de Grève, Roncherolles et Saint-André marchaient d'un pas pesant, alourdis qu'ils étaient par le cadavre de dame Bertrande. Parvenus au bord de l'eau, ils le déposèrent un instant sur le sable.

– Cette besogne, gronda Roncherolles, fait des fils du roi nos associés... et complices !

Paris dormait. Ils portèrent le cadavre dans une des barques amarrées aux pieux plantés sur la grève. Roncherolles saisit les avirons ; Saint-André, avec son poignard, coupa la corde. Au milieu du fleuve, la barque s'arrêta. Saint-André attacha une grosse pierre au cou du cadavre. Roncherolles en attacha une autre aux pieds.

Une ! Deux ! Trois ! Le cadavre fut balancé en cadence, et, lâché soudain, s'enfonça dans l'eau, disparut.

Un horrible cri, qui semblait venu du fond de l'espace, déchira le silence de la nuit... Roncherolles et Saint-André, debout dans la barque se saisirent par la main.

– As-tu entendu ? bégaya Saint-André.

– Oui ! Juste quand le cadavre a touché l'eau !

– Qui a crié ? reprit Saint-André dans un souffle.

Et Roncherolles, sombre, les yeux hagards, répondit :

– Qui sait ?

Ce qui avait crié, c'était Bertrande ! Elle n'était pas morte. Et, revenue à elle dans l'instant où elle était précipitée, elle avait rassemblé ses forces pour jeter un suprême appel !...

Une fois dans le logis, François et Henri marchèrent jusqu'à la porte de la chambre où dormait Marie, regardèrent la jeune femme. Puis, ils se retirèrent en fermant la porte. L'heure d'une explication décisive était venue et peut-être l'un des deux allait sortir de là, fratricide.

– Tu peux t'en aller maintenant ! gronda François.

Au grondement, un éclat de rire répondit. Henri disait :

– Oui ! Mais à une condition !

– Non. Tais-toi ! Va-t'en, félon, va-t-en, traître ! Tu as juré que tu me la laisses ! Je suis seul maître ici ! Va-t'en !...

– Je m'en vais ! dit Henri en se dirigeant vers la porte. Je m'en vais tout droit chez le roi à qui je crierai : « Sire, vous cherchez la fille de Croixmart pour récompenser en elle son père, pour adopter l'orpheline ! Eh bien, en ce moment, mon frère François la viole ! Et demain, toute la noblesse saura comment, par ses fils, le roi de France sait récompenser et honorer la fille des serviteurs de la monarchie morts en loyal service ! »

Henri marcha à la porte de l'escalier.

– Un pas de plus, tu es mort !...

François était entre la porte et Henri. Les deux frères se virent face à face, le poignard à la main... Comment ne se ruèrent-ils pas pour se lacérer, assouvir enfin cette haine qu'ils se portaient depuis des années ? Chacun d'eux eut peur de succomber et de laisser l'autre seul, à quelques pas de Marie endormie...

– Voyons, la condition ! fit François avec un soupir furieux.

– C'est que le serment qui m'a été imposé par le seul coup de dés soit nul. C'est qu'à dater de cet instant, la force, l'amour, la ruse, décideront seuls. Est-ce oui ? Je reste. Nous sommes associés. Est-ce non ? Je vais au Louvre...

– Malédiction sur toi ! rugit François. C'est oui !...

Ils rengainèrent leurs poignards. À ce moment, le baron de Roncherolles et le comte de Saint-André entrèrent en disant :

– C'est fait. La vieille ne vous gênera plus !...

II

Roncherolles monte en grade

Les deux frères se dirigèrent vers la chambre où elle dormait. Comme ils marchaient vers le lit, Marie se réveilla en murmurant :

– Renaud... mon bien-aimé Renaud... es-tu là ?

Elle ouvrit les yeux et soudain, elle vit ces deux physionomies affreuses, ravagées de haine et d'amour... Elle lut leurs pensées sur leurs visages... l'épouvante la souleva... Ils la saisirent, et elle retomba pantelante, avec un grand cri...

Lorsqu'ils l'eurent renversée et maintenue, François ivre de passion, approcha ses lèvres des lèvres de la jeune femme. Dans le même instant, il roula à trois pas, à demi assommé par le coup de poing d'Henri... Marie d'un bond, se trouva debout, en marche vers la porte. Mais devant cette porte, elle vit les deux jeunes hommes !... Déjà ils s'unissaient pour la garder !... Elle cria trois fois :

– Renaud ! Renaud ! Renaud !...

Son danger, à elle-même, ne l'effrayait pas. Mais Renaud !... Puisqu'il n'était pas là, c'est qu'on le lui avait tué ! De ce qui s'était passé depuis sa sortie de l'église, une seule chose comptait : Renaud n'était pas là !...

– Mort ? fit-elle d'un accent tragique. Oui, sans doute. S'il vivait, il serait là. Il m'eût entendue. Mon Renaud ? Où es-tu ? Qu'ont-ils fait de toi ?... Mort ?... Es-tu mort ?... Réponds-moi ?

Les deux princes la considéraient avec une morne admiration. Tout à coup, passion, admiration, disparurent de leur esprit. Une étrange terreur les envahit. Dans l'instant même où Marie venait de dire : *Es-tu mort ? Réponds-moi ?* son visage se modifia brusquement. Elle parut écouter. Elle écoutait en réalité une voix qui distinctement lui parlait.

La voix de Renaud !... Les paroles que Renaud *avait mises en elle...* Et ces paroles, elle les répétait à haute voix :

– *Rappelez-vous ceci : c'est que dans vingt jours, heure pour heure, je serai de retour.* Mais comme cela va être long, vingt jours !...

– Elle est folle ! murmura François.

– Non ! fit Henri tremblant. Elle parle avec l'invisible...

Ils ouvrirent la porte, sortirent et refermèrent à clef. Marie, peu à peu, reprenait son expression naturelle.

Roncherolles et Saint-André attendaient dans la pièce voisine. Ils jetèrent sur les princes un regard de curiosité.

– Cette fille, dit Henri, a d'étranges attitudes.

– Oui, dit François elle semblait parler à un être invisible...

Roncherolles et Saint-André se jetèrent un regard.

– Messeigneurs, dit Roncherolles, tout à l'heure, quand pour exécuter l'ordre de Vos Seigneuries, nous avons jeté à la Seine ce cadavre gênant, à ce moment, nous avons entendu une clameur qui, sûrement, ne venait pas d'un être humain.

– Et il est également vrai, ajouta Saint-André, que nous avons vu cette fille lire en pleine nuit un papier fermé.

François regarda Henri :

– Où allons-nous la mettre ? fit-il d'un ton menaçant.

– Nous sommes égaux en droit ! répondit Henri. Donc, ni chez vous, ni chez moi. Je propose l'hôtel de Saint-André.

Saint-André salua. Roncherolles pâlit de jalousie.

– Parce qu'Albon est à vous ! gronda François.

– Messeigneurs, dit Roncherolles, pourquoi ne pas vous servir de mon hôtel ? Rue de la Hache, à deux pas du Louvre, l'endroit est désert, tranquille, tout à fait propice.

– J'accepte ! dit François.

– Va pour l'hôtel de Roncherolles ! gronda le prince Henri.

Dans la même nuit, Marie fut emmenée rue de la Hache. Les deux princes, rentrés au Louvre, convinrent de coucher désormais dans le même appartement, et François Ier, qui conclut de là à une amitié naissante, en éprouva une grande joie. Catherine de Médicis, femme d'Henri, accepta la situation sans protester.

Roncherolles s'institua le geôlier en chef de la malheureuse Marie.

Mais Saint-André exigea de s'installer dans l'hôtel de la rue de la Hache. En sorte qu'au lieu d'un gardien, la jeune femme en eut deux, qui jamais ne se montraient à elle.

III

Les cachots du temple

Des mois se sont écoulés... Nous pénétrerons alors avec le lecteur, au nord-est de Paris, dans la forteresse du Temple.

Des mois donc, se sont écoulés depuis la nuit où Marie a épousé Renaud, jusqu'au jour où, suivant un geôlier, brute indifférente, nous descendons un escalier qui s'enfonce dans les entrailles du sol.

Le geôlier ouvre une porte, dépose dans un coin du cachot une cruche pleine d'eau et un pain, puis il s'en va. Le pain et l'eau, c'est la ration de deux jours pour la prisonnière... Et cette prisonnière, c'est Marie.

Son visage est émacié, son pauvre corps décharné. Elle songe à des choses d'une infinie tristesse. Parfois, cependant, un frémissement la secoue... cette sorte de souffrance et de joie qu'éprouve celle qui attend la venue au monde de l'être déjà chéri alors qu'il n'est pas encore au monde...

Puis elle reprend sa morne rêverie. Est-ce bien elle qui s'est réveillée une nuit devant deux visages convulsés de passion ! Est-ce bien elle qui fut entraînée dans une maison mystérieuse où, pendant dix jours, elle eut à repousser les attaques soudaines de l'un ou de l'autre des deux fauves !... Comme elle était brave, alors ! Comme elle savait écarter l'homme rué sur elle !... C'est qu'elle espérait, alors !... Renaud avait dit, Renaud *lui répétait* à chaque instant : « Dans vingt jours, heure pour heure, tu me reverras... »

Au bout du dixième jour, les deux frères lui étaient apparus ensemble. François alors, avait grondé ceci :

– Vous êtes accusée de magie. Vous êtes accusée d'avoir lu une lettre sans ouvrir le papier, en pleine nuit. Vous êtes accusée d'avoir parlé avec un être invisible, d'essence démoniaque sans doute. Vous allez être conduite au Temple, et jugée. Vous serez condamnée et brûlée vive.

Et Henri, alors, avait repris :

– À moins que vous ne consentiez à vous adoucir. Alors, c'est la liberté, c'est la vie fastueuse. Vous serez une grande dame de la cour.

– Conduisez-moi au Temple ! dit Marie.

Alors, ils s'étaient retirés. Une heure plus tard, des hommes noirs suivis de soldats étaient entrés et l'avaient interrogée ; puis, elle avait été conduite au Temple, sous les huées du peuple qui hurlait : « Mort à la sorcière ! »

Marie était descendue dans son cachot sans crainte. Elle comptait les jours qui la séparaient du retour de Renaud : *Dans dix jours, il sera ici, en ce cachot même, dont il m'ouvrira la porte.*

Le jour indiqué par Renaud approcha enfin. Elle compta : ce sera pour dimanche. Lorsqu'elle sentait l'angoisse donner l'assaut à son cœur, elle fermait les yeux, et elle *entendait* la voix de Renaud qui lui disait : dans vingt jours, heure pour heure...

Le dimanche, elle se plaça, toute palpitante, près de la porte, et attendit. D'abord elle attendit patiemment. Puis, un peu d'impatience la gagna... Sur le soir, le geôlier vint lui apporter sa provision de *deux jours.* Elle ne fit pas attention à cet homme : *elle savait* que ce n'était pas Renaud. Elle ne mangea pas. Elle continua de se tenir près de la porte, debout. Parfois, elle murmurait :

– Ce dimanche est long ! Cette journée ne finira donc pas ! Et elle n'est pas finie, *puisqu'il n'est pas encore là...*

Elle ne toucha pas à son pain ; seulement, la soif la dévorait, et elle s'aperçut que la forte cruche n'avait plus une goutte d'eau.

– Comment ai-je pu déjà vider cette cruche ? se dit-elle.

Au moment où elle se disait cela, le geôlier reparut ; il portait une cruche pleine et un pain : *la ration de deux jours.* Cela l'étonna. Elle dit :

– Oh ! vous m'apportez à manger et à boire deux fois dans le même jour ?

– Comment, deux fois ? fit le geôlier stupéfait.

– Vous m'avez apporté *ce matin* mon pain et ma cruche...

– Je suis venu vous apporter votre ration dimanche soir.

– Dimanche soir ?... Eh bien ?...

– Eh bien ! fit le geôlier, nous sommes MARDI SOIR.

La porte se referma rudement. Marie, sans un cri, tomba à la renverse, foudroyée. Depuis le dimanche matin elle était restée sans manger, sans dormir, presque toujours debout.

IV

La condamnée

Des jours passèrent. Marie demeurait accroupie. Elle ne cria pas. Elle ne pleura pas. Toute conscience de vie fut abolie en elle. Une seule pensée surnagea : *Il ne viendra pas !*

À plusieurs reprises, il lui sembla voir apparaître devant elle François et Henri, tantôt ensemble, tantôt l'un ou l'autre seul. Elle ne les entendait pas. Une fois, elle comprit qu'ils proféraient une menace. Et cette fois-là, lorsqu'ils eurent disparu, on l'obligea à sortir et elle parvint enfin dans une salle obscure où des hommes vêtus de noir étaient assemblés...

Entre autres questions, elle fut adjurée de dire depuis combien de temps elle avait des accointances avec le démon, et si elle avait signé un pacte avec lui. Marie secoua la tête sans répondre. Cela dura longtemps. Puis deux hallebardiers l'obligèrent à s'agenouiller, et l'un des hommes se mit à lire sur un parchemin.

Et c'était le tribunal de l'Official !... Et ce que lisait cet homme, c'était sa condamnation à être brûlée vive en place de Grève et à subir la question jusqu'à ce qu'elle eût expliqué la nature de ses relations avec les puissances infernales. Après quoi, elle fut ramenée dans son cachot.

Des jours encore s'écoulent. Et des mois se sont passés depuis la nuit où Renaud est parti pour Montpellier.

Ce fut dans une des minutes où, à pas vacillants, elle parcourait son cachot, que la porte s'ouvrit : le geôlier livra passage à deux hommes, déposa son falot dans un coin et s'éloigna. Marie regarda ses visiteurs et reconnut aussitôt les deux princes.

François marcha sur Marie et lui prit la main. Henri, aussitôt, saisit l'autre main de la victime.

– Nous sommes ici deux frères, dit alors François, et nous nous haïssons parce que vous nous avez inspiré le même amour. C'est une chose étrange, Marie.

– Oui, fit Henri, une chose étrange et qui suffit pour démontrer vos relations avec les puissances infernales. C'est pourquoi le roi veut que vous soyez questionnée...

– Et la question, reprit François, c'est la torture...

– La torture ! frissonna l'infortunée.

Henri et François haletaient. Mais leurs physionomies gardaient l'entêtement de la passion à son paroxysme.

– Marie, reprit François, nous vous arracherons à la torture, au bûcher. Si vous le voulez, vous allez sortir d'ici.

– Pour changer votre misère en splendeur, gronda Henri, vous n'avez qu'un mot à dire. Puis, l'un de nous se présentera seul avec vous. Car nous avons décidé de nous en rapporter aux armes, et le vainqueur seul aura le droit d'assurer votre bonheur.

– Répondez, Marie, grinça François.

V

Geôlier et geôlière

Un cri, à cet instant, emplit le cachot. Les deux frères eurent un recul. Qui criait ainsi ? Marie ! Allait-elle céder ?

– Il faut l'achever ! murmura rapidement Henri.

– Qu'on la conduise à la chambre de torture, cria François.

Un cri, encore, éclata sur les lèvres de Marie. Puis elle se tut. La porte du cachot s'était ouverte. Marie vit quatre hommes qui attendaient. Son instinct la prévint que c'étaient là le bourreau et ses trois aides ; elle tomba à genoux.

– Elle va céder ! murmura Henri dans un souffle.

– Elle est à nous ! gronda François.

Le bourreau s'avança. Les aides le suivirent... Ils se penchèrent sur la jeune femme agenouillée... À ce moment, elle se tordit sur le sol en jetant trois ou quatre appels déchirants.

Presque aussitôt, elle se tut. Ce fut, dans ces profondeurs d'enfer, un silence effrayant... Et tout à coup, dans ce silence, une voix faible, vacillante... le premier cri de l'être qui naît. Le vagissement de l'enfant !...

Du fils de Nostradamus !...

François et Henri, livides, les cheveux hérissés, reculèrent.

– La sorcière a enfanté ! gronda le bourreau. Faut-il tout de même la conduire à la chambre de question ?

– Laissez-la ! Laissez-la ! bégayèrent ensemble François et Henri en claquant des dents.

Et tous deux s'enfuirent, les mains aux oreilles, pour ne pas entendre les vagissements de l'enfant qui appelait la vie !... Le bourreau s'en alla, suivi de ses aides.

Alors le geôlier entra dans le cachot, promena son falot sur ce pauvre tas de chairs. Cet homme pâlit. Un long moment, il demeura pensif, tout frissonnant. Et tout à coup une larme jaillit de ses yeux qui n'avaient jamais pleuré. Il se releva, sortit en courant.

Cinq minutes plus tard, il redescendit, accompagné d'une femme jeune encore, de figure commune. C'était sa femme. Les vagissements de l'enfant devenaient plus faibles ; le visage de la mère était d'une pâleur de cadavre.

– Gilles, si je la soigne, peut-être que je serai damnée ?

– Ça se peut, la Margotte. Et peut-être serai-je chassé.

– Ça se peut aussi. Mais ce pauvre petiot qui veut vivre !...

– Et cette malheureuse qui ne veut pas mourir !

La Margotte fit un signe de croix et se mit à soigner la mère et l'enfant !... L'enfant criait. La mère était muette. Quand ce fut fini, le geôlier jura et dit :

– Nous serons damnés, et chassés par-dessus le marché !

La Margotte tenait le petit dans ses bras. Elle dit :

– Cours chercher du lait !...

Dans ce moment, Marie entrouvrit les yeux. Son premier regard tomba tout droit sur l'enfant. Doucement, elle tendit les bras. La Margotte, d'un geste aussi doux, lui remit l'enfant, le tout petit que d'une étreinte farouche et passionnée, elle serra sur son sein maternel... Quand Gilles redescendit, il vit la geôlière qui pleurait à chaudes larmes, et la prisonnière, qui, extasiée, souriait !...

Quatrième chapitre
Le bravo

I

L'enfant grandit

Du temps s'écoula encore. Deux ou trois mois. Au fond du cachot du Temple, le fils de Nostradamus grandissait. Il avait été sursis à l'exécution du jugement. Sans aucun doute, cet enfant était issu des relations que la prisonnière avait dû avoir avec le Damné, mais il n'en portait aucun signe visible. Les juges avaient résolu d'attendre.

Dans cette période, Henri, deuxième fils du roi, descendit parfois dans le cachot. Il y restait quelques minutes, considérant Marie avec attention et semblant constater les progrès que l'amour maternel faisait dans le cœur de la prisonnière. Puis son regard, avec une étrange expression, se reportait sur l'enfant.

Le prince aimait Marie comme il ne l'avait jamais aimée. Il haïssait de toute son âme ulcérée ce fils, preuve de l'amour qu'elle avait éprouvé pour un autre. Le comte d'Albon de Saint-André et le baron de Roncherolles, étaient devenus ses favoris. Ils s'étaient rendus un jour à Saint-Germain-l'Auxerrois pour s'emparer du registre sur lequel Renaud avait apposé sa signature : son vrai nom... Prêtre et registre avaient disparu.

Qu'était devenu Renaud ? Ils l'ignoraient. Roncherolles poussa même jusqu'à Montpellier, mais n'y eut aucune nouvelle. Il finit par supposer que Renaud avait dû être assassiné en route par quelque bandit.

Quant à François, jamais il ne redescendit dans le cachot. Un profond changement se fit dans les habitudes du dauphin de France. Adonné jusque-là aux plaisirs comme son père, comme son frère, il se mit à s'occuper avec activité des affaires de l'État et devint le chef de ce parti militaire qui poussait le roi contre Charles-Quint. Le moment était d'autant mieux choisi que, selon tous les rapports, l'empereur se préparait à envahir la Provence.

L'expédition arrêtée quelques mois auparavant fut activée. Henri et François furent chargés de préparer une concentration de troupes entre Valence et Avignon. De là, sous la direction du connétable de Montmorency, ils s'élanceraient pour couvrir la Provence d'une digue infranchissable. Le roi prendrait le commandement en chef de l'opération.

François avait-il réellement renoncé à Marie ? Le remords, la pitié, enfin, étaient-ils descendus dans son cœur ?

Un jour, Marie, au fond de son cachot, s'amusait à lutiner le petit. Elle lui parlait. La Margotte était près d'elle. Elle avait pris cette habitude de descendre tous les jours une heure ou deux, et elle n'avait plus peur de la sorcière – ni d'être damnée.

Marie ne pensait pas à Renaud : il était sa pensée. Il vivait en elle, il faisait partie de son existence ; elle ne pensait pas plus à Renaud qu'on ne pense à respirer, et pourtant on respire. Ne plus avoir Renaud dans sa pensée, vivant et présent, c'eût été la mort pour Marie. Seulement, de moins en moins, elle se préoccupait de son *absence matérielle*. L'enfant qu'elle avait nommé Renaud devenait le monde où se concentrait tout ce qu'il y avait de vivant en elle. Elle se sentait éperdue de bonheur à le sentir contre elle, à le toucher.

– Il me griffe, dit-elle en riant, il sera fort.

– Et beau ! dit la Margotte. Est-ce que vous le voyez bien ?

– Je puis fermer les yeux, je le vois tout de même.

Elles causaient ainsi, dans les ténèbres, l'enfant entre elles deux sur de la paille fraîche, accroupies. Et cela se passait à trente pieds sous terre. Un coup de sifflet retentit au loin. La Margotte se leva précipitamment.

– Voilà Gilles qui me prévient ! dit-elle.

II

Une idée princière

La Margotte se sauva. Marie prit l'enfant dans ses bras, et se rencoigna dans son angle. Une lumière jaunâtre éclaira le réduit. Henri parut et prononça :

– Vous êtes libre...

Marie tressaillit. Libre !... La lumière, l'air pour son fils !...

– J'ai obtenu votre grâce. Franchissez cette porte, montez cet escalier, et vous voici dehors, sur la route.

– Monseigneur, comment ai-je fait pour vous maudire, vous qui deviez rendre la lumière à mon enfant ?...

De ses mains tremblantes, elle enveloppait l'enfant dans ses langes ; elle pleurait et elle riait ; enfin prête, elle se dirigea vers la porte. Alors, Henri l'arrêta d'un geste et ajouta :

– Je ne vous ai pas dit : votre mari vous attend là-haut.

Un cri atroce. Marie s'est abattue sur ses genoux en râlant :

– Renaud !

– Oui, Renaud ! répéta Henri, les yeux fixés sur elle.

Marie fit un effort pour se lever, mais elle tomba à la renverse, foudroyée par la joie, en murmurant :

– Monseigneur, je vous bénis !...

L'évanouissement de Marie, provoqué par Henri, ne dura que quelques minutes. Son premier geste fut pour serrer son enfant. Elle songeait : « Pourvu que je ne lui aie pas fait mal en tombant... » Elle demeura hagarde, ne comprenant pas... Son bras avait serré à vide. L'enfant n'y était pas ! D'un bond, elle fut debout et sa main s'incrusta au bras d'Henri.

– Mon enfant ! gronda-t-elle.

Henri, d'une voix froide, répéta :

– J'ai dit que vous êtes libre.

– Libre ?... Rendez-moi mon enfant, que je m'en aille !...

– Brabant ! cria Henri.

Un homme apparut. Figure taillée à coups de hache, attitude de bravo, prêt à tout faire pour qui le paye.

– Qu'est-ce que me fait Brabant ? dit Marie. C'est mon enfant que je veux. Monseigneur, vous avez dit que je suis libre. Est-ce qu'un fils de roi peut mentir ?

– Vous êtes libre, dit Henri. Brabant, où est l'enfant ?...

– En sûreté, mon prince !

Marie eut un mouvement sauvage pour s'élancer sur le bravo. Henri la jeta dans le fond du cachot. Elle s'effondra.

– Grâce, monseigneur ! Tenez, je reste ici. Je ne verrai plus mon mari. Mais rendez-moi mon enfant... je vous assure...

– Brabant, interrompit Henri, je t'ai donné un ordre. Répète un peu, pour voir si tu as compris.

– Rude commission, mon prince ! fit la voix rocailleuse du bravo. Mais j'ai promis. Et j'exécuterai ou j'y perdrai mon nom de Brabant-le-Brabançon. Voici donc. Il est neuf heures du soir. À minuit, vous devez venir me trouver en mon logis, et vous me direz : Rapporte l'enfant à sa mère ! Alors, je le porterai tout droit à sa mère, en l'endroit que vous me direz. Voilà...

– Mais si à minuit je ne suis pas venu en ton logis ?

– En ce cas, j'attendrai une heure. L'heure passée, comme il est avéré que la naissance de l'enfant est satanique, je jetterai un peu d'eau bénite sur sa tête, et j'irai le remettre au bourreau qui doit le retrancher de ce monde. Voilà !...

– C'est bon ! Va-t'en ! Et sur ta tête, veille à l'enfant !

Le bravo disparut. Marie râlait. Henri se pencha, la remit debout, et gronda :

– Je veux que tu sois à moi. Je t'attendrai rue de la Hache, au logis de Roncherolles, jusqu'à minuit. Entends-tu ?

– Logis Roncherolles, rue de la Hache, j'entends, dit-elle.

– Bon ! Si tu viens, je te rends ton fils. Si tu ne viens pas, le jugement sera exécuté. Maintenant, tu es libre !

Elle ne put ni parler ni pleurer. Elle tomba, pantelante. Il s'en alla...

III

Le tombeau de Marie

Dans le couloir, le prince vit Gilles le geôlier.

– Tu la suivras, dit-il. Et tu viendras me dire ce qu'elle aura fait. Ta tête me répond d'elle.

Pendant dix minutes, la mère demeura sans un soupir, sans une parole ; puis ce furent des cris espacés d'abord ; et, enfin, éclata l'horrible lamentation d'un être à qui l'on arrache les entrailles. Debout, elle se tordit les bras, s'arracha les cheveux. Elle appela son enfant. Elle appela Renaud à cris exorbitants. Enfin, elle vit la porte ouverte, et se rua. Sa clameur emplit l'escalier. Puis elle emplit les cours du Temple. On lui fit franchir le pont-levis. En hurlant, elle entra dans Paris. Il faisait nuit noire.

Peu à peu, cela s'apaisa. Son cœur continuait à rugir. Mais ses lèvres tuméfiées ne donnaient plus passage à aucun son. Vers minuit, elle se trouvait aux environs de la place de Grève. Elle était accroupie sous un auvent. Elle songeait : « Il faut qu'à minuit je sois rue de la Hache, au logis Roncherolles. Sinon, mon enfant sera tué par le bourreau. »

Et brusquement, comme minuit sonnait, elle ne se dit plus : Il faut que je sauve mon enfant. Elle se dit : *Il faut que je me donne !* Et elle se leva en gémissant.

Elle se mit en marche vers la rue de la Hache. Elle tremblait d'horreur. Elle voulut hâter les pas... une force mystérieuse la cloua sur place ; elle voulut jeter un cri d'horreur, et, dans cet instant, elle s'abattit : quelqu'un venait de surgir et de la frapper d'un coup de poignard.

Un homme qui l'avait suivie depuis sa sortie du Temple et qui venait d'assister à cette scène, s'approcha. Il la toucha au cœur.

– Morte ? grogna le geôlier Gilles. Non. Il vaudrait mieux qu'elle le fût ! Que faire ?... Obéir à la Margotte ?...

Marie, toute raide, était étendue au long du ruisseau qui coulait au milieu de la rue. Tout à coup, Gilles souleva la jeune femme, la jeta sur son épaule, et se mit à marcher jusqu'à un logis situé aux abords du Temple.

Là, il trouva la Margotte qui l'aida à déposer Marie sur un lit. Puis le geôlier et sa femme eurent un conciliabule. Le geôlier ensuite courut vers la rue de la Hache, où il arriva un peu avant une heure.

– Eh bien ? demanda fébrilement le fils du roi.

– Monseigneur, répondit le geôlier, cette femme est morte.

– Morte ! rugit Henri.

– Morte, oui, monseigneur. Que faut-il faire du cadavre ?...

Henri recula, les yeux exorbités. Puis il jeta un grand cri et tomba lourdement, la face contre le tapis.

– Misérable ! rugirent Roncherolles et Saint-André en se ruant sur le geôlier. Tu as tué monseigneur ! Va-t'en.

Le geôlier allait se retirer, quand le prince revint à lui.

– Avant de t'en aller, fit Roncherolles, explique-nous comment elle est morte, que nous puissions le dire à monseigneur.

– Elle a été tuée, dit Gilles.

– Tuée ! s'exclamèrent les deux gentilshommes.

– Tuée au moment où elle allait vers la rue de la Hache !

Henri poussa un gémissement. Mais Roncherolles et Saint-André ne l'entendirent pas. Gilles continua :

– Selon les ordres de monseigneur, j'étais à dix pas derrière elle. Cette femme, donc, allait entrer dans la rue de la Hache, lorsqu'un gentilhomme l'a frappée d'un coup de poignard au cœur, en disant : « Au moins, tu ne seras à personne !... »

– Et qui était ce gentilhomme ? demanda Roncherolles.

– Je l'ai reconnu à la lune. Mais j'aimerais mieux donner ma tête au bourreau que de révéler un pareil secret.

– C'était mon frère ! rugit Henri en lui-même.

– C'est bon, dit Roncherolles. Garde le cadavre chez toi. Demain, tu l'enterreras aux Innocents.

Quinze jours après eut lieu le départ du roi, de ses deux fils et de toute l'armée pour la Provence. Henri ne voulut pas aller voir le cadavre de Marie. Seulement, deux jours après les événements que nous venons de raconter, il alla trouver Gilles et se fit conduire jusqu'au cimetière des Innocents où il dit :

– Montre-moi la place où elle est enterrée.

Le geôlier le conduisit à un endroit où la terre était fraîchement remuée. Puis il se retira. Le fossoyeur du cimetière a raconté, par la suite, que le prince Henri était resté là jusqu'à la nuit noire, à sangloter et crier. Pendant les quelques jours qui précédèrent le départ, Henri fit faire, à l'endroit où le geôlier avait assuré qu'était enterrée Marie, une chapelle surmontée d'une croix. Sur la porte, par ses ordres, on avait gravé ces mots :

ICI REPOSE MARIE

PUISSE-T-ELLE, DU HAUT DES CIEUX,

PARDONNER À CEUX QUI L'ONT TUÉE.

Les vivants se chargent de la venger.

Henri s'enquit du fils de Marie. Quand il interrogea le Brabant, celui-ci lui répondit tranquillement :

– Le diablotin a été rejoindre son père, Satanas !

La nouvelle ne produisit qu'une médiocre impression sur l'esprit du prince. Marie était morte : peu importait que son enfant le fût également.

Lorsque l'armée, enfin, sortit de Paris, Henri, placé à son rang derrière son frère le dauphin, lui jeta un regard étrange. Et en lui-même, il murmura furieusement :

– Les vivants se chargent de la venger !...

Sa jeune femme, Catherine de Médicis, qui chevauchait près de lui, surprit ce regard de haine mortelle... Son charmant visage, un instant, s'éclaira d'un livide sourire.

– Oh ! gronda-t-elle en elle-même, est-ce que je tiendrais le moyen de faire de mon époux le dauphin de France ! C'est-à-dire le successeur de François Ier et ma royauté assurée !...

IV

Brabant-le-Brabançon

C'était donc un de ces hommes de sac et de corde qui se vendaient, corps et âme, au plus offrant et dernier enchérisseur. Il avait fait les dernières campagnes de François Ier, où il avait reçu et rendu force horions. Il s'était attaché à la fortune du prince Henri, qu'il méprisait *in petto,* mais qui payait ses services sans marchander.

Voilà l'homme qui avait accepté la mission de remettre l'enfant de Marie au bourreau chargé de l'exécuter.

Au moment où, dans le cachot du Temple, Marie tomba sans connaissance, Henri remit l'enfant au bravo. On a vu quels furent ses ordres. Brabant sortit du Temple et emporta l'enfant jusqu'en son logis situé rue Calandre – sorte de galetas misérablement meublé, mais orné d'une collection de poignards, épées, rapières, estramaçons, lances, dagues, sans compter deux ou trois arquebuses. L'enfant criait, Brabant le déposa sur sa paillasse en grognant :

– Là, rejeton de Satan, la paix ! Quel gosier, quels cris ! Taisez-vous, ou je prends de l'eau bénite !

Cette menace n'ayant produit aucun effet, Brabant esquissa trois signes de croix, persuadé que l'enfant allait tomber en pâmoison.

Mais l'entêté n'en cria que de plus belle : il avait faim.

– Ouais ! fit le brave. Je le gratifie de trois signes de croix et il ne se tait pas. Si je savais quelque prière, je la dirais...

Là-dessus, il se mit à se promener furieusement à travers le galetas, mâchonnant force jurons et se bouchant les oreilles. Puis, il saisit dans ses bras le diablotin. L'enfant ne criait presque plus, il râlait ; lorsque le reître l'empoigna, le pauvre petit se tut soudain et avança ses lèvres avec le mouvement de téter. Alors, voyant cela, le bravo tomba dans une profonde rêverie. Le spadassin habitué aux mauvais coups sentit il ne savait quoi de très doux le pénétrer : c'était de la pitié. Il ne le savait pas.

L'enfant, tout à coup, s'endormit ; et, malgré cela, comme il arrive, ses yeux fermés continuaient de pleurer. Le bravo ne bougeait pas. L'homme de guerre drapé dans son manteau avec une immense rapière dans les jambes regardait dormir dans ses bras l'enfant qui pleurait. Enfin, il le déposa de nouveau sur sa paillasse. Puis il se recula en hochant la tête et en fourrageant des doigts sa tignasse brune, où des mèches commençaient à grisonner.

Il gagna la porte, descendit dans la rue, et entra chez une marchande de lait, pour la première fois de sa vie, Brabant-le-Brabançon acheta du lait. Il remonta à son taudis, lava son gobelet d'étain, et le remplit de lait. Et il s'approcha du petit, souleva sa tête...

Quand le fils de Marie fut rassasié, il étendit les mains, et se mit à tirer sur les moustaches du reître. Brabant-le-Brabançon se laissait faire... et tout à coup l'enfant se rendormit d'un sommeil apaisé.

Une sorte de mugissement sonore, soudain, dans la nuit ; le bronze de Notre-Dame.

– Une heure du matin !... gronda le bravo.

L'heure où il devait remplir sa mission, puisque le prince Henri n'était pas venu lui dire de rendre l'enfant à sa mère.

– Tant pis ! grogna-t-il. S'il vient et qu'il me dise d'aller chez le bourreau, je l'éventre, tout prince qu'il est !...

Le jour où eut lieu le départ pour la Provence, Henri, parmi les gens de sa suite, ne trouva pas le bravo ; Brabant-le-Brabançon avait disparu.

Cinquième chapitre
Le guérisseur

I

Le miracle de la paralytique

Renaud s'était élancé hors Paris en tempête. Le cœur étreint par une de ces puissantes angoisses qui tuent un homme en quelques heures. Renaud galopait furieusement. Toute sa puissance de volonté, il l'appliqua à essayer d'oublier la scène de Saint-Germain-l'Auxerrois. Il se disait :

– Puisque je serai de retour dans vingt jours, alors, je reprendrai l'entretien commencé à l'église ; je veux ne penser qu'à aller vite...

Cet homme pouvait-il donc se dédoubler ? Pouvait-il donc se commander à soi-même de penser ou de ne pas penser ? Oui, il avait ce pouvoir surhumain !

Le lendemain soir de son départ, son cheval tomba mort à l'entrée d'un village. Renaud était en selle depuis dix-huit heures. Il se coucha dans une grange et dormit trois heures.

Quelques paysans faisaient cercle autour de lui. Renaud sortit sa bourse et dit : « Un bon cheval ! » On lui en amena quatre ; il choisit le meilleur et partit à fond de train. Il ne s'arrêta que lorsque ce nouveau cheval s'abattit à son tour.

L'après-midi du cinquième jour, il arriva à Tournon, sur le bord du Rhône.

Arrivé là, il éprouva une sorte de lassitude mortelle, non pas du corps, mais de l'esprit.

– Voyons, se dit-il, si je ne triomphe pas de ce malaise, je vais mourir dans une heure et mon père mourra, et...

Il sentit que sa pensée, fatalement, revenait à Marie... Renaud descendit de cheval et s'arrêta à la porte d'une auberge sans voir la servante qui lui apportait du vin. Il s'accouda à la table. Sa main, sous son pourpoint entrouvert, incrustait ses ongles dans la poitrine à l'endroit du cœur. C'était atroce. Ces ongles fouillaient cette poitrine, et le sang coulait. Ce qui se passait dans cette âme était hors de toute humanité.

Il y avait en lui une ruée effroyable de pensées qui s'exterminaient l'une l'autre. Ce fut une heure d'angoisse hors du réel. Et dans ce chaos vertigineux de pensées qui tourbillonnaient, une image souriait, victorieuse de la volonté de Renaud... l'image de Marie !... Et il hurlait :

– Je l'aime ! ô Marie ! ô bien-aimé ! Je t'aime, je t'adore ! Nous mourrons ensemble, *puisqu'il faut que je te tue !*...

Alors comme il venait de prendre cette résolution, le calme descendit sur son âme saignante.

À ce moment, la porte d'une chapelle, devant lui, s'ouvrit, et il en sortit deux paysans portant une chaise sur laquelle était assise une fille d'une quinzaine d'années, jolie, pâle, les cheveux dénoués. Près d'elle, attentive aux moindres cahots, une vieille, la figure ravagée de larmes, suppliait qu'on marchât doucement... c'était la mère. Les yeux de Renaud se fixèrent sur ce spectacle, il murmura :

– Douleur, Douleur, tu domines le monde !

Il se leva tout d'une pièce et balbutia :

– Si je jetais ici en passant un flot de joie pure ? Est-ce que cela ne *conjurerait* pas la Douleur ? Essayons !...

Il demanda à l'aubergiste :

– Cette jeune fille est paralytique, n'est-ce pas ?

– Oui, répondit l'aubergiste. Monseigneur de Tournon a dit de la conduire à la chapelle de la Vierge et que cela la guérirait.

– Monseigneur de Tournon ?...

– Oui, le cardinal de Tournon, archevêque d'Embrun, celui-là qui vient d'être nommé lieutenant général de M. le connétable de Montmorency, et dont vous voyez là le palais, au bout de la rue. Eh bien, Huberte a été conduite à la chapelle, et, comme vous voyez, la Vierge n'a pas voulu la guérir...

– Et il y a deux ans qu'elle est paralytique ? dit Renaud.

– Oui, monsieur, deux ans juste. Comment le savez-vous ?

Renaud ne répondit pas. Il s'avança vers la chaise que les

porteurs venaient d'arrêter. Une cinquantaine de paysans et de bourgeois de Tournon entouraient la chaise ; quelques gardes du château du cardinal s'étaient approchés ; dans cette foule, se tenait maître Pézenac, chef de la police royale de Tournon donnant des explications à un moine qui venait de sortir du palais cardinal. Ce moine était grand, mince, la figure pâle, ascétique, l'attitude noble, révélant l'élégant cavalier qu'il avait dû être jadis...

La mère de la paralytique s'agenouilla. Les femmes présentes et la plupart des hommes l'imitèrent ; sans doute, la pauvre vieille voulait faire une dernière tentative pour obtenir la guérison de sa fille.

La petite Huberte, jolie, gaie, rieuse, espiègle, avait été l'adoration de la ville. Tout à coup, un jour, *après avoir rendu visite à une paralytique* qu'elle avait réconfortée de son mieux, Huberte fut prise d'étranges malaises ; elle alla revoir souvent la paralytique. Après chacune de ces visites, les malaises s'accentuaient.

Un matin, elle essaya vainement de se lever ; les jambes refusaient de la porter. Au bout de quelques jours, Huberte était paralytique, et ses yeux seuls conservaient la vie. Voilà ce que maître Pézenac expliquait au moine.

Dans le silence, la voix sanglotante de la mère s'éleva :

– Madame la Vierge, c'est monseigneur de Tournon qui nous a envoyées à vous, ainsi que je vous le disais tout à l'heure. Vous n'avez qu'un signe à faire et ma petite Huberte marchera ; ô bonne Vierge, vous qui êtes si puissante, sauvez mon enfant !

– Sauvez-la ! cria la foule. Sauvez Huberte !

La petite paralytique fixait ses grands yeux bleus sur la statue de la Vierge qu'on apercevait au fond de la chapelle et il y avait une telle supplication dans ces jolis yeux que le sombre moine qui regardait cette scène, en frissonnait lui-même. Et pourtant, tout indiquait que cet homme devait avoir un de ces cœurs qui ne s'émeuvent pas facilement.

Il y eut un long murmure de prières ; puis, de nouveau, le silence ; tous les regards se tournaient vers la paralytique ; elle demeura immobile !... Longtemps, la mère demeura agenouillée, et enfin, tristement, elle se releva. Les porteurs saisirent la chaise. C'était fini : la petite Huberte, à tout jamais, serait paralytique.

À ce moment, cet étranger que tout le monde avait pu voir devant l'auberge, ce voyageur tout couvert de poussière s'approcha et dit aux porteurs :

– Déposez cette chaise.

Les porteurs obéirent. La foule se rapprocha. Tous les yeux se fixèrent sur le voyageur, dont la figure, à cet instant, dégageait un vif rayonnement. Renaud se pencha sur la petite Huberte et lui prit la main en lui disant :

– Mon enfant, regardez-moi...

La paralytique obéit, et peu à peu, sur le visage pâli de l'infirme, s'étendit une expression de confiance infinie... Et alors une voix s'éleva, une voix douce, impérieuse. Et Renaud disait :

– Lève-toi et marche !...

L'instant d'après, une rumeur, puis des cris ; car, dans ce moment, tandis que la vieille mère s'abattait sur ses genoux et saisissait la main de Renaud qu'elle couvrait de baisers ; tandis que la foule criait : « Noël ! Noël ! » ; tous virent cette chose fabuleuse, impossible.

La petite Huberte s'était levée !... Elle marchait !... Elle obligeait sa mère à se relever !... Elle lui parlait, elle souriait à tous, et une acclamation d'admiration éperdue s'élevait.

II

Ignace de Loyola

Le moine avait pâli. Rapidement, il glissa quelques mots à l'oreille de maître Pézenac. Le chef de la police royale de Tournon fit un signe aux gardes. Au moment où Renaud, s'arrachant à l'enthousiasme de la foule, regagnait l'auberge, il fut empoigné, soulevé, emporté par une douzaine de robustes gaillards. Un bruit parmi la foule qui fuyait de toutes parts :

– C'est un démon ou un sorcier qui a fait un pacte...

Dix minutes après, Renaud se vit enfermé dans une salle basse du château de Mgr de Tournon ; on enchaîna ses chevilles à deux gros anneaux. Alors, le moine entra dans le cachot, et, tout le monde sortit, même maître Pézenac. Le moine fit le signe de croix, puis il dit :

– Jeune homme, si vous voulez être franc et m'expliquer le genre de sortilège que vous avez employé, je vous promets d'employer en votre faveur tout mon crédit, et il est grand.

Renaud étudiait l'homme qui était devant lui. Tout le problème de sa vie, en cette minute, tenait dans ces mots : sortir de cette prison, non pas demain, non pas ce soir, mais tout de suite.

– Messire, dit-il, voulez-vous me faire la grâce de me dire qui vous êtes ?

– J'y consens, dit le moine. Je suis un Loyola, Loyola tout court, et si je pouvais trouver une dénomination plus humble, je la prendrais. Mais j'ai été autrefois gentilhomme, et on m'appelait le sire de Loyola.

– J'ai entendu parler d'Ignace de Loyola, dit Renaud. Je bénis le ciel d'avoir affaire à vous plutôt qu'à quelque moine ignorant. Maintenant, je vous prie, de quelle manière s'exercerait votre crédit en ma faveur ?

Il parlait avec calme. Loyola songea : « Seul l'enfer peut donner une force pareille, car moi je ne l'ai jamais obtenue du ciel. »

– Si vous voulez être franc, dit-il, je parlerai pour vous au roi, je vous éviterai le bûcher, la torture, j'obtiendrai que vous soyez seulement décapité ou pendu.

– Rendre la vie à une pauvre enfant, le bonheur à une vieille mère, la joie à une foule, est-ce mal ? demanda Renaud.

– Non, si ce bonheur vient du ciel. Oui, s'il vient de l'enfer. Dites-moi le maléfice que vous avez employé pour faire un miracle.

– Messire, il n'y a pas eu miracle : cette jeune fille n'était pas paralytique. Au premier coup d'œil, j'ai reconnu en elle une nature dominée par l'imagination, et capable d'imiter une maladie. Je n'ai eu qu'à lui inspirer assez de confiance en soi-même et en moi ; et lorsque je lui ai commandé de marcher, les liens factices qui l'enchaînaient, se sont rompus d'eux-mêmes.

Il semblait paisible. Loyola hocha la tête.

– Vous ne pensez pas, dit-il, que je tiendrai pour vraie une seule des impostures de votre réponse ?... Ainsi donc, vous refusez de me dire le sortilège que vous avez dû employer ?...

Renaud, dans la question du moine, dans son attitude, lisait la foi forcenée de cet homme, la foi qui lui bandait les yeux de l'intelligence. Ce fut horrible. Une lueur, tout à coup, le pénétra :

– L'intelligence de cet homme est inaccessible ; peut-être trouverais-je le chemin de son cœur ?

Il se mit à genoux. Son pied droit fut tordu par l'anneau de fer ; ce fut une souffrance qu'il ne sentit pas. Sa figure était décomposée. Il parla. Et sa voix contenait une telle intensité de douleur que Loyola gronda :

– L'enfer cherche à me prendre par le cœur après avoir tenté de me prendre par l'esprit.

– Messire, disait Renaud. J'ai un père, un pauvre vieillard qui n'a plus que moi au monde. Un danger mortel le menace. Avez-vous un père ? Supposez qu'il vous suffise de lever la main pour sauver votre père d'une mort horrible. Laissez-moi libre pour huit jours, et sur Dieu, je vous jure de revenir ici dès que j'aurai sauvé mon père...

– Montrez-moi le pacte que vous avez signé avec Satan et qui vous permet de faire marcher les paralytiques.

Renaud se tordit les mains. Il râla :

– Messire. J'ai une femme, une jeune femme. Avez-vous jamais aimé ? Soyez plus que Dieu, soyez homme !

Loyola, quand il vit cet homme jeune, robuste, se rouler sur les dalles, essayer de ramper vers lui, quand il entendit cette voix brisée de sanglots, Loyola pleura !... Mais Loyola se signa et franchit la porte en murmurant :

– Ruse de Satan, c'est en vain que tu donnes l'assaut à ma faiblesse humaine !

Et comme il s'éloignait du fond du cachot dont on refermait la porte, il entendit venir jusqu'à lui, cette imprécation :

– Maudit ! Je vivrai pour te faire souffrir ce que je souffre !...

III

Le premier pas de Catherine de Médicis

Anne de Montmorency précipita sa marche à travers la France ; son plan initial était d'attaquer Charles-Quint sur les Alpes. Aidé de son lieutenant général, le cardinal de Tournon, il choisit une troupe de cavalerie et d'infanterie légère et se porta en avant avec la rapidité de la foudre. François Ier demeura avec le gros de l'armée et l'artillerie.

Enfin, une arrière-garde était commandée par François. Il avait sous ses ordres son frère Henri d'Orléans. Quant au troisième fils du roi, Charles, il était resté à Paris.

L'arrière-garde était entrée à Vienne dans les premiers jours d'août. Elle comprenait de nombreuses dames de la cour, et, parmi elles, Catherine de Médicis, la toute jeune femme d'Henri. Diane de Poitiers, qui exerçait sur le prince une grande influence, n'avait pas voulu quitter Paris. Catherine régnait donc sur cette sorte de cour guerrière.

La ville de Vienne, en Dauphiné, offrit à François *(dauphin viennois)* des fêtes magnifiques. Mais François demeura sombre. Un soir, après un dîner, auquel assistèrent les deux princes, les dames d'honneur et les gentilshommes de la maison, Catherine jeta un profond regard sur Henri, qui pâlit ; puis ce regard rejaillit sur François, qui écoutait sans mot dire.

– Monseigneur, fit Catherine, je sais une recette de vins mélangés qui rendrait gaieté et oubli au plus malheureux.

– L'oubli ! murmura sourdement François.

– Oui, mon cher Seigneur, l'oubli !... Adieu tristesse, et vive la joie, dès qu'on a bu de mon mélange.

– Dites votre recette, madame, gronda François.

– Je la donnerai à votre gentilhomme des vins.

– Montecuculi ! appela le prince.

Montecuculi était dans la maison de François une sorte de majordome chargé des vivres et des vins. C'était un jeune homme d'une trentaine d'années qui entra dès qu'on l'eut appelé, et que Catherine n'eut aucunement l'air de connaître.

– Vous êtes, demanda-t-elle, le gentilhomme des caves de monseigneur le duc de Bretagne ?

– J'ai cet honneur, madame, répondit Montecuculi.

– Eh bien ! vous trouverez là de merveilleuses recettes.

Elle tendit à Montecuculi un mignon petit livre. Montecuculi, sur un regard de Catherine, sortit en titubant, mais nul ne remarqua cette émotion. Lorsque l'échanson fut hors de la salle, le regard qu'Henri jeta sur sa jeune femme était chargé d'épouvante. À ce moment, le dauphin se levait en disant :

– Messieurs, demain nous partons. J'ai hâte de rejoindre le roi et le connétable... dût un des boulets impériaux me fracasser la poitrine ou m'emporter la tête...

– Ce boulet serait le bienvenu ! ajouta-t-il plus bas.

Henri et Catherine, entendant ces mots, se regardèrent.

Montecuculi, une fois rentré dans sa chambre, ferma sa porte à triple tour, boucha la serrure, et, alors seulement, il ouvrit le petit livre que Catherine de Médicis lui avait remis... Il y avait un titre à ce livre. Et ce titre, c'était :

– *De l'usance des poisons.*

Alors l'épouvante fit irruption dans l'âme de Montecuculi. Il tourna autour de lui des yeux hagards, et, d'un geste fou, cacha le livre sous l'oreiller du lit...

Le lendemain matin, après avoir entendu la messe, les princes et leur cour franchirent le Rhône, et gagnèrent Tournon. Les gentilshommes occupèrent les maisons de noblesse ou de riche bourgeoise. Le dauphin et son frère Henri furent installés au palais du cardinal archevêque d'Embrun, par maître Pézenac.

On devait dès le lendemain, à la pointe du jour, se remettre en route. Le soir vint. On soupa en commun. Comme d'habitude, François demeura sombre et silencieux... Seulement, vers la fin du souper, il dit tout haut :

– Je ne sais ce qui me retient de monter à cheval et de m'en aller tout courant rejoindre M. le connétable.

Dans le même instant, il dit à son écuyer de bataille :

– Mon destrier, tout de suite !

Catherine pâlit. Debout, elle aussi, dès l'instant où le Dauphin s'était levé, elle se sentit chanceler. D'un flamboyant regard, elle jeta un ordre à son mari. Mais Henri détourna la tête. Une flamme de joie était montée au front de Montecuculi. Il n'y aurait pas d'empoisonnement ! François resterait dauphin de France ! Jamais une autre occasion ne se présenterait si belle, si facile !... Catherine sentit sa tête s'égarer. Elle s'avança vers François.

– Monseigneur, dit-elle, que dira le roi quand il saura que vous avez quitté le poste qui vous était assigné ?

– Le roi ! fit François, qui parut s'arracher à quelque rêve.

– Vous connaissez sa colère, lorsqu'il est désobéi...

– Vous avez raison ! Il faut qu'un roi soit obéi. Et moi qui serai roi, je dois donner l'exemple. Écuyer, rentre mon destrier à l'écurie ! Nous partirons demain !...

IV

Caïn

Catherine se courba en une profonde révérence. Le dauphin François s'en allait lentement vers l'appartement qui lui était assigné. Catherine et Henri passèrent dans leur chambre : Montecuculi s'y trouvait...

Montecuculi était livide, Henri, blafard, Catherine flamboyante. Catherine parla. Montecuculi figé, raidi, les yeux exorbités, demeurait immobile. Catherine disait :

– Voici une autre histoire ! Montecuculi qui était décidé, ne veut plus à cette heure ! Ou du moins, il ne veut plus si vous ne lui donnez pas un ordre précis. Parlez, Henri...

Henri poussa un soupir et secoua la tête avec violence.

– Quoi ! Vous ne voulez pas ?...

Henri, de nouveau, secoua la tête. Montecuculi respira. Catherine posa sur le bras d'Henri une main fine.

– Non ! gronda Henri.

– Non ? murmura Catherine. Vous ne voulez pas régner ? Vous serez donc toute la vie le vassal de votre frère. Quand il régnera, il saura parler en maître, et vous saurez obéir. On doit obéir aux rois. Le dauphin le disait tout à l'heure. Montecuculi, tout cela n'était qu'un jeu. Retirez-vous, mon brave, et surtout n'en dites mot à personne. Plus tard, quand son frère aura exilé ou fait égorger Henri pour se débarrasser de lui, alors vous pourrez dire qu'un soir d'été la fortune s'est montrée à Henri, qu'Henri n'avait qu'un mot à dire, et que ce mot, il ne l'a pas dit. Allez.

Montecuculi se dirigea vers la porte. Henri haletait.

– Lâche ! murmura Catherine.

– Restez ! gronda Henri.

– CAÏN ! tonna une voix.

Le prince eut un effrayant tressaut de tout son être. Il n'y avait dans la pièce que Catherine et Montecuculi. Et pourtant, une voix avait hurlé : Caïn ! Un être était là, invisible... Catherine n'avait pas remué. Montecuculi revenait vers le prince. Donc ils n'avaient pas entendu :

– Seul j'ai entendu, se raisonna Henri. Illusion, peut-être. Quoi ! François régnerait, et je serais son vassal ! Son jouet ! Son valet ! Qu'il meure donc, je...

– CAÏN ! cria la voix inconnue, mais cette fois estompée.

– Soit ! grinça Henri. Caïn ! c'est un titre !...

Il ajouta tout haut, en claquant des dents :

– Vous avez lu le livre qui vous a été remis hier ?

– Oui... à la page marquée d'une croix rouge...

– Vous avez composé... la... boisson ?

– Oui, monseigneur !...

– Vous êtes décidé à la faire boire... à qui vous savez ?

– Oui, monseigneur, aux conditions promises.

– Je les connais : si vous êtes accusé, je vous couvrirai. Vous serez plus tard échanson du roi. C'est cela ?

Montecuculi s'inclina. Il était à bout de forces. Catherine était impassible. Le visage d'Henri se décomposait à vue d'œil. Un instant, il parut prêter l'oreille. Qu'écoutait-il ?... Puis, il prononça ces mots :

– Eh bien, monsieur, agissez !...

– *Caïn !* répéta pour la troisième fois la voix – mais si faible, si lointaine que c'était le dernier souffle d'une agonie.

– Maintenant, dit Catherine d'un ton enjoué, vous pouvez vous endormir tranquille. Adieu, sire !...

Lorsqu'Henri redressa la tête, il vit que Catherine était sortie, mais il n'y prit pas garde. Il vit que Montecuculi était sorti. Il voulut lui crier de revenir. Mais sa langue se paralysa. Alors, la voix qui avait crié *Caïn* se fit entendre. Elle semblait revenir de très loin. Et plus elle approchait, plus elle devenait puissante. Enfin, elle gronda comme le tonnerre :

– Caïn ! CAÏN, CAÏN !...

Alors, d'autres voix vinrent se mêler à cette voix. Puis des cloches, des glas, des tocsins. Et ce fut une clameur d'enfer. Henri, en titubant, alla tomber en travers de son lit.

Montecuculi, à ce moment, pénétrait dans la chambre du dauphin François. Il portait un plateau sur lequel reposait une coupe de cristal. Le prince était assis, la tête dans la main. À l'entrée de Montecuculi, il releva la tête.

– Tu es le bienvenu, dit-il, je meurs de soif.

– C'est la fièvre, parvint à murmurer Montecuculi.

François saisit la coupe en disant :

– C'est la boisson que tu me donnes tous les soirs ?

– La même ! balbutia Montecuculi.

– Qu'as-tu donc ? Tu es pâle comme la mort.

Et François vida la coupe jusqu'à la dernière goutte.

– Excellent, dit-il en reposant le cristal dans le plateau. Envoie-moi mon valet de chambre. Je veux essayer de dormir.

Montecuculi sortit, emportant le plateau.

– Il va de travers, murmura François. Il est ivre. Où est le temps où moi aussi je m'enivrais joyeusement ? Mais comment oublier jamais cet infernal amour !... Tuée par moi, Marie est toujours vivante en mon cœur !... Oh ! comment oublier la nuit terrible où je la suivis pas à pas depuis sa sortie du Temple, et où je l'abattis à mes pieds !... Comment oublier surtout, que Marie a cédé à mon frère Henri dans le temps qu'elle me résistait !... Et qu'elle en a eu un fils !...

Ainsi, ce n'était pas le remords qui assombrissait le dauphin ! C'était la même fureur jalouse qu'autrefois ! L'enfant que Marie avait mis au monde dans son cachot, c'était le fils d'Henri ! Ce soupçon était né dans son esprit – et maintenant, le dauphin se mourait de haine et de jalousie.

V

Le sauveur

Le lendemain, vers sept heures du matin, les chevaux piaffaient sur la place de Tournon ; le cor appelait les retardataires. Cependant, le dauphin n'arrivait pas. Ni le prince Henri.

Tout à coup, un bruit se répandit et un silence consterné remplaçait les éclats de rire. Le dauphin était malade.

Quoi ? Quel mal ? On ne savait.

Une heure se passa. Puis deux. Puis on vit partir des courriers envoyés au roi par le prince Henri. Enfin, vers dix heures, apparut le prince Henri. Ce fut d'une voix brisée par les larmes, qu'il prononça :

– Mon bien-aimé frère, atteint d'un mal inconnu, mais que les médecins déclarent peu grave, m'a donné l'ordre de prendre le commandement et de continuer la route. Ainsi, nous allons partir – et que Dieu garde mon frère !...

Bientôt l'ordre de marche fut formé. Toute cette masse s'ébranla, disparut vers le Sud dans des nuages de poussière.

À six heures du matin, le valet de chambre du dauphin s'était approché de son lit, et il l'avait touché à l'épaule – car l'heure du départ approchait. François ouvrit les yeux, et sourit.

– Quoi ! murmura-t-il, déjà le jour !...

– Six heures, monseigneur, fit le valet tout joyeux. Monseigneur, vous n'avez fait qu'un somme. Je suis entré deux fois... jamais je ne vous ai vu dormir d'aussi bon cœur.

– Heureuse nuit ! dit le dauphin. Il me semble qu'elle a duré cinq minutes. Allons, habille-moi.

En même temps, François se souleva sur sa couche. Aussitôt, sa tête retomba pesamment sur l'oreiller.

Le dauphin crut à un étourdissement passager. Une deuxième tentative brisa ses forces. Il murmura :

– Je suis mal... bien mal...

– Au secours ! cria le valet en s'élançant hors de la chambre. Monseigneur le dauphin se trouve mal !...

Dix minutes plus tard, le médecin du dauphin entrait et l'examinait. Puis le médecin du prince Henri arrivait. Les deux personnages échangèrent d'abondantes paroles, desquelles il résultait que Monseigneur était pris d'un mal qu'on ne connaissait pas, mais qui devait être bénin. En effet, tant que François demeurait étendu, il n'éprouvait aucun symptôme, mais lorsqu'il essayait de se soulever, la tête lui tournait. Les deux médecins conclurent que le malade devait rester couché jusqu'au lendemain sans s'inquiéter.

Le dauphin approuva et donna l'ordre qu'on lui amenât son frère. Il fallut, par trois fois, aller le chercher. Les gens de l'antichambre le virent enfin passer, le visage pâle, les mains tremblantes.

Depuis la terrible nuit où Marie avait été prise de l'enfantement, les deux princes ne se voyaient qu'à peine. En voyant entrer son frère, François l'étudia d'un long et profond regard.

– M'aimerait-il vraiment, songea-t-il, et serais-je le maudit à qui seul est réservée la hideuse faculté de haïr ?...

Il fit un effort pour sourire, mais il n'y parvint pas. À cette minute, il sentit que la haine, dans son âme, avait creusé de tels abîmes que jamais plus il ne pourrait les combler... Henri restait immobile, les yeux fixés sur la fenêtre. Il songeait que s'il laissait tomber son regard sur François, il allait se mettre à hurler :

– Caïn ! Je suis Caïn !...

– Monsieur, dit François, vous allez prendre le commandement et marcher au roi. Je ne veux pas que, pour un malaise, il y ait retard dans les opérations. Vous direz au roi que je rejoindrai demain ou après-demain au plus tard. Vous m'entendez ?

– Oui. Et si le roi me demande pourquoi j'ai laissé le dauphin malade au lieu de rester près de lui ?

– Vous répondrez que vous avez obéi à votre chef. Allez.

Henri s'éloigna. En arrivant dans sa chambre, il tomba assommé. Catherine, pendant deux heures, lutta contre l'évanouissement de son mari. Et, lorsqu'il revint à lui, il vit, penchée sur lui, Catherine qui lui disait :

– Êtes-vous donc lâche à ce point ! Debout, et face à la Destinée ! Ou c'est le bourreau qui va vous toucher à la tête !...

La journée se passa pour le malade sans incident grave. Il lui semblait, par moments, se trouver bien. Alors, il tentait de se soulever. Mais aussitôt sa tête retombait.

Brusquement, sur quatre heures de l'après-midi, une fièvre violente se déclara. D'atroces malaises survinrent, et le ventre gonfla comme une outre. Moins de dix minutes après, le dauphin entra en délire. Les deux médecins penchés sur lui se regardèrent avec épouvante ; sur son visage, ils venaient de lire la mort imminente du prince...

La crise dura quatre heures, pendant lesquelles toute la ville de Tournon entassée dans l'église ou aux abords fit monter au ciel la rumeur de ses supplications. À dix heures du soir, le dauphin recouvra les sens et la raison. Mais il poussa un cri déchirant :

– Je vais mourir !...

– Mon fils, mon cher Seigneur, dit près de lui une voix, daigne le souverain maître écarter cet immense malheur du roi et du royaume. Mais, si l'heure marquée par Dieu a sonné, ne pensez-vous pas à prendre des forces pour le grand voyage que va entreprendre votre âme ?

François se tourna vers l'homme et reconnut un prêtre.

– Je vais donc mourir ! répéta-t-il.

À ce moment, quelqu'un fit irruption et s'écria :

– Monseigneur, vous ne mourrez pas, si vous m'entendez !

– Qui êtes-vous ? demanda avidement le prince.

– Je me nomme Anselme Pézenac, officier de la police royale. Je sais un moyen de vous sauver...

– Ta fortune est faite, râla le prince. Parle. Hâte-toi.

Tous entourèrent, haletants, cet homme qui parlait de sauver le prince moribond. Maître Pézenac reprit :

– Monseigneur, ce que je vais dire peut être attesté par notre vénérable curé et par toute la ville. Il y a quelques mois, sur l'ordre de très saint et très Révérend Père Ignace de Loyola, de passage à

Tournon, j'ai arrêté un jeune homme qui est au cachot dans les souterrains de ce palais. Pourquoi le procès de cet étranger n'a-t-il pas été instruit ? Je l'ignore. Le très Révérend Loyola l'a-t-il oublié ? N'ayant reçu aucun ordre, je l'ai gardé au cachot. Voici pourquoi cet inconnu a été arrêté, monseigneur. Nous avions à Tournon la petite Huberte, la fille de la veuve Chassagne. Cette jeune fille était paralytique depuis deux ans. Mille personnes ont été témoins de ce que je vais dire : L'inconnu s'approcha de la paralytique et lui dit : « Lève-toi et marche ! » Aussitôt, Huberte se leva et marcha...

– J'atteste ! dit gravement le prêtre.

Le dauphin François écoutait ardemment. Les deux médecins souriaient d'un air goguenard. Pézenac reprit :

– Quinze jours plus tard, l'enfant de la Coubeyrous, âgé de quatre ans, fut pris de fièvre maligne. Le moment vint où il allait trépasser. La Coubeyrous vint me supplier de la laisser entrer dans le cachot de l'inconnu. J'y consentis. Le guérisseur examina l'enfant. Puis il sortit de son pourpoint une douzaine de petites boules blanches et ordonna à la Coubeyrous d'en faire avaler une d'heure en heure au petit moribond. Le lendemain, le petit allait mieux. Huit jours plus tard, il jouait sur la place...

– J'atteste ! répéta le prêtre.

Le prince, à demi soulevé, paraissait transfiguré.

– Dès lors, continua Pézenac, dès qu'il y eut par la ville un malade, un mourant, le cachot fut ouvert. Le sorcier guérissait. Car les uns l'appellent le sorcier. D'autres disent seulement le guérisseur... Monseigneur, voulez-vous voir cet homme ?

– Qu'on l'amène ! râla le prince. Vite ! je me meurs !...

Cinq minutes plus tard, les gentilshommes de l'antichambre s'écartaient avec épouvante devant celui qui venait : un jeune homme, aux yeux enfoncés sous l'orbite, d'où jaillissait un insoutenable éclat, aux joues creuses... Nostradamus entra !...

– Que tout le monde sorte ! dit Nostradamus.

Le prince, d'un regard terrible, ordonna qu'on obéît à celui qui apportait la vie !... La chambre, instantanément, se vida, et le prisonnier alla fermer la porte. La douleur d'âme et les souffrances de corps l'avaient aminci. Là où un autre eût maigri, lui s'était immatérialisé. Une flamme intense fusait de ses yeux, comme si la vie de tout son être se fût concentrée dans le regard en s'y décuplant.

Nostradamus marcha au lit sur lequel agonisait le dauphin, l'un des deux bourreaux de Marie de Croixmart !...

Nostradamus se pencha sur le mourant et l'examina longuement. François hochait la tête avec une infinie tristesse. Il s'abandonnait. Il n'était plus l'orgueilleux dauphin... il n'était plus qu'une pauvre loque d'humanité que le souffle glacé de la mort allait précipiter au néant.

Bientôt, sur le visage du guérisseur, s'effaça la curiosité du savant, et s'étendit une aube de pitié... De la pitié !...

Nostradamus... Renaud... cet homme oubliait à ce moment qu'il avait porté toute la douleur humaine... Nostradamus eut un sourire, prit dans sa main la main du moribond et murmura :

– Regardez-moi... Ayez confiance en moi...

– J'ai confiance, râla le dauphin.

Nostradamus se pencha davantage. Son sourire se fit plus bienveillant. Et il prononça ces étranges paroles :

– Cette nuit, du fond de mon cachot, j'ai crié à quelqu'un qu'il serait Caïn. J'arrive à temps. Rassurez-vous.

– Que je me rassure ? bégaya le prince, qui entendit ce seul mot.

– Oui, puisque je suis là, vous VIVREZ !...

Nostradamus présenta au prince une petite boule blanchâtre. François l'absorba avidement. Presque aussitôt, il sentit les forces lui revenir, il remonta du fond de la mort.

– Je suis sauvé ! murmura-t-il avec ferveur.

– Pas encore, dit Nostradamus avec un sourire. Je viens simplement de vous administrer un puissant extrait capable de faire reculer la mort pour quelques heures.

– Mais alors ! Au bout de ces quelques heures !...

– Eh bien ! je vous l'ai dit, vous vivrez. Car c'est plus de temps qu'il ne m'en faut pour préparer...

Le prince leva sur lui des yeux pleins d'angoisse et râla :

– Pour préparer ?...

– Il est juste que vous le sachiez : *pour préparer l'antidote !*

– L'ANTIDOTE ! rugit le dauphin. Oh ! Je suis donc...

– EMPOISONNÉ !...

Sixième chapitre
La marche au mystère

I

Marie est appelée

Le dauphin jeta un cri terrible. À cette clameur déchirante, la porte fut violemment ouverte, la chambre fut envahie.

– Dehors ! hurla François. Dehors, tous !

– Sauvé ! crièrent les gentilshommes. Noël ! Miracle !...

Devant cette explosion de joie sincère, François se prit à sourire. Les assistants faisaient cercle autour du guérisseur, qui écrivait rapidement. Nostradamus se leva. Le cercle reflua. On oubliait l'ordre du dauphin. On oubliait l'étiquette, le respect. Toutes les croyances sociales s'effondraient devant l'événement : le prince qu'on avait laissé agonisant était là, plein de vie !

– Messieurs, reprit le dauphin, retirez-vous. Et quoi que vous entendiez, gardez-vous d'entrer sans être appelés.

On obéit, non sans manifester encore une joie bruyante.

– Procurez-moi d'ici une heure au plus tard, dit Nostradamus à l'un des assistants, les objets, les herbes et les liquides dont la liste est sur ce papier. Allez, hâtez-vous.

Celui à qui il parlait était un seigneur de haut lignage, le jeune duc de Semblançay, capitaine des gardes du dauphin. Le duc prit en tremblant le papier.

– Il faut du feu dans la cheminée, dit alors Nostradamus.

Des valets, des gentilshommes se précipitèrent. Au bout d'un quart d'heure, tout ce qu'avait demandé le guérisseur était sur la table. Les deux médecins, plongés dans la stupeur, contemplaient avec vénération les herbes, les liquides, les ustensiles de cuisine étalés sur la table. Le prêtre priait pour l'âme du sorcier et suppliait le seigneur de l'arracher aux griffes du démon.

– Maintenant, dit Nostradamus, sortez tous.

On obéit. Celui qui commandait, ce n'était pas un roi. C'était un agent des mystérieuses puissances qui commandent aux rois. Nostradamus et le dauphin demeurèrent seuls...

– Répétez-moi que je vivrai... supplia François.

– Vous vivrez, dit Nostradamus, qui commençait activement ses manipulations.

– Et vous dites que j'ai été empoisonné ?

– Oui. *J'ai su, la nuit dernière, que quelqu'un allait être empoisonné, mais je n'ai pu savoir qui allait mourir...*

– Vous avez su !... balbutia François, frissonnant.

– Sans doute, reprit Nostradamus. *J'ai même essayé de détourner l'empoisonneur de son projet...* Je n'ai pas réussi.

– Mais vous étiez au cachot, m'a-t-on assuré !...

– Oui, enchaîné par les deux chevilles.

– Et pourtant vous avez essayé d'empêcher le crime !

Le dauphin sentit le froid de la peur se glisser jusqu'à ses moelles. Il était frappé de vertige. Mais il avait aussi une lancinante curiosité... Savoir ! À tout prix, dût-il en mourir, savoir ce qu'était cet homme ! Et surtout, savoir qui avait perpétré le crime !...

– Je vous conjure, bégaya-t-il, je vous adjure de me dire si vous êtes d'essence infernale ou céleste...

– Je suis d'essence humaine. J'ai pleuré et je pleure. N'est-ce pas à cela qu'on reconnaît les hommes ?...

Il continuait ses manipulations rapides. Longuement, François le considéra en silence. Il tremblait. Nostradamus lui dit :

– Allons, n'ayez pas peur.

La peur sortit de l'âme de François. Mais la curiosité lui vint, plus terrible, de savoir le nom de l'assassin.

– Vous dites, reprit-il, que j'ai été empoisonné ?

– À mon premier examen, j'ai reconnu le poison. Il est longuement décrit dans un livre très rare intitulé : *De l'usance des poisons.*

– Un livre ? fit le dauphin en tressaillant.

– Oui. Et ce poison ne pardonne jamais. Nous sommes peut-être dix en Europe à en connaître l'antidote. Mais il suffit que je sois un de ces dix. Vous serez sauvé.

– Et vous avez cette nuit connu l'empoisonneur ?

– Non. *J'ai été prévenu* que quelqu'un allait être empoisonné. Mais *maintenant* je sais le nom de l'empoisonneur...

– Vous le savez ? gronda le dauphin.

Nostradamus cessa son travail, s'approcha et dit :

– Je le sais. Et je sais aussi que vous voulez le savoir !

– Oui ! oh ! oui !... Sur mon âme, je le veux !

Nostradamus parut une minute rêveur. Il murmura :

– Oui. Il est *juste* que vous l'appreniez. Sachez donc que cette nuit j'ai jeté dans l'espace un cri d'avertissement à l'empoisonneur. Et je suis sûr qu'il m'a entendu. Or, sachez-le, je l'ai appelé Caïn...

– Caïn ! rugit François. Mais alors... ce serait donc...

– Je ne savais pas qui on voulait empoisonner. Je ne savais pas qui était l'empoisonneur. Mais je savais que l'assassin méritait le nom de Caïn... et je l'ai appelé Caïn.

– Caïn ! Caïn qui tua son... frère !...

– Vous l'avez dit ! fit Nostradamus avec simplicité.

Et il reprit son travail actif.

– Henri ! C'est mon frère qui m'a empoisonné !... Caïn...

Ils ne se dirent plus rien. Le temps s'écoulait. Onze coups tintèrent. Nostradamus s'approcha du dauphin. Il tenait une fiole dans laquelle s'agitait un liquide de couleur émeraude. François tendit la main.

– Non, fit doucement Nostradamus. Il est nécessaire que cette liqueur se concentre. Une heure est encore indispensable.

– À minuit donc ! dit le dauphin.

– Oui... À minuit, reprit Nostradamus. D'ici là, dormez.

Sous le regard de Nostradamus, le dauphin sentit un invincible sommeil s'emparer de lui. Il balbutia :

– Je dormirai donc... je m'abandonne à vous... ma volonté, devant la vôtre, s'efface, fuit, et s'évanouit...

Tout à coup, ses yeux se fermèrent. Alors Nostradamus laissa tomber sa tête dans ses mains. En lui, le savant s'effaça. Il n'y eut plus que la souffrance... Dans un souffle il appela :

– Marie...

Nous disons bien : *il appela.* Ses traits parurent se pétrifier. Sur son front ruissela la sueur d'un surhumain effort.

Pour un instant, franchissons l'espace. Nous sommes à Paris. Un pauvre logis, non loin du Temple. Un mauvais lit. Une torche de résine pour éclairer cette misère. Sur le lit, une jeune femme en proie à la fièvre... Un homme, un colosse, assis dans un coin. Une femme penchée sur le lit. L'homme, c'est le geôlier Gilles. La femme, c'est la Margotte.

Il est un peu plus de onze heures. La malade tout à coup, se soulève dans le lit. Elle semble écouter... *elle écoute !...*

Soudain, elle jette un cri déchirant. Les mains jointes, le regard fixe et vitreux, elle écoute !

Brusquement, elle se renverse. Elle a l'apparence d'un cadavre. La Margotte se tourne vers le geôlier.

– Morte ? demande le colosse.

– Non. Le cœur bat. Mais...

– Mais ?

La Margotte pâlit, tressaille et, d'une voix sourde, répond :

L'âme est encore partie...

Dans la chambre où dort le dauphin, Nostradamus, pétrifié, parlait en pensée. Et voici ce qu'il disait :

– Où es-tu ? Depuis des mois je te cherche sans te trouver. Ma pensée parcourt en vain les espaces. Tu me fuis donc ? Marie ! Ne sens-tu pas que l'amour a triomphé dans mon cœur ?...

Un frisson le fait palpiter. Alors, il reprend :

– Écoute, Marie ! La nuit où je t'ai pardonné, la nuit où, dans mon cachot, je t'ai crié mon amour et mon pardon, ma mère ne s'est pas présentée à moi pour me rappeler le serment ! Elle n'est pas venue me dire que je devais poursuivre de ma haine la fille de Croixmart !... Je l'ai compris, alors ! Marie de Croixmart, tu as innocemment porté ce nom maudit ! Marie, tu n'as été que l'inconscient instrument de la fatalité qui a frappé ma mère !... Marie, je te pardonne ! Marie, je t'aime ! Marie, je t'adjure ! En quelque lieu que tu sois, je veux que tu entendes la voix de ton époux ! Morte ou vivante, je veux que tu viennes !...

Morte ou vivante !...

Cet esprit audacieux descendait-il vraiment dans le vertigineux abîme du magnétisme animal ? C'est à la suite de ce récit que nous demanderons de répondre par des faits...

Le silence était tragique dans cette chambre. Seul, le balancier de l'horloge marquait la fuite du temps. L'heure fixée, lentement, s'écoula. L'aiguille, pareille à un serment fatidique s'approchait du chiffre XII... Minuit !

Dans ce même instant, le dauphin François se réveilla, se souleva d'un mouvement convulsif, puis retomba sur son oreiller en jetant une clameur déchirante.

Ce cri lugubre ramena Nostradamus des régions du rêve impossible dans le monde visible et tangible. Il semblait porter un monde de désespoir. Ses lèvres tremblèrent. Il murmura :

– Elle n'est pas venue !... Sommes-nous séparés ?...

Son cœur se serra d'angoisse. Il crut qu'il allait mourir. Pour la première fois depuis l'instant où il avait aimé Marie, le doute venait de pénétrer dans cette âme... Il râla, épouvanté :

– Elle ne m'entend pas ! Ce serait donc... que... peut-être... elle n'est plus à moi !... *qu'elle s'est donnée à un autre ?...*

Un nouveau cri du dauphin le ramena près du lit. Le savant reparut en lui. Il se pencha sur le prince qui gémissait sourdement et se débattait les yeux révulsés.

– Allons, murmura Nostradamus, sauvons encore cette créature, afin que les messagers invisibles me soient propices.

Il prit le flacon. Et dans ce moment, François hurla :

– Elle est là ! Elle vient d'entrer ! La voici ! À moi !

D'un bond, Nostradamus fut de nouveau près du lit.

– Elle est là ! râla le malade. Sauvez-moi d'elle !

– Délire ! fit Nostradamus prêt à vider le contenu du flacon dans la bouche de François. Délire ?... ou *Vision !*...

Il reboucha le flacon. Une pâleur livide s'étendit sur son visage. Il saisit la main de François et demanda :

– Qui est là ? Qui est entré ?

Et François, dans un souffle d'agonie, répondit :

– CELLE QUE VOUS AVEZ APPELÉE !...

II

La confession

Un soupir atroce gonfla la poitrine de Nostradamus. Mais il ne fit pas un geste. Seulement son regard ardent demeura rivé sur le dauphin. Marie était là ! Il en était sûr... Mais ce n'est pas lui qui la voyait, qui l'entendait !... Le doute se précisa :

– Elle m'a trahi !...

François se débattait violemment. Il se tordait sur sa couche. Des lambeaux de paroles s'échappaient de ses lèvres. Nostradamus attendait la fin de cette lutte monstrueuse. François râlait :

– Non ! Pas à lui ! Je ne veux pas ! Je ne dirai rien !...

Quelques minutes encore, l'effroyable bataille se poursuivit entre la conscience du dauphin de France et l'être invisible qui lui défendait de parler. Brusquement, il s'apaisa. Et il jeta autour de lui un regard étonné. Ce premier regard alla droit à l'horloge ; elle marquait minuit !...

– J'ai fait un rêve affreux, murmura le dauphin. Cette potion qui doit me sauver... il est temps... vous avez dit : à minuit.

Nostradamus hocha la tête et doucement prononça :

– N'obéirez-vous pas d'abord à celle qui vous a donné un ordre dans votre rêve ?

François frissonna. Mais ces paroles ne l'étonnèrent pas. Il s'affirma que Nostradamus avait été mêlé à son rêve, que ce rêve se poursuivait peut-être, et il répondit :

– Je vous dirai tout. Si je ne parlais pas, elle reviendrait ?

– Elle reviendrait sûrement, dit Nostradamus.

– Je vais donc vous raconter le crime, reprit François.

– Le crime ! Vous avez commis un crime, vous ? Contre qui ?...

– Contre Marie, prononça le dauphin.

Contre Marie ! Ces mots retentirent dans l'esprit de Nostradamus. Il chancela. Mais se raidissant :

– Eh bien ! fit-il avec calme, racontez-moi votre crime !

– Oui ! Je sens, je sais que c'est à vous que je dois le raconter ! Écoutez ! Nous l'aimions tous les deux, mon frère Henri et moi.

– Vous l'aimiez ! fit Nostradamus avec un cri terrible.

– Oui ! râla le Dauphin. Jusqu'à en mourir. Moi et mon frère ! Nous l'aimions jusqu'à nous haïr. Elle nous fut enfin livrée...

– Livrée ! pantela Nostradamus. Par qui ! Parle !...

– Par deux hommes qui étaient à nous. Gaëtan de Roncherolles et Jacques d'Albon de Saint-André !

Nostradamus leva au ciel son regard flamboyant !

– Ainsi, reprit-il, vous et votre frère vous aimiez Marie ? Et elle vous fut livrée par Jacques d'Albon de Saint-André et par Gaëtan de Roncherolles ? C'est bien ainsi, n'est-ce pas ?

– Oui ! Oh ! vous me faites peur... Oh ! j'ai peur comme dans mon rêve... je ne dirai plus rien !

– Calmez-vous, commanda Nostradamus, et poursuivez.

– Le contrepoison ! râla François. Je me sens mourir !...

– Nous avons le temps.

– Minuit ! bégaya François. Oui, nous avons le temps... Voici : comme elle nous résistait, nous la fîmes accuser de sorcellerie par Roncherolles et nous la mîmes au Temple.

Nostradamus ne bougeait pas. Il pleurait. François contemplait ces larmes avec terreur. Il se hurla à lui-même qu'il ne dirait plus rien et, dans le même moment, il continua :

– Dans les cachots, nous descendions. Et comme elle nous résistait toujours, j'ordonnai qu'on lui appliquât la question...

– La question ! hurla Nostradamus. La torture à tant de grâce et de faiblesse ! Et vous l'aimiez ! Et vous n'avez pas eu pitié !...

François hocha la tête d'un mouvement funèbre. Nostradamus sanglotait... Tout disparaissait de sa pensée. Il n'éprouvait plus qu'une douleur immense qui lui broyait le cœur. Il laissa tomber sur François un regard sanglant, et d'une voix rauque :

– Continuez, et que j'aie la force de vous entendre !

– La potion ! haleta François. Je me meurs !...

– Continue ! rugit Nostradamus.

François se reprit à parler, mais d'une voix faible.

– La question ne fut pas appliquée à la prisonnière...

Un soupir de joie puissante souleva la poitrine de Nostradamus. Son regard se fit moins farouche. Il rapprocha de la bouche du malade le flacon qui contenait l'antidote. À cet instant, François disait ceci :

– La question ne lui fut pas appliquée, parce que au moment où le bourreau allait la conduire à la chambre de torture, son enfant vint au monde...

Nostradamus recula de deux pas. Un tremblement rapide l'agita de la tête aux pieds. Une sorte de gémissement fusa de ses lèvres contractées. François le considérait avec épouvante.

– Qui êtes-vous ? râla-t-il. Pourquoi pleurez-vous ? Pourquoi le récit de mon crime fait-il sur vous un tel effet ?...

– Vous dites, fit Nostradamus que *son enfant* vint au monde ?...

– Oui. J'ai dit cela.

– L'enfant de Marie ? Marie a eu un enfant ?...

– Oui. Né dans les cachots le jour que j'ai dit. Un fils...

– Un fils, répéta machinalement Nostradamus.

Le dauphin éclata d'un rire funèbre en disant :

– Oui, de mon frère Henri !...

Nostradamus poussa le soupir d'une bête qu'on tue. Avec le même rire, François reprit :

– Elle qui m'avait résisté, à moi, s'était donnée à mon frère.

– S'était donnée ! murmura faiblement Nostradamus.

– À mon frère Henri ! Comprenez-vous maintenant pourquoi Henri a fait sortir du Temple sa maîtresse ?...

– Il l'a fait sortir ! balbutia Nostradamus. Oui. Il voulait avoir près de lui sa maîtresse et son enfant.

François, toujours agité par son rire insensé, continuait :

– Comprenez-vous maintenant mon crime ? Quand elle est sortie du Temple, je l'ai suivie. J'ai bondi sur elle au moment où elle allait retrouver mon frère. Je l'ai abattue d'un coup de poignard.

Nostradamus se pencha.

– Et l'enfant ? L'avez-vous tué aussi ?

– Non ! Celui-là, je ne l'ai pas tué, il a été remis...

– À qui ? À qui ? Rappelez-vous, je le veux !...

– À un homme qui s'appelle... je me souviens... cet homme qui emporta l'enfant s'appelle Brabant-le-Brabançon.

Le dauphin roulait sur l'oreiller sa tête livide ; ce qui sortait de cet oreiller, c'était un amalgame de haine, de passion, de terreur, de vengeance... et Nostradamus écoutait ces lamentations qui répondaient aux lamentations de son cœur.

– Voilà donc pourquoi le lien est rompu d'elle à moi ! Elle s'est donnée !... Son fils... Le fils d'Henri !... Marie ! Un fils !... Adieu, jeunesse, amour, confiance ! Voici que s'ouvre pour moi le septième cercle d'enfer, la porte de flammes où ces mots sont écrits : Tu Haïras !...

– À moi ! hurla François. Je me meurs !... La potion !...

Nostradamus grinça des dents. Il se pencha, montra le flacon au moribond, qui essaya d'allonger sa main...

– Le contrepoison ! rugit Nostradamus. Je n'ai qu'à en verser quelques gouttes dans ta bouche, et tu es sauvé !...

– Oui ! oh ! oui ! haleta François avec une joie délirante.

– Sauvé ! Tu vivras ! Tu seras roi ! Roi de France !

– Vite ! Donnez ! râla François extasié.

– Regarde ! grinça Nostradamus d'une voix terrible.

Nostradamus se recula, tenant le flacon dans sa main fermée.

– Oh ! bégaya le dauphin ivre de terreur, qui êtes-vous ?

– Je suis l'époux de celle que tu as jetée dans les cachots du Temple, que ton frère a déshonorée, et que tu as tuée, toi !... Regarde !

Dans cet instant, le flacon serré dans la main de fer qui l'étreignait, se brisa... et la potion sauveuse se répandit sur le plancher mêlée de sang. François retomba haletant sur le lit. Nostradamus s'approcha, et, pantelant de haine, prononça :

– Meurs, maudit ! Meurs le premier, en attendant que meurent de ma haine Jacques d'Albon de Saint-André, Gaëtan de Roncherolles, et Henri, futur roi de France ! Meurs !...

Un spasme d'agonie galvanisa un instant le moribond. Puis tout fut immobile sur la couche funèbre. Nostradamus alla alors ouvrir la porte. Il apparut à ceux qui attendaient calme, paisible.

– Messieurs, dit-il, monseigneur le Dauphin était condamné par Dieu puisque je ne l'ai pas sauvé. Messieurs, le dauphin de France est mort. Ramenez-moi dans mon cachot.

III

Les quatre gardes

La douleur de François Ier fut terrible. Et terrible aussi fut sa vengeance lorsqu'il lui parut démontré que le dauphin avait été empoisonné. Huit jours après la mort du dauphin, le roi reçut une lettre qui accusait Montecuculi d'être l'assassin du prince. On ajoutait que l'échanson du dauphin avait été payé par Charles-Quint pour accomplir son forfait.

Montecuculi, jeté dans un cachot, nia jusqu'au bout : il était sûr que le nouveau dauphin, Henri, le sauverait au dernier moment. Il était d'ailleurs résolu à le dénoncer, lui et Catherine, s'ils ne venaient pas à son secours. On lui avait présenté la lettre qui l'accusait, et il avait cru d'abord y reconnaître certains traits de l'écriture de Catherine. Mais cette supposition lui avait paru si monstrueuse qu'il l'avait aussitôt rejetée. Montecuculi fut condamné à être tiré à quatre chevaux.

La veille de l'exécution arriva sans que rien pût lui faire croire que son espoir se réaliserait. Montecuculi déclara alors qu'il voulait faire des révélations... Une heure après cette déclaration, un jeune gentilhomme enveloppé dans un vaste manteau pénétra dans son cachot. Dans ce gentilhomme, le prisonnier reconnut Catherine de Médicis. Elle lui glissa ces mots à l'oreille :

– Rends-toi au lieu du supplice en toute tranquillité. Le bourreau est gagné. Les chevaux ne tireront pas. Dans le tumulte que cet incident créera, une centaine de solides compagnons se jetteront sur toi comme pour te tuer, en criant : « À mort ! » Mais, au lieu de te tuer, ils te délivreront. Une barque te prendra sur le Rhône et te descendra jusqu'à la mer. Là, un navire te conduira en Italie. Le capitaine de ce navire te remettra trois cent mille livres qui te suffiront pour attendre l'heure où tu viendras prendre à la cour du roi Henri II la place qui t'est due.

Catherine s'éloigna. Lorsque se présenta le commissaire royal envoyé pour recueillir les suprêmes révélations du prisonnier, Montecuculi jura qu'il n'avait rien à dire.

Le lendemain matin, il fut conduit au supplice, et chacun put admirer sa tranquillité. Le bourreau le coucha, l'attacha sur deux planches en croix et enroula ses poignets et ses chevilles dans quatre anneaux de fer reliés par des chaînes à quatre chevaux.

Les chaînes se tendirent légèrement. Montecuculi devint tout à coup livide au moment où il sentit les chaînes tirer sur ses membres et s'apprêter pour l'effroyable supplice. Le moine qui l'assistait leva sa croix.

– Au nom du Dieu vivant, cria le moine, je t'adjure une dernière fois de révéler le nom de tes complices.

Montecuculi hésitait, et ses lèvres s'agitaient convulsivement. Il allait parler... Dans cet instant, des cris éclatèrent : « À mort ! À mort ! »... Un violent remous se produisit.

– On vient à moi ! Je suis sauvé ! murmura Montecuculi. Je n'ai rien à dire, cria-t-il à haute voix.

Le moine abaissa sa croix. Le bourreau fit un geste. Les quatre chevaux, fouettés avec violence s'élancèrent ; on entendit un cri épouvantable, et quelques minutes plus tard il n'y eut plus sur les planches croisées qu'un tas de chairs sanglantes...

– Personne au monde ne sait maintenant comment est mort votre frère François ! murmura Catherine à l'oreille de son mari, qui, sombre, pâle, tremblant, avait assisté au supplice.

Elle se trompait ! Il y avait quelqu'un au monde qui savait ! Et ce quelqu'un, c'était Nostradamus !...

Quinze jours après ces événements, Nostradamus fut visité par maître Pézenac, qui lui dit :

– Le roi veut vous voir. Vous allez être conduit jusqu'à lui.

Nostradamus n'eut pas même un geste d'indifférence. On le poussa dans un carrosse fermé, où prirent place près de lui quatre arquebusiers. Le véhicule voyagea tout le jour et une partie de la nuit.

Nostradamus, dans tout ce voyage, ne prononça pas un mot. La flamme *surnaturelle* de cet esprit semblait s'être éteinte ; Nostradamus n'était plus qu'un homme. Depuis la terrible scène où il avait appris que Marie avait cédé à Henri et qu'un fils était né de cette trahison, il n'essaya pas une fois de se mettre en communication avec les êtres invisibles. Il attendait la mort.

– Elle est morte pour moi. Morte dans l'éternité. Comme elle a dû souffrir en se séparant de moi pour toujours ! Je ne la maudis pas pour sa faiblesse. Je la vengerai, et me vengerai aussi... mais dans la vie seconde que nous eussions vécue ensemble, elle habitera une sphère et moi une autre. Séparés à jamais ! Adieu. Marie que j'ai tant aimée...

Vers le milieu de la nuit, les chevaux s'arrêtèrent au camp royal. On conduisit le prisonnier dans une vaste tente sur laquelle flottait le fanion de François Ier. Le roi était là, avec quelques-uns de ses officiers, son connétable, son fils Henri et Catherine. Il était pâle, maigri, les yeux rouges. François Ier ayant examiné le prisonnier, demanda :

– Pourquoi êtes-vous détenu à la prison de Tournon ?

– Pour avoir sauvé une jeune fille qui se mourait.

– Qui vous a fait arrêter ?

– Messire Ignace de Loyola.

À ce nom, le roi frémit. François Ier garda longtemps le silence, tout pensif. Enfin, il reprit :

– Vous avez essayé de sauver mon fils...

– Je ne l'ai pas sauvé, dit Nostradamus.

– Oui ! Mais vous l'avez essayé. Des rapports qui m'ont été adressés, il résulte que vous avez tenté de composer un contrepoison. Sans doute, il était trop tard...

Le roi porta vivement la main à ses yeux et essuya une larme d'un geste brusque. Nostradamus ne dit rien.

– On dit, reprit François Ier, que si vous avez sauvé la paralytique de Tournon, c'est grâce à l'aide des puissances infernales. Le vénérable Ignace de Loyola nous a écrit que vous êtes un danger vivant. Mais vous avez essayé de faire vivre mon fils. Pour le bien de votre vie terrestre et le repos de votre âme, je vous ordonne de renoncer à vos pratiques. Et je veux payer la dette de reconnaissance contractée par mon bien-aimé fils. Allez : vous êtes libre !

Catherine fit un signe. Henri s'avança de deux pas et dit :

– Sire, cet homme a-t-il réellement essayé de sauver mon malheureux frère ? Ce qui est sûr, c'est qu'il a écarté tout le monde de la chambre où agonisait le pauvre François... et qu'il est resté seul dans la chambre jusqu'à ce que la mort eût achevé son œuvre. Pour moi, sire, cet homme est sûrement un imposteur... et peut-être un complice.

François Ier se tourna vers Nostradamus et gronda :

– Qu'avez-vous à dire ? Répondez.

– Rien.

Catherine sourit. Ce jeune homme avait assisté aux derniers moments de François. Il pouvait être un danger. À tout hasard, il valait mieux s'en débarrasser.

– Prenez garde ! fit le roi. J'ai voulu vous sauver. Mais si vous vous taisez, c'est que vous acceptez l'accusation...

Nostradamus garda le silence.

– Emmenez-le ! cria François Ier. Qu'on le tienne au secret. Et qu'on instruise son procès en sorcellerie !...

– Sire, dit Henri, si vous le permettez, c'est moi-même qui dirigerai l'instruction de ce procès. Je ne laisserai à personne le soin de calmer votre douleur et la mienne par de justes représailles !

– Faites, mon fils ! dit le roi d'une voix attendrie.

Henri releva la tête. Dans cet instant, son regard se croisa avec celui de Nostradamus et il recula en bégayant :

– Emmenez-le dans les prisons du Palais.

Le camp royal avait été dressé à deux lieues environ de la ville. Nostradamus fut entraîné hors de la tente et poussé dans la prison roulante, qui s'ébranla aussitôt. Ses quatre gardes reprirent leur place habituelle.

Nostradamus était transformé. Sa rencontre avec Henri, avec l'homme à qui s'était donnée Marie, avait galvanisé ses forces. Il voulait vivre ! Il voulait être libre !

Ses gardes étaient ainsi disposés : deux en face de lui, un à sa gauche, un à sa droite. Ils causaient entre eux.

– Brabant-le-Brabançon nous manque ! dit l'un d'eux.

Nostradamus tressaillit. Sa prodigieuse mémoire lui répétait les paroles du dauphin pendant son agonie. Brabant-le-Brabançon !

C'était l'homme qui savait ce qu'on avait fait du fils de Marie... et d'Henri !

– Quel rude cavalier, et quel bon chef de ronde ! Ventre-diable, où peut-il être ? Je crois, je... ah !... je...

Brusquement, le soudard se tut, sa tête se pencha.

– Ohé, camarade, cria son voisin en le secouant. Dormir en service commandé par le roi ! Réveille-toi, ventre dieu !...

L'homme s'était endormi d'un si profond sommeil, que son camarade renonça à le secouer, et se rencoigna en grognant :

– L'animal aura vidé quelque bonne bouteille sans nous. Ah ! si j'en étais sûr ! Je le... je...

Il se mit à ronfler, et les deux gardes encore éveillés s'esclaffèrent. C'étaient ceux qui encadraient le prisonnier.

– Heureusement ! fit celui de gauche, nous sommes loin de la ville : les deux soûlards auront le temps de cuver.

Nostradamus se tourna vers cet homme et lui planta son regard dans les prunelles comme un double coup de dague. L'homme passa sa main sur son front ; les lèvres de Nostradamus s'agitèrent... l'arquebusier se renversa en arrière, les yeux fermés.

Le dernier se sentit alors envahi par la terreur. Ce brusque sommeil qui s'abattait sur chacun de ses compagnons lui parut un prodige d'enfer. Il allongea la main vers la corde qui, attachée au bras du conducteur, permettait d'arrêter la voiture en cas de besoin. Nostradamus saisit cette main et la broya dans la sienne. En même temps, il disait :

– Dormez !...

Une seconde l'homme lutta, puis, comme ses trois camarades, brusquement, il s'anéantit dans le sommeil ; Nostradamus, alors, eut une minute de faiblesse. Le quadruple effort qu'il venait de faire l'avait épuisé. Au côté de son gardien de droite, était une gourde presque pleine. Nostradamus la porta à ses lèvres et la vida. L'âpre et violente liqueur lui fouetta les nerfs. Quelques instants plus tard, il ouvrait la porte du carrosse et se laissait tomber sur le chemin, pendant que la prison roulante continua sa route.

Nostradamus demeura une heure à l'endroit même où il s'était laissé tomber. Il regardait de ses yeux flamboyants les astres qui évoluaient dans l'éther.

Demandait-il le secret de sa destinée à ces univers inconnus ? Cherchait-il dans ces ondes lumineuses quelque apparition consolatrice ?... Il songeait...

Ses amis ? Ce Roncherolles, ce Saint-André. Morts pour lui. Celle qu'il avait tant adorée ? Morte. Et morte sa mère. Mort aussi sans doute son père... À cette dernière pensée, un frisson l'agita. Il baissa la tête. Et il se prit à pleurer...

IV

La volonté du mort

Quelques jours après, Nostradamus entrait dans Montpellier. Il avait fait la route à pied, la nuit, se cachant le jour.

Une dernière douleur l'attendait. Son père était mort.

Il interrogea son vieux serviteur, nommé Simon, et acquit la certitude que, s'il n'avait pas été arrêté à Tournon, il serait arrivé à temps pour sauver son père. Nostradamus jura de ne pas oublier le nom d'Ignace de Loyola et se contenta de demander comment était mort le vieillard.

– En vous appelant et en vous bénissant, répondit Simon.

Et il fit à son jeune maître un récit détaillé des derniers moments du vieux Nostradamus. Quand il eut fini, il pleurait.

– Je l'ai enterré au cimetière, acheva Simon.

– Bien. Tu me conduiras cette nuit sur sa tombe.

« Au cas où tu arriverais trop tard, tu ouvriras ma tombe et tu liras le parchemin que tu trouveras dans le vêtement avec lequel je serai enterré... »

Ces mots de la lettre que Renaud avait reçue de son père à Paris étaient restés gravés dans son esprit.

Vers le milieu de la nuit, Nostradamus et Simon, portant des pics, des bêches, une lanterne, arrivèrent au cimetière. La dalle, descellée, un trou noir apparut au fond duquel il y avait un cercueil. Nostradamus se laissa glisser. Simon, penché au bord, l'éclairait.

Au bout d'une demi-heure, il remonta, et s'assit exténué.

Après un moment de repos, le jeune homme se remit à l'œuvre pour sceller la dalle de nouveau. Le jour commençait. Ils rentrèrent à la maison. Ils ne s'étaient pas dits un mot. Seulement, quand le jeune homme rentra dans sa chambre, il tomba évanoui.

Revenu à la vie, Nostradamus s'enferma et sortit de son sein le parchemin qu'il avait trouvé dans le vêtement avec lequel avait été enterré son père.

Nostradamus, pendant deux heures, demeura devant ce papier, sans oser briser le sceau.

– Là est votre volonté, murmura-t-il. Oh ! mon père. Je l'exécuterai, dussé-je y engager ma vie et mon âme...

Enfin, il brisa le sceau, ouvrit le parchemin et le parcourut. Il ne contenait que ces quelques lignes :

« *Nostradamus, voici la volonté de Nostradamus, et que la malédiction de onze siècles écoulés pèse sur toi si tu n'en es le fidèle exécuteur. Tes onze premières tentatives dans la suite des siècles ont été vaines parce que la Volonté a défailli en toi. Si tu es enfin plus fort que la Mort et que la Peur, la douzième tentative te conduira au triomphe. Donc, à l'heure même où s'achèvera ta vingt-quatrième année, trouve-toi devant le Sphinx et pénètre dans son sein. Dans ta descente aux entrailles de la terre, fais-toi un cœur de bronze, un esprit de feu, une âme en diamant. Parvenu enfin en présence de l'Énigme, terrasse sa volonté par ta Volonté. Alors, l'Énigme te livrera le secret suprême.* »

Ces lignes flamboyaient sous les yeux du jeune homme ; chacune de ces paroles s'incrustait dans son cerveau pour n'en plus sortir. Mais l'indéchiffrable sens de ces lignes, comment le saisir ?

– Onze tentatives faites par moi dans la suite des siècles ! murmurait le jeune homme. J'ai donc vécu dans les siècles précédents !... Qui est le Sphinx dans le sein duquel je dois pénétrer ?... Qui est, où est l'Énigme qui doit me livrer le secret suprême si ma volonté est plus forte que la sienne ?... Où dois-je m'enfoncer dans les entrailles de la terre ?... Il faut qu'à la dernière heure de ma vingt-quatrième année, je me trouve devant le Sphinx... j'ai donc trois mois environ pour comprendre la volonté de mon père et descendre aux entrailles de la terre.

Pendant un mois, Nostradamus passa des nuits entières devant la tombe de son père et des jours entiers enfermé dans le laboratoire du vieux savant. Un jour, il crut avoir trouvé !...

Ce même jour, sans perdre un instant, après s'être muni d'or, il se rendit à cheval jusqu'à Marseille, et là, fréta à son compte une légère tartane napolitaine. Quand il eut fait prix pour un voyage d'environ deux mois, le patron, son bonnet phrygien à la main, lui demanda :

– Où faut-il conduire Votre Seigneurie ?

– En Égypte ! répondit Nostradamus.

V

Au sein du mystère

À travers les sables brûlants du désert égyptien, un homme s'avançait d'un pas égal, volontaire et rude, son être se tendait vers on ne sait quoi d'énorme, qui, à l'horizon, dressait dans le ciel sa silhouette fantastique.

Et ce quelque chose, c'était le Sphinx.

Et cet homme qui allait au Sphinx, c'était Nostradamus.

Le dernier regard du soleil à la terre fut terrible. Sur cette blancheur incandescente, le Sphinx se plaquait en tons rouges et noirs. Nostradamus fixait la tête gigantesque de l'énigme de pierre, tête de femme sur un corps de taureau, avec des griffes de lion, des ailes d'aigle.

Très vite, la nuit emplit l'espace ; au firmament, quelques constellations, espacées, tracèrent d'étranges lignes géométriques.

Nostradamus continua de marcher vers le plateau granitique sur lequel se dresse la Grande Pyramide.

La Grande Pyramide ! Le dernier tombeau visible des civilisations disparues ! Le réceptacle du mystère non déchiffré ! La Grande Pyramide, avec ses sous-sols, ses couloirs, ses labyrinthes, ses chambres, ses tombes.

C'est en avant de la Grande Pyramide que se dresse le Sphinx de Giseh. Le monstre accroupi souriait de ses lèvres figées, et, de ses yeux de pierre, il regardait venir l'homme.

Nostradamus arriva au Sphinx un peu avant minuit. Il distingua une porte de bronze placée entre les jambes de devant. Nulle caravane faisant halte au pied des pyramides n'osait toucher à ce bronze. Dans les tribus errantes, on se racontait que, jadis, des hommes avaient connu le secret qui permettait d'ouvrir cette porte. Mais, depuis des siècles, ce secret était perdu. Nostradamus murmura :

– Dans quelques minutes ma vingt-quatrième année sera accomplie. Voici le Sphinx. Et voici par où je dois entrer dans le sein du Sphinx. Par là je dois descendre jusqu'à l'Énigme et terrasser sa volonté par ma volonté. Ô mon père, me voici devant la porte du Mystère. Que dois-je faire !...

Tout à coup, il marcha à la porte, et, du poing, frappa trois coups ; les deux premiers rapprochés, le troisième un peu plus espacé.

Dans le même instant la porte s'ouvrit.

Nostradamus entra sans crainte apparente ; à peine eût-il franchi le seuil que la porte de bronze se referma avec bruit. Des ténèbres enveloppèrent Nostradamus, puis, tout à coup, une aveuglante lumière l'inonda. Il se vit dans une salle immense autour de laquelle étaient disposés des sarcophages de pierre polie.

Nostradamus les compta ; il y avait douze tombeaux. Il s'avança et, comme il arrivait au centre de cette crypte, il vit le couvercle de granit de l'un des tombeaux se soulever lentement, puis un autre, puis tous les douze. Quand ils furent debout, des douze tombes béantes, se levèrent lentement des fantômes...

La lumière s'éteignit remplacée par une nouvelle lumière de tons verts et rouges. Nostradamus sentit une suée glaciale ruisseler sur son visage. Mais il demeura immobile et ferme. Les douze spectres l'entourèrent.

– Nostradamus, dit l'un d'eux, te voilà donc revenu parmi nous pour la douzième fois en douze siècles ? Auras-tu cette fois la force d'âme qui t'a manquée les onze premiers siècles ?

Nostradamus répondit – et sa voix ne tremblait pas :

– Vous dites que je suis ici pour la douzième fois depuis douze siècles. J'ai donc vécu douze cents ans ?

– Ta mémoire ne te présente que les images des faits accomplis depuis ta dernière incarnation. Sache marcher à ton but sans défaillance. Alors, les sept génies de la Rose-Croix, gardiens de la clef qui ferme le passé et ouvre l'avenir, poseront sur ton front la couronne des Maîtres du Temps. Es-tu prêt ?

– Je suis prêt ! Mais vous m'attendiez donc ?...

– Tu es venu il y a cent ans jour pour jour, heure pour heure. Et, parce que tu n'as pas alors compris que la Science de la Volonté est le principe de toute sagesse et de toute puissance, nous t'avons renvoyé sur la terre. Suis-nous...

Nostradamus se mit en marche... Toute lumière s'éteignit. De nouveau, ce furent les ténèbres. En même temps, des souffles glacés et fétides passèrent dans l'air ; autour de lui, il entendit des ricanements, des hurlements.

Tout à coup, de la voûte granitique, une faible lueur tomba, éclairant des spectres enlacés qui tourbillonnaient autour de lui ; au fond de la salle, il vit venir à lui un squelette qui tenait une faucille d'acier. Le squelette s'avançait droit sur Nostradamus... Il se croisa les bras et attendit.

Bientôt la Mort ne fut plus qu'à deux pas de lui. Elle fauchait d'un mouvement large ; la faucille, soudain, l'effleura... La Mort élargit son geste comme pour le faucher à hauteur du cou... l'acier tranchant décrivit un rapide demi-cercle... Dans cette seconde même tout s'éteignit, tout se tut. Nostradamus n'avait pas bougé.

La lumière éclatante du début reparut. Il n'y avait plus ni spectres, ni fantômes... Nostradamus se vit en présence de douze vieillards drapés de blanc qui lui souriaient. Ils lui montrèrent sur le sol la faucille.

– Qui êtes-vous ? demanda-t-il rudement.

– Nous sommes les douze Mages gardiens de l'Énigme, répondit l'un des vieillards. Ton cœur n'a pas tremblé devant la Mort. Fils de la Terre, tu peux continuer ton chemin...

Et il lui tendit une lampe en disant :

– Va. Cherche ta route, et poursuis-la, si tu l'oses.

En même temps, les douze Mages regagnèrent les douze sarcophages et s'enfoncèrent dans ces tombes dont les dalles se rebattirent. Nostradamus aperçut une porte ouverte.

Il franchit la porte, et vit qu'elle se refermait sans bruit. Il se trouvait dans un large couloir le long duquel il se mit à marcher. Le couloir descendait en pente de plus en plus raide, et allait se rétrécissant, tandis que la voûte s'abaissait. Au bout de quelques minutes, Nostradamus marchait en se courbant ; au bout d'un quart d'heure, il se traînait sur les genoux ! quelques instants plus tard, il était forcé de ramper... le couloir était devenu boyau. Il rampait murmurant :

– Je veux la toute-science pour avoir la toute-puissance. Lorsque je retournerai sur la terre, c'est contre le roi le plus puissant du monde que j'aurai à lutter. Oh ! me venger de ce roi, de tous ceux qui m'ont broyé le cœur !

Un moment vint où le boyau fut si étroit qu'il lui devint impossible d'avancer d'une ligne. Alors, il se dit qu'il s'était trompé... Il essaya de reculer. Et il sentit l'épouvante se glisser jusqu'à ses moelles : il était allongé tout de son long dans le boyau ; en avant, il ne pouvait aller plus loin... et, en essayant de reculer, il venait de comprendre que, derrière lui, le boyau s'était fermé !...

– Ici périssent les fous qui ont convoité la Science et le Pouvoir ! cria une voix lointaine.

– Oh ! râla Nostradamus. Ai-je donc été joué ! Mourir ! Mourir ici, étouffé, dans la plus horrible agonie ! Mourir ! tandis que le fils de François Ier respire du bonheur ! Tandis que Roncherolles, Saint-André, Loyola, tous ceux qui m'ont assassiné l'âme poursuivent leur carrière et leur fortune !...

L'air lui manquait. Il étouffait... Alors, dans le désespoir de l'agonie, Nostradamus eut un furieux mouvement de corps en avant... Et, aussitôt, il vit s'écarter les parois du boyau.

Il s'avança. Le boyau se fit de plus en plus large, et, au bout de quelques minutes, redevint couloir à descente rapide. Tout à coup, la pente s'arrêta au bord d'un large puits. Était-ce donc la fin de cet infernal voyage ? Non !... Nostradamus vit une échelle de fer accrochée aux parois du puits, et il se mit à descendre. Il compta soixante-dix-huit échelons. Au dernier, en se penchant, il vit que l'échelle était suspendue sur un abîme. Au-dessous de lui, c'était le vide, insondable.

Alors, il voulut remonter... Il s'aperçut qu'au-dessus de lui, il ne restait qu'une dizaine d'échelons ; toute la partie supérieure de l'échelle avait disparu !... Ainsi, Nostradamus ne pouvait plus ni monter, ni descendre.

Vaguement, il avait entendu parler par son père des terribles épreuves qui attendaient l'insensé assez audacieux pour aller chercher dans les entrailles de la grande Pyramide la science qui donne le pouvoir, la richesse, la vie à un degré extranaturel. Pour un qui réussit à connaître le grand œuvre, mille périssent victimes de leur ambition forcenée.

– La mort ! rugit-il. La mort sans toi, Marie !... Richesse ! Puissance ! Science ! je vous veux ! Vengeance, je te veux !...

Il remonta quelques échelons. De nouveau, tout à coup, la joie rentra en lui, à flots précipités ; dans la paroi à pic, une crevasse béait devant lui !

Il s'y engagea d'un pas rapide, et se vit au pied d'un escalier en spirale qu'il monta. En haut, il se trouva dans une salle magnifiquement décorée où un homme assis sur un fauteuil de marbre semblait l'attendre...

– Qui es-tu ? rugit Nostradamus, étincelant d'audace.

– Je suis, répondit l'homme, le gardien des symboles sacrés. Il ne m'est point permis de te faire la révélation qui armera ton cœur et ton esprit. Mais, puisque tu as échappé à l'abîme, je dois t'ouvrir le chemin du Mystère...

L'homme alla ouvrir une grille que Nostradamus franchit. Il longea une galerie ornée de douze sphinx de pierre. Sur les murs étaient figurés les sept génies des planètes, les quarante-huit génies de l'année, les 360 génies des jours. Au bout de la galerie, sa lampe s'éteignit soudain. Puis, l'obscurité fut remplacée par une sorte de crépuscule suffisant pour montrer la route à suivre. Là, Nostradamus se vit en présence de quatre statues : une femme, un taureau, un lion, un aigle. Ces figures de marbre parlaient !...

– Frère, dit la femme, quelle heure est-il ?

Une voix répondit :

– Il est l'heure de science.

– Frère, dit le taureau, quelle heure est-il ?

– Il est l'heure de travail, dit la voix.

– Frère, dit le lion, quelle heure est-il ?

– Il est l'heure de lutte, répondit la voix.

– Frère, dit l'aigle, quelle heure est-il ?

– Il est l'heure de volonté !

– Volonté ! gronda Nostradamus. C'est la volonté qui donne la victoire ! En avant donc, plutôt que de faillir à la volonté qui m'a guidé jusqu'à cette salle.

Il sentait que s'il faiblissait, la mort l'attendait à chaque détour du chemin. Et tout raidi, il marchait en avant, précédé par l'image de Marie qui se balançait devant lui, aérienne, insaisissable... Une violente lueur, tout à coup, derrière lui... Il se retourna, et vit que la galerie qu'il venait de quitter était en feu. L'incendie courait vers lui en mugissant.

– Frère, cria une voix, quelle heure est-il ?

Une autre voix hurla :

– Il est l'heure de mort.

Et, chose terrible, un écho très strident répéta la phrase entière. Il est l'heure de mort !... Puis un deuxième, un troisième, quatrième, cinquième, sixième et enfin septième écho, chacun d'eux de plus en plus faible, mais, toujours aussi distinct. Nostradamus ne se mit pas à fuir ; il continua de marcher, cependant que derrière lui, il entendait gronder la fournaise. Vingt pas plus loin, il se trouva devant un étang d'eau noire et fétide à la surface de laquelle couraient des êtres innombrables.

Il recula d'horreur devant cette eau qui était l'eau de la mort... dont la face se crevait de bulles empoisonnées... Derrière lui, le feu accourait. Devant lui, l'eau morte ! Autour de lui, la voix d'outre-tombe qui criait : Il est l'heure de mort !...

Nostradamus eut un mouvement de recul. Mais presque, aussitôt, il entra dans l'eau. Bientôt, il en eut jusqu'aux genoux, bientôt jusqu'à la poitrine, jusqu'à la bouche...

Il s'élança d'un suprême effort. Le sol de l'étang remontait !... l'eau fétide, l'eau mortelle n'atteindrait pas ses lèvres !... En quelques minutes, il eut gagné le bord opposé.

Sur le bord de l'étang, une grande table d'airain se dressait. Un homme vêtu de blanc, debout, lui montra la table sur laquelle des caractères formant des lignes étaient tracés en relief. Puis il prononça :

– Si tu veux te soumettre aux lois de la table d'airain, tu poursuivras ton chemin, sinon, tu vas être rendu à la terre !

En même temps, douze colosses surgirent et l'entourèrent. Ils étaient armés de poignards. Nostradamus les regarda et dit :

– Je ne vous crains pas !...

Puis il jeta les yeux sur la table d'airain et lut :

« L'initiation à la parfaite science comprend neuf grades : le neuvième grade est celui de *Mage de la Rose-Croix*.

« Ceux des Fils de la Terre qui, parvenus jusqu'ici, ont subi les épreuves préliminaires, ne peuvent passer d'un grade à l'autre qu'après deux ans d'étude.

« Ceux-là seuls qui ont pu parvenir au neuvième grade sont admis à la suprême épreuve et mis en présence de l'Énigme après trois nouvelles années de labeur.

« Celui qui parvient à dompter la volonté de l'Énigme entre en possession du Secret, c'est-à-dire du Grand-Œuvre. »

Nostradamus calcula : Deux ans pour chaque grade, cela faisait dix-huit ans. Trois années d'efforts complémentaires, cela faisait en tout vingt et un ans... Vingt et une années passées dans ces cryptes, loin de la vie, loin de la lumière ! Vingt et une années écoulées sans apaiser sa soif de vengeance !...

Il mesura d'un regard cet abîme. Sans doute, sa rêverie dura longtemps, des heures peut-être. Et comme, angoissé, il se criait dans un sanglot terrible :

– Et si je parviens à conquérir le Secret, qu'aurai-je gagné ?

– Tu seras maître du monde ! lui répondit une voix.

Nostradamus tressaillit violemment. Il redressa sa tête et il vit qu'il était en présence de trois hommes jeunes, beaux, aux physionomies d'un éclat majestueux.

– As-tu lu ? demanda le premier.

– J'ai lu ! répondit Nostradamus.

– As-tu réfléchi ? demanda le second.

– Oui, j'ai réfléchi...

– Es-tu décidé ? demanda le troisième.

Nostradamus, les yeux étincelants, répondit :

– Je suis décidé !...

Et en même temps, au fond de lui-même, il se hurla :

– Cinquante ans s'il le faut ! Car le grand secret, ô Marie, c'est la science de la Vie et de la Mort ! C'est le moyen, peut-être, de venir te réveiller dans la tombe et de te dire : Lève-toi et reprenons notre amour où nous l'avons laissé !...

Dès qu'il eut prononcé sa décision, l'un des trois Mages le prit par la main et lui fit traverser un bois de cèdres qu'éclairait un soleil factice. Le sol était parsemé de fleurs éclatantes. Une musique d'une infinie douceur sortait des massifs d'arbustes étranges.

– Où me conduisez-vous ? demanda Nostradamus.

– À l'assemblée des Mages de la Rose-Croix qui te recevra au nombre des adeptes de la grande Initiation...

– Et combien y a-t-il d'adeptes ?

– Tu seras le quinzième en ce siècle, et le troisième parmi ceux qui étudient. L'un d'eux vient de l'Inde. L'autre vient de la Grèce. Toi tu viens de la vieille Gaule.

– Et ces deux veulent-ils comme moi lutter avec l'Énigme ?

– Nul ici, depuis des centaines d'années, n'a eu d'autre ambition que de devenir mage. Tu es le premier qui, sur les ailes de l'Aigle, t'élèves à ces hauteurs d'audace...

Quelques moments plus tard, il pénétrait dans un Temple, et là, sur des sièges de marbre blanc, habillés de blanc, il vit vingt-quatre jeunes hommes... Jeunes ?... Sans âge !... C'étaient les vingt-quatre mages de la Rose-Croix.

L'initiation allait commencer pour lui... la grande initiation de vingt et une années qui devait lui permettre de conquérir le Secret suprême grâce auquel il voulait aboutir à la toute-puissance, à la toute-richesse et à l'effrayante pensée d'arracher à la mort la morte qu'il avait adorée !...

Septième chapitre
Le Royal de Beaurevers

I

Pourquoi Royal et pourquoi de Beaurevers

Nous avons dit que le prince Henri, en quittant Paris pour se rendre à l'armée, n'avait plus trouvé près de lui son agent préféré Brabant. Henri s'en inquiéta médiocrement. Et l'enfant ? Qu'était-il devenu ? Sur ce point spécial, le prince eut des réflexions qui aboutirent à cette conclusion :

– Le fils de Marie, fils du diable, a été porté chez le maître exécuteur. Il est rentré dans son enfer. N'y pensons plus.

Puis la mort de François et d'Henri le dauphin de France, héritier du trône. Pourtant il pensait encore parfois au fils du diable. Parfois la figure du petit, à peine entrevue, hantait ses sommeils...

Puis, des années écoulées, le prince devint roi de France sous le nom d'Henri II. Henri, pour le coup, *ne songea plus* à l'enfant livré au bourreau.

Henri ne sut jamais ce qu'était devenu Brabant qui commença par demeurer quinze jours enfermé rue Calandre, en tête-à-tête avec le fils de Marie, ne s'absentant que pour aller chercher du lait pour le petit et du vin épicé pour lui-même. Il se versait des rasades furieuses, et donnait à boire à l'enfant. Quelquefois, il se trompait et lui faisait avaler une gorgée de vin épicé. Cependant, il observait que le fils du diable ne semblait y voir clair que dans l'obscurité. Brabant maugréait :

– Quoi d'étonnant à cela, puisque ce petit Satanas vient tout droit du royaume des ténèbres ?

Pendant ces quinze jours, cent fois, le routier regretta son accès de faiblesse, et alors il saisissait le diablotin pour le porter à l'homme qui tue. Puis il le déposait sur la paillasse.

– Je perds mon âme et mon corps, rugissait le bravo. D'abord, monseigneur me fera pendre quand il saura. Ensuite, Satan m'emmènera. Et la preuve que c'est un fils de diable, c'est qu'il y voit clair la nuit !

Un jour il n'y tint plus. Pour la centième fois, il le saisit mais un éclair traversa son cerveau :

– S'il ferme les yeux le jour et s'il les ouvre dans l'obscurité, c'est qu'il a vécu d'abord *dans les ténèbres d'un cachot !*

À cet instant, l'enfant ouvrit les yeux une seconde et sourit. Brabant frémit : la lutte était finie. La pitié l'emportait ! Le fils de Marie était sauvé. Mais Brabant n'était pas homme à s'embarrasser d'un enfant, et il lui tardait de reprendre le harnais.

– Si je le portais à la Myrtho ? Forte gaillarde. Et puis elle a toujours eu un faible pour moi. Et puis, elle vient justement d'accoucher voici un mois, à ce que me conta Strapafar qui, pour le moment, est du dernier bien avec elle.

Brabant enveloppa donc le petit dans son manteau, et s'en fut au logis de Myrtho, rue Saint-Sauveur, c'est-à-dire en plein milieu de Petite-Flambe, – voleurs, détrousseurs.

Brabant trouva Myrtho assise au seuil de sa porte, allaitant sa progéniture, future ribaude. C'était une forte fille, hanches puissantes, chevelure brune, œil de velours noir. Elle avait le type grec. Elle était venue toute jeune du pays de Phryné.

Myrtho leva sa frimousse sur le petit, et sourit :

– Peste, quel râble. C'est bâti en pur acier de Tolède.

– Ce n'est pas mon fils, dit modestement Brabant.

– Au fait, il a plutôt l'air d'un fils de roi que d'un fils de ruffian. Ce sera un rude franc-bourgeois.

– Un fameux flambard de Petite-Flambe.

– Il est royal, dit Myrtho avec admiration.

– Il a faim, sais-tu ? reprit Brabant.

– C'est bon. Donne. Je prends le petit louveteau. Il a faim, ce mignon. Tiens, mange et bois tout ton soûl, mon lionceau, mon Royal !... Va-t'en au diable, Brabant.

Myrtho, tout aussitôt dépoitraillée, présentait déjà ses deux seins rebondis, auxquels se suspendaient le petit et la petite. Brabant contempla un moment ce spectacle, puis s'en alla, grognant :

– Moi, je lui donnais de l'hypocras ; elle va l'affadir.

Il s'en alla, résolu à quitter Paris et à chercher du service n'importe où, pourvu qu'il y eût des coups à donner et à recevoir. Le lendemain, il brida son cheval. Quand il fut prêt à monter en selle et à partir pour l'inconnu, il tomba tout à coup dans une rêverie au bout de laquelle les jurons commencèrent à gronder au fond de sa gorge. Et alors, voici que, tout sacrant, il rentra son cheval à l'écurie, puis s'en fut tout droit rue Saint-Sauveur, entra comme une trombe chez Myrtho, et hurla :

– Tue-Diable ! Mort de Dieu ! Par la tête ! Voilà que *je ne peux plus* m'en aller ! Je reste ! Je ne partirai que dans une douzaine de jours... Où est mon petit Royal ?...

Les douze jours annoncés s'ajoutèrent les uns aux autres, se transformèrent en douze semaines – en douze mois – en douze années. Le routier de grandes routes devint un routier des rues de Paris. Il fut une des plus solides colonnes du temple de Petite-Flambe. En d'autres termes, il fut un redoutable bandit.

Lorsque Gaëtan de Roncherolles, sous le règne d'Henri II, fut fait grand-prévôt de Paris, en récompense de ses services secrets, son premier soin fut d'essayer de débarrasser Paris du truand qui mettait le guet sur les dents. Une expédition fut organisée et le chevalier du guet, messire de Montander, en prit le commandement. L'expédition échoua.

Le lendemain matin, Roncherolles vit une potence dressée dans la rue. À cette potence un cadavre se balançait. Roncherolles examinant le cadavre, reconnut messire de Montander.

Roncherolles ne dit rien. Mais aux apprêts qu'il fit, Brabant comprit que les choses allaient se gâter pour lui.

– Myrtho, dit-il, je crois que les cordiers royaux sont en train de me tresser leur plus belle cravate de chanvre. Or je hais les honneurs, et j'ai la prétention, entre ces honneurs et mon cou, de mettre la distance de quelques centaines de lieues.

Myrtho approuva fort ce projet de fuite. D'ailleurs, Brabant voulait voir du pays.

– C'est bien, fit-il, prépare les hardes de mon petit Royal.

– Quoi ! Tu prétends emmener le Royal ?

Et Myrtho éclata en sanglots. L'enfant de Marie, celui qu'elle avait nommé Royal, était devenu son enfant au même titre que sa fille Myrta. À cette époque, il allait sur ses treize ans. On lui en eût donné quinze. Pour la vigueur et la souplesse, il l'emportait sur tous les enfants de la Cour des Miracles, dont il était la terreur. Myrtho l'adorait pour ses qualités et pour ses défauts pêle-mêle. Quant à la petite Myrta, le Royal, qui la protégeait, était son Dieu.

Myrtho pleura, menaça, mais rien n'y fit. Brabant demeura inflexible, et, expliqua à Myrtho que l'enfant savait déjà manier une rapière, détrousser un bourgeois, aider à rosser les gens du guet, qu'en conséquence, il promettait de devenir un gentilhomme accompli – mais qu'il était ignorant de l'équitation.

– Écoute, mon petit Royal, ajouta-t-il, veux-tu, avec moi, voir tous les pays connus, inconnus et les autres encore ?

Le Royal enthousiasmé jura que rien ne l'empêcherait de suivre Brabant sur un grand cheval. Et comme il était plutôt dur de cœur, c'est à peine s'il fit attention aux larmes de Myrtho. Pourtant, il l'embrassa en lui disant :

– Songe donc que plus je verrai de monde, plus j'aurai de bourgeois à dévaliser, et, par conséquent, plus riche je reviendrai !

Puis à la petite Myrta, il adressa à peu près les mêmes consolations. La fille n'eut pas une larme. Mais elle était très pâle.

Le même jour, Brabant et le Royal, s'enfoncèrent dans l'inconnu. Brabant trottait. Le Royal le suivait.

En quelques années, Le Royal parcourut le monde côte à côte avec Brabant, tantôt se battant sous une bannière, tantôt sous une autre, tantôt, enfin, pour son propre compte. Il fut au siège de Metz, à la bataille de Rentzy, devant Civitella, à la prise de Calais. Il fut partout où il y avait des horions à donner. C'était vers la vingtième année un terrible pourfendeur de crânes, un troueur de poitrines réputé. Lui-même avait le corps couturé d'entailles. Ses duels furent innombrables.

Il avait inventé un coup irrésistible de la rapière jetée de revers au visage de l'adversaire qu'il cinglait ainsi avant de lui porter la botte fatale. Ses admirateurs, gens de sac et de corde appelaient cela *le coup de beau revers.* Peu à peu, de la chose, le nom remonta à son inventeur. Il fut dès lors *Le Royal de Beaurevers.*

Ce jeune homme de vingt ans semblait avoir vécu cinquante ans dans les camps et les corps de garde. Pas un maître en fait d'armes n'eût pu lui en remontrer ; escrime française, escrime italienne, escrime espagnole, il savait toutes les passes ajoutées à son terrible coup de revers. Il était redoutable et redouté ; irascible, rude, infatigable... Myrtho l'avait dit : il était fait en pur acier de Tolède.

Il était féroce, sans pitié. Il n'avait de confiance qu'en sa rapière, d'estime que pour Brabant. Il était beau, élégant. Dans la mêlée, ses yeux flamboyaient. Quand il avait été payé pour une besogne, il se ruait avec la puissance d'une force de la nature, et le meurtre, l'incendie, le pillage l'escortaient.

Il était orgueilleux, jaloux de son indépendance. À la prise de Calais, le duc de Guise étonné de sa bravoure, le fit appeler, et lui dit :

– Je te donne une compagnie si tu veux me servir.

– Pour quelle affaire dois-je vous servir ? demanda Le Royal de Beaurevers. Et combien allez-vous me payer ?

– Mais j'achète ton épée pour toujours, comprends-tu ?

– Impossible ; elle est déjà vendue.

– À qui ?

– À moi.

Ce fut après cette prise de Calais, que le duc licencia tous les volontaires qui ne voulurent pas s'embrigader régulièrement. Le Royal de Beaurevers fut de ces derniers et partit à l'aventure avec Brabant et quelques compagnons, dont il fut le chef. Cette petite troupe elle-même se dispersa au bout de quelques mois. Il y a là une période pendant laquelle Le Royal de Beaurevers exerça probablement sur les routes du roi la profession de détrousseur.

Le Royal de Beaurevers ne savait pas lire. Il ne savait pas écrire. Il ne savait pas penser. Il ne savait pas la morale, il ne savait pas ce qui est permis. Il ne savait pas ce qui est défendu. Il ne savait pas ce qui est mal ; on ne le lui avait pas appris.

II

Deux cavaliers ont attaqué un voyageur inconnu

Au sortir de l'hiver de l'an 1558, sur la route de Fontainebleau à Paris, en avant de Melun, deux cavaliers s'avançaient péniblement. La nuit était noire ; la pluie faisait rage. Les chevaux étaient maigres et maigres étaient les cavaliers.

Ils avaient faim. Ils avaient soif. Leurs justaucorps étaient déchirés, leurs bottes délabrées, leurs manteaux, troués et déteints.

L'un de ces voyageurs pouvait avoir la soixantaine ; l'autre, vingt à vingt-deux ans. Le vieux se tenait à grand-peine sur sa selle, où le jeune était obligé de le soutenir. D'une main, cet homme comprimait sa poitrine où béait une déchirure par laquelle la vie s'en allait avec le sang.

Il râlait par moments. Puis il se remettait à jurer. La mort, déjà, allongeait son ombre sur son visage osseux.

Le plus jeune avait une physionomie rude et belle, des yeux de braise qui jetaient dans les ténèbres des lueurs de phosphore. Il avait ramassé dans sa main gauche les brides des deux chevaux, et, marchant botte à botte avec le blessé, conduisait les deux montures, semblant y voir comme en plein jour. Pourtant, le ciel et la terre se confondaient dans le chaos noir où il n'y avait plus ni lignes ni couleurs.

D'où venaient ces deux hommes ? De quelles longues étapes cette étape était-elle la suite ou la fin ? Pourquoi ces deux cavaliers s'étaient-ils trouvé à Melun ce soir-là ? Pourquoi avaient-ils attaqué un voyageur inconnu ? Pourquoi le vieux avait-il été mortellement blessé par ce voyageur inconnu.

Ils allaient donc lentement et se trouvaient à une petite lieue de Melun, d'où ils étaient sortis depuis une demi-heure. Quelquefois, le jeune cavalier tendait l'oreille ; mais il n'entendait que la plainte des arbres et le crépitement de la pluie. Alors, il disait :

– On ne nous poursuit pas. Et d'ailleurs l'homme a quitté Melun avant nous. Avançons toujours...

– Avançons, grognait le blessé. Voici ma dernière étape...

– Courage, tudieu ! Courage, tudiable !

– Courage ? J'en ai encore, mon jeune lion, j'en ai pour une heure. Dans une heure, je n'aurai plus besoin de courage. Oh ! je ne voudrais pas mourir pourtant sans t'avoir dit...

– Nous trouverons bien quelque bicoque de paysan, et, il faudra qu'on te donne à boire, ou je brise tout ! J'étripe tout !

Le mourant eut un sourire d'admiration, puis râla :

– Autant crever ici. Pourtant j'ai des choses à te dire...

Son compagnon se dressa tout droit sur ses étriers.

– Une lumière ! cria-t-il d'une voix éclatante.

– Une lumière ! Où cela ? balbutia le blessé.

– Devant nous ! À un quart de lieue à peine ! Avançons !

Les deux cavaliers enfoncèrent leurs éperons dans les flancs de leurs chevaux. Les bêtes se mirent en marche, péniblement, buttant tous les dix pas. L'averse augmentait d'intensité. La rafale hurlait. Ils s'avançaient vers la lumière qui tremblotait là-bas au fond des ténèbres.

– C'est fini, râla le blessé, en vacillant. Je n'arriverai pas. Quel coup dans la poitrine ! À qui diable avons-nous eu affaire ?... Et c'est moi qui ai eu cette idée d'attaquer ce voyageur à Melun ! Inspiration de Satan !... Nous pouvions attaquer cent autres bourgeois que nous eussions dévalisés en douceur. Non ! C'est sur ce voyageur inconnu que mon choix s'est porté !...

– Tais-toi ! Tais-toi ! rugit le jeune homme furieux.

– Nous pouvions pousser tranquillement jusqu'à Paris ! Là, nous eussions trouvé vivres, couvert, gîte et le reste. Non ! il a fallu nous arrêter à Melun ! Il a fallu que je sois tenté par l'opulence du voyageur inconnu !

– Tais-toi ! Tais-toi ! répéta le jeune homme exaspéré.

– Il m'a frappé jusqu'aux sources de la vie. Quelle poigne ! Quel rude tueur ! Toi-même, tu as reculé devant lui !

– Reculé ! Oui ! J'ai reculé ! Moi ! Je fusse mort plutôt que de ne pas reculer ! Il y aurait eu un gouffre derrière moi que j'aurais reculé quand même !... Et qu'a-t-il fait lui, pour me forcer à reculer ? Il lui a suffi d'étendre son bras vers moi ! Il m'a touché au front du bout de son doigt ! Et j'ai reculé !

– Allons, console-toi, goguenarda le vieux. Après tout...

– Quoi ! hurla le jeune. Achève !

– Eh bien, frissonna le blessé en esquissant un signe de croix, cet homme est sans doute un envoyé de Satan. As-tu remarqué ces yeux de flamme ardente ! As-tu remarqué enfin l'étrange nom que lui a donné son compagnon ?...

– Non ! Je n'ai pas entendu.

– J'ai entendu, moi ! Son compagnon l'a appelé... attends... comment ? Ah ! cornes du pape, j'ai oublié !

– Rappelle-toi ! rugit le jeune homme. Homme ou démon, cet être qui t'a frappé à mort, cet être qui m'a fait reculer, moi ! je le hais ! Il me semble que j'ai été jeté au monde pour le haïr ! Je veux le retrouver, vois-tu ! Je veux l'éventrer de mes mains ! Rappelle-toi le nom damné qu'il porte !...

– Son nom ? râla le blessé... Attends... oh ! j'y suis !... son compagnon l'a appelé... c'est : NOSTRADAMUS !...

Ce blessé qui allait mourir, c'était Brabant-le-Brabançon.

Et son jeune compagnon, c'était Le Royal de Beaurevers.

III

L'auberge des Trois Grues

Au bord de la route, l'auberge solitaire dressait sa façade de vieille pierre grise, au long de laquelle grimpait un escalier extérieur ; elle avait sa porte sur perron, avec une enseigne montrant trois grues sur la berge d'un étang.

La porte s'ouvrait sur une vaste salle dont le vide est mal déguisé par quelques mauvaises tables, une douzaine de lourds escabeaux en chêne, deux ou trois images clouées aux murs, le tout sous un plafond à poutres enfumées. La seule gaieté de cette salle est l'immense cheminée au fond de laquelle des branches de sapin pétillent, accompagnant les mugissements du vent et le crépitement de la pluie.

Sous la cheminée, cette nuit-là, quatre compagnons avaient tiré une table autour de laquelle ils s'étaient assis. Leurs manteaux fumaient devant la grande flamme, étalés sur des escabeaux. Ils étaient dépenaillés, crottés, leurs buffles déchirés et ils étaient formidables, avec leurs longues rapières et leurs dagues, passées à la ceinture, sans gaine.

– Quel temps, messieurs, quel temps ! dit Trinquemaille.

– C'est à croire que la Garonne nous asperge, dit Strapafar.

– C'est lou délouze ouniversel, dit Corpodibale.

– Ya. On tirait gu'il bleut, dit Bouracan.

Trinquemaille était Parisien, onctueux, avec une mine de rongeur. – Strapafar, fils d'Espagnol, était Languedocien ou Gascon, ou Provençal, étant né en route pendant une randonnée de ses père et mère. Il avait l'échine souple et le museau pointu, les yeux astucieux. – Corpodibale était Piémontais. Il avait toutes les qualités du loup à jeun. – Bouracan était un transfuge de l'armée de Charles-Quint, qui avait ensuite déserté l'armée française. Il était puissant et bête comme un dogue.

Leurs oreilles étaient tendues vers les bruits du dehors ; et cependant, du coin de l'œil, ils surveillaient un quartier de porc qui tournoyait devant la flamme. Bientôt le quartier de porc fut dépecé en quatre parts dont chacun saisit la sienne, qu'il se mit à dévorer en l'arrosant de larges rasades d'un vin contenu dans une outre. Seul, Trinquemaille s'aidait de sa dague ; chacun, à son tour, saisissait l'outre.

Un grand gaillard, assis, les regardait de loin ; c'était l'hôte.

– C'est exquis, palsambleu ! dit Trinquemaille, mais ne vaut pas le pâté de la *Devinière,* tenue actuellement par Landry Grégoire.

– C'est superbe, vivadiou ! dit Strapafar, mais cela ne vaut pas la brandade que je m'offris chez moi un vendredi saint.

– C'est très bon, porco-dio ! dit Corpodibale, mais qu'est-ce auprès de la polenta dura que je faisais dans le bon temps.

– *Ya,* sacrament ! dit Bouracan, c'être juteux, mais le saucisse de Vrancvort il être mieux ponne.

Tout à coup, un coup violent ébranla la porte. L'hôte assis près de cette porte se leva. Les quatre compagnons étaient déjà debout, la dague au poing.

– Messieurs, dit l'hôte, dois-je ouvrir ?

– Nous n'avons pas entendu le coup de sifflet, répondit Trinquemaille. Le voyageur qui passe, ne peut entrer ici.

– Roland de Saint-André nous a dit de n'ouvrir que si nous entendions son sifflet, ajouta Strapafar.

– Ouvrez ! cria une voix du dehors.

Cette voix impérieuse fit tressaillir les quatre malandrins. L'hôte avait chancelé.

– Oh ! murmura-t-il, quelle faiblesse s'empare donc de moi ? Non, non ! hurla-t-il, je n'ouvrirai pas !

La voix du dehors ne se fit plus entendre. Mais les quatre compagnons stupéfaits virent l'aubergiste porter une main tremblante sur la barre de fermeture. Puis, le visage décomposé, il se mit à manœuvrer les verrous pour ouvrir ! Il y eut quatre hurlements :

– N'ouvrez pas, palsambleu !

– N'ouvrez pas, vivadiou !

– N'ouvrez pas, porco-dio !

– N'ouvrez pas, sacrament !

– Je n'ouvre pas ! Je ne veux pas ouvrir ! bégaya l'hôte.

Et, en même temps, il laissa tomber la barre de fer ; la porte s'ouvrit toute grande, deux hommes ruisselants entrèrent. Les quatre s'élancèrent, en jurant, la dague haute... Celui des deux voyageurs qui marchait le premier, tout d'un coup, se tourna vers les quatre assaillants. Ils s'arrêtèrent. L'homme étendit le bras, les quatre commencèrent à reculer, muets... L'homme laissa retomber son bras, sourit, et, cessant de s'occuper d'eux, se tourna vers l'hôte :

– Une chambre pour moi, dit-il ; une place à l'écurie pour mon cheval. Va, ne crains rien. Tu seras bien payé.

Cette fois, l'accent du voyageur avait une étrange douceur.

L'aubergiste s'inclina et s'occupa de placer à l'écurie le cheval du voyageur. Cependant, celui-ci donnait à son compagnon quelques ordres à voix basse. Ce compagnon, sortit, remonta à cheval et reprit la route de Paris...

À ce moment, l'aubergiste rentra, cadenassa et verrouilla la porte, puis, allumant un flambeau, conduisit le voyageur à une chambre du premier étage. Puis, tout étourdi encore, il revint prendre sa place près de la porte.

Sous le manteau de la cheminée, autour de la table, les quatre malandrins avaient rapproché leurs têtes blêmes.

– Cet homme, dit Bouracan, est plus fort que l'empereur Charles.

– Ce n'est pas un homme, dit Strapafar, c'est un vampire sorti de la tombe. Avez-vous vu son visage ?

– Messieurs, fit Trinquemaille, ceci est l'aventure la plus étrange que j'aie vue de ma vie. Homme ou démon, la voix de ce voyageur a suffi pour forcer l'hôte à ouvrir.

– Et à nous faire reculer, ajouta Corpodibale.

Ils étaient livides. Ils se tâtaient du regard, Strapafar, enfin, reprit :

– Vivadiou, je propose de sortir de cette auberge et de tout raconter au seigneur de Saint-André qui se morfond à attendre sa belle.

– Ya ! dit Bouracan, sortons.

– Je pense, moi, que nous devons prendre nos chevaux, gronda Corpodibale, planter là le Saint-André et rentrer à Paris.

– Messieurs, fit doucement Trinquemaille, songez que la demoiselle Florise de Roncherolles va passer avant peu, qu'il s'agit de la saisir et de la remettre au jeune Saint-André, lequel nous comptera cent beaux écus.

– C'est vrai, interrompit Strapafar, mais je me repens d'avoir entrepris cette expédition. Songez que Florise c'est la fille de Gaëtan de Roncherolles. Le prévôt de Paris !

– Ya ! fit Bouracan. L'homme qui pend. Allons-nous-en !

– Porco-dio ! grogna Corpodibale. Si vous parlez ainsi, je vous dirai que le maréchal de Saint-André est le père du jeune seigneur qui nous paye pour enlever Florise. Il est aussi puissant que le Roncherolles. Si le fils lui raconte qui nous sommes, nous serons tirés à quatre chevaux. Et pourtant, je ne veux pas demeurer dans cette auberge. La proposition de Strapafar me paraît la meilleure. Sortons. Nous attendrons le passage de la demoiselle.

– Messieurs, reprit Trinquemaille, le jeune Saint-André nous a ordonné d'attendre ici son coup de sifflet. Ne bougeons pas. Mais défendons-nous contre les maléfices de ce voyageur par une prière à saint Pancrace et à la Vierge, que nous ferons précéder d'un bon *Pater*.

– Té, j'y pensais, grommela Strapafar. Mais j'ai oublié mes prières.

– Anch'io, dit Corpodibale.

– Le brière, dit Bouracan, il être sorti de mon mémoire.

– Vous n'aurez qu'à répéter après moi.

L'hôte s'était rapproché et suivait ce débat avec intérêt.

– Monsieur a raison, dit-il. Prions ! C'est le seul moyen d'exorciser ma pauvre auberge où loge Satan cette nuit !

Et il tomba à genoux. Trinquemaille l'imita aussitôt. Puis, après une hésitation, les trois autres s'agenouillèrent aussi.

La flamme de la cheminée s'était éteinte. La grande salle n'était plus éclairée que par la lueur fumeuse d'une torche. Dans ce décor sinistre, les cinq sacripants étaient agenouillés.

Il y eut trois prières : le *Pater*, puis une invocation à saint Pancrace, puis une invocation à la Vierge. Le tout fut suivi de nombreux signes de croix. Et alors l'hôte plus tranquille retourna près de la porte.

Les quatre bandits reprirent place autour de la table ; Bouracan jeta dans l'âtre une nouvelle brassée de bois mort, et les mâchoires recommencèrent à mastiquer.

– Je ne suis pas fâché d'avoir vu le diable, fit Strapafar. C'est égal, j'en ai la petite mort.

– Messieurs, reprit Trinquemaille, nous n'aurions pas eu peur si nous avions eu avec nous quelqu'un que vous savez.

– Vé ! s'écria Strapafar, j'allais le dire. Ah ! vivadiou, avec lui, je ne craindrais ni Dieu ni diable.

– Ya, grogna Bouracan. Nous afre tout berdu en le berdant.

– Porco Dios ! ajouta Corpodibale, quand il était à notre tête, quel ennemi aurait pu nous résister ?

– Quels coups ! Ses yeux jetaient des éclairs !

– Il être plus fort que l'embereur Karl ! dit Bouracan.

– C'est le roi des batailles ! dit Strapafar.

– C'est le tonnerre di Dios ! gronda Corpodibale.

– C'est le Royal de Beaurevers, dit Trinquemaille.

À ce moment, de nouveau, on heurta à la porte, et une voix cria :

– Ouvrez !...

IV

Le voyageur inconnu

– N'ouvrez pas ! hurlèrent les quatre compagnons, debout.

– Je n'ouvre pas, dit l'hôte. Cette fois, bien que rude, c'est une voix *humaine* qui parle, allez au diable.

– Tudieu ! Tudiable ! vociféra la voix. Ouvre, hôtelier ! ou j'incendie ta bicoque et je t'y fais rôtir !

– Saint-André n'a pas sifflé, observa Trinquemaille. Quels coups ! Quel vacarme !

– Vivadiou, le brigand ! Il va démolir la porte !

Le voyageur qui frappait asénait, en effet, de rudes coups. En même temps, il rugissait une kyrielle de jurons.

– Dio-sapone, la madona lavandaia ! tonna Corpodibale. Si la piccola Florisa elle passait en ce moment, et qu'il signor Saint-André il siffle, nous serions gênés dans notre besogne.

– Il a raison ! Il faut nous débarrasser de l'enragé !

– Une sortie ! dit Trinquemaille. Messieurs, en avant !

– Ya Forwertz.

En un clin d'œil, la barre de fer fut arrachée ; ils se ruèrent ; les verrous furent repoussés ; la porte battit ; un furieux coup de vent éteignit la torche ; les quatre dagues se levèrent... Dans le même instant, quatre hurlements se succédèrent... les quatre bandits rentrèrent en désordre, effarés... Corpodibale cracha deux dents ; Trinquemaille cherchait à reprendre son souffle coupé par une main qui avait failli l'étrangler ; Strapafar avait roulé sur le perron ; Bouracan frottait sa poitrine à demi défoncée.

– Il n'y a que *lui*, hurla Corpodibale, pour démantibuler une mâchoire !

– Le Royal de Beaurevers ! gronda Trinquemaille.

– Lui-même, mes agneaux !... Strapafar et Bouracan, aidez Brabant à descendre de cheval et amenez-le-moi ici ! Corpodibale, du feu ! Trinquemaille, tu refermeras la porte !

Ils se précipitèrent. Le jeune homme entra, tout ruisselant, marcha à la table, saisit l'outre, en but une terrible lampée, jeta l'outre, et se retourna, la physionomie décomposée par la rage :

– Pouah ! L'ignoble vinasse ! Du vin ! Et du bon ! Vous autres, truands de basse truandaille, vous saurez ce qu'il en coûte pour laisser aboyer dehors Le Royal de Beaurevers !

– Capitaine, dit Trinquemaille, nous ne savions pas...

– Il faut savoir quand il s'agit de moi ! hurla le jeune homme en enfonçant sa dague dans la table.

Trinquemaille se courba devant Le Royal. Corpodibale, Bouracan, Strapafar le contemplaient avec admiration.

– Aubergiste ! Une chambre. Le meilleur lit. Et du vin. Le meilleur de ta cave. En route, vous autres. Soutenez-le par les jambes et les bras. Mon pauvre Brabant va trépasser !

Le vieux Brabant, introduit dans la salle par Bouracan et Strapafar, venait de perdre connaissance. L'hôte, en tremblant, montra le chemin. Le mourant fut déposé sur un lit dans une pièce du premier étage. Puis l'aubergiste courut chercher du vin.

– Attendez-moi en bas. J'ai à vous parler, mes agneaux, grogna Le Royal. – Hé ! Brabant, tu n'entends pas ? As-tu soif ? Avale une gorgée de ce nectar !

Le blessé avait la bouche entrouverte. Le Royal contempla cette tête livide. C'était un bandit, ce mourant. Il avait volé, pillé, tué...

– Je lui dois la vie ! pensa Le Royal. Il a été mon père.

Il tressaillit. Un sourire amer découvrit ses dents aiguës.

– Un père ! dit-il. Est-ce que j'ai un père, moi !

À ce moment, à la porte restée entrebâillée, une tête exsangue se montra... C'était le voyageur inconnu...

Pourquoi venait-il voir et écouter ?...

– Si j'ai un père, continua Le Royal, qu'il soit maudit ! C'est toi, vieux, qui es mon vrai père. As-tu soif ?

Il saisit la bouteille que l'aubergiste avait montée et en plaça le goulot dans la bouche du blessé. Le vin coula et se répandit jusque dans le cou. Brabant parut reprendre ses sens.

– Il revient ! murmura le jeune homme.

Brabant eut un sourire héroïque et bégaya :

– Oui, je reviens, mais pour m'en retourner bientôt...

– Non ! Je ne veux pas, moi. Tu ne mourras pas...

– Moi aujourd'hui, toi un autre jour, il faut y passer. Ma carcasse aux vers, mon âme au diable, n, i, ni, c'est fini.

Le visage de Beaurevers se convulsa. À ce moment même, le regard du moribond se fixa sur la porte, et s'emplit d'épouvante.

– La Mort ! balbutia-t-il. *La voici !* Là ! Regarde !

Le Royal se retourna et bondit, mais il ne vit qu'un palier obscur, avec en face, une autre porte close.

– Il n'y a rien, dit-il en revenant. Tu as rêvé.

– Rêvé ? Oui-da. Le rêve commence... Il y avait quelqu'un avec un visage où il ne doit pas y avoir une goutte de sang !

La voix devenait plus rauque. Il éclata de rire.

– Tudiable, qu'est-ce que je vois à tes yeux. Une larme ? Non, tu n'es plus mon lion, mon Royal de Beaurevers. Pleurer ? Pleurer quoi ? Allons, mon enfant, sois ferme ; n'aie Confiance qu'en ton bras et ton épée ; frappe, mords, pille, sans quoi tu seras frappé, mordu, pillé ; du cœur ? sornette ! Adieu, je m'en vais. Écoute encore, avant l'adieu de la fin. Qui tu es ? Tu me l'as souvent demandé. Je vais te le dire... Oh ! encore ! *la mort ! là ! qui me regarde !* à cette porte !...

Le Royal de Beaurevers, vivement, se tourna vers le point indiqué. Mais cette fois encore il ne vit rien.

– Attends, gronda-t-il. Tu ne verras plus la tête où il n'y a pas une goutte de sang.

D'un coup de poing, il envoya rouler le flambeau, qui s'éteignit. Les ténèbres envahirent la chambre.

– Bon ! jura Brabant. Écoute donc, mon petit.

L'agonisant, là, sur ce grabat, ce jeune homme penché sur lui, l'obscurité les coups de vent, oui, cela faisait une scène effrayante ! Et là, derrière la porte, il y avait quelqu'un ! Le mourant avait bien vu ! Et ce quelqu'un, c'était le voyageur inconnu.

Brabant râlait. Sa mémoire s'enfonçant à l'éternel chaos. Ce qu'il savait se mêlait aux imaginations de l'agonie.

– Sais-tu à qui je devais te remettre quand je te pris tout petit, pauvre lionceau encore sans griffes ?...

– Tu devais me remettre à quelqu'un ?...

– Oui, ricana Brabant. Au bourreau !

– Et pourquoi m'aurais-tu remis au bourreau ? Ai-je donc été criminel dès l'instant où j'ai mis le pied dans le monde ?

– Pourquoi ? Tu es fils d'une démoniaque qui fut mise au Temple parce qu'elle avait fait des maléfices d'amour contre le dauphin François et M. Henri, duc d'Orléans. Seul, le maléfice contre le dauphin réussit, car peu après il mourut à Tournon. Quant à Henri... Ah ! tudiable ! voici que je m'affaiblis...

– Le nom de ma mère ! hurla Beaurevers.

– Ta mère ?... Ah ! oui... ta mère, le Temple... le cachot où tu es né... Oh ! je... Adieu... ta main...

Le mourant fut agité d'une effrayante secousse. Un peu de sang moussa aux coins des lèvres.

– Je ne veux pas que tu meures ! rugit Le Royal.

– Souviens-toi de celui qui m'a tué, bégaya Brabant.

– Il mourra de ma main ! grinça Le Royal. Nostradamus ! C'est bien ce nom que tu as dit ?

– Le voici ! cria le mourant dans une déchirante clameur. Il se souleva, puis retomba sans un souffle.

La chambre était pleine de lumière. Beaurevers se retourna pour la troisième fois et, cette fois, se vit en présence d'un homme qui entrait, un flambeau à la main.

– C'est toi Nostradamus ! vociféra Beaurevers.

– C'est moi ! répondit le voyageur avec un calme terrible.

– Tu vas crever ici ! J'enterrerai ta carcasse avec celle de mon pauvre Brabant.

Beaurevers, d'un geste brusque, tira sa dague et la leva.

– Tu ne me tueras pas, dit Nostradamus. Car je sais ce que cet homme allait t'apprendre lorsque la mort a scellé ses lèvres : je sais qui est ta mère !

Le bras de Beaurevers retomba. Un instant, le voyageur le contempla.

– Tu sais cela ? gronda le jeune homme.

– Tu es né dans un cachot du Temple, continua Nostradamus. Je sais toute l'histoire de ta mère. La fatalité t'a amené ce soir en cette auberge, où la rafale m'a obligé moi-même à chercher un abri. Tu ne me tueras donc pas.

Beaurevers considérait cet homme au visage livide dont les traits, à ce moment, étaient bouleversés par la fureur. Un double éclair jaillit de ses yeux, tandis que sa voix avait les grondements du tonnerre lointain.

– Qui êtes-vous ? bégaya le jeune homme en reculant.

– Qui je suis ?... Celui qui connaît le nom et l'histoire de ta mère. Je te dirai l'un et l'autre. Je suis celui qui connaît le nom et l'histoire de ton père.

– Mon père ! haleta Beaurevers.

– Tu sauras son nom ! Veux-tu toujours me tuer ?

– Non ! par l'enfer ! Car pour connaître mon père et lui dire que je le hais, moi l'enfant abandonné, moi qu'on a livré au bourreau, pour avoir la joie de cracher ma haine au visage de celui qui est mon père, je consentirais à vendre mon âme à Satan et mon corps à ce bourreau.

Nostradamus écoutait avec un sourire tragique.

– Bien, dit-il. Cette joie tu me la devras. Et après tu pourras me tuer si tu veux. Car, lorsque je t'aurai donné cette joie à toi, je n'aurai, moi, plus rien à faire parmi les vivants.

– Je vous crois ! Je ferai ce que vous voudrez. Et pourtant, je vous hais, vous aussi. C'est vous qui avez tué mon vieux Brabant. C'est vous qui m'avez forcé de reculer. Quand je n'aurai plus besoin de vous, je vous tuerai.

– Tu es tel que je n'eusse osé l'espérer. Nous nous reverrons.

– Où cela ? demanda avidement Le Royal.

– Je saurai bien te retrouver. Adieu. Tu m'as demandé ce que je suis. Eh bien ! je suis le génie des vengeances inscrites au livre du

destin. Pour toi, je suis la Fatalité. Un mot encore : Tu es pauvre...
Veux-tu de l'or ?

Nostradamus entraîna le jeune homme jusqu'à sa chambre. Là, il
ouvrit son porte-manteau. Ce porte-manteau était bourré de pierres
précieuses et de pièces d'or. Le truand pâlit. Nostradamus sourit et
dit :

– Prends là ce qu'il te faut. Prends tout, si tu veux.

Le Royal de Beaurevers fit le tour de la pièce en frappant du
pied, revint se planter devant l'opulent voyageur.

– J'ai mieux que votre or ! grinça-t-il. J'ai mieux que vos
émeraudes, que vos diamants !

– Et qu'as-tu donc ? fit Nostradamus avec le même sourire.

Le Royal, d'un geste foudroyant, leva sa dague et la laissa
retomber à toute volée sur la table où elle s'enfonça en vibrant.

– Voilà ! dit-il. Je vous laisse ce poignard. Je vous le reprendrai
pour vous tuer. Adieu. Pour me revoir, venez à la Cour des Miracles
et demandez-y le maître de la Petite-Flambe, l'homme que le grand
prévôt, messire de Roncherolles, a juré de pendre de ses propres
mains... c'est moi !

Au nom de Roncherolles, le voyageur tressaillit.

– C'est bien, dit-il d'un accent rude. Ton nom, à toi ?

– Le Royal de Beaurevers ! dit le jeune homme.

Il rentra dans sa chambre et s'approcha du cadavre.

– Rassure-toi, gronda-t-il. C'est juré. Cet homme mourra de ma
main. Tu peux bien prendre un peu patience...

À cet instant, un coup de sifflet, au dehors, le fit tressaillir...

Nostradamus avait éteint son flambeau, et s'était assis près du
porte-manteau entrouvert. Il tremblait.

– Le fils de Marie, gronda-t-il. Ainsi donc, c'est l'enfant de celle
que j'ai tant aimée, que le Destin place sur ma route pour me servir
d'instrument ! C'est l'enfant de Marie que je condamne à la plus
hideuse destinée en l'acceptant comme l'instrument que m'envoient
les esprits supérieurs ! Et parce qu'il est le fils de Marie, mon
misérable cœur d'homme s'émeut !... Allons, allons, pas de
faiblesse... Pas de grâce pour le fils de Marie !... Car cet enfant, c'est

le fils d'Henri II, roi de France !...

Tout à coup, ce même coup de sifflet qu'avait entendu Le Royal arracha Nostradamus à sa méditation. Il marcha jusqu'au palier, se pencha sur la rampe de l'escalier, et vit Beaurevers qui descendait vers la salle commune.

V

La fille du grand prévôt

Au coup de sifflet, les quatre malandrins, assis sous la cheminée, se levèrent. L'aubergiste ouvrit la porte.

– Il serait temps de faire un plan, dit Trinquemaille.

– Vivadiou ! fit Strapafar, plus je songe à cette expédition, plus il me semble que j'ai déjà la corde au cou.

– Ya ! ponctua Bouracan, che me grois la corde au gou.

– Porco-dio ! grommela Corpodibale. Enlever la fille de messire de Roncherolles, grand prévôt di Parigi.

– Messieurs, reprit Trinquemaille, j'ai trouvé la solution : il faut que Le Royal marche avec nous !... Qu'en dites-vous ?

Une acclamation accueillit ces paroles. Et tout aussitôt, les quatre braves se tournèrent vers l'escalier.

– Le voici ! grognèrent-ils en s'inclinant.

– C'est bien, dit Beaurevers. Je vous pardonne.

En même temps que Le Royal apparaissait, un jeune homme venu du dehors faisait irruption dans la salle en criant :

– Êtes-vous prêts ? Mon cavalier me prévient qu'elle passera ici dans vingt minutes ; il a vu le carrosse partir de Melun. En route ! Je vais vous distribuer vos postes...

C'était un jeune homme d'une vingtaine d'années, le teint pâle, les lèvres minces, les traits durs, l'œil vague.

– Monseigneur, dit Trinquemaille, nous avons réfléchi que cette expédition est contraire aux lois de notre maître Jésus.

– C'est vrai, Dio-ladro ! ajouta Corpodibale en se signant.

– Ya, gronda Bouracan. Il afre défendu de se faire bendre.

– Eh ! vivadiou, il faudrait être Turcs ou Arabes pour faire pleurer cette pigeonnette ! dit Strapafar d'un air contrit.

Le Royal de Beaurevers regardait le nouveau venu. Au haut de l'escalier, quelqu'un écoutait aussi...

– Holà, hurla celui qui venait d'entrer, est-ce une trahison ? Songez que j'en parlerai à mon père et que cela pourra vous coûter cher.

– Monseigneur, dit Trinquemaille, ne nous mettez pas dans l'obligation de vous faire sortir de cette auberge les pieds devant.

Le jeune homme pâlit et jeta un coup d'œil vers la porte.

– Vé ! reprit Strapafar. Nous voulons bien vous remettre votre amoureuse, mais nous voulons que notre capitaine en soit.

– Votre capitaine ?...

– L'illustre Royal de Beaurevers que voici, dit Trinquemaille. Capitaine, voici messire Roland de Saint-André, fils de Mgr Jacques d'Albon de Saint-André qui veut enlever Florise de Roncherolles, fille de notre prévôt...

Là-haut, il y eut quelque chose comme un soupir qui pouvait être un rugissement de joie féroce, et, dans l'ombre, la tête livide de Nostradamus s'injecta de fiel... Les deux jeunes gens se regardèrent de travers.

– Soit ! grinça Roland de Saint-André. Vous serez cinq au lieu de quatre. Consentez-vous ?

– Cela dépend du prix que vous y mettez, dit froidement Le Royal.

– J'ai promis cent écus à vos camarades.

– Du moment que je suis là, c'est le double, tudiable ! Cent écus ! Ventre du pape ! Il m'en faut cent à moi tout seul, quand je vais rouler à travers les cabarets de la rue Pute-y-Muce après un bon souper à la *Devinière*. Ce sera deux cents écus, ou bien la donzelle passera son chemin.

– Eh bien ! soit ! fit le jeune Saint-André. Deux cents écus. Prix convenu. Hâtons-nous. Venez que je vous poste !

– Un moment, dit Le Royal. C'est moi seul qui dirige l'expédition. Vous allez vous tenir en repos au coin du feu. Et je vous apporte la petite fille. Sinon, rien de fait. Est-ce dit ?

– C'est dit ! Je vous laisse maître du champ de bataille.

– Bon ! reprit Le Royal. Avec moi, on paie d'avance.

– Oh ! oh ! gronda Roland de Saint-André, est-ce que vous

n'auriez pas confiance en moi, d'aventure ?

– Non, fit tranquillement Le Royal. Ni en vous, ni en personne. Ainsi, payez ou je m'en vais.

Saint-André jeta au truand un regard mortel, et, entrouvrant son manteau, jeta sur la table une lourde bourse dont il versa le contenu. Il se mit à compter rapidement. Il y avait deux cent quinze écus, Le Royal rafla le tout en disant :

– Les quinze écus qui restent paieront le vin. En route !

La bande disparut au dehors dans les ténèbres, parmi les hurlements du vent. Saint-André, pâle, haletant, demeura debout au milieu de la grande salle maintenant silencieuse, écoutant de tout son être... Et sur cette figure, pesait le regard de Nostradamus qui, de là-haut, contemplait avec ivresse, le fils de Jacques d'Albon de Saint-André... le fils de l'un de ses deux amis !

Soudain, au dehors, sur la route, un grondement de roues ; puis, tout à coup, des cris, des vociférations ; puis des détonations d'arquebuses ; puis un cliquetis d'épées, des clameurs, des hurlements de blessés, tout le tumulte d'une attaque à main armée et d'une solide défense, puis le galop de chevaux qui fuient, et, tout à coup, un silence terrible !

Saint-André était cloué au sol. Ses yeux se rivaient à la porte. Nostradamus avait descendu quelques marches de l'escalier, et lui aussi regardait avidement vers cette porte, attendant celle qui allait entrer... la fille de Roncherolles ! La fille de son autre ami !

– La fille de Roncherolles ! Le fils de Saint-André ! Là ! Sous mes yeux ! Ah ! voilà la preuve éclatante que le Destin est un être vivant qui m'a pris par la main et me conduit au terme de la vengeance qui doit occuper la vie que je vis en ce siècle ! Car voici sous mes yeux, les enfants de ceux que je hais ; car voici le fils de Saint-André qui veut déshonorer la fille Roncherolles ! Et qui lui apporte la fille à déshonorer ? C'est le fils d'Henri II, roi de France ! Le fils de celui à qui ils ont livré Marie... Le fils du roi de France !

Dans ce moment la fille de Roncherolles entra.

Le Royal de Beaurevers la tenait par un bras. Il était ivre de la bataille, l'œil étincelant. Derrière lui, entra pêle-mêle la bande des quatre malandrins plus ou moins éclopés. Corpodibale essuyait le sang qui coulait sur son visage et vociférait :

– Dio-cane, la madonna lavandaia ! Ils étaient huit ! Quels coups ! Quelle marmelade !

– Ils étaient bien neuf, mon doux Jésus, dit doucement Trinquemaille qui déjà pansait une de ses jambes.

– Ah ! lou couquin de Royal ! rugissait Strapafar. Quente apitodado ! Et l'on hable de Roland à Roncevaux, té ! Le Royal en aurait fait une brandade !

– Ya ! tonitrua Bouracan. Il afre vendu le crâne du bremier et bercé les ventres des deux suivants.

– Silence ! vociféra Le Royal. Qu'on ferme la porte !

Roland de Saint-André avait reculé jusqu'à la cheminée. Il tremblait. Il avait remonté son manteau jusque devant son visage mais il ne perdait pas de vue celle qui venait d'entrer et son regard exprimait une passion terrible.

– Monsieur, dit Le Royal en lâchant la jeune fille, voici la donzelle. Je vous l'apporte. Nous sommes quittes.

La jeune fille se tenait très ferme. Dès que Beaurevers l'eut lâchée, elle marcha à Saint-André. Et sa voix s'éleva :

– C'est donc vous qui faites arrêter et qui séquestrez les femmes par violence et félonie. Qui êtes-vous ? Vous faites bien de cacher votre figure. Je verrais un visage de lâche...

Saint-André frémit. Un frisson de rage le parcourut.

– Sachez-le ! continua-t-elle. On ne porte pas impunément la main sur Florise de Roncherolles. Je ne parle pas de ces misérables truands qui ne sauraient compter... mais vous, qui êtes gentilhomme, osez me regarder comme je vous regarde.

Elle fit tomber la capuche qui recouvrait sa tête. Elle était grande, svelte, d'une admirable pureté académique. L'indignation colorait son visage ; ses lèvres s'ouvraient comme une fleur de corail. Ses yeux bruns avaient l'éclat chatoyant de la soie. Une opulente chevelure brune retombait sur ses épaules. Sa beauté était de celles à qui il est impossible de demeurer inaperçue.

Le Royal de Beaurevers était devenu très pâle !...

La sombre figure de Nostradamus dominait cette scène.

– Si belle ! murmura Le Royal au fond de lui-même. Quoi ! Si belle, si fière, si pure ! Tant d'innocence dans ses yeux !...

– Allons, reprenait Florise, rassemblez mes serviteurs, reconduisez-moi à ma chaise, et peut-être oublierai-je !

Saint-André fit deux pas rapides et lui saisit la main.

– Pourrais-je, gronda-t-il, oublier l'amour qui me brûle !

– Oh ! bégaya-t-elle avec un cri de honte, qui êtes-vous ?

– Qui je suis ? Ne le devinez-vous pas ? Eh bien ! regardez-moi donc, et voyez en moi celui qui depuis un an vous supplie à genoux de l'accepter pour époux.

– Roland de Saint-André !

Un cri de détresse échappa à la jeune fille. Un cri de terreur, peut-être. Elle dégagea sa main, et, devenue toute blanche :

– À la félonie de vos moyens, j'eusse dû vous deviner !

Saint-André grinça des dents :

– Félon, oui, mais je vous aime, moi ! Vous ne voulez pas de moi. Eh bien, je vous tiens. Je ne vous lâche plus.

Et il avança encore sur elle. Florise recula en criant :

– N'y a-t-il pas un homme ici qui me délivre de ce félon !...

En même temps, elle jeta autour d'elle un regard éperdu. Et alors, chose inouïe, ce fut vers Le Royal de Beaurevers, anéanti de stupeur, qu'elle se dirigea. Ce fut sur l'homme qui avait rudement porté la main sur elle que Florise leva ses yeux pleins de larmes !...

Roland de Saint-André s'avança, le visage convulsé. À ce moment, on entendit sur le sol le bruit d'une bourse qui tombait. C'était la bourse qui contenait les deux cent quinze écus... Le Royal de Beaurevers venait de la jeter aux pieds de Saint-André !

– Tenez, monsieur, dit le truand, reprenez votre argent !...

Florise jeta un rapide regard sur Le Royal. Presque aussitôt, elle détourna les yeux.

– Qu'est-ce à dire ? grinça Saint-André.

– C'est-à-dire qu'il faut reprendre votre or, voilà tout ! dit Le Royal en poussant la bourse de cuir du bout de sa botte.

– Seigneur Jésus, saint Pancrace ! bredouilla onctueusement

Trinquemaille. Notre beau Royal a perdu la tête.

– Vélou ! fit Strapafar. Lou couquin, il perd la tête.

– Porco-Dio ! grogna Corpodibale. Il perd la testa.

– Sacrament ! larmoya Bouracan. Il n'afe plus son tête.

– Silence ! tonna Beaurevers.

Les quatre, qui déjà allongeaient quatre griffes vers la bourse, se redressèrent d'un bond.

– À vos chevaux ! commanda rudement Beaurevers. Assurez-vous si la chaise de cette noble demoiselle est en état. Et soyez prêts à l'escorter jusqu'à Paris.

Pour la deuxième fois, Florise leva les yeux sur le truand. Le truand de Petite-Flambe avait baissé la tête et s'absorbait en ses réflexions. Saint-André le toucha du bout du doigt.

– Que voulez-vous ? bégaya Le Royal avec effort.

– Or çà, mon maître, grinça Saint-André, vos gens l'ont dit : vous perdez la tête. Que prétendez-vous faire ?

– C'est bien simple : je vais reconduire à son père messire le grand prévôt cette demoiselle que vous m'avez chargé d'arrêter. Vous m'aviez payé pour cela et j'ai loyalement accompli ma besogne. Maintenant, il ne me plaît pas de continuer ce jeu, je vous rends donc votre argent.

– Misérable ! sais-tu bien que je te ferai rouer vif !

– Oh ! tudiable, ne m'échauffez pas les oreilles. Allons, reculez-vous. Je vois que cette demoiselle ne peut souffrir votre contact. En conséquence, je vous défends d'approcher d'elle.

– Eh bien, meurs donc ! hurla Saint-André, qui dégaina et porta au truand un rude coup qui l'eût tué, si d'un bond de côté, il ne se fût mis hors de portée.

Aussitôt, Le Royal se trouva la rapière au poing. Il y eut un rapide cliquetis et tout à coup, Saint-André poussa un hurlement. D'un cinglement, la rapière du Royal l'avait fouetté au visage et zébré sa joue d'une raie rouge. Dans l'instant qui suivit, la pointe avait pénétré dans son épaule.

– C'est le coup de beau revers, dit simplement Le Royal, tandis que Saint-André tombait à la renverse.

– Je te retrouverai ! rugit-il. Tu appartiens au bourreau !

Florise frissonna. Le Royal pâlit.

– Au bourreau ! murmura-t-il. Oui. J'appartiens au bourreau depuis la minute de ma naissance. Aubergiste, écoute : il y a là-haut le corps d'un homme qui fut mon seul ami sur la terre. Tu feras enterrer dignement le pauvre Brabant, et tu donneras un écu à un prêtre pour qu'il le gratifie de quelque prière. Je reviendrai sous deux jours m'assurer que tu as exécuté mon ordre, et il y aura alors dix beaux écus pour toi. Venez, madame !

Il sortit. Florise le suivit. Saint-André s'était évanoui. L'hôte demeuré seul se baissa, saisit la bourse demeurée sur le sol.

– Je dirai que c'est le truand qui l'a emportée ! gronda-t-il.

Le carrosse qui emportait Florise roulait dans la nuit. Les quatre malandrins galopaient, la rapière au poing. Le Royal avait enfourché l'un des chevaux de la chaise, et conduisait lui-même en postillon consommé.

À l'aube, la voiture arriva devant les portes de Paris, et se dirigea vers l'hôtel du grand prévôt, au bout de la rue Saint-Antoine, en face la bastille du même nom. À sept heures du matin, elle entra dans la cour de l'hôtel. Un homme grand, fort, était là, qui reçut Florise dans ses bras, où il la retint avec une tendresse passionnée. C'était le grand prévôt de Paris.

– Pourquoi reviens-tu si tard ? Qu'est-il arrivé ?...

Les quatre compagnons étaient demeurés dans la rue, par prudence. Le Royal de Beaurevers s'avança, salua tandis que le grand prévôt le considérait de son œil d'oiseau de proie.

– Monseigneur, dit-il, j'ai été payé pour enlever cette demoiselle et la remettre à un gentilhomme dont elle vous dira le nom.

– Oh ! murmura Florise, tout bas, vous vous perdez !...

Et le sein de la vierge se mit à palpiter.

– Or çà ! gronda le grand prévôt, est-ce que je rêve ?...

– Vous ne rêvez pas, seigneur grand prévôt. J'ai donc arrêté cette demoiselle et l'ai remise au gentilhomme de qui j'avais reçu deux cent quinze écus.

– Holà, mes gardes, tonna le grand prévôt.

– Mon père ! supplia Florise tremblante d'émotion.

– Seulement, continua Le Royal, la figure de ce gentilhomme m'a déplu. Alors, je lui ai rendu ses deux cent quinze écus, j'ai ramené la demoiselle ici. Voilà ce qui est arrivé. Adieu !

– Gardes, arrêtez cet homme ! écuma le grand prévôt.

Une douzaine d'archers s'élançaient sur Le Royal, tandis que deux ou trois autres fermaient la grande porte de l'hôtel.

– Tudieu ! grogna Le Royal. Si je me laissais arrêter pour voir une minute de plus Mlle Florise ! Mais non ! Elle me verrait pendu.

Sa rapière traça un large éclair ; puis il fonça.

– Arrête ! Arrête ! Au gibet ! vociféra le grand prévôt.

– Grâce pour lui ! balbutia Florise.

– Au truand ! À la rescousse ! hurlèrent les gardes.

Il y eut un tourbillon furieux, des clameurs de rage, des chocs d'acier. Dans ce tourbillon, un être qui ne faisait qu'un avec sa rapière, une lame d'acier vivante, frappait de taille, de pointe, de revers – et Florise regardait cela sans se rendre compte que le vœu secret de son cœur était pour le truand qui l'avait arrêtée !...

– Au large, par le doux Jésus ! fit une voix mielleuse.

– Ya ! tonitrua une autre. Au larche, sacrament !

– Ascout' oun pau, moun pigeoun ! claironna une troisième.

– Trippe del papa ! hurla une quatrième.

Trinquemaille, Bouracan, Strapafar, Corpodibale, violemment avaient repoussé les battants de la grande porte, et foncé, tête basse.

Toutes les portes de l'hôtel, dans la cour intérieure, vomissaient des gens d'armes. Cinquante gardes enveloppaient le groupe monstrueux, hérissé d'acier : Le Royal, Bouracan, Corpodibale, Trinquemaille, Strapafar ; on ne voyait que leurs bras se lever et s'abattre, et, autour, les gardes tourbillonnaient.

Roncherolles enveloppa sa fille de ses deux bras, la transporta jusque sur le perron de l'hôtel, et voulut l'entraîner à l'intérieur. Mais Florise reprit pied sur le sol.

– Je veux voir ! dit-elle.

– Regarde ! Ces cinq truands à la potence, sur l'heure !

– Petite-Flambe en avant ! tonna Le Royal.

Et le groupe enragé, serré en tas, troua les rangs des gardes culbutés, piqua droit sur la porte... Elle était fermée !

Le Royal jeta un regard autour de lui : là-bas, dans la cour, une petite porte béait. Du geste, il la désigna à ses compagnons. La bande parmi les chocs de fer, les cris, marcha à la porte, et s'y enfonça, apocalyptique vision que contemplait Florise du haut du perron, la figure pâle.

Le Royal de Beaurevers passa le dernier. Au moment de repousser la porte au nez des gardes, il eut un regard vers le perron – et ce regard se heurta à celui de Florise ! Le Royal se sentit pâlir. Dans le même instant, un coup de pique lui déchira l'épaule, il tomba à la renverse ; Florise ferma les yeux... Quand elle les rouvrit, elle vit que la porte était fermée, des gardes saisissaient déjà des madriers pour l'enfoncer.

– Laissez ! hurla Roncherolles. Ils sont dans la souricière !

Une acclamation lui répondit. Un tonnerre de rires. Une vocifération des gardes, les poings tendus vers la porte.

Roncherolles disposa des gardes devant la porte et rentra dans ses appartements, accompagné de Florise, toute pensive. Cette porte donnait accès dans une tour isolée. Il n'y avait pas d'autre issue.

Le Royal de Beaurevers, avec ses compagnons, derrière la porte, se comptèrent. Ils étaient déchirés, pleins de sang, mais vivants.

– Maintenant, dit Le Royal, barricadons ça. Puis, mes agneaux, nous verrons à sortir d'ici, car j'ai soif.

Ils se mirent à l'œuvre, entassant coffres sur bahuts. Le Royal avait disparu dans l'escalier qui grimpait aux étages.

– Il cherche à boire, dit Strapafar.

Bouracan poussait une armoire devant la porte.

– Inutile ! fit la voix de Beaurevers. Vous pouvez démolir. Les gardes entassent des fascines pour nous griller ou nous enfumer. Et impossible de fuir.

– Faisons une sortie !...

– La porte est déjà encombrée de fascines. Brabant l'a dit. Aujourd'hui, moi. Demain un autre. Il y a une fosse au bout de toute vie. Et tenez, voici le commencement de la fête...

Une âcre fumée commençait à rouler ses volutes noires.

Huitième chapitre
Le mage

I

Catherine de Médicis

Dans une vaste chambre à coucher du Louvre, Catherine de Médicis, femme d'Henri II, roi régnant, et Ignace de Loyola, fondateur d'un ordre qui ne comptait encore qu'une vingtaine d'années d'existence, mais avec lequel comptaient la royauté et la papauté étaient réunis. La chambre, c'était celle de la reine légitime. Quant à la chambre de la reine illégitime, c'est-à-dire de Diane de Poitiers, elle était située à l'autre aile du Louvre. C'était une pièce immense, meublée dans le goût charmant de la Renaissance.

Paris dormait. Un silence énorme pesait sur le vieux palais.

– Messire, dit Catherine, il est temps que nous partions.

Elle se couvrit d'un voile noir. La mère de Charles IX et d'Henri III avait un peu plus de quarante ans. L'éclatante beauté de sa jeunesse avait pris un caractère sombre et fatal. À quarante ans, les femmes ont pris de l'embonpoint dans l'esprit et de la lourdeur dans le corps. Mais Catherine s'affinait. Elle était plus maigre, plus svelte.

Ignace de Loyola, voyant se lever la reine, se leva également et s'approcha d'elle comme un monarque traitant d'égal à égale. Bien qu'il fût presque septuagénaire, il avait gardé cette élégance d'allure dont il ne put jamais se défaire. Il portait un costume de cavalier en velours violet ; seulement, sous le pourpoint, il y avait un scapulaire sur lequel était brodé un cœur de Jésus, avec, en exergue, les quatre lettres qui ont été le signe de la plus formidable puissance :

A. M. D. G.

Une fine rapière battait à son côté ; si on avait tiré la lame, on eût pu lire ces mots ciselés sur le plat :

JE SUIS LE SOLDAT DU CHRIST

Il y avait dans son visage une sorte de sérénité. Une légère boiterie de la jambe droite ne lui enlevait rien de cette grâce altière qu'il tâchait de dissimuler sous une humilité d'apparat.

– Madame, dit Loyola, avez-vous réfléchi ?

– C'est tout réfléchi, dit Catherine. Allons messire.

Le moine l'arrêta d'un geste, et s'inclina légèrement.

– Madame, dit-il, vous qui êtes une grande reine, vous serez le champion de l'Église, Madame, il faut tuer l'hérésie. Madame, il faut tuer la science, mère maudite de l'hérésie. Madame, c'est vous que j'ai désignée à l'obéissance des affidés de France. Et lorsque je veux m'en aller mourir à Rome, content de pouvoir dire à saint Pierre que les destinées du plus beau royaume de la chrétienté sont en bonnes mains, que me dites-vous, madame ?... Que vous voulez aller consulter une façon de devin ou d'astrologue, une créature du démon, quelque chose de pis, peut-être : un savant !...

– Messire, je suis reine, il est vrai. Mais je suis femme aussi. Écoutez. Voici quelques jours que ce Nostradamus est dans Paris. Et déjà sa réputation, pareille à une traînée de feu, s'est répandue dans la ville. Je veux le voir. Je veux voir cet homme, qui est capable de me montrer de quoi est fait *demain.*

– C'est à Dieu, qu'il faut poser ces sublimes questions.

– J'ai parlé à Dieu. Je l'ai prié selon la formule que vous m'avez donnée. Les puissances du ciel ne m'ont pas répondu. Puisque le ciel est sourd, c'est à l'enfer que je veux parler.

Le premier général des jésuites se signa et murmura :

– *Fiat voluntas tua.*

– Je suis résolue à savoir ! reprit Catherine. Et s'il ne s'agissait que de moi... Je sais que mon heure viendra. Mais Henri, mon cher Henri, mon chérubin...

– Henri ? interrogea le moine.

– Le troisième de mes enfants... Comprenez-vous ?... Ils sont deux avant lui !... Exclu de la royauté... à moins que Dieu... n'appelle à lui ses frères... avant l'âge...

En parlant ainsi, Catherine de Médicis baissait la voix. Loyola la considérait avec une curiosité épouvantée.

– Voulez-vous le voir ? reprit Catherine.

Catherine pénétra dans une chambre éclairée par une veilleuse. Là dormaient les trois premiers fils du roi Henri. C'était une sorte de dortoir dont seul était exclu le plus jeune fils du roi, François, qui couchait encore avec la nourrice.

Il y avait là trois lits à colonnes. À gauche, c'était le lit de François, l'époux de Marie Stuart, au visage pâle et maigre, qui allait sur sa quinzième année. À droite, c'était le lit de Charles. Il avait environ neuf ans. Par les courtines entrouvertes, on le voyait, les yeux ouverts et fixes.

– Vous ne dormez pas, Charles ? demanda Catherine sèchement. Il faut dormir. Allons, fermez les yeux.

Charles ferma ses paupières en poussant un soupir. Catherine tira la courtine et se dirigea vers le fond de la pièce. Là, c'était le lit d'Henri. La mère écarta les rideaux.

Il achevait sa septième année. C'était le plus beau des quatre. Il souriait en dormant. De magnifiques boucles blondes encadraient son fin visage. Catherine s'était penchée.

– Regardez-le, murmura-t-elle extasiée.

Le profond et subtil regard de Loyola ne chercha pas l'enfant, mais la mère. Et il la vit transfigurée, attendrie.

Alors, le regard du moine se porta sur les lits de François et de Charles, de ceux qui empêcheraient Henri de régner... si *Dieu avant l'âge ne les appelait pas à lui !* Et il songea :

– Condamnés !...

Peut-être son œil de flamme avait-il découvert dans l'âme de la reine, des germes qu'elle ignorait encore !...

– Bénissez-le ! reprit doucement Catherine.

Et elle s'agenouilla. Loyola récita une prière qu'il termina par le signe de la bénédiction. Alors, Catherine se releva, puis, suivie du moine, rentra dans sa chambre.

– Avez-vous compris ? gronda-t-elle en saisissant le bras de Loyola. Je veux savoir si Henri, *mon* fils, régnera. Et puisque vous ne pouvez me répondre, vous l'envoyé de Dieu, allons voir l'envoyé de Satan !

II

L'hôtel de la rue Froidmantel

Vers le milieu de la rue Froidmantel s'élevait un ancien hôtel seigneurial flanqué de tourelles et entouré d'un fossé, vestiges des époques féodales.

Un mois avant, l'hôtel avait été acheté par un étranger pour le compte de son maître. C'était un petit vieux, parcheminé : Une nuée d'ouvriers s'abattit sur l'hôtel. L'hôtel se trouva magnifiquement aménagé. Puis le vieux partit en disant qu'il se rendait à Fontainebleau à la rencontre de son maître.

C'est devant cette demeure que la reine et son compagnon s'arrêtèrent, leur escorte étant restée à vingt pas. Il était onze heures.

– Nous arrivons à la minute fixée, murmura Catherine.

Ils étaient masqués tous deux. Par surcroît, la reine se couvrait de son voile, et le cavalier de son manteau. Le pont franchi, Catherine s'arrêta devant une immense porte massive.

– J'entre avec vous, dit Loyola, mais c'est pour convaincre d'imposture celui à qui vous faites un tel honneur.

En même temps, le général des jésuites mit la main sur un marteau de bronze ciselé en forme de sphinx. Mais avant que le marteau ne fût retombé, la porte s'ouvrit.

Ils entrèrent, et se trouvèrent dans un grand vestibule éclairé par trois énormes candélabres supportant chacun trois cierges de cire disposés de façon à former un triangle. Au fond du vestibule commençait un escalier de marbre rouge. Sur la première marche, se tenait un petit vieillard vêtu de noir. Il salua et prononça :

– Mon maître vous attend.

Puis il monta. Au premier étage, le petit vieux ouvrit une porte et s'effaça pour laisser passer les visiteurs. La salle où ils pénétrèrent alors était étrange dans sa simplicité.

Elle était parfaitement ronde et son plafond s'arrondissait lui-même en un dôme au zénith duquel brillait un fanal qui versait une lumière douce. Douze portes s'ouvraient sur cette salle. Sur le fronton de chacune de ces portes était représenté l'un des signes du zodiaque. Sur la frise qui courait autour de la muraille, apparaissaient les sept planètes. Les portes étaient séparées l'une de l'autre par des colonnes de jaspe. Sur chacune de ces colonnes, était gravé le nom de l'un des mois du calendrier astrologique.

Au pied de chaque colonne était accroupie une figure de marbre aux formes chimériques. Et ces figures représentaient les douze Génies attachés à chacun des douze signes du zodiaque.

Tout l'ameublement consistait en douze fauteuils de marbre rouge rangés symétriquement par rapport aux douze portes d'ivoire. Ils étaient placés autour d'une table ronde supportée par quatre sphinx de marbre. La table était un bloc d'or pur sur lequel était figuré en relief le signe suprême, le rayonnant symbolisme de haute magie, la *Rose-Croix*, au centre de laquelle brillait en lettres de diamants le verbe sacré :

INRI

C'était une fabuleuse mise en scène de mystère, jetant dans l'âme exorbitée une religieuse horreur en même temps qu'une admiration tremblante.

Loyola demeura dédaigneux. Catherine sentit son cœur grelotter. Et leurs regards se fixèrent sur l'homme qui s'avançait en souriant : Nostradamus !... Il était vêtu selon la mode des seigneurs de la cour de France. Il portait l'épée. Mais à son pourpoint, il n'y avait pas d'autre ornement qu'une chaîne d'or terminée par une Rose-Croix de rubis. Il était de haute taille, avec un visage d'une beauté parfaite, mais d'une pâleur extra-humaine.

– Noble dame, dit-il, et vous, seigneur, je vous salue...

Il fit asseoir Catherine dans le fauteuil correspondant à la porte sur laquelle était tracé le signe de la *Balance,* et Loyola dans le fauteuil correspondant au *Sagittaire.* Lui-même prit place dans le fauteuil correspondant au *Lion.*

Ils étaient ainsi placés tous trois de façon à occuper les trois sommets d'un triangle dont les côtés étaient égaux.

– Madame, dit Nostradamus de sa voix grave, je mets cette nuit ma science à votre service, et j'attends vos questions.

– Ta science ! gronda Loyola avec mépris. Magie !... Vaines chimères ! Impostures !... à moins que je ne dise CRIME !

III

Loyola

Nostradamus tourna la tête vers celui qui l'attaquait.

– Seigneur gentilhomme, dit-il avec bonhomie, vous avez dit : *crime.* Vous êtes pareil à l'aveugle qui nie le soleil. Pourquoi vous faites-vous le champion de l'ignorance ? Écoutez, madame, voici un triple faisceau de lumineuses hypothèses : Le monde visible n'est que l'ombre d'un monde réel qui échappe à nos sens. Figurez-vous un homme dans une caverne et tournant le dos à l'entrée. Cet homme n'est jamais sorti de la caverne. Il ignore même qu'elle ait une entrée. Sur la muraille du fond, il voit s'agiter les ombres de tout ce qui, à l'extérieur, passe devant la caverne. Que sont ces ombres pour lui ? La seule *réalité* qu'il connaisse. Et pourtant ce ne sont que des ombres. La vraie réalité est hors de la caverne... Supposez maintenant que quelqu'un placé près de cet homme regarde vers l'entrée ; il verra les êtres *réels* qui s'agitent *au dehors ;* il surprendra leurs gestes. Ne connaîtra-t-il pas dès lors les ombres *qui vont se reporter sur la lumière ?* Et, ne pourra-t-il pas indiquer à son compagnon ce que vont être ces ombres, dans quel sens elles vont se mouvoir ?... Cette caverne, madame, c'est notre univers. Ces ombres, c'est l'ensemble de ce que nous voyons. Il est donné à de rares créatures humaines de se tourner vers l'extérieur, de surprendre la *réalité positive* et d'indiquer à leurs compagnons *quelles ombres vont se porter sur la muraille de la vie terrestre,* C'EST-À-DIRE QUELS ÉVÉNEMENTS VONT S'ACCOMPLIR.

– Et tu prétends être une de ces créatures ?... fit Loyola.

– J'en suis une, seigneur, dit simplement Nostradamus.

– Sacrilège ! rugit Loyola. Que fais-tu de Dieu !...

– Dieu, *c'est le désir suprême de l'homme,* la secrète espérance en une vie recommencée dans le cycle de l'éternité. Croire en Dieu, c'est désirer la perpétuation de l'homme.

– Je n'entendrai pas plus longtemps ces blasphèmes !

Et Loyola se leva. Nostradamus étendit la main vers lui :

– Seigneur gentilhomme, vous ne vous en irez pas sans emporter une preuve de ma science. Madame, aujourd'hui, à six heures du soir, une dépêche a été glissée sous la porte de ce logis. Elle m'annonçait la visite d'une dame de qualité pour onze heures. Et c'est tout. La dame de qualité, c'est vous, madame. Quant à vous, monsieur, je ne vous connais pas. Je ne savais pas que vous viendriez. Vous êtes masqué. Un ample manteau dissimule vos vêtements. Maintenant, écoutez...

Loyola se sentit frissonner.

– Monsieur, dit Nostradamus, soixante-huit ans sont écoulés depuis le jour où dans un pays montagneux, une dame de haute noblesse a éprouvé pour la onzième fois les douleurs de l'enfantement. C'était dans un château dominant le pays d'alentour. La dame voulut enfanter dans une étable, comme la Vierge, et donna à l'enfant qui vint au monde le nom d'Inigo.

– Démon ! balbutia Loyola qui, pour la première fois, sentit une inexprimable terreur se glisser jusqu'à son cœur.

– Faut-il vous dire, reprit Nostradamus, qu'Inigo de Loyola fut page du roi Ferdinand V, qu'il commandait une compagnie dans une ville assiégée par l'étranger, qu'il y reçut une blessure dont il boite encore, et qu'il se voua dès lors au culte de Jésus !... Faut-il vous dire, qu'entré dans les ordres, il a fondé une compagnie nouvelle, qu'il a imposé aux papes et aux rois cet ordre religieux qui compte maintenant des suppôts dans le monde entier ? Faut-il ajouter qu'Ignace de Loyola sentant sa mort prochaine a voulu revoir une dernière fois la France, donner ses instructions suprêmes à Catherine de Médicis, son meilleur élève, et qu'enfin Ignace de Loyola est entré dans cette maison pour me traiter d'imposteur ?...

– Venez, madame, gronda Loyola. Vous êtes en perdition.

– *Je veux savoir !* murmura sourdement la reine.

– Je ne demeurerai pas dans la maison de Satan !

– Venez, messire, dit gravement Nostradamus.

Et il conduisit Loyola jusqu'à une des portes en disant :

– Adieu, messire. Bientôt nous nous reverrons.

– Jamais ! À moins que tu ne sois sur un bûcher.

Nostradamus saisit la main de Loyola, et se pencha sur lui. Dans cette minute, il était terrible à voir.

– Nous nous reverrons ! acheva-t-il. Car il faut que tu sois puni des malheurs que ta méchanceté a jetés dans la vie d'un innocent. Souviens-toi de Tournon !...

Nostradamus se tourna vers le petit vieux qui était là :

– Escorte cet homme, dit-il. Fais-lui honneur. Il m'appartient !

Loyola plia sous cette rafale de haine qui tombait sur lui. Quand il se redressa, il ne vit plus que le petit vieillard qui lui montrait le chemin.

IV

Le cercle magique

– Madame, dit Nostradamus en revenant s'asseoir devant Catherine de Médicis, je sais qui vous êtes. Vous pouvez donc ôter votre masque.

Le ton était affable, la parole respectueuse. Catherine cessa de trembler.

– Les questions que vous avez à me poser sont terribles, reprit Nostradamus. Il faut que vous m'indiquiez clairement les circonstances au milieu desquelles vous évoluez. Mieux je vous connaîtrai, et plus claires seront mes réponses.

– Eh bien, oui ! dit Catherine. Je serai franche avec les Puissances dont vous êtes le représentant, afin qu'elles le soient avec moi. Mais… je suis mère ! Nostradamus, comprends-moi. Je suis venue te parler de moi ! Mais d'abord, je veux connaître le sort, l'heure, l'avenir de mon fils !…

– *Votre* fils ? interrogea Nostradamus. Je croyais que le roi comptait déjà quatre enfants mâles dans sa postérité.

– J'ai dit : *mon fils,* répéta Catherine avec une sorte d'extase farouche. Je brûle de connaître son destin.

Nostradamus tendit à la reine un parchemin et un crayon.

– Madame, dit-il, veuillez écrire en termes brefs et clairs la question que vous voulez poser au Destin.

Catherine, d'une main fébrile, traça ces mots :

– *Jà, devine le sort ou heur et avenir de mon aimé fils Henri.*

Nostradamus prit le parchemin et l'examina paisiblement.

– Madame et reine, dit-il, ceci est la parole matérielle. Cette phrase qui, aux yeux d'un homme ordinaire, révèle seulement l'inquiétude d'une *bonne mère,* possède un second sens qui est le vrai. Sachez-le ; la question la plus vulgaire trouve sa réponse magique…

Catherine écoutait. Les paroles du mage se gravaient dans son esprit. Nostradamus continua :

– La question contient quarante-cinq lettres. J'écris ces lettres autour d'un cercle. Je leur joins une progression de nombres de 1 à 45. Chacune des lettres inscrites au cercle magique est *liée à son nombre*, chaque nombre étant lié à son arcane...

Nostradamus présenta à Catherine la figure qu'il venait de tracer tout en parlant, puis la plaça devant lui. En même temps, il poussa devant Catherine un autre parchemin et dit :

– Écrivez, madame. Ces lettres, sur lesquelles je laisse errer mon regard vont s'arranger d'elles-mêmes pour présenter des mots dont l'ensemble constituera la réponse à votre question. Et cette réponse devra contenir exactement les mêmes quarante-cinq lettres de la question. Et tenez, oh ! je vois déjà se former un mot... non ! tout un membre de phrase... écrivez... « *mais le fer d'un moine...* »

La main tremblante, Catherine écrivit : « *Mais le fer d'un moine...* »

– Voici d'autres mots qui me *sautent aux yeux...* écrivez, madame... « *sa vie heurte... lent... vain...* »

Et Catherine, les veines glacées, traça les mots dictés :

– *Hérode !* dicta Nostradamus haletant.

Hérode... écrivit Catherine de Médicis.

Nostradamus était penché sur la figure magique.

– Un mot ! Un mot encore ! murmura-t-il. Oh ! un petit mot énorme ! Trois lettres insignifiantes qui signifient puissance... voici le mot que je lis ! Écrivez, madame... « *Roi...* »

Un rugissement de joie furieuse monta aux lèvres de Catherine et, d'une main violente, rudement elle écrivit :

– ROI !...

Nostradamus relut rapidement les mots dictés :

– « Mais le fer d'un moine – sa vie heurte – lent – vain Hérode – roi. »

– Un seul mot m'embarrasse, dit-il, c'est Hérode. Pourquoi Hérode ? Ce mot à part, la destinée de votre fils Henri éclate dans la phrase tracée par vous sous forme de question. Voici la réponse de l'Occulte tout entière contenue dans votre question !... « *Roi lent, vain Hérode. Mais le fer d'un moine heurte sa vie*»

– Henri régnera donc ! haleta Catherine.

– Il régnera. Mais le fer d'un moine heurte sa vie !

– Ah ! qu'importe ! Je veillerai. Le fils de Catherine coulera de longs jours paisibles, sans douleur, ni crainte du fer !

Nostradamus couvrait Catherine de son regard de feu.

– Voici l'instrument de ma vengeance ! pensa-t-il. Voyons pourtant jusqu'où descend l'esprit de cette femme... Il reprit tout haut :

– Cette prédiction serait incomplète si nous ne nous renseignions sur l'avenir des deux frères qui, avant votre fils Henri, sont désignés pour régner. Je prends la dernière phrase que vous venez de prononcer, madame : « *Le fils de Catherine coulera de longs jours paisibles sans douleur ni crainte du fer.* » Elle contient soixante-dix lettres que j'inscris dans ce cercle, chacune avec son nombre de 1 à 70. J'en cherche la métathèse. Et tenez, madame, voici la réponse qui jaillit d'elle-même, dès nos premiers regards.

En même temps, Nostradamus traça et lut ces mots : « *Si jeunes, François et Charles, double souci. Rien dû. Ils périront dans la fleur de l'âge.* »

Catherine compara les lettres des deux textes, c'est-à-dire de la phrase qu'elle avait elle-même prononcée et de la métathèse qu'en avait extraite le mage. Toutes les lettres de la réponse, pas une de plus, pas une de moins, se trouvaient répétées dans la phrase prononcée.

– Ainsi, continua Nostradamus, dès leur enfance, vos deux fils François et Charles sont un sujet de souci pour vous. L'Occulte déclare que vous ne leur devez rien. Ceci veut dire que vous vous croyez exemptée envers eux de toute affection maternelle. Rassurez-vous : ils mourront jeunes et laisseront ainsi la place libre au fils de votre cœur !

Catherine se sentit fouettée par l'ironie de ces paroles.

– Sorcier, gronda-t-elle. Ne scrute pas les secrets de mon cœur !

Nostradamus dit alors ces paroles terribles :

– Si vous voulez que je serve vos projets, il faut pourtant que je sache le nom de l'homme qui a été votre amant...

– Mon amant ! murmura Catherine devenue livide.

– Oui, François et Charles sont les fils du roi, d'un homme que vous n'aimez pas. Henri, que vous adorez, est le fils d'un homme que vous avez aimé. Il me faut son nom...

– Oh ! balbutia Catherine, qui vous a livré ce secret ?

– Cette puissance ! répondit simplement Nostradamus en posant le doigt sur la rose symbolique suspendue à son cou.

– Cette puissance ! répéta machinalement Catherine.

– Dites-moi le nom de l'homme qui a été votre amant ?

– Vous insultez la reine ! bégaya Catherine en se débattant.

– Non. Je la sauve. Le nom, madame ! Dites-le !...

– Le nom de l'homme ! Non, mage ! Roi d'enfer !... Le nom !... Tu ordonneras à cette puissance de te le dire !...

Et à son tour, elle désignait la scintillante Rose-Croix.

– C'est bien ! Le nom, madame, je vais le chercher et le trouver dans ces derniers mots que vous avez prononcés !...

Et il inscrivit autour d'un cercle, avec leurs nombres, les soixante et onze lettres contenues dans cette phrase : *Le nom de l'homme ? Non, mage, Roi d'enfer !... Le nom !... Tu ordonneras à cette puissance de te le dire !...*

Pendant quelques minutes, Nostradamus fixa le cercle.

Puis il eut un sourire qui fit frissonner la reine, et il dit :

– Voici le nom ! Et avec le nom, la destinée du père de votre fils Henri !... Tenez, madame, ajouta-t-il en écrivant quelques mots, lisez, comparez, et vous trouverez ici la métathèse parfaite de vos propres paroles.

Catherine saisit avidement le parchemin et lut :

– « *Le père de l'enfant se nomme Montgomery. Sa lance, don de Catherine, dénoue le sort du roi.* »

– Montgomery ! murmura la reine atterrée.

– Ce n'est pas moi qui le dis. C'est la puissance occulte.

Mais déjà l'esprit de Catherine s'hypnotisait sur ces mots dont elle cherchait à deviner le sens exact :

« Sa lance, don de Catherine, dénoue le sort du roi... »

Sans doute, elle crut avoir compris ! Car, pour masquer l'espoir qui ravageait sa physionomie, elle se couvrit précipitamment de son voile. Nostradamus songeait :

– Voici que déjà j'ai jeté dans ce cœur la première pensée du crime ! Voici que déjà j'ai laissé tomber la graine d'où sortira la fleur empoisonnée !... Oui !... Mais il ne faut pas qu'elle me le tue tout de suite !... Je veillerai à cela !...

Cependant la reine reprenait son sang-froid.

– Si tu veux servir mes intérêts, dit-elle, je t'enrichirai.

– Madame, répondit doucement le mage, quand vos coffres seront vides, venez me trouver, et je les remplirai. Vous voyez cette table ? Elle est en or massif : c'est moi qui ai fabriqué cet or. C'est moi qui ai fondu les matières d'où sont sortis les diamants de cette croix.

– Oh ! vous avez donc trouvé ce que tant de savants ont vainement cherché !... *la pierre philosophale !*

Nostradamus devint pensif. Il parut avoir oublié la présence de Catherine. Et il parla comme il eût parlé pour lui-même :

– J'ai trouvé, ou plutôt l'Énigme m'a enseigné ce que les hommes trouveront dans deux ou trois mille ans. La pierre philosophale est une vérité encore cachée. Lorsque l'homme aura compris l'unique vérité, il rayera le mot *mort* du nombre des verbes humains. Car c'est un mot vide de sens, madame. Car tout vit, madame, et tout se survit dans l'éternité... Voilà ce que m'a appris l'Énigme...

– Êtes-vous homme ? murmura la reine. Ange ?... Démon ?...

– Je suis homme, dit Nostradamus avec une poignante mélancolie. Car la science, madame, ne m'a pas appris à triompher des douleurs du cœur. Mais la fabrication de l'or est une simple question de calcul, et ceux que vous appelez les morts peuvent accourir vers qui sait leur parler.

Catherine jeta autour d'elle un regard de terreur.

– Madame, reprit Nostradamus en s'apercevant que l'esprit de la reine était tendu à se briser, ne craignez rien. Je puis beaucoup pour les autres et bien peu pour moi-même... Vous m'avez promis de m'exposer votre situation présente...

– Oui, bégaya Catherine, parlons plutôt de moi, messire.

V

Le serment de Nostradamus

– Voyons, fit Nostradamus avec bonhomie, vous avez lieu de vous plaindre de votre époux Henri, roi de France.

La reine ne remarqua pas l'accent de haine implacable avec lequel il avait prononcé le nom du roi.

– Henri, dit-elle, a aimé bien des femmes. Mais pour celle qu'il aime aujourd'hui, sa passion ira jusqu'à...

La reine se tut. Nostradamus murmura dans un souffle :

– Jusqu'à vous répudier, n'est-ce pas, madame ?...

La reine eut un regard qui eût terrorisé tout autre.

– Vous avez promis d'être franche, madame.

– C'est vrai ! fit sourdement la reine. Voilà le chancre rongeur de ma vie. Le roi est fou d'amour. Il offrira le trône à cette femme, et on me brisera ! Patience ! Mon heure viendra. Et alors, oh ! alors, malheur à ceux et à celles qui m'auront fait souffrir !

Catherine s'arrêta brusquement, passa une main sur son front, et murmura :

– Cette femme peut me faire un mal irréparable. Une perverse créature qui sait se refuser pour tout obtenir...

– Puis-je savoir son nom ? demanda Nostradamus.

– Elle s'appelle Florise de Roncherolles...

Nostradamus ne fit pas un mouvement. Mais la reine Catherine eût grelotté d'épouvante, si elle avait entendu la clameur de joie qui se déchaîna dans le cœur de Nostradamus.

– La fille de Roncherolles ! Florise est aimée d'Henri ! songeait-il. Oh ! J'entrevois pour cet homme des souffrances pareilles à celles que j'ai souffertes, puisque Florise est ou sera aimée de Royal-Beaurevers et que le Royal-Beaurevers, c'est le fils d'Henri ! Roi de France, voici le châtiment ! Aime cette Florise ! Puisse-tu l'aimer mille fois plus que jadis je n'aimai Marie !...

Puis, tout s'apaisa en lui. Et en Nostradamus il n'y eut plus que le froid calculateur mûrissant le problème de la vengeance. La reine disait :

– Je n'ai qu'un moyen de me défendre. C'est de tenter sur Henri quelque artifice d'amour... J'ai entendu parler de philtres... moi-même, j'en ai usé... Mage... j'attends !

Nostradamus ne répondit pas. Il se parlait à lui-même.

– Quel sanglant avenir je vois à cette famille maudite ! Car voici le châtiment d'Henri, frappé en lui, en sa postérité ! Car ce sera la famille de malédiction où l'épouse assassine l'époux, où la mère tue les enfants, où les frères s'entre-dévorent.

– Mage, reprit la reine avec irritation, tu ne réponds pas !

Nostradamus se leva et prononça :

– Cet homme qui t'a humiliée, ce roi, tu le hais. Et tu me demandes un philtre d'amour ! Il faut un plus redoutable châtiment ! Tente, si tu veux, de le ramener à toi par l'amour. Essaie encore sur lui les charmes de ton corps. Car tu es belle, Catherine. Oui, tente, si tu veux, un suprême assaut. Moi, je ne veux pas m'en mêler.

Catherine grinça des dents.

– Tais-toi ! continua Nostradamus, Henri aimera Florise jusqu'à la limite extrême. Tu te verras à la minute de la répudiation... Et c'est alors seulement, que j'arriverai et que je te sauverai. Catherine, tu ne seras pas répudiée, Catherine, tu régneras... Tu occuperas le trône de France avec le fils de ton cœur. J'en fais le serment !

La reine, une minute, demeura éblouie devant cet avenir de puissance et de vengeance que venait d'évoquer le mage. Nostradamus s'enfonçait dans une méditation.

– Oh ! Et si elle allait tenter de ramener à elle cet homme ! Si elle allait réussir !... Elle est belle encore. Si cet homme allait se mettre à aimer Catherine ! Je verrais ma vengeance se dissiper... Allons ! Mettons entre Catherine et Henri quelque barrière infranchissable ! Tentons une fois encore dans la vie la terrible opération que j'ai réussie déjà !...

Catherine s'enveloppait de son voile et disait :

– Voici qu'il va être minuit. Messire, attendez-vous à me revoir. J'emporte vos paroles dans mon cœur...

– Madame, fit Nostradamus, il faut que mon serment pour être valable, soit répété devant quelque membre défunt de la famille du roi votre époux. Soyez courageuse...

VI

Le fantôme de François

Nostradamus fit un geste et la lumière de la voûte sphérique s'éteignit. La salle demeura plongée dans les ténèbres.

– Que voulez-vous faire ? balbutia la reine éperdue.

Elle sentit alors qu'une main la saisissait et l'entraînait.

À ce moment, très loin, elle entendit la voix du crieur de nuit, pareille à une lamentation :

– Il est minuit ! Gens de Paris, dormez en paix !

– Minuit ! répéta Catherine, l'âme vacillante.

– Par toutes les Puissances ! murmura à son oreille la voix du mage. Ne prononcez pas un mot, si vous voulez que l'évocation s'accomplisse, et si vous voulez régner...

Catherine refoula sa terreur, et suivit Nostradamus qui l'entraînait. Elle pénétra tout à coup dans une pièce vaguement éclairée de phosphorescence rougeâtre. Un étrange parfum la saisit aussitôt...

– Ne vous effrayez pas de ces odeurs éparses dans cette atmosphère, dit la voix de Nostradamus. Vos sens s'accoutumeront à ces émanations nécessaires.

Catherine osa ouvrir les yeux.

Et voici ce qu'elle vit : Elle se trouvait dans une chambre rectangulaire, sans fenêtres, dont le plafond, les quatre parois et le plancher étaient recouverts d'une étoffe de soie vert-émeraude ; cette étoffe était ajustée au moyen de clous de cuivre. Au fond, se dressait un grand cadre, couvert d'un voile blanc.

– Il y a là un portrait ! songea-t-elle. Quel portrait ?...

Mais son attention se porta sur une sorte d'autel en marbre blanc, dressé devant le cadre. Sur l'autel, resplendissait le talisman d'Anaël, la croix de cinq pointes, en cuivre pur. Sur cet autel Catherine entrevit le réchaud d'où se dégageaient les parfums. Au milieu de la pièce, un trépied supportant un autre réchaud où brûlaient aussi des parfums. Enfin, Catherine vit que l'autel et le trépied étaient entourés d'une chaîne de fer et d'une triple guirlande faite de roses et de feuillages de myrte et d'olivier entrelacés.

Comme elle tournait la tête un peu en arrière, du côté face au portrait, elle vit un dais en étoffe vert-émeraude, supporté par deux colonnes de cuivre, au pied desquelles s'accroupissait un Sphinx de marbre blanc.

Sous ce dais, tout à coup, elle vit Nostradamus. Il tenait dans la main gauche un candélabre en cuivre, qui supportait un cierge, et, de sa main droite, une épée nue... Il déposa le candélabre contre le mur, puis au milieu de la pièce, il traça de la pointe de son épée un grand cercle.

À ce moment précis, Nostradamus prononça :

– Dans la foule des trépassés que d'invisibles liens unissent à Henri, roi de France, j'appellerai pour être témoin de mon serment celui qu'Henri de France a tant pleuré, le frère bien-aimé, mort à Tournon, François de Valois !

– François ! hurla Catherine. Pas lui ! Je ne veux pas !

Elle crut avoir crié. Aucun son ne sortit de ses lèvres.

– François de Valois, appela Nostradamus, au nom des Puissances, lève-toi d'entre les morts !

– Non ! non ! rugit Catherine en elle-même.

Et, d'un frénétique effort de tout son être, elle parvint à se traîner de quelques pas plus loin. Elle avait alors à sa droite le grand cadre couvert de son voile blanc, à sa gauche le dais vert-émeraude.

Soudain, elle vit tomber le voile blanc qui recouvrait le cadre. Les pupilles dilatées, son regard se fixait sur l'espace qu'entourait ce cadre... Cet espace était occupé par une glace sans tain, derrière laquelle flottaient les ténèbres.

– Au nom des puissances occultes ! prononça encore Nostradamus, François de Valois, frère d'Henri de France, je t'adjure de te montrer à la reine ici présente.

Catherine sentit que son cœur s'arrêtait de battre. Tout à coup, elle frémit : dans le cadre, derrière ou sur la glace, au fond, des ténèbres, une forme venait de se dessiner !... Une forme indistincte, qui semblait lointaine ; mais en moins d'une seconde, elle se précisa, elle fut sur la glace... elle fut dans la chambre !...

– François ! râla Catherine. Par pitié, éloigne-toi !

– François de Valois, dit le mage, Nostradamus te salue !

Dans le même instant, Catherine vit que l'apparition avait pris place sous le dais. Le fantôme de François était vêtu tel que Catherine l'avait vu au moment d'aller à une bataille : il était couvert d'acier, hormis la tête qui émergeait, rigide. Une tête exsangue, sans tristesse ni colère, une tête avec des yeux qui semblaient rivés sur Catherine.

Et elle haletait. Elle voyait l'Invisible... Son être craquait, se tordait sous les étreintes de la peur...

Et, soudain, elle fut transportée dans le monde des épouvantes : le fantôme de François venait à elle !... Il s'approchait... il était sur elle !... Catherine se renversait en arrière, les bras tendus, les mains frénétiques... François se penchait ! François allongeait la main !... Et du bout du doigt, il la toucha au front. Elle s'écroula avec un gémissement et s'anéantit...

Lorsque Catherine revint aux sens des choses, elle se vit dans une belle chambre ornée de meubles magnifiques, inondée de lumière. La reine était assise dans un fauteuil, sur des coussins moelleux ! Nostradamus, empressé, respectueux, lui faisait respirer une essence, puis longuement, lui parlait, la calmait, lui ordonnait de se souvenir seulement que bientôt elle serait LA REINE. Sous cette parole, Catherine renaissait. Non, elle n'avait pas revu sa victime. Non, le fantôme de François ne l'avait pas touchée au front... Elle avait rêvé !

Neuvième chapitre
Les truands

I

Lagarde et Montgomery

Dehors, Catherine retrouva son escorte : douze reîtres armés, douze colosses aux attitudes impassibles, muets par discipline, habiles à se glisser au fond des nuits sans lune. Ils ne connaissaient qu'un chef : le baron de Lagarde ; qu'un dieu : la signora Caterina.

C'étaient des êtres incultes, passifs, insensibles, obéissants jusqu'au crime. La reine les appelait son *Escadron de fer*.

Et ils étaient de fer. Leurs mains étaient des étaux quand ils saisissaient quelqu'un. Leurs pensées étaient : le jeu, le vin, l'orgie, le meurtre. Leur devise était : par le fer. Ils tuaient avec ivresse.

La reine avait aussi un *escadron volant :* une vingtaine de filles de noblesse choisies parmi les plus belles statues d'amour, dressées au calcul dans la passion. C'était le filet d'espionnage que Catherine avait jeté sur la cour. Elles savaient s'offrir, se refuser, se donner, arracher les secrets que la reine guettait. Leur devise était : par l'amour.

Lorsque Catherine croyait avoir surpris sur le visage d'un seigneur qu'il *savait quelque chose,* elle le désignait à une de ses espionnes, qui, bientôt, faisait son rapport – et la reine jugeait. Si le soupçon s'évanouissait, elle lâchait l'homme. Si le soupçon se trouvait confirmé, alors, elle livrait l'homme à l'escadron de fer : dans les trois jours, on le trouvait poignardé.

Lagarde était le chef de l'escadron de fer. Les douze tremblaient devant lui. Mais quand il y avait une expédition en vue, le capitaine, pour deux ou trois nuits, démuselait ses fauves ; alors il les conduisait à l'orgie comme à la bataille ; alors toutes les ivresses fantastiques, ivresse de vin, ivresse d'amour, ivresse de sang, il les leur offrait.

Lagarde avait ses entrées au Louvre ; mais il y était tenu à l'écart : il était suspect, il ne se montrait au palais que juste ce qu'il fallait pour affirmer son droit d'y être. Il résultait de cette situation qu'il fallait un intermédiaire entre Catherine de Médicis et le baron de Lagarde.

Cet intermédiaire, c'était le comte de Montgomery, capitaine des gardes d'Henri II : au fond, Montgomery aimait le roi. Mais la reine le tenait ; voici pourquoi :

Un soir, il y avait quelques ans, une terrible scène avait eu lieu entre Catherine et Henri. Catherine ne s'était pas encore perfectionnée dans l'art de se taire ; ce soir-là, Catherine parla. Sa haine contre Diane de Poitiers déborda en torrents.

– Puisqu'il en est ainsi, dit le roi, je m'en vais chercher auprès de Diane l'affection que je ne trouve pas chez la reine.

Demeurée seule, Catherine éclata en sanglots.

– Et moi, cria-t-elle, humiliée, qui donc me consolera ?

Le capitaine des gardes, impassible, avait assisté à cette scène. Elle le vit jeune, beau, robuste, insensible. Elle se dit : Voici peut-être un homme capable de me venger. En une seconde, elle entrevit la force énorme que pourrait lui donner un homme qui serait sa créature. Elle lui dit :

– Vous avez entendu comme je suis traitée. La dernière de mes dames d'honneur, la dernière de mes servantes ne supporterait pas de tels affronts. Dites, avez-vous entendu ?

– Madame, dit le capitaine, je ne vois et n'entends que ce que j'ai ordre d'entendre ou de voir.

– Eh bien, je vous ordonne *d'avoir entendu !*

Montgomery vit devant lui une jeune femme que ses larmes rendaient plus belle encore, le visage empourpré. Il eut la foudroyante intuition que, dans cette minute, la reine était femme, et que s'il voulait, elle était à lui, et que, s'il devenait l'amant de cette reine il pouvait voir s'ouvrir devant ses yeux un avenir de splendeur.

– Je joue ma tête, se dit-il. La fortune ou la mort !

Et il tomba à genoux en murmurant :

– Madame, si vous m'en donnez l'ordre, j'ai vu, j'ai entendu ! Et je vous jure que j'ai le cœur brisé à voir ma reine chassée de son trône, alors que je la voudrais sur un piédestal. S'il fallait mourir, je mourrais à l'instant pour avoir le droit de boire ces larmes sacrées qui tombent de vos yeux !...

Catherine l'enlaça, offrit ses yeux à ses lèvres, et dit :

– Eh bien, prenez !...

Lorsque, vers le matin, le comte de Montgomery quitta la chambre de la reine, un pacte avait été conclu entre eux, que la mort seule pouvait déchirer... Nuit sans lendemains d'amour ! À de rares intervalles. Catherine prouva au capitaine que, pour lui, elle était plus femme que reine. Mais lorsque Montgomery s'aperçut que la fortune entrevue demeurait insaisissable, il se déroba.

– Madame, lui dit-il, je voulais être un héros ; par pitié, ne faites pas de moi un *bravo*.

Et, un jour, il lui amena Lagarde.

– Voici votre homme, lui dit-il.

Catherine tira parti de Lagarde : l'escadron de fer fut organisé. Mais Montgomery resta au pouvoir de la reine. Il ne fut pas le *bravo* que Catherine voulait faire de lui, mais il fut quelque chose de pis encore : il fut le confident.

Catherine de Médicis, donc, en sortant de l'hôtel de Nostradamus, retrouva, dans la rue Froidmantel, Montgomery, le baron de Lagarde et les douze de l'escadron de fer. Elle prit le bras de Montgomery et Lagarde emboîta le pas. Les douze suivaient ainsi. Escortée, la reine marcha jusqu'à la porte basse par où elle devait rentrer au Louvre. Là, elle s'arrêta et dit :

– Renvoyez-les...

– Vous avez entendu, dit Montgomery à Lagarde.

– Holà ! commanda Lagarde d'une voix brève, qu'on aille m'attendre rue des Lavandières, à *l'Anguille-sous-Roche* !

– *Et qu'on s'y amuse !* dit Catherine à haute voix.

L'escadron comprit : c'est qu'on allait tuer. Il y eut dans les ténèbres deux ou trois jurons de joie, puis un glissement d'ombres.

Comme ils arrivaient rue Troussevache, les douze virent devant eux deux femmes et un homme. Ce dernier portait un falot. L'une des deux femmes paraissait de riche bourgeoisie ; l'autre était sans doute une servante. C'était une aubaine. Tous ensembles, ils se ruèrent sur le groupe :

– La bourse ou la vie !...

À ce moment, la demie de minuit tintait à un clocher.

Catherine, arrêtée près du Louvre, entre Montgomery et Lagarde, jeta autour d'elle un méfiant regard. Puis, tout bas :

– Gabriel. Tout ce que je t'ai promis, je vais le tenir.

Montgomery comprit que la reine allait le faire complice... de quoi ?... Il y avait bien longtemps que Catherine ne l'avait ainsi appelé par son petit nom, ne l'avait tutoyé.

– Madame, fit-il en désignant Lagarde, on nous écoute...

– Gabriel, continua Catherine en haussant un peu la voix... *Demain, tu trouveras chez toi une lance,* une riche et solide lance, digne de toi. Car il faut que tu sois armé...

– Une lance ? balbutia Montgomery.

– L'heure approche ! N'avons-nous pas combiné l'acte qui nous donnera à moi le pouvoir et à toi la fortune ?

Montgomery chancela. Il avait compris !...

Dès la nuit d'amour d'où était né celui qui devait s'appeler Henri troisième du nom, Montgomery avait deviné ce que Catherine lui demanderait un jour ! Et pourquoi elle lui donnait alors une dague de pur acier !... Puis les ans s'étaient écoulés. Montgomery avait espéré que jamais plus il ne serait question *de cela !...* Et voilà que la reine lui offrait une lance et lui disait : « L'heure approche !... » Il râla :

– Madame, si votre vie était menacée en ma présence par celui que vous dites, oui, je le frapperais sans pitié. Mais...

Lagarde écoutait, indifférent : il n'avait pas compris. Catherine se tourna à demi vers lui. Elle continuait à parler à Montgomery, mais de façon qu'elle parût s'adresser aussi bien au baron.

– Gabriel, dit-elle. *Quand au jeu du roi tu verras une rose rouge à mon sein, alors il sera temps d'agir...*

– Une rose rouge, bon ! grommela Lagarde.

– Madame ! madame ! bégaya Montgomery enivré de terreur, songez que vous voulez armer mon bras contre...

– Nomme-le, par Notre-Dame ! Ou je vais de ce pas dire à cet homme qu'il n'est pas le père du troisième de ses fils !

Montgomery se couvrit le visage de ses deux mains.

– Le roi ! fit-il dans un souffle.

– Le roi ! répéta Lagarde hébété de stupeur.

– Souviens-toi, Gabriel, dit Catherine. Et maintenant accompagne-moi jusqu'à mon appartement. Monsieur de Lagarde, rejoignez vos hommes, et faites *qu'ils s'amusent bien !*...

– Le roi !... Peste !... Le roi !...

Alors Lagarde se dirigea vers le cabaret de *l'Anguille-sous-Roche,* où l'attendait l'escadron de fer !...

II

Les caves de la Grande-Prévôté

Lorsque Le Royal de Beaurevers eut constaté que la tour de l'hôtel de Roncherolles était en feu, qu'il n'y avait aucune fuite possible, et qu'il fallait mourir là, il s'assit sur la première marche de l'escalier qui montait aux étages de la tour, et éclata de rire, puis, tout à coup, se prit à pleurer – larmes de rage et de honte.

Au dehors, on entendait les vociférations des gens du grand prévôt qui hurlaient à la victoire et à la mort. Des tourbillons de fumée entrèrent dans la salle basse enveloppant quelques langues écarlates dardées sur les cinq prisonniers.

Le Royal ne disait, n'entendait, ne voyait rien. Il songeait à des choses qui l'étonnaient. Tout à coup, comme Trinquemaille venait de jeter un appel déchirant, Le Royal entrouvrit un œil, et son regard s'accrocha à quelque chose qu'il n'avait pas encore remarqué : une trappe !...

Une trappe ! La descente dans les souterrains ! La fuite possible, peut-être ! En tout cas, la mort par le feu écartée ! Il la désigna du doigt à ses compagnons. Tous les cinq, ils se jetèrent sur la trappe. Elle était en fer. Ils essayèrent de la soulever. Il n'y avait pas d'anneau. Leurs poignards, dans la rainure, se brisèrent. Ils comprirent que la trappe se fermait au moyen d'un mécanisme intérieur, et que leurs efforts seraient vains. Ils se regardèrent avec des yeux terribles qui voulaient dire : « C'est fini ! »

Dans le même instant, ils demeurèrent hébétés de stupeur. La trappe se levait !... Elle laissait béer un large trou et montrait un escalier de pierre qui s'enfonçait dans le sol. Une lumière tremblante éclairait cet escalier... et cette lumière semblait descendre dans le souterrain !... Et, penchés, ils virent celle qui portait la lumière ; elle levait vers eux sa figure et, d'un geste, les invitait à la suivre.

– C'est Notre-Dame elle-même ! murmura Trinquemaille, tandis que Strapafar, Bouracan et Corpodibale frémissaient.

Le Royal de Beaurevers sentit un frisson d'une étrange douceur l'agiter jusqu'au cœur et il murmura ce nom :

– Florise !...

Il tremblait. Rudement, il secoua la tête et gronda :

– C'est la fille du grand prévôt !... Descendez, vous autres !

Il les poussa vers l'escalier, et quand ils furent tous dans la trappe, il eut, vers l'incendie, un geste de furieux défi et descendit lui-même, en rabattant la trappe et en poussant le verrou qui la fermait. En bas, Florise avait laissé son cierge dans une vaste cave en rotonde où les quatre malandrins s'arrêtèrent en donnant tous les signes de la joie qui saisit les gens sauvés d'une mort paraissant inévitable.

Le Royal s'était élancé sur les traces de Florise, qui s'était engagée dans une galerie, et il l'atteignit au moment où elle ouvrait une porte. Une minute dans ces ténèbres, ils s'examinèrent. Elle semblait très calme. Il était haletant. Enfin, il demanda :

– Pourquoi nous sauvez-nous ? Savez-vous qui nous sommes ? Oui, sans doute. Des gens de sac et de corde, des flambards de Petite-Flambe. Gare au bourgeois qui, la nuit, passe à notre portée. Il faut qu'il laisse en nos mains son escarcelle. Quelque seigneur veut-il se débarrasser d'un rival ? ou enlever une jolie donzelle comme vous ? ou rosser les gens que commande Gaëtan de Roncherolles ? Il nous fait signe. Et nous accourons. Pour le guet, c'est dix livres par homme à demi assommé. Pour un enlèvement, c'est dix écus d'argent. Pour un coup de poignard, c'est dix nobles d'or. Nous faisons vite et bien. Bonne besogne. Vous êtes la fille du grand prévôt, intéressée à toute pendaison, estrapade ou grillade de truand, notre ennemie. Pourquoi nous sauvez-vous ?

Il avait prononcé ces paroles avec une ironie sauvage. Il se croyait le cœur plein de haine, à en éclater... Mais, tandis qu'il parlait, il baissait sa tête. Quand il eut fini, il fixa sur Florise un mauvais regard. Et alors il vit que des larmes tombaient des paupières de la jeune fille. Et il recula d'un pas, éperdu. Doucement, elle répondit :

– Je cherche à vous sauver parce que vous m'avez sauvée.

– Votre père, aussi, savait que je vous ai tirée des mains du petit Saint-André. Il savait que mes compagnons se fussent fait tuer plutôt que de ne pas vous rendre saine et sauve en l'hôtel de Roncherolles. Pourtant, le grand prévôt a voulu nous brûler !

– Vous en voulez à mon père ? fit-elle toute tremblante.

– À mort. Il fallait nous regarder cuire. Tôt ou tard vous viendrez voir la grimace que nous ferons au gibet de la Grève.

– Truand ou non, dit-elle, j'ai horreur qu'on tue un homme. La besogne de mon père est terrible, la vôtre est horrible. C'est un affreux métier que le vôtre. Oh ! j'eusse aimé à vous savoir vaillant.

– Vaillant ! rugit-il. Je le suis envers quiconque.

– Vaillant au grand soleil, comme vous l'êtes la nuit. J'eusse aimé que votre nom fût répété avec l'admiration qui escorte le nom des gentilshommes...

Il se redressa. Une flamme éclaira son visage. Il gronda :

– Le Royal de Beaurevers ! Voilà un nom, je pense. Il sonne la bataille ! Quiconque a peur s'éloigne, quiconque est brave se rallie, lorsque tonne le nom de Royal de Beaurevers !

Elle garda le silence ; puis, d'un accent plus doux :

– Si d'aventure vous pensez parfois à la fille du grand prévôt, épargnez ceux ou celles que guette votre... courage ! Ah !... renoncez... En ce moment, l'hôtel est plein de gens d'armes. Cette nuit, à l'heure propice, je viendrai vous ouvrir et vous conduirai jusqu'à la rue... Adieu !

L'instant d'après, elle avait disparu derrière la porte. Une longue minute, le jeune homme demeura la poitrine étreinte par une angoisse inconnue. Brusquement, il courut à la porte :

– Je veux la suivre ! Je veux lui dire... ah !... fermée...

Florise avait fermé la porte à double verrou ! Quand il eut compris qu'il ne parviendrait pas à l'ébranler, à pas très lents, il s'en revint à la rotonde.

Cependant, les quatre malandrins avaient inspecté la cave d'un œil expert. La rotonde ne présentait aucune de ces particularités que des êtres assoiffés remarquent tout d'abord – flacons ou futailles. Seulement quatre baies la faisaient communiquer avec d'autres caves. Trinquemaille saisit le cierge, et pénétra dans la première de ces caves. Cette entrée fut aussitôt suivie d'une quadruple exclamation :

– Jésus ! – Parfandiou ! – Sacrament ! – Corpo di bacco !...

Les quatre compères contemplaient un magnifique spectacle : sur le côté gauche de la cave couraient deux poutres, placées sur des piliers à mi-hauteur d'homme. Sous chacune de ces poutres s'alignait une double rangée de clous ; et à chacun de ces clous pendaient alternativement des jambons et des saucissons de la plus vénérable espèce. Bouracan se précipita. Trinquemaille l'arrêta au vol.

– Il est malsain de manger sans boire, dit-il.

– Et alors ? fit Bouracan ébahi.

– Alors, alors !... Tu n'as donc pas soif ?

– Moi ! Pas soif ! vociféra Bouracan.

– Cherchons ; puisqu'il y a à manger, il doit y avoir à boire.

Le Gascon, l'Allemand et l'Italien se laissèrent entraîner par le Parisien dans la cave voisine.

– Là ! fit onctueusement Trinquemaille. Que vous disais-je ?

Cette cave se distinguait par quatre forts barils rangés à droite, côte à côte. À gauche, tout seul, il y avait un tonneau plus fort. Bouracan fit sonner les barils :

– Pleins ! fit-il.

Il voulut aussi étudier le tonneau de gauche et remarqua que la bonde était ouverte. Il y glissa un doigt... et recula.

– De la poudre ! fit-il.

– Et les barils ? questionna Trinquemaille anxieux.

– Oh ! c'est autre chose : du vin !

– Bon ! Laissons donc le tonneau et vivent les barils !

– Ascout' oun pau, mon pigeoun, dit Strapafar à Bouracan. Prends-moi ces bestioles par les oreilles et va les poser sur les poutres aux jambons. En sorte, que nous aurons le boire et le manger l'un sur l'autre.

– C'est une idée magnifique ! dit Bouracan.

Il dit. Et de ses bras musculeux, il fit le transport indiqué.

– Voilà ! dit le géant en s'essuyant le front.

– À genoux, mes frères, et prions ! fit Trinquemaille.

L'instant d'après, les quatre sacripants étaient agenouillés chacun devant son baril, les lèvres à la canule ouverte. Lorsqu'ils se furent désaltérés, chacun d'eux saisit son jambon, et se mit à le déchiqueter du poignard. Le Royal était entré et les regardait d'un œil vague.

– Vous ne mangez pas, maître ? demanda Strapafar.

– Je n'ai pas faim.

– Vous ne buvez pas ? fit Bouracan.

– Je n'ai pas soif.

Ils se regardèrent, stupéfaits, inquiets, incrédules au fond. Trinquemaille cligna des yeux et murmura :

– Vous ne voyez pas que Le Royal nous fait une farce !

Il y eut un tonnerre de rires, et rassurés, ils se remirent à dévorer avec frénésie. Tantôt l'un, tantôt l'autre abandonnait son jambon et allait s'agenouiller devant son baril.

Lorsqu'ils furent repus, rassasiés, n'en pouvant plus, ils se vautrèrent sur le sable et, alors, se mirent à raconter leurs exploits. Le Royal les écoutait maintenant, et peut-être les enviait-il. À quel homme, en effet, n'est-il pas arrivé, à de certaines heures, de souhaiter devenir animal. Et les quatre malandrins évoquaient les ripailles, les batailles. Et Le Royal de Beaurevers les écoutait...

– Par les saints, dit Trinquemaille, quand ce fut son tour de raconter, ce qui rend ma vie joyeuse à moi, c'est cette matinée où tous quatre nous devions être pendus.

Il y eut un quatuor de rires, puis une visite aux barils.

– Vous souvenez-vous, reprit Trinquemaille, de cette matinée où fut brûlée en Grève la bonne dame qui nous avait secourus ?

– Aïe ! fit Strapafar, j'en ai encore une larme au coin de l'œil. Et pourtant vingt-deux ans ont refroidi ses cendres.

– Qu'avait fait cette femme ? dit Le Royal.

– Est-ce qu'on sait ? dit Trinquemaille. Elle fut dénoncée par la fille du sire de Croixmart et brûlée comme sorcière.

– Croixmart ? interrogea Le Royal.

– Vous ne l'avez pas connu, monseigneur de Beaurevers. Ah !

vous étiez encore dans le ventre de votre mère, Croixmart, voyez-vous !... Roncherolles, c'est quelque chose ; mais Croixmart !...

– C'était donc le grand prévôt d'alors ?

– C'était le grand juge. Le roi François en avait fait le grand bourreau de Paris. Quand il nous apparaissait, escorté toujours de l'exécuteur juré et de deux aides portant des cordes neuves, couvert d'acier, avec son œil qui vous glaçait la moelle, nous sentions la mort nous saisir aux cheveux. C'était un rude tueur. Or, il avait une fille. Si jamais elle nous était tombée dans les pattes, quelle marmelade ! Mais la gueuse eut soin de disparaître.

– Et que vous avait-elle fait ? demanda Le Royal.

– Il demande ce que Marie de Croixmart nous avait fait ! Ah ! çà, monseigneur, vous êtes sourd !... On se tue à vous dire qu'elle avait dénoncé à son père et fait brûler comme sorcière la pauvre bougresse qui nous avait deux ou trois fois évité le gibet par ses bons avis. Ce n'était pas une sorcière, puisque les sorcières sont inspirées par Satan. C'était une voyante inspirée par les saints du ciel et bonne au pauvre monde.

– Et tu dis, demanda Le Royal, que cette bonne vieille fut dénoncée par la fille du grand juge ? C'était donc un monstre que cette fille de Croixmart ! Elle devait être laide...

– Belle à damner toute la chrétienté. Mais sans doute elle avait l'âme d'un démon... Ah ! Royal, méfiez-vous des femelles.

Le Royal de Beaurevers, d'un rude signe de tête, approuva.

– Quant à la fille de Croixmart, nous nous sommes juré de l'étrangler si un jour nous mettons la main dessus. Si le cœur vous en dit, vous nous aiderez, dites ?

– Oui ! dit gravement Le Royal. Cette Marie de Croixmart... je la hais sans la connaître. Je hais toutes les femmes. Malheur à celle qui tenterait de m'humilier. Qui a dit que ma besogne est horrible !... Je hais ces grandes dames qui laissent tomber en passant un regard de pitié. Je hais cette foule de lâches, qui rient autour du gibet, quand l'un des nôtres paie le malheur d'être né pauvre ! Tudieu ! il vous est facile de venir me dire, d'un air d'hypocrite compassion : « La besogne de mon père est terrible, la vôtre est horrible !... » Où est la mère qui m'a appris à vivre, à moi ! Est-ce que j'ai un père ! Est-ce que j'ai une mère ! Mon pays, c'est la Cour des Miracles. Ma famille, c'est la Petite-Flambe. Qui suis-je ? Celui qu'on redoute, puisqu'il ne peut être celui qu'on aime ! Et malheur à toi, Marie de Croixmart, si tu te heurtes à moi ! Malheur aux filles de juges et de grands prévôts, aux belles filles, trop douces à voir et qui vous écrasent de leur pitié en attendant qu'elles vous jettent au bourreau. À boire, par le tonnerre du diable !

D'un bond, Bouracan fut aux barils. Il en saisit un, le leva à bras tendus et offrit la canule à Beaurevers, qui se mit à boire !... Et ce fut un spectacle qui fanatisa les trois autres. Le Royal, tout à coup, se redressa, empoigna à son tour le baril, le souleva, puis, à toute volée, l'envoya contre le mur, où il se fracassa...

Les quatre sacripants étaient demeurés effarés devant ce geste de folie. Le Royal leur tourna le dos, s'enfonça dans la galerie, marcha jusqu'à la porte par où avait disparu Florise, s'y accota, et s'immobilisa. Trinquemaille, qui s'avança de quelques pas, entendit un bruit d'une infinie tristesse : Le Royal de Beaurevers sanglotait...

– Mes bons, dit Trinquemaille en rejoignant les trois autres, prions pour Royal, qui est possédé du démon.

– Oui, dit Bouracan, prions !

Et il se mit à boire. Strapafar, Corpodibale, Trinquemaille se mirent également à prier selon la méthode Bouracan. Une heure plus tard, vint le moment où il n'y eut plus dans la cave, parmi les restes de jambons, sur le sable où coulait le vin des barils laissés ouverts, que quatre corps écrasés sous un sommeil de plomb.

III

Bouracan

Le Royal de Beaurevers, accoté à la porte, dans les ténèbres, demeura immobile. Ses pensées évoluaient autour de ces mots :

– La besogne de mon père est terrible, la vôtre est horrible.

Il revoyait sa vie, son enfance débridée parmi les monstruosités de la Cour des Miracles, sa jeunesse, les longues chevauchées près du vieux Brabant, les rudes étapes, les affûts, les batailles, les coups donnés et reçus, puis la scène de Melun... un homme, un inconnu, l'avait fait reculer !... Puis la mort de Brabant dans l'auberge solitaire... Puis l'homme reparaissait devant lui et lui disait : « Par moi tu sauras qui fut ton père, qui fut ta mère... » Puis, dans la salle de l'auberge, le guet-apens organisé... et enfin l'apparition de Florise ! Et alors, dans cette âme *ignorante,* dans cet esprit à qui nul n'avait appris qu'il y a de beaux gestes et des actes hideux, éclosait la honte. Pour la première fois, Le Royal avait eu honte de ce qu'il allait faire. Ou plutôt un je ne sais quoi d'impulsif l'avait poussé à jeter aux pieds de Saint-André la bourse pleine d'or... et il avait sauvé Florise.

Les paupières fermées, il revoyait Florise... Et alors il lui semblait que, derrière cette vision de lumière, une ombre se projetait... Cette ombre c'était l'homme qui, à Melun, l'avait fait reculer, l'homme qui lui avait donné rendez-vous, l'homme qui connaissait son père et sa mère... *Nostradamus !*

Après de longues heures, tous les bruits, en haut, s'étaient éteints. Le Royal de Beaurevers attendait la venue de Florise, et grondait :

– Que je sorte seulement de cette souricière, et le sire de Roncherolles verra qui de nous deux doit le premier porter une cravate de chanvre.

Comme il parlait ainsi, la porte s'ouvrit, et Florise apparut. Il frissonna. Mais il la fixa d'un regard de défi.

– Partez, dit-elle d'une voix qui tremblait un peu. Le chemin est libre. Venez. Je vous conduirai jusqu'à la rue.

Il eut un ricanement et haleta :

– Songez que vous donnez la liberté à cinq truands.

– Dans quelques minutes il sera trop tard, fit-elle.

– Songez que je vais recommencer demain cette besogne que vous dites horrible, reprit-il.

– Hâtez-vous, répondit-elle. Oh ! hâtez-vous, si vous ne voulez que je sois surprise ici, et que j'en meure de honte.

Il étouffa un rugissement : cette petite fille lui disait de ces choses qui l'écrasaient d'humiliation.

– Par le ciel ! Je suis là qui ne songe qu'à moi !...

Et il bondit jusqu'aux quatre malandrins qui ronflaient.

– Debout ! Hors d'ici ! Vite ! Tudieu ! Cornes du diable !

Ils ne bronchaient pas.

Le Royal les souleva l'un après l'autre : ils retombèrent.

– Strapafar ! râla Le Royal lançant des soufflets au Gascon.

– Au diable les mouches ! murmura Strapafar anéanti.

– Corpodibale ! haleta Le Royal piquant l'Italien.

– Carlina ! se mit à rire Corpodibale, tu me chatouilles !...

– Trinquemaille ! fit Le Royal, frappant le crâne du Parisien.

– Il pleut ! grommela Trinquemaille. Il pleut du vin. Nous sommes à l'auberge... à l'auberge... de la Mort !...

– L'auberge de la Mort ! murmura Le Royal, le cœur désespéré. Oui ! Et nous y crèverons tous.

Il marcha droit à Florise qui venait à lui.

– Je reste, dit-il froidement. Regagnez vos appartements avant que votre absence ne soit remarquée...

– Vous restez !... Pourquoi ?...

– Mes compagnons ne peuvent me suivre. On peut prévoir les cordes du grand prévôt, mais non son vin.

– Vous restez ! répéta-t-elle effarée. C'est la mort !

– La mort, soit. Mais non la lâcheté. Nul ne pourra dire que j'ai fui en abandonnant mes compagnons. Adieu.

Elle le regarda. Et elle vit sa flamboyante résolution. Elle comprit qu'aucune parole ne le détournerait.

– Il va mourir ! balbutia-t-elle au fond d'elle-même.

Et si, dans cette suprême minute, elle avait pu lire dans son propre cœur, ce qu'elle y avait trouvé, ce n'était pas de la pitié, c'était une fierté de le trouver si brave et si hautain devant la mort.

Elle comprit que si elle essayait de parler, elle éclaterait en sanglots. Elle se retira lentement. Et Le Royal avait envie de l'insulter ; l'attitude de cette fille du grand prévôt lui était une insupportable humiliation. Brusquement, au moment où elle allait franchir la porte, il s'abattit sur les genoux, et râla :

– Quand je mourrai, je prononcerai votre nom, et la mort me sera douce...

Elle s'arrêta, le cœur dilaté à se rompre, si profondément, heureuse que toute sa vie, jusqu'à cette minute, lui apparut absurde. À cet instant, son regard, au fond de la galerie, un homme qui était là, immobile, qui regardait, qui écoutait !... Son père !

Dans un éclair, Florise entrevit la redoutable péripétie : le grand prévôt aux prises avec le truand ! Et d'un geste prompt, elle ferma sur elle la porte qui la sépara de Beaurevers... Roncherolles s'avança, poussa les verrous de la porte, puis, d'une voix blanche :

– Venez, dit-il.

Combien de jours, de nuits qu'ils étaient dans ces caves ? Trinquemaille comptait le temps par barils. Dans l'un des caveaux, ils en avaient découvert quelques autres. Il disait : « Encore un baril de passé. » Les jambons touchaient à leur fin. Quant aux saucissons, il n'en était plus question. En somme, ils vivaient. Ils s'étaient accoutumés aux ténèbres. Quant à Beaurevers, il y voyait la nuit comme en plein jour.

Le Royal, cent fois par jour, allait écouter à la porte de chêne. Puis il revenait en grondant :

– Elle ne reviendra pas. Elle a eu une minute de pitié. Puis cela s'est effacé de son cœur. C'est bien la fille du grand prévôt... Car, de par l'enfer, puisque le Roncherolles ne nous a pas fait tuer encore, elle aurait le temps et l'occasion de revenir... Mais que nous réserve le grand prévôt ?...

Ces idées étaient naturelles puisqu'il n'avait pas aperçu Roncherolles à l'instant où Florise avait fermé la porte. Le moment vint où le dernier baril fut vidé.

– Nous sommes encore vivants, dit Le Royal, parce que le grand prévôt a daigné choisir pour nous la mort la plus bénigne : par la faim et par la soif !

Trinquemaille fit un signe de croix ; Bouracan s'assit en pleurant ; Corpodibale et Strapafar dirent :

– Si nous creusions des fosses ?

– Sac à vin ! hurla Le Royal. Et savez-vous pourquoi nous sommes encore dans cette auberge de la mort au lieu d'être dehors à faire damner le grand prévôt ?

Il allait raconter l'intervention de Florise. Il songea :

– Pauvres bougres ! Pourquoi leur mettre au cœur ce remords de leur bonne ripaille ?

Il reprit tout attendri :

– Puisqu'il n'y a plus rien à boire ici, ni à manger, allons-nous-en chez Myrta, à *l'Anguille-sous-Roche* !

Il y eut une acclamation frénétique, ces hommes trouvaient toute naturelle cette idée de sortir de ces caves où ils étaient scellés comme dans la tombe, et qui, sans aucun doute, étaient gardées à chaque issue.

– Allons-nous-en, fit Bouracan.

– Oui ! Allons-nous-en ! crièrent les trois autres.

– Partons donc, dit Le Royal. Mais par où ?

La question leur fut un coup de massue. Vingt fois déjà, ils avaient tenté soit de soulever la trappe, soit d'enfoncer la porte de la galerie. Sur la trappe, on avait dû accumuler des blocs de pierre. Quant à la porte, il eût fallu l'éventrer à coups de hache...

– Je sais comment il faut sortir d'ici, dit alors Le Royal.

Ils tressaillirent. Ses yeux jetaient des lueurs. Il continua :

– Voici à peu près le huitième jour que nous sommes dans cette tombe. Dans quelques heures, affaiblis, nous serons incapables de prendre une résolution. Il faut mourir tout de suite, ou sortir comme des lions quittent leur antre. Êtes-vous prêts à mourir, s'il le faut ?

– Oui, dirent-ils avec une farouche fermeté.

– Ça va bien. Voici : nous n'avons plus d'autres armes que nos poignards : il s'agira d'en jouer proprement, si cela devient nécessaire.

Tous les quatre tirèrent leurs poignards.

– Pas toi, Bouracan. Rengaine.

Bouracan obéit sans essayer de comprendre.

– Voici mon arme, à moi ! reprit Le Royal.

Et il montra une sorte de cordelette d'environ deux pieds.

– Ça ! bégaya Trinquemaille. Mais... c'est une mèche !...

– J'ai mis trois jours à la fabriquer avec de la poudre...

– De la poudre !...

– La poudre du tonneau qui faisait vis-à-vis aux barils, *et j'ai mis une serrure à la porte de la galerie.*

– Une serrure ! balbutièrent-ils, ivres de terreur.

– Et qui fonctionnera. Quand la porte *sera ouverte,* je sortirai le premier. Derrière moi, Bouracan. Derrière Bouracan, vous trois. Tuez tout ce qui voudra approcher de Bouracan.

Ils ne comprenaient pas. Mais ils savaient que cela allait être effroyable. Le Royal leur apparaissait en cette étrange minute comme le génie de la foudre. Ils étaient terrifiés, pétris d'admiration, et contents de mourir avec lui, s'il mourait !

– Attention ! reprit Beaurevers. Je vais *ouvrir la porte.* Il est possible qu'en s'ouvrant, elle nous tue. Ton briquet, Trinquemaille. Ne bougez pas d'ici...

Il s'élança. L'instant d'après, au loin, ils l'entendirent qui battait le briquet. Puis ils perçurent comme un bruit soyeux qui fusait. Et presque aussitôt, Le Royal fut près d'eux, la mèche allumée à la main.

– Voilà, dit-il, la *serrure fonctionne.* La porte va s'ouvrir.

Le Royal avait creusé une mine sous la porte ! Il l'avait bourrée de poudre ! Et, à cette mine, il venait de mettre le feu au moyen d'une traînée, qui, à cet instant, pétillait !...

– Bouracan, empoigne-moi ce tonneau sur tes épaules !...

Bouracan saisit dans ses bras puissants le tonneau encore presque plein de poudre, et le plaça sur son épaule.

– Vous trois, derrière le tonneau !...

Ils obéirent, prêts à sauter !... Car ils avaient compris. Sur la face antérieure du tonneau, ils avaient entrevu une mèche qui pendait ! Le Royal s'était placé près de cette mèche !... Et il n'avait qu'à y mettre le feu pour tout faire sauter, hommes, caves, hôtel !... Dans le même instant, une détonation ébranla les voûtes... il y eut un effondrement de plâtras, une fumée opaque. La porte avait sauté !...

– Nous ne sommes pas écrasés, dit Beaurevers. En avant !

Ils s'avancèrent, franchirent la porte éventrée et s'engagèrent dans une galerie au bout de laquelle il y avait un escalier. Au moment où ils passèrent la brèche, il y eut le long de l'escalier la furieuse dégringolade d'une foule, et, en haut, une voix rauque rugissait :

– Tuez ! Tuez ! Puisqu'ils n'ont pas voulu mourir de faim, qu'ils meurent par le fer ! À mort !...

– À mort ! tourna Le Royal. Sautons ensemble, prévôt !

Il approcha la mèche du tonneau !... Bouracan ne broncha pas ! Seulement, il ferma les yeux...

– La poudre ! La poudre !...

Une clameur d'épouvante, le long de l'escalier. Une bousculade frénétique ! Des gens qui se poussaient, se frappaient !

– La foudre ! rectifia Le Royal, qui se dressa. En avant !...

L'escalier était libre. Plus personne. Une fuite là-haut. Des cris désespérés. Partout, la course de gens qui se fussent mordus, pour fuir plus vite. Roncherolles se ruait à la chambre de Florise, dont il défonçait la porte. Les gens d'armes du poste se jetaient dans la rue.

Et tandis que la panique se propageait, le groupe fantastique faisait son apparition dans la cour d'honneur et marchait au portail grand ouvert : Le Royal de Beaurevers en tête, sa mèche allumée à un pouce de la mèche du tonneau ! Puis, Bouracan, le tonneau sur l'épaule, portant la mort. Puis Strapafar, Trinquemaille.

Corpodibale, poignard à la main, serrée derrière Bouracan. Et ils traversèrent la cour, où pesait un silence terrible.

Une douzaine d'hommes qui n'avaient pas eu le temps de fuir s'aplatirent et les regardèrent passer, les yeux fixés sur la mèche. Et, sur le perron, venait d'apparaître le grand prévôt emportant sa fille dans ses bras. Et Florise regarda le groupe... et quelque chose comme un sourire passa sur ses lèvres.

Hors de l'hôtel, dans la rue où des gens couraient dans l'ombre du soir, les cinq truands s'arrêtèrent une seconde.

– Allons ! Bouracan, fit tranquillement Le Royal, dépose la foudre.

Bouracan laissa tomber le tonneau sur le sol. Et tous les cinq s'élancèrent. Quelques secondes plus tard, ils se faufilaient dans un lacis de ruelles, et, hors d'atteinte, s'arrêtaient pour respirer. Bouracan soufflait à vastes poussées.

– Tu n'as pas eu peur ? lui demanda Le Royal.

Bouracan essuya sa face, secoua la tête, et dit :

– J'ai soif !...

IV

Une femme inconnue parle à Beaurevers

Vers l'heure nocturne où Catherine de Médicis, Montgomery et Lagarde tenaient le formidable conciliabule que nous avons relaté, vers ce moment où le capitaine des gardes d'Henri II renvoyait l'escadron de fer et où Lagarde donnait rendez-vous à ses hommes à l'auberge de *l'Anguille-sous-Roche,* Le Royal de Beaurevers et ses quatre compagnons se trouvaient dans un taudis de la Cour des Miracles. Ils s'étaient réfugiés là pour y attendre la nuit noire, pour y trouver des vêtements destinés à remplacer ceux que la bagarre, à leur arrivée, à l'hôtel Roncherolles, avait mis en lambeaux ; enfin, pour y acheter des armes.

Ils n'avaient pas un sol à eux cinq. Mais le nom de Royal suffisait pour inspirer confiance. Une heure après, ils se trouvaient habillés, équipés, armés et en sûreté dans cette Cour des Miracles où le guet n'eût pas mis les pieds pour tout l'or du monde.

Ils s'étaient alors terrés dans un de ces bouges ouverts à tout mauvais garçon, et Le Royal s'était jeté tout habillé sur un grabat. Il ferma les yeux. Les quatre sacripants attendirent dans une pièce voisine autour d'une outre. Tantôt l'un, tantôt l'autre allait voir s'il s'éveillait. Bouracan, ainsi, entendit Le Royal qui murmurait :

– *Ma besogne a-t-elle donc toujours été horrible ?...*

– Il rêfe qu'il manche mal, dit Bouracan revenu à sa place. Il dit : c'être horriple. Gu'est-ce gue che fus ragontais ?

– Tu en étais, dit Corpodibale, au moment où la patrouille fut attaquée par des royalistes pendant la guerre de Flandre.

– Ya ! dit Bouracan. (Et il continue un récit commencé – récit que nous traduisons en clair pour cette fois). Donc, les gens de France étaient une vingtaine. Nous, Impériaux, trente. L'on commence à s'égorger. Parmi eux, il y avait un diable qui faisait de la besogne pour dix. Si bien, que, après dix minutes de combat, les royalistes sont vainqueurs. Les nôtres s'enfuient et laissent une douzaine de morts. Moi, j'étais dans le tas. Comme je remuais encore, dix royalistes s'élancent pour m'achever. J'ouvre un œil, et je vois le diable qui rengainait sa rapière. Je lui crie : Monsir ! – Il me regarde, et dit : Pauvre diable ! Il ne veut pas mourir. – Non, je ne veux pas mourir ! Sauve-moi, monsir ! – Camarades épargnez-le, c'est triste de tuer un blessé. – Non, non ! qu'il crève – Et moi, je veux qu'on l'épargne ! – Et nous pas ! – Tudieu ! crie l'enragé. Et le voilà qui tire sa rapière, qui se place devant moi. Et les voilà qui reculent. Lui, alors, me donne à boire, me porte dans sa tente, lave mes blessures, me soigne et me guérit. Et je n'ai plus voulu le quitter ! Et c'était Le Royal de Beaurevers ! C'est ainsi que j'ai fait sa connaissance. À sa santé !

Bouracan saisit l'outre, la souleva, et but.

– Moi, dit alors Strapafar, un soir, près de la grande halle, je me trouve nez à nez avec un dizainier du guet. Il me reconnaît. Je veux fuir. Sa bande me tombe dessus, et je suis traîné vers le gibet du pilori de la halle, déjà, on me passait le nœud coulant, mais voilà quelque chose qui tombe sur les archers, quelque chose comme le mistral, té ! Je regarde à gauche : je vois un des archers, les quatre fers en l'air. Je regarde à droite, et j'en vois un autre qui piquait une tête dans le ruisseau. Deux autres tombent. Le reste s'enfuit. Et me voilà délivré. Et c'était Le Royal de Beaurevers. C'est ainsi que j'ai fait sa connaissance. À sa santé, vé !

Strapafar soulagea l'outre d'une demi-pinte, et alla jeter un regard sur Le Royal qui murmurait :

– *Qui suis-je ?... Et que suis-je ?...*

– Il a le cauchemar, dit Strapafar en rejoignant la compagnie.

– Moi, dit Trinquemaille, par une certaine après-midi, j'entrai à Saint-Eustache pour y prier le grand saint Pancrace. Je venais de voir pénétrer dans l'église une respectable chrétienne dont l'escarcelle m'avait semblé gonflée. J'entre. Et je vois la dame qui, justement, s'agenouille devant la chapelle de saint Pancrace ; je m'approche, je la regarde, et je me dis : c'est là Marie de Croixmart !

– La fille du grand juge que nous avons occis en place de Grève ! grogna Corpodibale. La dénonciatrice.

– Oui. C'était elle ou son esprit. Je m'approche donc, je lui coupe les cordons de son escarcelle, et j'allais fuir, quand je l'entends qui me dit : « Mon ami, ce sont les pauvres que vous volez. » Elle avait tout vu ! Et c'était la première fois que j'étais pris ainsi la main au sac, preuve que cette femme a du sang de guetteuse dans les veines.

J'allais me retirer, lorsque j'entends une voix qui vocifère : « Au coupe-bourse !... » C'était le bedeau. Dix, vingt, trente coquins qui priaient, me veulent saisir. Je fuis. Derrière moi, les vociférations deviennent clameur. Je franchis des murs, je dévale une pente, je me vois sur les berges de la Seine et, voyant la meute sur moi, je me jette à l'eau. Or, je ne sais pas nager, moi ! Je me sentais couler : dans ce moment, j'entendis quelqu'un sur la berge qui criait : « Le pauvre bougre ! Il va se noyer ! » En même temps, je vis le quelqu'un piquer dans le fleuve et venir à moi ; il me saisit, me soutient, me tire, et me dépose sur l'autre berge, à l'abri de la meute. J'étais sauvé ! Et qui m'avait tiré du fleuve ? C'était Le Royal de Beaurevers !

Puis il alla voir Le Royal qui murmurait :

– *Ai-je un père, moi ?... Ah ! mon père...*

– Il prie ! dit Trinquemaille en revenant. Il dit : Notre Père...

– Io, dit alors Corpodibale, io fus, voici deux ans, exposé au pilori du Trahoir, et j'y restai trois jours sans boire ni manger. Vous le savez, ce pilori est à fleur de terre. Le quartier s'en donnait à cœur joie. J'étais couvert d'ordures. Je crevais de soif. Et, tout autour de moi, je ne voyais que visages convulsés par l'insulte, je n'entendais que ricanements. Le soir du premier jour, voilà tout à coup une bande qui s'en vient à moi. L'un me tire les cheveux, l'autre me pique de sa dague. Je me sentais crever. « Le premier qui touche encore à ce pauvre bougre, je l'éventre !... » Voilà ce que j'entendis. Je parvins à lever la tête. Et je le vis, cognant, nettoyant la place ! Quand la place fut nettoyée, il me donna à boire, puis à manger. Toute la nuit, puis tout le lendemain, puis le jour d'après, il resta là. Plus de soufflets, plus d'ordures, plus de ricanements... Quand on me détacha, il me dit : « Voilà un écu ; va te reposer. » Et il s'en alla. Mais moi je le suivis... Je l'ai toujours suivi depuis... Et c'était Le Royal de Beaurevers ! C'est ainsi que j'ai fait sa connaissance. À sa santé, Dio birbante !

Corpodibale saisit l'outre et la vida. Puis à son tour, il alla jeter un coup d'œil sur Le Royal qui murmurait :

– *Pourquoi est-elle si belle ?*

Et Corpodibale, ayant rejoint ses compagnons, leur dit :

– Il fait un heureux songe : il voit la Madone.

Les douze coups de minuit tintèrent. Le Royal de Beaurevers

sauta du lit sur lequel il s'était jeté tout habillé. Il se secoua, et rejoignit ses quatre acolytes.

– En route ! cria Le Royal. Tudiable ! Je vous ai promis une agape chez Myrta, et vous savez comme je tiens parole.

Et en lui-même, avec attendrissement, il ajouta :

– Myrta, ma sœur... Toute ma famille, maintenant...

Bouracan, les yeux enflammés, se léchait les lèvres et jurait :

– Sacrament ! Pourvu que Myrta nous ouvre !

– Mais, dit Trinquemaille, avez-vous de l'argent, seigneur ?

Question insensée. Il n'avait jamais une maille dans sa ceinture de cuir. Il s'élança au dehors. Les quatre sacripants le suivirent. À l'instant où ils allaient tourner dans la rue Troussevache, un coup de sifflet de Strapafar indiqua l'alerte ; en deux secondes, les cinq se trouvèrent réunis, le poignard au poing, fouillant la nuit : une troupe, devant eux, marchait, suivant le chemin où ils allaient s'engager.

– Ils sont douze, murmura Le Royal.

– Tonnerre du diable, quels yeux il vous a lou pigeoun ! Pourquoi vos yeux comprennent-ils les ténèbres ?

– C'est qu'ils se sont ouverts sur des ténèbres, répondit Le Royal. Je suis né dans un cachot.

– À nous ! Au meurtre ! clama dans le lointain une voix.

– Ils attaquent ! dit Le Royal. Ce sont des truands...

– Il faut qu'ils partagent avec nous !

– Non, non, pas de partage ! À nous toute l'aubaine !

– Oui, à nous ! dit Beaurevers d'une voix étrange.

Ils se ruèrent. Le Royal en tête. Il distingua la bande des douze inconnus autour de la proie.

– Au meurtre ! cria une dernière fois la victime.

– On vient ! tonna Beaurevers d'une voix éclatante.

En trois bonds, il fut sur le groupe. Quelqu'un, parmi les douze, hurla : En retraite ! Il y eut une fuite soudaine, puis tout disparut. Beaurevers demeurait effaré de ce brusque évanouissement – et inquiet tandis que les quatre compères se jetèrent sur la proie :

– À nous toute l'aubaine !

La proie, c'était une dame immobile, dédaigneuse ; devant elle s'étaient placés un homme de haute taille et une autre femme qui continuait à pousser des cris perçants en voyant cette nouvelle bande. Trinquemaille vit que la dame dédaigneuse était la maîtresse.

– Voilà où est le magot ! cria-t-il.

Et, allongeant le bras, il saisit la dame à l'épaule, tandis que ses compagnons sautaient sur les deux autres victimes. Trinquemaille, à ce moment, jeta un cri de douleur ; Bouracan, Corpodibale et Strapafar reculèrent, violemment repoussés.

– Bas les pattes ! gronda Le Royal, leur assénant des horions.

– Quoi ? demandèrent-ils, stupides d'étonnement.

– Madame, dit Beaurevers, vous êtes libre. Toi, Trinquemaille, rends à cette dame l'escarcelle que tu lui as prise.

Trinquemaille grogna mais obéit. La dame dit :

– Gardez-la, mon ami...

– Soit ! s'écria le truand, qui fit disparaître l'escarcelle.

Le Royal tira froidement sa rapière, et prononça :

– Si tu ne rends pas l'escarcelle, tu es un homme mort !

Cette fois, la dame prit la sacoche que Trinquemaille lui tendait d'un geste de rage. Elle regarda Le Royal.

– Voulez-vous me dire votre nom ? demanda-t-elle d'un accent qui troubla l'esprit du jeune homme.

Il répondit brusquement :

– Mon nom ? Le Royal de Beaurevers. Ma fortune ? Sans sou ni maille. Mon logis ? Les bornes des rues. Mon métier ? Truand de Petite-Flambe. Mon passé ? Mystère. Mon avenir ? Une corde. Vous savez maintenant toute mon histoire. Adieu.

– Un instant, fit-elle. Il est possible que vous ayez un jour besoin d'un gîte sûr. Si vous êtes traqué, réfugiez-vous chez moi. Rue des Lavandières. En face de l'auberge de *l'Anguille-sous-Roche*. Vous demanderez Gilles : c'est cet homme. Ou bien la Margotte : c'est cette femme.

– Et vous, qui êtes-vous ? fit Beaurevers avec émotion.

L'inconnue, d'une voix sombre répondit :

– Moi... je suis la *Dame sans nom.*

Déjà l'inconnue s'éloignait, accompagnée de l'homme et de la femme. Mais avant de partir, elle avait laissé tomber son escarcelle aux pieds de Trinquemaille en disant :

– Prenez, ceci vous est donné de bon cœur.

Or, les quatre malandrins virent parfaitement la sacoche ; mais pas un d'eux ne se baissa. Strapafar, voyant Le Royal pensif, osa le toucher au bras, et dit :

– Elle va juste où nous allons : rue des Lavandières. Mais cette pauvre escarcelle ? La laisserons-nous à la pluie, à la merci de quelque truandaille ?

– Allons, ramasse ! fit Beaurevers.

Quatre torses baissés. Quatre mains qui s'allongent. En un clin d'œil, la sacoche fut vidée, le partage se trouva fait.

– *La Dame sans nom !* murmura sourdement Le Royal de Beaurevers... Et moi aussi, je n'ai pas de nom !...

À ce moment, Trinquemaille dit tout bas à Bouracan :

– J'ai reconnu la voix de la dame à l'escarcelle !

– Qu'est-ce que ça fait ? fit Bouracan. Allons chez Myrta.

– Ça fait, continua Trinquemaille, que cette voix c'est celle de la dame que j'essayai de voler à Saint-Eustache – ça fait donc que cette dame-là s'appelle Marie de Croixmart !

V

L'Anguille-sous-roche

Vers le milieu de la rue des Lavandières, la gigantesque enseigne représentait une monstrueuse anguille, dont les replis se déroulaient capricieusement.

Ce n'était pas une noble auberge comme la *Devinière*, par exemple. C'était un de ces cabarets qui, à l'heure du couvre-feu, fermaient leurs portes selon les ordonnances, mais pour les entrebâiller ensuite à tout client qui frappait d'une façon particulière. Il y avait une salle commune. Mais à droite et à gauche, s'ouvraient des salles réservées. À l'heure où elle renvoyait tout son monde, Myrta demeurait seule dans l'auberge. Nul n'y couchait, qu'elle seule.

C'était une étrange fille que Myrta. Elle avait ses idées à elle. L'une de ces idées était de n'offrir ni vendre jamais l'hospitalité nocturne à qui que ce fût au monde.

Là, vers l'heure louche, affluaient le bravo, le truand, le coupe-bourse, la ribaude, le gentilhomme ivre. Dans la rue, un homme montait la faction pour annoncer le guet ; événement qui ne s'était produit que deux fois depuis trois ans que Myrta tenait ce cabaret.

À deux heures du matin, cette nuit-là, les clients étaient partis depuis longtemps ; la salle était vide, mais les salles réservées de droite et de gauche étaient occupées par deux bandes qui faisaient bombance. À droite, c'était la bande des douze, que Le Royal de Beaurevers avait interrompue au moment où elle allait dévaliser la dame inconnue. À gauche, c'était la bande Trinquemaille et compagnie.

Ici, les quatre malandrins, la casaque dégrafée, les figures empourprées, étaient à fin de ripaille.

– Vivadiou ! glapissait Strapafar, quelle oie rôtie ! Maintenant que nous avons retrouvé lou Royal, ça va être tous les jours comme dans le bon temps.

– Quel pâté d'anguille, saints et anges ! dit Trinquemaille.

– Et les saucisses ! vociféra Bouracan.

– Pour moi, rugit Corpodibale, j'aurais donné la palme à cette omelette du début. Et quant aux coups d'estoc et de revers et de pointe, puisque Le Royal est avec nous, il va en pleuvoir.

Le Royal de Beaurevers écoutait le quatuor. Il s'était levé, avait agrafé sa ceinture et jeté son manteau sur l'épaule. Les quatre se préparaient à l'imiter. D'un geste, il les arrêta. Et Le Royal – non sans émotion – parla encore :

– C'est vrai, mes bons compagnons, nous avons proprement tiré l'épée ensemble depuis que nous nous connaissons. Alors que nos routes étaient différentes, je vous ai maintes fois regrettés ; toi, Strapafar, pour ta gaieté ; toi, Trinquemaille, pour ta piété ; toi, Corpodibale, pour ta franchise, et toi, Bouracan, pour ta force ; tous, pour la bravoure. Aussi, quand je vous ai retrouvés sur la route de Melun, aux *Trois-Grues,* mon cœur a sauté de joie.

Ils se redressaient pour écouter leur éloge prononcé par Le Royal de Beaurevers ! Leurs faces s'illuminaient. Tout à coup, sur ces mêmes faces, la stupeur, la douleur.

– Maintenant, il faut nous séparer !... Parce qu'avec moi, vous ne feriez plus que des bêtises ; je vous empêcherais de vivre. Ceci est notre dîner d'adieu. Au surplus, qui sait ? nous nous reverrons sans doute. Adieu donc. Silence ! J'ai horreur des faiblesses de cœur. Seulement, si l'un de vous a besoin de ma peau pour sauver la sienne, vous viendrez à Myrta. Voilà. Adieu.

Le Royal sortit, furieux. Contre qui ? Surtout contre lui-même. Il méprisait ces hommes et il les aimait.

– Pauvres bougres ! murmura-t-il en s'éloignant.

Les quatre étaient demeurés ahuris de détresse.

– Nous avons perdu l'âme de notre âme, dit Corpodibale.

– C'est lou pigeoun qui se perd, dit Strapafar.

– On se passera de lui ! grommela Trinquemaille.

Bouracan ne dit rien. Il pleurait.

Le Royal de Beaurevers entra dans la cuisine, vaste, admirable d'ordre et de propreté. Une haute flamme claire se tordait dans la cheminée. Là se déployait le génie de Myrta. C'était une belle et bonne fille, épanouie en sa blonde beauté, sage parmi la luxure, sobre au milieu de l'ivresse. À l'entrée de Beaurevers, elle rougit un peu, et, sans détourner les yeux d'une sauce qu'elle surveillait :

– De retour à Paris ?... À peine ai-je eu le temps de vous saluer à votre entrée avec vos compagnons de débauche.

– Je viens te dire bonsoir. Comme tu te fais belle ! Le reflet de ces flammes donne une jolie couleur à ce visage !

– Si je suis belle, vous êtes le millième à me le dire. Autant en emporte le vent. Mais parlons de vous.

– Justement, Myrta, je suis venu te parler de moi.

– Vous venez me dire que vous ne pouvez me payer l'orgie de cette nuit. Autant encore en emporte le vent.

– Il ne fallait pas me faire crédit, Myrta ! Combien te dois-je ? Misère ! Seul, pauvre, minable, sans gîte, sans espoir, il faut donc que je m'entende réclamer le prix d'un dîner !

– Votre dette, dit Myrta, n'est pas encore montée au total du crédit que je vous ai fixé. Donc, ne vous gênez pas.

– Bah ! Tu m'as fixé un crédit chez toi ?

– Comme à tous mes clients. Jusqu'à deux livres à tel truand, jusqu'à dix écus à tel gentilhomme riche.

– Et au roi de France, quel crédit accorderais-tu ?

– J'irais jusqu'à cent écus, dit Myrta.

– Peste ! Je voudrais être roi ! Dis-moi mon crédit, à moi ?

– Mille ducats d'or, dit Myrta d'une voix grave.

Il tressaillit, soudain pâli. Une seconde, il fut écrasé d'humiliation sans savoir qu'il était humilié. Il vit Myrta qui tremblait. Sa colère chavira...

– Myrta, dit-il d'une voix attendrie, mille ducats, c'est dix fois peut-être ce que vaut ton auberge. Tu es une bonne fille, je n'oublierai jamais ce que tu viens de dire.

Elle se tourna vers le poêlon qui chantait sur le feu, et y jeta une pincée d'épices. Elle murmura :

– Puis-je oublier que le même sein maternel nous a nourris tous deux ? N'êtes-vous pas comme mon frère ?

– C'est vrai... Tu es comme une sœur pour moi. J'étais venu te demander deux choses. La première, c'est de me donner un gîte dans ton auberge.

Une flamme de joie rapide éclaira les yeux de Myrta.

– Je vais maintenant rester à Paris jusqu'à ce que j'aie trouvé je ne sais quoi qui me guette dans ce vaste dédale de rues...

– Vous êtes ici chez vous, dit-elle d'une voix troublée. Voyons la deuxième chose.

– Tout à l'heure, je me suis heurté à douze hommes partis trop vite à mon gré. Je veux savoir qui ils sont. Ces douze hommes font ripaille dans ta salle de droite.

– Ils ne sont plus douze : ils sont treize, maintenant.

– Soit. Ouvre-moi le cabinet d'où l'on voit dans leur salle.

Myrta n'hésita pas. Elle alla à une petite porte dérobée et l'ouvrit, ce qu'elle eût refusé de faire pour tout autre. Au moment où Le Royal allait pénétrer dans le cabinet, elle le toucha au bras :

– Depuis une huitaine de jours, un homme, un petit vieux, vient ici tous les soirs à la même heure, et demande si vous êtes arrivé. Puis il s'en va en recommandant de vous dire de ne pas oublier le rendez-vous que vous a donné son maître.

– Le nom de ce maître ? demanda Le Royal tressaillant.

– Tout le monde à Paris le prononce depuis quelques jours. On dit qu'il sait tout. On dit qu'il fait de l'or à sa volonté. On dit que les trépassés, se levant de leurs tombes, le visitent toutes les nuits. Les uns disent que c'est un envoyé de Dieu. D'autres que c'est un démon. Prenez garde à cet homme !

– Son nom ! Son nom ! rugit Le Royal.

– Nostradamus ! répondit Myrta.

– Me voici ! dit une voix.

Ils se retournèrent. Le Royal fit un pas et gronda :

– L'homme de l'auberge des Trois-Grues !

Comment était-il là ? Peut-être était-il entré dans le cabaret en même temps que le treizième convive de la salle réservée. Son visage était livide, et, dans cette pâleur de mort, étincelaient deux yeux noirs.

– Vous alliez entrer là ! dit Nostradamus. Entrons-y.

– Beaurevers ! haleta Myrta épouvantée, n'y allez pas !

Nostradamus la saisit par la main, et, une minute, garda cette main dans la sienne. Myrta, tout à coup, s'apaisa... Elle s'inclina et balbutia :

– Oui, monseigneur !...

Nostradamus, alors, se tourna vers Le Royal.

– Qui êtes-vous ? râla celui-ci avec une terreur concentrée.

– Je vous l'ai dit : Celui qui sait le nom de votre mère et le nom de votre père.

Le Royal vit que son visage semblait s'imprégner de fiel. Mais Nostradamus entrait dans le cabinet. Le Royal s'y jeta à sa suite.

– Quand il le faudra, dit Nostradamus, vous saurez ce que je vous ai promis de vous dire. Et sachez-le, je tiens mes promesses ! Pour le moment, nous sommes ici pour regarder et entendre, écoutons et voyons !

Beaurevers eut la soudaine intuition que ce qu'il allait entendre et voir était étroitement lié à cette promesse que Nostradamus venait de lui renouveler. Il poussa un large judas grillé, et la salle lui apparut. Une vaste table chargée de débris ; autour, des silhouettes rudes et des ribaudes dépoitraillées, enlaçant de leurs bras nus le cou des hommes ; des bruits de baisers violents ; des rires ; des cris ; une vision d'une exorbitante impureté ; et dans un angle, debout, immobile, un homme qui attendait.

Il attendait que les morsures des baisers, les fumées des vins eussent préparé les esprits à entendre sans doute une parole qui les eût anéantis de terreur, entendue hors de l'ivresse. Cet homme laissa tomber le manteau qui couvrait son visage.

Nostradamus, à l'oreille de Beaurevers, prononça :

– Le baron de Lagarde, chef des estafiers de la reine !

Lagarde jetait un long regard sur l'Escadron de fer.

– Hors d'ici les ribaudes ! commanda-t-il.

Il y eut une fuite des filles de joie. Les douze s'étaient redressés. Lagarde gronda :

– Chiens ! Quand je vous ai dit de venir m'attendre ici, n'avez-vous pas compris que j'avais un ordre à vous transmettre !

Ivrognes ! Vous êtes licenciés, la reine ne veut plus de vous ! Pour la servir, il faut des hommes ! Hors d'ici !...

Les douze étaient debout, frénétiques, terribles, l'entourant, frappant du pied ; deux ou trois se jetèrent à genoux, d'autres se heurtèrent la tête aux murs. Douze rugissements ne firent qu'un seul rugissement :

– Là ! Là ! Doucement ! fit Lagarde. Votre désespoir me touche. Là, vous dis-je ! N'en parlons plus...

– Hourrah ! Hourrah ! – L'enfer ou la reine ! – Ma poitrine sous ses pieds ! – La reine ! La reine !...

Lagarde laissa s'apaiser la tempête de joie. Ils reprirent leurs places, et écoutèrent l'ordre de la reine :

– Demain, bombance pareil. Après-demain encore ! Le jour d'après encore ! Le jour d'après encore ! Seulement il faut que disparaisse l'homme qui gêne la reine.

Il y eut autour de la table comme un grondement de tonnerre, puis le silence *noir* qui suit les coups de foudre.

– Je vous préviens que ce sera dangereux, reprit Lagarde d'une voix sèche, âpre, une voix de fièvre et de cauchemar.

Jamais il ne leur avait tenu pareil langage. Il disait : « Tuez-moi celui-là. » Et c'était tout. Ils pressentirent quelque chose d'exorbitant. L'un d'eux, dans le silence, demanda :

– Qui est-ce ?...

Lagarde se tut. Ils virent qu'il pâlissait.

– Oh ! oh ! fit l'un d'eux, nous avons affaire à quelque gentilhomme de haute gentilhommerie. Un mois de ma paye que c'est le grand prévôt !

– Plus haut ! gronda sourdement le baron de Lagarde.

– Le maréchal de Saint-André, grand favori du roi !...

– Plus haut !

Ils eurent des regards effarés. Quelqu'un osa, très bas :

– Oh ! c'est le connétable de Montmorency !...

– Plus haut ! répéta Lagarde d'une voix étranglée.

Un souffle de terreur passa... L'un des douze murmura :

– Un prince !... Le duc de Guise !...

– Plus haut ! répéta Lagarde qui, à ce moment, s'assit.

Dans cette seconde, il jouait sa tête... En même temps qu'il s'asseyait, les douze s'étaient levés épouvantés. En se regardant, ils virent qu'ils avaient compris !...

Lagarde comprit qu'il n'avait pas besoin de dire le nom de l'homme qu'on allait tuer ! Il comprit que dans ces têtes affolées le nom venait de retentir.

– Êtes-vous décidés ? demanda-t-il.

Il y eut une imperceptible hésitation. Puis ils se tournèrent vers le chef. Ils n'eurent pas plus besoin de dire *oui* qu'ils n'avaient eu besoin de dire le nom de l'homme... Il reprit :

– À partir de demain, nous surveillerons les abords de l'hôtel Roncherolles, le logis grand-prévôtal.

– C'est donc près de ce logis qu'aura lieu l'action ?

– Oui. Aux abords de l'hôtel Roncherolles.

Il n'y eut plus un mot de prononcé. Tous mirent leurs manteaux, assurèrent épées et poignards, et, à la suite de Lagarde, sortirent...

– Venez, maintenant, dit alors Nostradamus à Beaurevers.

Et, à leur tour, ils sortirent de l'auberge. Le Royal marchait silencieusement. Cette scène l'avait frappé de stupeur. Qui était cet homme qu'on devait tuer ?... La chose devait se passer près de l'hôtel Roncherolles... Pourquoi là ?

– Cet homme... murmura-t-il enfin sourdement. Celui que ces gens veulent tuer... c'est horrible, ce guet-apens...

Nostradamus s'arrêta comme saisi d'une inquiétude.

– Or çà ! N'avez-vous donc jamais vous-même frappé du fer une poitrine humaine ?

– Si fait ! Mais jamais dans l'ombre, par derrière.

Ils arrivèrent à l'hôtel de la rue Froidmantel. Au moment d'entrer, un frisson secoua Le Royal. Il lui sembla que cette porte, qui s'ouvrait devant lui, c'était la porte des mystères dont l'homme ne doit pas s'approcher. Et il voulut se donner du courage...

– Vous allez me parler de mon père ? demanda-t-il.

– Non, répondit Nostradamus. *Pas encore.*

– C'est donc de ma mère que vous allez me parler ?

– De celle que vous aimez. De Florise de Roncherolles.

Le Royal de Beaurevers, ébloui, porta les mains à ses yeux.

– Est-il donc vrai que je l'aime ? rugit-il. Entrons !

Et il passa le premier. Nostradamus entra derrière lui.

Dixième chapitre
La cour du roi Henri

I

Catherine sentait la mort

Dans sa chambre à coucher ce matin-là, le soleil entrait à flots. Catherine de Médicis était assise devant un grand miroir. Une servante peignait sa belle chevelure noire. Une autre fardait ses joues, peignait ses lèvres au carmin, rehaussait d'un trait la splendeur de ses yeux. Une autre emprisonnait ses jambes en des bas de la plus fine soie.

Pendant qu'on habillait la reine, Henri, le fils préféré, assis sur un tabouret, regardait et prenait peut-être là le goût de cette coquetterie, qui, plus tard, devait faire d'Henri III le roi des Mignons. Parfois, sa mère lui jetait un regard passionné. Quant aux trois autres fils de Catherine, deux d'entre eux étaient au manège, et l'aîné, François, âgé d'une quinzaine d'années, avait été conduit auprès de sa femme, la jeune reine d'Écosse, à laquelle, tous les matins, il allait faire son compliment.

Au moment où la reine s'apprêtait à se rendre à son oratoire, une porte s'ouvrit et l'officier de garde cria :

– Le roi !...

Demoiselles d'honneur, suivantes se retirèrent. L'une des filles d'honneur emmena l'enfant. Henri II entra.

Pourpoint de velours lamé d'argent, manteau court doublé de satin blanc, col empesé, chaîne d'or, toque de velours noir ornée de plumes blanches, maillot de soie noire, haut de chausses à crevés, épée au ceinturon de cuir doré – une tête pâle qu'encadre une barbe peu touffue et coupée court, le nez long et tombant – un nez à la François Ier – un front chargé de tristesse, des yeux vagues, une bouche amère – demi-gestes irrésolus et flottants – sur cet ensemble d'élégance et de faiblesse, la lueur violente, parfois, d'une crise de fureur ou le voile morne de quelque souvenir terrible... C'était

Henri II à quarante-deux ans.

– Madame, dit-il d'un ton indolent, j'ai cru bon, avant de la rendre publique, de vous faire part d'une décision d'État à laquelle je me suis résolu.

Catherine esquissa une révérence. Elle était peu habituée à être mise au courant des décisions d'État.

– Sire, dit-elle, c'est là une haute faveur.

Henri II jeta autour de lui un regard indifférent.

– Daignez vous asseoir, madame, reprit-il.

Catherine prit place dans un fauteuil. Par une flatterie qui étonna Catherine et la mit sur ses gardes, Henri II resta debout. Et il laissait errer ses yeux partout, les arrêtant sur tous les objets de la chambre – excepté sur elle.

– Madame, reprit-il, d'étranges pressentiments me visitent. J'ai cette intuition que bientôt je vais mourir.

Catherine tressaillit. Une légère pâleur s'étendit sur son front. Mais elle ne prononça pas un mot.

– Cela étant, continua le roi, j'ai voulu assurer à chacun de mes serviteurs et amis une récompense qui me rappelât à leur souvenir... quand je n'y serai plus. Parmi ces amis, il en est une que vous avez daigné honorer de votre faveur.

– Diane ! fit la reine d'un ton parfaitement paisible.

– Oui, madame ! dit Henri II en s'inclinant.

– Je serai heureuse de tout ce qui pourra encore advenir d'heureux à cette fidèle conseillère de Votre Majesté.

La voix de la reine était calme. Mais si le roi eût entendu le rugissement de rage qui grondait dans la conscience de Catherine, peut-être eût-il cru à son pressentiment de mort.

– À quel nouvel honneur destinez-vous *notre favorite* ?

– Je lui donne le duché de Valentinois ! répondit Henri II avec une violence indiquant une résolution irrévocable.

Catherine se leva, frémissante. Un instant, la haine qu'elle déguisait depuis des années monta à ses lèvres. Mais brusquement l'éclair de ses yeux s'éteignit.

– Il sera beau, dit-elle, que la fille du sire de Saint-Vallier succède à César Borgia dans la possession de ce duché.

Et en elle-même, tandis qu'elle s'inclinait, elle murmura :

– Après le forban papal, la royale ribaude !

– Ainsi, dit le roi tout joyeux, vous approuvez ?

– C'est-à-dire, mon cher sire, que je regrette de n'avoir pas eu, la première, cette pensée vraiment belle.

– Merci, madame ! dit Henri II avec empressement. Diane avait continué de vivre à la cour, sous le même toit que Catherine. Mais maintenant que la maîtresse était délaissée du roi autant que l'épouse, la cour se demandait quelle nouvelle divinité allait régner sur le cœur du souverain. Catherine le savait, elle !... Elle savait que ce titre de duchesse jeté à Diane, c'était son congé. Et elle murmurait :

– Florise ! Florise ! C'est donc toi qui vas succéder à Diane... si je ne m'en mêle pas !

Henri II, dans un mouvement de joie, lui avait pris la main et la baisait avec ferveur. Au moment où le roi se redressait, elle retint sa main. Elle le vit ému. Elle espéra que son mari... peut-être !... allait lui revenir à elle seule ! Pensées de meurtre, pensées de vengeance, tout s'évanouit. Elle ne fut plus Catherine de Médicis. Elle fut une femme.

Son sein palpita. Sa beauté se revêtit de tendresse. Henri la considéra, étonné. Elle lui apparut vraiment belle. Il frémit. En un instant, ce qui se leva en lui, ce fut le désir... il répondit à la pression de la main de sa femme !...

– Henri, murmura-t-elle, éperdue, avez-vous jamais songé que nous sommes unis dans l'éternité, non seulement par le nœud du mariage, mais aussi par des liens que Dieu lui-même serait impuissant à rompre ?

– Que voulez-vous dire, fit le roi gagné par l'ivresse.

– Henri, mon roi... si vous le vouliez ! tout serait effacé... vos amours dont j'ai tant souffert, les dédains dont j'ai été accablée... Vous apprendriez ce qu'il y a de force et de dévouement dans ce cœur qui vous appartient ! À deux, nous serons plus forts pour repousser le spectre de votre frère qui parfois se penche sur ma couche solitaire et qui vous escorte, vous, jusque dans le lit de vos maîtresses...

– Madame ! râla le roi, livide. Ah ! madame, quels sanglants souvenirs osez-vous évoquer !

– Croyez-vous donc, reprit-elle, que je n'aie pas deviné le tourment de vos jours, la terreur de vos nuits ! Henri ! c'est moi qui vous consolerai ! C'est moi seule, qui puis endormir sur mon sein d'amante les terreurs que, épouse, je dois partager avec vous !...

– Oui, oui ! Tu as raison et je t'aime ! bégaya Henri II.

Au fond d'elle-même, Catherine poussa un cri de triomphe. L'instant d'après leurs lèvres s'unirent... Des lèvres de Catherine, les lèvres d'Henri II montèrent jusqu'à ses yeux, puis jusqu'à son front... Sa bouche allait toucher ce front... Soudain, Henri se recula. Puis il se rapprocha... Une formidable curiosité contractait son visage.

– Madame, murmura le roi avec une incompréhensible terreur, là, sur votre front, qu'est-ce que cette tache livide ?...

– Une tache ?... Sur mon front ? balbutia Catherine.

– On dirait la trace d'un doigt qui reste imprimé sur votre front !

Une légère secousse agita Catherine. La trace d'un doigt !... Quel doigt... Oui, quel doigt ? sinon le doigt de François ! le doigt du mort ! le doigt du spectre qui l'avait touché au front ! D'un effort de volonté, elle tâcha de se cramponner au rêve un instant espéré.

– Folie ! murmura-t-elle avec un sourire. Mon cher Henri, s'il y a une marque sur mon front, effacez-la avec vos lèvres !

Henri de toute la sincérité de ce désir qui venait de naître en lui, approcha ses lèvres du front de sa femme, et tout à coup, il la repoussa d'un geste impulsif. Et il râla :

– Je ne peux pas !... Non... je ne peux pas !

– Pourquoi ! Pourquoi ! rugit-elle.

– Parce que, madame, *parce que vous sentez la mort !...*

Catherine de Médicis tomba tout d'une pièce sur le tapis, tandis que le roi s'enfuyait de cette chambre où il lui semblait que tout était imprégné d'une odeur de cadavre.

Lorsqu'elle fut revenue au sentiment, Catherine se regarda dans le miroir et n'aperçut aucune trace de cette tache qu'avait vue le roi. Mais quand vint le moment de se montrer à la cour du roi, Catherine épingla à son corsage une rose d'un rouge sanglant.

– Puisque je sens la mort, gronda-t-elle, il est juste que je porte la mort sur moi!

II

Une vision de la cour royale

Dans cette salle, que Pierre Lescot avait surchargée de sculptures, une foule brillante était là. Les éclatants coloris de ces costumes, la splendeur des robes féminines, la gaieté outrancière, le cadre somptueux de cette réunion étincelante, tout cela, c'était un magique tableau de la cour du roi.

Ce soir-là, on se montrait une médaille que le roi avait fait frapper en l'honneur de la duchesse de Valentinois. La médaille représentait les traits de Diane et portait ces mots : *Diana, dux Valentinorum, clarissima.*

Dans la salle qui précédait la galerie, la garde écossaise, corps d'élite, formait un double rang de statues aux somptueux costumes. Montgomery commandait ces hommes, et se tenait l'épée à la main, près de la porte, dont un seul battant était ouvert. À ses côtés, un héraut criait le nom des personnages qui faisaient leur entrée.

Non loin du fauteuil réservé à Henri II, cinq ou six jeunes gens d'une élégance raffinée, riaient à gorge déployée.

– Voyons, Biron, disait l'un d'eux, explique-moi un peu le *clarissima* de la médaille. Ce mot ne me semble pas clair.

– Mon cher Tavannes, je ne sais pas le grec !

– Ce n'est pas du grec, fit La Trémoille, c'est du latin.

– Du latin ? Voici l'abbé de Bourdeilles, seigneur de Brantôme, qui va nous donner la clef de *clarissima*.

– Holà ! Brantôme ! cria Biron. Tu rêves tout éveillé ?

– Non, messieurs, répondit Brantôme, je regarde...

– Il admire l'escadron volant de la reine ! fit Biron.

– En sa qualité d'abbé, il cherche un péché... à commettre ! fit La Trémoille.

– Messieurs, dit Brantôme, vous errez. Je regarde des masques, et des masques ! j'en vois partout, sans la grande lunette du seigneur Nostradamus. Seigneurs, valets, dames, capitaines, magistrats, je rêve de faire entrer tout ce monde dans un livre, et vous ne sauriez croire combien je m'amuse. Seulement, je ris en dedans, moi !

– Un livre ! Parbleu ! comme Plutarque ?

– Un livre qui s'appellera : *La vie des Dames galantes !*

Il y eut un éclat de rire. Puis, Biron reprit :

– Tout cela ne me donne pas la traduction de *clarissima*.

À ce moment s'approcha du groupe un être bizarre, vêtu d'un costume mi-partie jaune et rouge, le chef accommodé d'un bonnet à longues oreilles et d'une crête écarlate, une vessie au côté, une marotte à la main, qui long, mince, secouait en marchant mille grelots et sonnailles attachés à sa personne.

– Salut à Brusquet Ier, honorable bouffon de Sa Majesté, dit gravement Brantôme en se découvrant.

– Salut, abbé de ruelles, écouteur aux portes, flaireur de scandale, dit Brusquet. Pourquoi m'avez-vous appelé ?

– Brusquet, nous voulons savoir ce que signifie *clarissima* dans la médaille de la duchesse de Valentinois.

– *Clarissima* ne veut rien dire. Il y a une lettre de trop. Supprimez *l* dans *clarissima*, et vous obtenez *carissima* qui veut dire : très chère.

– Bravo ! *Carissima :* très chère au roi...

– Et à la France ! Demandez au grand trésorier...

– Oh ! dit La Trémoille, voici Roland de Saint-André !...

– Il est pâle ! Voici quinze jours qu'on ne l'a vu.

– Messieurs, dit Brusquet, le jeune Saint-André, fils du maréchal de Saint-André, a voulu faire la guerre comme son père. Seulement il a fait la guerre aux femmes, il se sera fait moucher, il aura eu quelque saignement de nez.

– Tais-toi, bouffon ! gronda Roland de Saint-André en s'approchant. Messieurs, j'ai manqué d'être occis par un chef de Petite-Flambe dont je vais demander la tête au roi.

– Raconte ! Raconte ! s'écrièrent les jeunes seigneurs.

– Le drôle s'appelle Le Royal de Beaurevers. Voici...

– Monseigneur le duc de Guise ! cria le héraut.

– L'artillerie de Metz ! fit Brusquet. Autrement dit monsieur de

La Balafre !

– Monseigneur le cardinal de Lorraine ! cria le héraut.

– Les canons de l'église ! grinça Brusquet. Sauvons-nous !

Et il disparut, agitant ses sonnettes, grimaçant, gambadant, tantôt sur les mains, tantôt faisant la roue.

– M. le maréchal de Saint-André ! M. le connétable de Montmorency ! Messire le grand-prévôt baron de Roncherolles ! Noble demoiselle Florise de Roncherolles ! Messire de l'Hospital ! M. le chancelier Olivier !

Les divers personnages ainsi annoncés firent leur entrée.

Le connétable de Montmorency et le maréchal de Saint-André se dirigèrent aussitôt vers le duc de Guise avec lequel ils commencèrent un conciliabule à voix basse. Groupe menaçant : Le Balafré, grand, hautain, l'œil dur, la blessure qu'il avait reçue au siège de Boulogne lui entaillant le front. Le vieux connétable de Montmorency, formidable de stature. Le maréchal de Saint-André, figure de courtisan rompu à toutes les malices du métier.

– Place ! Place ! mordious ! criait Brusquet en faisant le vide autour de ce groupe sombre. Ne voyez-vous pas les triumvirs qui conspirent l'extermination de l'hérésie ! Place au triumvirat !

Saint-André sourit. Montmorency fronça les sourcils. Guise d'une secousse envoya le malheureux bouffon rouler au loin. On entendit des aboiements plaintifs, des miaulements enragés : c'était Brusquet qui gémissait sur sa mésaventure. Mais tandis que tout le monde riait, le fou avait lancé à Guise un regard de colère aiguë.

Le cardinal de Lorraine, frère du duc de Guise, dès son entrée, s'était lancé sur la piste d'une très jolie fille avec laquelle, maintenant, il était en conversation sérieuse. Cette fille que le cardinal, très somptueux dans sa robe rouge, écoutait, l'œil allumé, c'était l'une des demoiselles d'honneur de la reine, l'une des espionnes de l'escadron volant...

Le chancelier François Olivier, septuagénaire aveugle, à longue barbe blanche, avait été guidé par Michel de l'Hospital jusqu'à un fauteuil où il s'assit en disant :

– Demeurez, mon enfant, j'ai à vous parler des affaires de l'État. Je vais ce soir remettre mes fonctions au roi, et vous êtes mon seul successeur possible.

Il appelait son enfant L'Hospital qui venait de passer la cinquantaine. C'était une figure franche et rusée.

Quant au grand-prévôt, Gaëtan, baron de Roncherolles, il avait fait asseoir sa fille non loin du fauteuil que devait occuper le roi. Florise était pâle. Peut-être savait-elle ce qui l'attendait. Depuis que son père l'avait surprise au moment où elle allait délivrer Le Royal et ses acolytes, jusqu'à cette soirée où les cinq compagnons étaient sortis des caves de l'hôtel, Florise était demeurée gardée à vue dans sa chambre.

Pourquoi, ce soir-là, son père la menait-il à la Cour ?... De tristes pressentiments l'assaillaient. Et lorsqu'elle voulait chercher un refuge dans son cœur, elle éprouvait comme un vague effroi. Pourquoi, tous les soirs, un nom nouveau s'ajoutait-il à ceux que, dans sa foi naïve, elle mettait sous la protection des anges ? Ce nom !... Celui d'un truand ! Pourquoi, oh ! pourquoi dans ses rêves de vierge le voyait-elle comme un fils de roi – non comme un fils de truand ?...

« Le Royal de Beaurevers ! »... Ce nom, elle le prononçait tout bas, tandis que le grand-prévôt se dirigeait tout droit vers le jeune Roland de Saint-André. À sa vue, le vicomte Roland blêmit.

– Il sait tout ! gronda-t-il. C'est le père de Florise, oui, mais malheur à lui si...

– Vicomte, dit Roncherolles, un mot, voulez-vous ?

– Parlez monsieur, frémit Roland.

La Trémoille, Brantôme, Tavannes et Biron s'écartèrent.

– Voulez-vous épouser ma fille ? reprit Roncherolles.

Roland de Saint-André bondit. Ses yeux se fixèrent sur le grand-prévôt avec une expression de terreur, d'espoir...

– Cela vous étonne. Vous m'avez trois fois demandé Florise et je vous ai toujours répondu qu'elle n'était pas pour vous. Poussé à bout, vous avez profité d'un voyage que ma fille a dû faire à Fontainebleau, pour essayer de l'enlever. Le truand que vous avez payé pour cette besogne vous l'a enlevée à vous-même. Maintenant, je vous répète : Voulez-vous épouser ma fille ?... Pourquoi j'ai changé d'avis, peu importe. Répondez à ma question. Un mot. Oui ou non.

Roland jeta un regard enivré du côté de Florise, qui baissa la tête comme si de loin, elle eût entendu…

– C'est oui, répondit-il, c'est cent fois oui ! Oh ! monsieur…

– Nous causerons de cela tout à l'heure, devant le roi.

Et le grand-prévôt rejoignit sa fille, laissant Roland stupide de bonheur… À ce moment, le héraut criait :

– Son Altesse Royale, monseigneur le dauphin ! Sa Majesté la reine d'Écosse !

Un long murmure d'admiration salua l'entrée de Marie Stuart.

Reine presque dès le jour de sa naissance, venue en France pour y faire son instruction, la nièce du duc de Guise et du cardinal de Lorraine possédait une grâce harmonieuse, une beauté douce et radieuse. Elle avait alors un peu plus de seize ans, et sa majesté s'estompait d'une mélancolie voilée, tandis que ses yeux brillaient de toute sa gaie jeunesse. Son mari, le dauphin François – époux encore *in partibus* – la conduisait par la main, béant d'admiration…

– Ah ! monsieur Ronsard, fit tout à coup Marie Stuart.

Et elle traversa les groupes inclinés pour se diriger vers deux ou trois hommes qui se tenaient en arrière.

– Savez-vous bien, maître Ronsard, reprit-elle, que j'ai pris un plaisir extrême à lire votre *Bocage Royal ?*

– Madame, dit Ronsard qui n'avait pas entendu un mot, ce sont cette fois des *Églogues*, et j'y mets la dernière main.

– Excusez-le, madame, dit un jeune homme à figure mélancolique et tendre, notre cher maître est sourd.

C'était du Bellay, le doux poète, qui venait de parler.

– Il a perdu l'ouïe à écouter les dieux, fit Marie.

– C'est la plus belle louange qu'aura reçue le chef de la Brigade.

– La Brigade ? fit la reine d'Écosse. C'est le nom que vous donnez, je crois, au groupe de charmants poètes dont vous faites partie ? Le mot est joli, sans doute. Mais le nom qui vous convient, c'est aux étoiles qu'il faut l'emprunter. Pour moi, vous n'êtes pas la Brigade, mais la Pléiade.

Il y eut un cri d'admiration, mais déjà la jeune reine se dirigeait vers un autre groupe, et là, c'étaient des artistes, Pierre Lescot, Germain Pilon, Jean Goujon, Philibert Delorme. Et pour chacun, elle disait le mot qui flatte, qui touche le cœur.

– Ah ! messieurs, dit-elle en s'éloignant, que ne puis-je vous emmener en Écosse ! Ou plutôt que ne puis-je rester toujours dans ce pays de France, séjour de l'art et de la poésie !...

– Et de l'hérésie ! compléta Brusquet qui, en même temps, se fendit par le grand écart, jusqu'à s'asseoir sur le sol.

Au moment où une rumeur d'indignation commençait à monter, très menaçante pour le pauvre bouffon, la voix d'un moine s'éleva, martelant les mots avec dureté :

– Ce fou est le seul sage de cette assemblée !...

– Malheur à moi si je suis devenu sage ! cria Brusquet. Je perdrai mon emploi, le meilleur de cette cour de fous !

Tout le monde s'était tourné vers lui, prêt à relever cet anathème. Mais tout le monde frissonna, se courba sous la menaçante bénédiction du moine vêtu avec pauvreté – et, de bouche en bouche, courut le nom de cet homme qu'on disait maître de l'esprit du roi :

– Monsieur de Loyola !...

Le héraut cria :

– Son Altesse Royale Mme Marguerite !... Mme la duchesse de Valentinois !...

Marguerite de France, fiancée du duc de Savoie, entrait avec Diane de Poitiers. Alors âgée de vingt-sept ans, Marguerite était jolie, lettrée, spirituelle, aimée, admirée. Mais en cette soirée, l'attention publique se reportait sur celle qu'elle accompagnait, la nouvelle duchesse. Tous les regards se tournèrent vers Diane de Poitiers, vers la maîtresse du roi qui, donnant la main au connétable de Montmorency, s'avançait d'un pas majestueux.

La duchesse de Valentinois avait tout près de soixante ans ! Elle les avouait, les proclamait sachant bien que c'était une rare merveille à proposer à l'admiration que ce corps demeuré ferme et pur, que le miracle de ce visage resté radieusement jeune.

La duchesse de Valentinois s'était assise dans le fauteuil placé à gauche de celui qui était destiné au roi. Quant à Marguerite, elle avait modestement gagné sa place, donnant la main à son fiancé, Emmanuel de Savoie, adversaire du royaume de France, réconcilié par politique.

– Messieurs, la reine ! place à la reine !...

Et c'était Catherine de Médicis, escortée de ses filles d'honneur. Souriante, elle marcha à Diane de Poitiers, qu'elle embrassa.

– Oh ! murmura Brantôme, elle va l'étouffer !

Quelqu'un, plus avidement que toute la cour, avait regardé Catherine de Médicis. C'était le baron de Lagarde ! Il ferma les yeux, ébloui comme s'il avait vu la foudre ! Un frisson le saisit à la nuque !... Au corsage de Catherine, il avait vu la rose. Et cette rose lui donnait un ordre terrible. Et, en lui-même, il rugissait :

– Il est temps ! L'heure est venue ! Il est temps de tuer...

– Le roi ! tonna le héraut. Messieurs, place au roi !...

III

Le sorcier

– Gardes ! Présentez vos armes !...

Les Écossais exécutèrent le mouvement ; puis se figèrent. Déjà Henri II allait prendre place dans son fauteuil, entre Catherine de Médicis et Diane de Poitiers. Un silence glacial était tombé. Henri II jeta un long regard trouble sur le cercle de ses gentilshommes courbés. Et ce regard s'arrêta sur les plus jolies femmes. Satisfait de ce grand silence, il se renversa dans son fauteuil, et, d'un bel humour :

– Est-ce là la cour de France ? Par la sambleu, que l'on rie un peu. Qu'on aille quérir des luths et des violes. Qu'on apporte des tables de jeux, qu'on entende un peu le bruit des écus d'or !

À peine ces paroles furent-elles prononcées, que les conversations reprirent : le grand cercle se rompit : les musiciens firent leur apparition ; des valets entrèrent, portant des tables avec des jeux de cartes et des dés ; les parties s'organisèrent ; des groupes se mirent à danser. Henri II contemplait avidement ce spectacle joyeux.

– Oui, oui ! murmura-t-il, je veux que l'on rie ! Je veux que l'on joue ! Oh ! cette ombre éternelle dans le sillage de mes pensées ! Oh ! cette voix qui me crie : Caïn ! Ça ! que fais-tu là, toi ?

– Tu le vois, mon roi, dit Brusquet qui s'était accroupi aux pieds d'Henri, je me fais tout petit.

– Sire, murmura Diane, comment remercier Votre Majesté de cette faveur qui m'enivre de joie et d'orgueil !...

– En m'aimant bien, ma pauvre Diane ! fit le roi.

– Ah ! pouffa Brusquet. S'il ne faut que t'aimer, Henri, pour être pauvre comme Diane, je t'aime, je t'adore !

Et Brusquet roula des yeux tendres, envoya des baisers. Le roi, Diane, Catherine, Marie Stuart, Marguerite, Emmanuel, tous partirent de rire. Seulement, les œillades du bouffon s'adressaient si évidemment à l'escarcelle du roi que celui-ci fut obligé de l'entrouvrir en disant :

– Allons, maraud, contente cette grande passion !

Brusquet tira de l'escarcelle une poignée d'or.

– Messieurs, dit alors le roi, nous aurons ce soir un divertissement rare : nous aurons ce Nostradamus.

– Sorcier du diable, dit Brusquet, qui devine que vous êtes malade quand la fièvre vous tient au lit !

– Est-il vrai, sire, qu'il fait de l'or ? demanda Diane.

– Sire, demanda Catherine avec un étrange sourire, est-il vrai qu'il sait comment chacun de nous doit mourir ?

– Nous le verrons à l'œuvre, dit Henri II. Nous saurons tous notre bonne aventure, et...

– Ah ! ah ! fit Brusquet en interrompant le roi sans façon, voici Lorraine qui vient à nous ! Vive Lorraine, morbleu !

– Avorton ! gronda le duc de Guise qui s'inclinait.

– Avorton ! Oui, près de l'illustre maison de Lorraine, nous ne sommes que des avortons ! s'écria Brusquet ! On peut nous tirer les oreilles, à nous ! Morbleu, nous les avons assez grandes pour cela. Regarde, Henri, ton noble cousin de Guise. Une belle tête ! Malheureusement, elle ne porte qu'une couronne ducale. Pour le héros de Metz, de Renty, de Saint-Quentin et de Calais, ce n'est pas assez ! Qu'avons-nous fait, nous, pour porter la couronne royale ? Nous avons signé la honteuse paix du Cateau. Guise a sauvé Paris. Guise a sauvé le royaume. Guise veut tout sauver ! Je veux aussi qu'il me sauve ! Je veux aussi qu'il se sauve !...

Le duc et le roi avaient pâli, l'un de terreur, l'autre de rage.

– Sire, prononça le Balafré, je me retire devant votre bouffon.

– Te tairas-tu, braillard, âne bâté ! Parlez, mon cousin.

– Sire, dit le duc, voici le très révérend Loyola qui expliquera à Votre Majesté de quoi il s'agit. M. le connétable de Montmorency, M. le cardinal de Lorraine, M. le maréchal de Saint-André et moi-même enfin nous approuvons le projet qu'il veut soumettre au roi.

– Parlez, mon vénérable père, dit Henri II.

– Roi de France, dit Loyola de sa voix sèche, votre royaume est le plus beau fleuron de la chrétienté. Allez-vous le laisser se ternir sous la rouille de l'hérésie ? J'ai peu de temps à donner au monde. Dieu m'appelle. Lorsque je comparaîtrai devant notre divin maître à tous et qu'il me demandera ce que j'ai fait pour la sainte Église, devrais-je lui répondre que si je suis parvenu à sauver l'Espagne, à garantir l'Italie, il m'a été impossible d'arracher la France à l'hydre qui s'étend sur elle ?...

– Que devons-nous donc faire ? demanda Henri étonné.

– Exterminer le parpaillot ! gronda le Balafré.

– Ce qu'il faut faire, sire ? murmura le cardinal de Lorraine. Ce saint homme va vous le dire. Écoutez-le !

– Le royaume est étrangement troublé, dit Montmorency.

– Eh ! sire, souffla Saint-André, laissez-nous faire la rude besogne, et gardez pour vous le plaisir de régner.

Saint-André venait de toucher la corde sensible. Le roi lui sourit. Saint-André fit signe à Loyola, qu'il pouvait parler.

– Sire, dit Loyola, qui a sauvé l'Espagne ? L'Inquisition !... Qui a sauvé l'Italie ? L'Inquisition ?... Roi, Dieu demande que l'Inquisition soit établie en France !...

Les huit ou dix personnages qui, autour du roi, assistaient à cette scène étaient haletants. Et là, dans cette salle où le chef de la Compagnie de Jésus tentait de forger de la foudre, où ces paroles venaient de gronder comme un tonnerre précurseur du tocsin de la Saint-Barthélémy, la musique des violes et des luths faisait entendre ses airs de douce mélancolie, de jolies femmes dansaient, des jeunes seigneurs riaient...

Henri II regarda autour de lui. Il ne vit que des visages convulsés. Seules, Catherine de Médicis, Diane de Poitiers et Marie Stuart demeuraient calmes dans cette tempête.

– Allons, murmura le roi, qui sait, au fait, si cela n'arrangera pas bien des choses ?...

Il allait dire oui ! Il allait donner l'ordre fatal...

– Messire de Nostradamus ! cria à ce moment le héraut.

À ce nom, la salle entière sembla tressaillir ; les joueurs jetèrent leurs cartes, les danses furent suspendues, une irrésistible curiosité balaya les sentiments épars dans cette foule, et tous fixèrent les yeux sur la porte et virent entrer un homme vêtu de velours violet, un manteau de satin jeté sur ses épaules, la main appuyée sur la garde de l'épée.

Nostradamus marcha au roi. Mais, dans cette seconde son regard embrassa cette foule qui le contemplait.

Du premier coup d'œil, Nostradamus vit Roncherolles – et son cœur se contracta dans sa poitrine. Il vit le maréchal de Saint-André – et ses paupières se mirent à battre. Il vit enfin le roi – et un peu de rose afflua à ses joues livides.

– Sire, dit-il, Votre Majesté m'a fait commander de me trouver ici à dix heures. Me voici aux ordres du roi.

– Sire, cria le moine d'une voix éclatante, pardonnez à l'indignation qui me transporte ! Sire, au nom du Très-Saint-Père, je demande l'arrestation de cet imposteur !...

Un silence s'abattit. Nostradamus se redressa lentement.

– Sire moine, vous êtes étranger. Apprenez qu'il n'est pas dans l'habitude des rois de France d'arrêter leurs propres hôtes.

Un murmure de sympathie accueillit ces paroles. Nostradamus, d'une voix à l'intonation d'airain, continua :

– D'ailleurs, si le roi voulait oublier les coutumes de la cour, il ne trouverait personne pour mettre la main sur moi !

La foule vacilla, trembla devant cette audace.

– Sire, tonna le moine, l'imposteur vous brave !

– Holà, gronda Henri II, mon capitaine des gardes !...

Montgomery s'avança.

– Arrêtez cet homme !

Nostradamus fit deux pas au-devant du capitaine. Ses lèvres s'agitèrent d'un mouvement imperceptible. Montgomery entendit ! Et ce fut effroyable, sans doute. Car le capitaine, recula, l'œil hagard, en murmurant :

– Non ! non ! Grâce ! Taisez-vous, par pitié !...

– Vous voyez, sire, dit Nostradamus au roi. Sire, je vous jure que si vous m'en donnez l'ordre, je vais de ce pas me constituer prisonnier. Mais le roi ne voudra pas donner un pareil ordre avant que je me sois justifié de l'accusation d'imposture.

– Oui ! oui ! Parlez, crièrent cinquante seigneurs.

– Silence ! gronda le roi. Vous avez raison, monsieur, je n'arrête pas mes hôtes dans mon propre logis. Excusez-moi, sire moine. Au Louvre, la volonté du roi est sacrée. Maintenant, parlez, monsieur de Notredame !

– Sire, je me vante de connaître le passé des hommes et quelquefois de pouvoir envisager leur avenir. C'est pour cela que ce digne père m'accuse d'imposture. Eh bien, je vais prouver que je sais le passé et puis parfois prédire l'événement futur. Le prédire, parce que je le *prévois* !... Sire, j'ignorais, n'est-ce pas, de quoi il était question lorsque je suis entré ?

– Sans aucun doute !

– J'ignorais donc la proposition qui a été faite à Votre Majesté. Eh bien, sire, il y a ici un homme qui peut répondre aux arguments qu'on faisait valoir. Je vais vous présenter cet homme, et s'il répond, je ne suis pas un imposteur.

Nostradamus, sans hésiter, marcha droit au chancelier François Olivier, prit respectueusement par la main le vieillard étonné, l'amena devant le roi, puis, prononça :

– Monsieur le chancelier, le vénérable Loyola propose à Sa Majesté d'établir en France un tribunal d'Inquisition. Dites pourquoi vous voulez résigner vos fonctions.

Le roi, Montmorency, Saint-André, Guise, ne purent réprimer un mouvement de stupeur. Quant au chancelier Olivier, il garda un instant le silence. Puis, il dit :

– Sire, j'étais venu pour supplier Votre Majesté de me laisser me reposer après de si longs et pénibles travaux...

– C'est donc vrai ! cria le roi. Vous voulez vous démettre !...

– Oui, sire, et voici M. Michel de l'Hospital que je supplie Votre Majesté d'agréer pour mon successeur...

– Continuez, monsieur le chancelier, dit Henri.

– Sire, j'étais résolu à faire valoir mon grand âge, mes longues fatigues... Mais ce qui vient d'être dit suffit à justifier ma retraite devant ma conscience. Dieu nous commande de nous aimer les uns les autres, et nous a défendu de nous servir de l'épée. C'est pourquoi je n'ai pas voulu qu'on trouvât le nom de François Olivier au bas de l'acte instituant un tribunal d'Inquisition...

– Faiblesse plus criminelle que le crime ! gronda Loyola.

– Que veut-on ? continua le vieillard. Est-ce la guerre religieuse ? Sire, n'y a-t-il donc pas assez de sang répandu dans Paris et dans le royaume pour la seule faute d'adorer Dieu autrement que nous ? Que de morts, sire ! que de cadavres ! Les inquisiteurs de la foi et la chambre ardente ont tué des milliers de malheureux. Prenez garde, sire de passer à la postérité sous le nom de Henri le Sanglant ! Assez de haines déchaînées pour assouvir l'ambition de messieurs de Lorraine ! Silence, monseigneur duc de Guise ! Silence, monsieur le cardinal ! Laissez-moi parler. Jamais, sire, moi chancelier, un tribunal d'Inquisition ne sera régulièrement institué en France. J'ai fini.

Un morne silence accueillit ces paroles. Loyola demeurait comme frappé de stupeur. Les courtisans tenaient les yeux fixés sur Henri II. Nostradamus semblait dominer cette scène qu'il avait peut-être inspirée...

Henri II, sombre, livide, était en proie à un de ces accès de rage concentrée qui se terminaient toujours par quelque ordre sanglant. Il roulait des projets de torture. Enfin, il leva sur Olivier des yeux troubles. Il allait parler. À ce moment, Nostradamus prononça tranquillement :

– Sire, supposons un instant, un seul instant, que votre frère le dauphin François ne soit pas mort à Tournon et qu'il occupe la place même où vous êtes... Bien mieux, supposons que, sorti du tombeau, il entre en ce moment dans cette salle !...

L'effet produit par ces mots sur Henri II fut prodigieux. Il se leva tout d'un coup, il voulut parler, puis il retomba sur son fauteuil. Nostradamus se pencha sur lui.

– Sire, murmura Nostradamus, votre frère vous parle par ma voix. Si on n'écoute pas les morts, ils se dressent parfois pour raconter des choses que le monde doit ignorer...

Henri eut la force de faire un geste impérieux. Tout le monde s'écarta. Et alors, d'une voix rauque, il bégaya :

– Que voulez-vous dire ?

– Rien que ceci : je crois que votre frère, en rémission de ses fautes, écouterait ce que vient de dire votre chancelier.

– Mais pourquoi, pourquoi me parles-tu de mon frère ! grinça Henri. Qui es-tu ! Sais-tu que je puis te faire saisir...

– Non, sire. Votre capitaine des gardes lui-même *n'a pas pu...*

– Qui es-tu ! râla le roi.

– Un homme, sire ! Seulement, cet homme a passé sa vie à sonder les consciences. La torche au poing, il est descendu dans l'antre de l'Énigme, qui lui a révélé son secret. Vous n'êtes que roi, sire et vous commandez aux vivants. Je suis plus que roi, sire, car j'ai parlé avec les morts...

– Vous parlez avec les morts ! haleta Henri.

– Oui. Et parfois ils me disent leurs secrets. Maintenant, sire, je m'éloigne. Ordonnez ce qu'il vous plaira du chancelier Olivier.

Nostradamus salua le roi et se perdit dans la foule.

– Messire, dit Henri II au chancelier. Je verrai à étudier vos conseils. J'accepte le successeur que vous me désignez. Vous êtes libre de vous retirer...

– Quoi, sire ! balbutia Loyola frappé au cœur.

– Sire, gronda le Balafré, il n'est pas possible...

– J'ai dit, sire moine ! J'ai dit, messieurs ! Allons, jour de Dieu, que l'on rie ! que l'on danse ! que l'on s'amuse !...

– Je vous avais bien dit que vous vous en tireriez ! murmura Nostradamus à l'oreille du chancelier qui se retirait.

Et il se dirigea vers Loyola qui gagnait la porte, éperdu.

– Eh bien ! messire, lui demanda-t-il. Votre cœur plein de mansuétude doit approuver sans doute que le royaume de France échappe à l'Inquisition ?

– Oui, démon, gronda le moine, tu triomphes ! Mais tu ne seras pas toujours le maître, Satan. Le tour de Dieu viendra !

Ignace de Loyola traça un signe de croix, puis regarda Nostradamus. Voyant que les paroles d'exorcisme qu'il prononçait tout bas ne produisaient aucun effet, il poussa un soupir.

– Avant votre départ pour Rome, vous me reverrez, murmura Nostradamus.

Le moine se retourna vivement pour répondre à cette menaçante promesse ; mais déjà Nostradamus n'était plus là.

IV

Florise fiancée

Devant Henri II, à cette minute, s'inclinait Roland de Saint-André. Et le jeune homme, achevant un récit, disait :

– Voilà comment les choses se sont passées. Sire, je demande justice contre le truand nommé Le Royal de Beaurevers.

– Qu'on m'amène mon grand-prévôt, dit Henri.

Nostradamus écoutait en souriant. Roland s'était élancé à la recherche de Roncherolles, qu'il ne tarda pas à amener.

– Monsieur le grand-prévôt, dit Henri II, avez-vous connaissance d'un truand nommé Le Royal de Beaurevers ?

– Oui, sire, dit Roncherolles, et de sa bande, composée de quatre spadassins. Ces cinq hommes ont mérité la mort.

– Qu'avant deux jours ils soient pendus, dit le roi.

– Merci, sire ! s'écria joyeusement Roland de Saint-André.

– Un mot, baron de Roncherolles, reprit alors le roi d'une voix sombre. Approchez aussi maréchal... plus près...

Autour du roi, tout le monde, y compris la reine, s'écarta.

– Maréchal, grand-prévôt, dit-il en baissant la voix. Je veux que ce sorcier, ce démon, soit saisi et brûlé sur une de nos places publiques.

– Faut-il lui mettre la main à l'épaule ? fit tranquillement Roncherolles.

– Vous n'avez donc pas vu que Montgomery *n'a pas pu* ?

– Sire, donnez-moi l'ordre, et j'arrête le diable.

– Moi aussi ! s'empressa d'ajouter jalousement le maréchal de Saint-André.

– Oui, murmura Henri, je le sais, vous êtes tous deux mes seuls amis depuis l'époque déjà lointaine où...

– Où nous servions vos amours, sire ! dit le maréchal.

– Et vous débarrassiez de Renaud ! ajouta Roncherolles.

– Renaud !... balbutia Henri II... Qu'est-il devenu ?... C'est étrange, mais, bien souvent, je pense à celui qui était le fiancé de Marie... Vous rappelez-vous Marie ?

– Chimères, sire ! Cet homme est mort. Et les morts ne sortent pas de la tombe, quoi qu'en dise Nostradamus.

– Marie ! reprit Henri d'un ton de rêve. J'ai aimé bien des femmes. Aucune ne m'a inspiré la même passion... Mais laissons ces souvenirs. Je ne veux pas que Nostradamus soit arrêté ce soir dans mon Louvre. Mais le jour où vous viendrez m'apprendre qu'il est saisi et va mourir...

– Eh bien, sire ?

– Roncherolles, ce jour-là, je vous donne la place de François Olivier, que j'ai promise à L'Hospital...

– Sire, sire ! bégaya Roncherolles.

– Et moi, sire ? demanda le maréchal de Saint-André.

– Toi, je te donne cent mille écus.

Saint-André se mordit les lèvres pour ne pas rugir de joie. Et Nostradamus qui, de loin, étudiait cette scène, le vit pâlir.

Ni le roi, ni le maréchal, ni le grand-prévôt ne trouvaient étrange de si belles récompenses. Tous trois éprouvaient cette impression qu'ils se trouvaient en présence d'une formidable puissance. Et à eux trois, roi, maréchal, grand-prévôt, ils formaient un groupe synthétisant ces trois forces naturelles : Épouvante, Ambition, Avarice.

Sur un signe de Roncherolles, Saint-André reprit :

– Sire, puisque M. le grand-prévôt et moi nous nous trouvons en présence du roi, permettez-moi d'exposer à Votre Majesté la commune faveur que nous lui demandons.

– Qu'est-ce ? fit Henri II à haute voix, et d'un regard circulaire, il indiqua que le conciliabule secret était terminé.

Les courtisans aussitôt se rapprochèrent. Catherine, Diane de Poitiers, Marie d'Écosse reprirent leurs places.

– De quoi va-t-il être question ? demanda Tavannes.

– De moi ! répondit Roland de Saint-André, pâle de joie.

– Oh ! oh ! fit La Trémoille, le roi paraît bien sombre.

– Parlez, maréchal, dit Henri II.

– Sire, dit alors Saint-André, vous savez quelle lointaine amitié nous a toujours unis, M. le grand-prévôt et moi. Nous voulons transformer cette amitié en une alliance indestructible. Nous avons donc formé un projet pour l'accomplissement duquel nous venons vous demander votre agrément.

– Quel est ce projet ? fit le roi en pâlissant.

– Il s'agit, d'un mariage entre Roland de Saint-André, mon fils, et Florise de Roncherolles, fille du grand-prévôt.

Tout le monde put voir que le roi fut agité d'un tremblement. Son regard chargé d'éclairs rebondit de Roncherolles à Saint-André. Pour la deuxième fois, d'un geste, le roi renvoya loin de lui tout ce qui l'entourait.

– Éloignez-vous, vous aussi ! dit Henri II à Roncherolles.

Le grand-prévôt obéit. Il prit le vicomte Roland par le bras et l'entraîna vers sa fille Florise. Dès son arrivée en cette salle, Roncherolles avait placé sa fille de façon que, du fauteuil qu'il occupait, le roi ne pût l'apercevoir.

– Quelle est cette trahison ? dit Henri II, les lèvres serrées. Prends bien garde, je t'ai fait maréchal et je t'ai aussi gorgé de bénéfices. Or, grade, bénéfices, argent, mon digne avare, tout cela s'évanouira comme un beau rêve si je souffle dessus. Sans compter qu'il y a des cordes pour les traîtres.

Saint-André était pâle. Mais il tenait ferme.

– Tu sais que je veux cette fille, poursuivit le roi. Tu m'accompagnes toutes les nuits jusqu'au logis de Roncherolles. Tu soupires avec moi sous les fenêtres de la belle. Tu me promets ton concours. Et tout à coup tu viens me dire que Florise est pour ton fils. Prends garde, mon bon Saint-André !

Nostradamus assistait à cette scène, sur laquelle pesait son regard d'une sinistre clarté. Et en lui-même, il rugissait :

– Oui, Henri, oui ! C'est avec ce truand que tu as ordonné de pendre que tu te trouves en rivalité ! Le Royal de Beaurevers rival d'Henri II, roi de France !... Et qu'est-ce que ce Beaurevers, Majesté ?... Votre fils ! Entends-tu, ton fils !...

– Sire, disait à ce moment le maréchal de Saint-André, ce mariage seul peut assurer vos amours.

– Comment cela ? Explique-toi, ou je te fais arrêter ! dit le roi, sans s'apercevoir qu'il venait de parler haut.

– Patatras ! fit Brantôme. Le scandale est tombé !

– Mon fils, reprit Saint-André, épouse Florise qui, dès lors, fait partie de la cour et que vous nommez au besoin dame d'honneur. Le jour du mariage, vous donnez à Roland mission d'aller voir ce qui se passe du côté de Metz.

– Mais, partira-t-il ?

– Je m'en charge !

Henri II jeta sur son pourvoyeur un indéfinissable regard.

– Écoutez-moi, sire, continua le maréchal. Il y a vingt ans et plus que je connais Roncherolles. Je ne parle pas de son ambition. À part cela, je ne lui ai jamais connu la moindre passion. Rien ne l'émeut. Or, Roncherolles poignardera sa fille de ses mains plutôt que de la savoir votre maîtresse. Il mettrait le feu à Paris pour lui éviter une larme. Maintenant, sire, apprenez qu'il y a eu bataille dans l'hôtel du grand-prévôt entre ses gens et un homme qui, prisonnier, a fini par sortir de merveilleuse façon.

– Conte-moi cela, Saint-André.

Saint-André lui fit une narration très détaillée de l'évasion de Beaurevers et de ses quatre acolytes.

– Corbleu ! cria le roi. Voilà un brave, et je serais fâché qu'il lui arrivât malheur. Tu diras cela à Roncherolles. Et le nom de cet Amadis ?...

– Sire, il s'appelle Le Royal de Beaurevers.

– Quoi ! celui-là qui a gourmé ton fils ? s'écria le roi.

– Et que vous avez ordonné de pendre haut et court.

– N'y aurait-il pas moyen d'adoucir cette rigueur ?

– Attendez, sire. Cette impression que Le Royal de Beaurevers produit sur l'esprit de Votre Majesté, il l'a produite également sur l'esprit d'une femme qui n'a pas craint d'essayer de délivrer les cinq malandrins.

– Alors, elle aime ce jeune héros ?

– Peut-être, sire ! En tout cas, c'est ce que redoute son père, car cette femme, c'est Florise de Roncherolles...

Le roi gronda un sourd juron. Son regard s'enflamma.

– Dès que ce Beaurevers sera saisi, bégaya-t-il, qu'on me prévienne, je veux le voir pendre !

– Soyez tranquille, sire... Le grand-prévôt a surpris sa fille au moment où elle allait délivrer Le Royal de Beaurevers. Il l'a enfermée et gardée à vue jusqu'à ce soir. Je ne vous parle pas de la douleur et de la rage du grand-prévôt. À cette situation, il ne voit qu'un remède : le mariage. Roncherolles sait que lorsque sa fille aura juré fidélité à un homme au pied des autels, elle tiendra son serment. Florise mariée ne lui inspirera plus d'inquiétude. C'est pourquoi il aime mieux se broyer le cœur en se séparant de cette enfant qu'il comptait garder près de lui.

Le roi demeurait sombre. Il grondait des fragments de paroles qui suffirent à Saint-André.

– Sire, termina le courtisan, Florise mariée, nous n'avons plus rien à craindre de ce caprice de son cœur. Et d'ailleurs le Beaurevers sera pendu. Mais cette fidélité ne doit pas nous arrêter nous-mêmes : ce n'est pas la première fois que nous aurons vaincu une résistance...

– C'est bon, dit Henri II, ce mariage se fera.

Saint-André fit un signe à Roncherolles. Dans le même instant, le roi devint très pâle. Roncherolles s'avançait, donnant la main à Florise...

Il y eut une rumeur d'admiration. Cinquante jeunes seigneurs comprirent à cette minute le sens de ce mot : le coup de foudre de la passion. Diane de Poitiers regardait venir Florise avec une sombre curiosité. Catherine frémissait. Marie Stuart admirait avec son imagination de poète et d'artiste.

– Sire, dit Roncherolles de cette voix désespérée du renoncement suprême, daigne Votre Majesté m'autoriser à lui présenter ma fille, fiancée au très noble vicomte Roland d'Albon de Saint-André. Plaise au roi de consentir à cette union.

– Approchez, vicomte ! dit le roi d'un accent intraduisible de menace. Mademoiselle, je suis heureux d'accorder à votre père l'autorisation qu'il demande. Je donnerai à votre époux une charge qui sera le témoignage de ma confiance. Et quant à vous, je veux vous doter. Allez, messieurs, et que ce mariage se fasse au plus tôt.

Henri II se tut – peut-être parce qu'il se sentait à bout de forces. À ce moment, Florise murmura :

– Sire...

Elle ne put en dire davantage, et s'affaissa dans les bras du grand-prévôt, qui l'emporta jusqu'à son carrosse.

V

Prédiction

Lorsque l'émotion soulevée par ce dernier incident se fut calmée, Brusquet s'écria :

– Ah ! çà, Henri, nous feras-tu dire la bonne aventure par le grand Nostradamus, venu tout exprès de l'Arabie. Valois, je veux Nostradamus, moi ! Qu'on me donne du Nostradamus !...

Le roi lança un coup d'œil à Saint-André pour lui rappeler ce qui était convenu au sujet du sorcier. Le bouffon surprit ce coup d'œil : c'était une condamnation à mort. Il s'avança en gambadant au-devant de Nostradamus et, exécutant devant lui une culbute :

– Tenez-vous bien ! murmura-t-il. Le roi vous veut la malemort. Et je ne voudrais pas qu'on vous fasse du mal.

– Merci, monsieur Brusquet, dit Nostradamus. Sire, je remercie votre ambassadeur qui me prévient que vous me mandez.

Aussitôt la foule reflua vers le fauteuil royal et il se fit autour du sorcier un grand cercle d'ardente curiosité.

– Monsieur, dit rudement Henri II, puisque vous prétendez tout savoir, dites-nous ce qui vous arrivera à vous-même dans les huit jours qui vont suivre ?

– Impossible ! répondit Nostradamus le cœur contracté.

– Ah ! ah ! murmura-t-on tout autour. Déjà pris au piège !

– Sire, continua Nostradamus, je puis lire dans la destinée des autres, mais *la mienne m'est voilée*. Mille fois, j'ai essayé : *jamais je n'ai réussi*. C'est une faiblesse. *Je m'ignore dans mon avenir*. C'est terrible. Figurez-vous, sire, que vous y voyez très clair autour de vous *et que vous devenez* aveugle *dès que vous voulez vous regarder vous-même dans un miroir*. Si j'avais des parents, un fils, une femme, un père, *il me serait également interdit de pénétrer leur avenir*. Ma science s'arrête au seuil de ma propre famille. Heureusement je suis seul au monde.

– Ainsi, votre science ne peut s'appliquer à vous-même, ni à aucun des vôtres au cas où vous auriez des parents ?

– C'est vrai, répondit Nostradamus dont cette étrange

déclaration était parfaitement sincère. Pour le reste, vous pouvez m'interroger.

– Soit. Ai-je des amis ici ?

– Oui, sire, vous avez un ami. Votre bouffon.

L'attention était si intense, que cette réponse ne provoqua aucune protestation dans la foule des courtisans.

– Ai-je des ennemis ici ? reprit Henri.

– Au moins un, sire. Qui vous tuera, si vous ne le tuez.

Montgomery devint livide. Guise se recula de quelques pas.

– Monsieur, gronda le roi, je vous somme de le nommer.

– Je ne vous ai pas dit que je le connaisse. Mais il y a ici en ce moment, près de vous, un ennemi qui donnerait jusqu'à la dernière goutte de son sang pour vous tuer.

Le roi jeta dans le cercle des courtisans un long regard sanglant. Ce regard bondissait de l'un à l'autre.

– Tenez, sire, ne cherchez pas, reprit Nostradamus. Vous êtes dans la main du destin. Lors même que vous enverriez à l'échafaud tout ce qu'il y a de personnes ici présentes, l'ennemi dont je parle vous courbera sous sa main puissante. Il vous pulvérisera, tout roi que vous êtes...

– Nommez-le ! Nommez-le ! râla Henri, terrifié.

– Impossible. Ce soir, du moins ! Mais je vous le nommerai quand l'heure sera venue. Je vous le jure !

– Et cette heure ! bégaya le roi.

– Ce sera mon heure, non la vôtre ! Ne cherchez pas à soulever le voile de l'invisible qui consume les imprudents qui osent s'en approcher.

– Dieu me damne ! Vous et vos pareils ne parlez que par mystérieuses paroles pouvant s'appliquer à tout ce qui peut arriver, en sorte que, parfois, vous semblez avoir prédit une vérité.

– Sire, dit Nostradamus, je vois l'avenir, aussi vrai que la terre tourne autour du soleil !

– Comment ! ricana Saint-André. C'est la terre qui tourne autour du soleil, maintenant ? Voilà du nouveau !

– Monsieur le maréchal, dit Nostradamus, si, comme moi, vous aviez lu Coppernicus, vous sauriez sans avoir recours à la magie que le soleil est le centre de notre monde, que la terre tourne sur elle-même, et qu'elle accomplit son orbe autour du soleil en un an ; que Jupiter... Mais je ne veux pas ce soir vous entraîner dans la marche des mondes. Cette terre et ces insectes qui se traînent à sa surface seront un suffisant spectacle. Et, puisque je regarde un de ces insectes, vous, maréchal, je vous dis : « Prenez garde ! Je vous vois couvert de sang parce que vous êtes couvert d'or ! »

Saint-André se recula tout effaré.

– Et moi, reprit Henri, ne me direz-vous rien pour me consoler des ennuis, des chagrins qui me dévorent ?

– Non, sire, je ne vous dirai rien, *à vous !*

– Ah ! vous parlerez, monsieur, ou je croirai...

– Vous parlez de chagrins et d'ennuis ! Jamais homme, au contraire, ne fut plus favorisé par la fortune.

Un silence frémissant pesait sur cette foule qui n'avait entendu personne, pas même les princes du sang, parler ainsi au roi.

– Et que seriez-vous, poursuivit Nostradamus, si la fortune ne vous avait conduit jusqu'au trône ? Un personnage puissant, certes. Mais, surveillé, épié... frappé peut-être depuis longtemps... Enfin, au lieu d'être le roi, vous ne seriez que le frère du roi !...

On entendit un faible gémissement. Et Catherine seule s'aperçut que ce gémissement, c'était le roi qui l'avait poussé.

– Car enfin, sire, continua Nostradamus, vous n'étiez pas le dauphin ! Le dauphin, c'était votre frère François ! Plus fort, plus vivant que vous, ce frère semblait destiné à vivre un siècle. Or, votre frère arrive à Tournon, plein de santé. Une petite fièvre se déclare. Voici la petite fièvre qui accomplit son œuvre. Vous devenez dauphin ! C'est vous que le destin marque au front pour régner ! Ah ! sire ! vous êtes ingrat envers le destin.

– Misérable ! râla le roi livide, oses-tu bien insinuer que j'ai dû me réjouir de la mort de mon bien-aimé frère !...

– Oh ! non, sire ! Non, de par Dieu ! J'atteste au contraire devant tous, j'affirme, moi qui lis à livre ouvert dans votre cœur, que la mort de votre frère est le deuil incurable de votre vie !... D'autres eussent oublié déjà ! Mais vous, sire, j'atteste que vous portez royalement votre douleur ! J'atteste qu'au sein même des fêtes, votre pensée se reporte vers Tournon ! J'atteste que la nuit, votre frère vient se pencher sur vous et que vous mêlez vos larmes à celles du fantôme. Oh ! vous êtes un bon frère ! Jamais vous n'oublierez !...

Henri II leva sur Nostradamus un regard vitreux. Chose terrible, il sembla que ce regard demandait grâce.

– Pour Dieu, Henri ! murmura Catherine à son oreille, soyez fort ! Ou, de par Notre-Dame votre propre cour va se dresser devant vous pour vous chasser du Louvre !

Ces paroles cinglèrent le roi. Il réussit à sourire.

– Allons, dit-il, je vois que vous avez bien lu dans mon cœur qui portera toujours un deuil incurable.

– Maître, dit à ce moment le duc de Guise d'un ton goguenard, je voudrais bien, moi aussi, savoir ma bonne aventure !

– Seigneur duc, on vous surnomme Le Balafré !

– Je m'en vante ! Ma balafre est visible, je pense !

– Pas aux yeux de tous, duc ! Votre balafre, je la vois là, un peu au-dessous de l'épaule. Elle est profonde. Vous êtes étendu sur l'herbe, et vous mourez, désespéré de voir à cette minute que jamais les merlettes de Lorraine ne porteront leur vol aussi haut que vous l'espériez !

– Silence ! gronda le duc de Guise à demi-voix.

– Et moi ! Et moi ! s'écria Marie Stuart.

Nostradamus s'inclina, et, avec une ineffable douceur :

– Madame, vous aimez la France, restez-y. Si vous retournez en Écosse, évitez l'Angleterre ! Prenez garde à une femme jalouse. Vous aussi, je vous vois rouge de sang !...

Marie Stuart pâlit. Mais elle se prit à rire en disant :

– Vraiment, messire, vous nous feriez presque peur, si nous ne savions qu'un voile impénétrable couvre nos destinées futures. Car enfin, tout ceci n'est qu'un jeu, n'est-ce pas ?

– Un jeu ? prononça Nostradamus. Vous avez dit le mot, madame. Seulement, c'est un jeu de mathématique. Ou un jeu de vision. La vie est une plaine, madame. Les hommes sont les tiges de blé qui hérissent cette plaine. Les événements sont les ondulations de ce vaste champ de blé. La plupart des esprits ne *voient* guère que les épis qui les entourent. Il y a des esprits qui *voient* jusqu'au bout de la plaine. Je suis un de ces esprits, madame. Je *vois* accourir du bout de l'horizon les souffles qui vont l'agiter...

– Vous avez dit : *jeu de mathématique,* observa Diane de Poitiers dans le profond silence.

– Oui, madame. Dans l'ordre mathématique, la vie se compose d'éléments. Un colosse lève son poing sur la tête d'un enfant. Les éléments sont : la force du colosse, la faiblesse de l'enfant, le poing énorme. Le dernier des ignorants, par un inconscient calcul, connaîtra la résultante de ces éléments : il *prédira* que l'enfant va être assommé. Nul ne songe à s'étonner de cette *prédiction.* Prenez des éléments plus compliqués. Si vous êtes douée d'une force de calcul suffisante, vous en connaîtrez la résultante. Dans le fait du colosse et de l'enfant, la résultante s'accomplit à l'instant même. Mais si les éléments sont plus nombreux, elle ne s'accomplira qu'au bout d'une heure, par exemple. Si vous avez calculé assez vite, vous aurez donc connu une heure à l'avance l'événement qui va s'accomplir. Multipliez les éléments, et vous obtenez des résultantes qui s'accompliront seulement au bout d'un mois, d'un an, de dix, de vingt ans, d'un siècle... L'analyse me donne les éléments qui composent la vie d'un individu ou d'un peuple. Le calcul me permet de faire la synthèse de ces éléments, et de connaître leur résultante aussi lointaine qu'elle soit...

– Calculez donc, alors, l'avenir de Paris ! cria quelqu'un.

– Ah ! voilà une question qui me plaît ! répondit Nostradamus. Il ne s'agit plus de savoir, sire, si vous mourrez d'une fièvre ou d'un coup de lance ! Il ne s'agit plus de savoir, sire, si votre fils François succombera à une maladie naturelle ou à une volonté meurtrière ! Il ne s'agit plus de savoir, reine d'Écosse, quelle est la femme qui vous guette de l'autre côté du détroit ! quel est le poignard qui vous balafrera, seigneur duc de Guise ! Quelle épée rencontrera votre poitrine, monsieur le maréchal ! De quel amour vous allez mourir, maître Du Bellay ! Quelle lutte fratricide va vous jeter l'un sur l'autre, Tavannes, Biron, La Trémoille ! Ce qu'on veut savoir, c'est la destinée de Paris ! Du sang ! Toujours du sang ! J'entends les tocsins mugir ! J'entends par les rues le galop des chevaux, le crépitement des coups de feu ! Je vois les brasiers des incendies, je vois la Seine couler toute rouge ! Des cadavres s'abattent sur les chaussées ! On tue ! La moitié de Paris assassine l'autre ! Ah ! Prenez garde, messieurs ! Voici, parmi vous, un spectre qui marque les uns du signe indélébile des assassins, et les autres du signe fatidique des victimes ! Amis, frères, ruez-vous les uns sur les autres ! Vous êtes tous marqués pour le meurtre ! Le spectre est là ! La mort vous compte et vous parque !...

Il y eut un vaste silence plein d'angoisse et d'horreur. Cette parole d'airain épandait de la terreur. Seule, Catherine de Médicis, tandis que tous pâlissaient regarda le devin en face et dit :

– Est-ce vrai, messire ?

– Aussi vrai, madame, que les pensées et les actes des hommes sont des nombres qui se combinent ! Aussi vrai que celui qui connaît ces nombres connaît leur résultante ! Aussi vrai que les trônes des rois s'écrouleront un jour à grand fracas ! Aussi vrai qu'on verra un jour des voitures sans chevaux, et que l'homme réalisera le rêve d'Icare ! Nostradamus marcha au maréchal de Saint-André.

– Aussi vrai, lui gronda-t-il, que tu seras tué par l'homme que tu réduiras à la pauvreté en le dépouillant ! Aussi vrai que toi-même, tu perdras les trésors que tu voles à ton roi !

Saint-André, livide, écrasé, jeta sur Henri II un regard de damné. Mais le roi n'avait pas entendu. Alors, le maréchal s'éloigna, se faufila, courut jusqu'à son hôtel, où, parvenu dans une cave secrète, il ouvrit des coffres pleins d'or, y plongea frénétiquement les bras, et, des éclairs au yeux, il rugit :

– Mon or ! Qu'on vienne donc me l'enlever !...

Nostradamus, l'avait regardé fuir avec un sourire de triomphe, et, alors, il marcha à Roncherolles :

– Aussi vrai, lui dit-il, que ton cœur sera broyé, parce que tu perdras ton trésor, toi aussi !

– Mon trésor ! balbutia Roncherolles.

– Ta fille !...

– Ma fille ! rugit Roncherolles éperdu.

Et lui aussi, subjugué par cet homme, qui mettait à nu la passion de sa vie, s'élança hors du Louvre, courut à la grande-prévôté, se rua jusqu'à la chambre de Florise, et, la voyant à genoux sur son prie-Dieu, éclata d'un rire nerveux...

– Fermez les portes ! Mettez des postes d'arquebusiers dans les cours, et feu, feu ! sur quiconque s'approchera !...

Onzième chapitre
Florise

I

Les loups hors du bois

Nous sommes dans ce galetas de la rue Calandre où nous fîmes connaissance avec Brabant-le-Brabançon, en cette nuit où le bravo adopta pour fils, le petit diablotin qui devait s'appeler Le Royal de Beaurevers.

Brabant n'aimait guère moisir dans la même ville. Mais, en somme, Paris était son centre d'opérations, – le port d'attache d'où le pirate s'élançait joyeusement, mais pour y revenir se reposer. Brabant avait donc toujours gardé son logis de la rue Calandre. Brabant mort, Le Royal de Beaurevers garda le logis.

Ce logis, Trinquemaille, Corpodibale, Strapafar et Bouracan, associés de Brabant d'abord, puis de Beaurevers, le connaissaient très bien. Après leur rencontre avec la *Dame sans nom* qui leur avait laissé sa bourse, après l'adieu de Beaurevers, les quatre compères furent comme des corps sans âme. Leur âme, c'était Le Royal. L'âme partie, ils se livrèrent sans compter aux orgies les plus dignes de leur état. Tout le contenu de la bourse de la *Dame sans nom* y passa.

Un soir, les quatre compagnons se trouvaient réunis dans une de ces tavernes où l'on donnait à manger, à boire, à dormir, et le reste. La cabaretière, les pensant cousus d'or, leur avait demandé ce que Leurs Seigneuries voulaient ce soir-là. Trinquemaille, aussitôt, dressa un menu mirifique. Et Bouracan descendit à la cave d'où il remonta chargé comme un âne. Tous quatre firent comme il sied honneur au splendide festin.

Mais quand vint le moment de régler leur dépense, représentant une somme coquette, dont ils s'aperçurent alors qu'ils n'avaient pas le moindre sol, l'hôtesse indignée ayant appelé ses gens à la rescousse, ils ne trouvèrent d'autre solution à leur embarras que de s'enfuir, non sans avoir roué de coups et l'hôtesse et les gens.

Cette aventure mit un terme à la bonne fortune des quatre compères. Et c'est alors que, sans un sou, sans gîte, après avoir erré deux jours à l'aventure, ils eurent l'idée de se réfugier au logis de la rue Calandre. Au moins y étaient-ils à l'abri de la pluie et du guet. Par-dessus le marché, ils avaient l'espoir d'y revoir Le Royal et de raccrocher leur infortune à sa fortune.

Le soir où nous les retrouvons – c'était trois jours après la visite faite par Nostradamus au Louvre – Bouracan dormait ; Strapafar fredonnait en allant et venant une chanson languedocienne ; Corpodibale fourbissait sa dague et invectivait contre la Vierge qui n'en pouvait mais ; enfin, Trinquemaille accroupi dans un coin, raccourcissait sa ceinture et invoquait saint Pancrace.

– Cela ne peut pas durer, grommela Strapafar après le quinzième couplet de sa chanson. Un morceau de vieille carne baptisée lard par la tripière à qui je l'enlevai, et de l'eau ! de l'eau ! Voilà de quoi nous nous sommes sustentés hier !

– Et aujourd'hui, porco dio, rien ! grogna Corpodibale.

– Eh ! tripes du pape ! s'écria le dévot Trinquemaille, en s'administrant une douzaine de *Mea culpa* sur l'estomac.

Strapafar ayant achevé un dix-huitième couplet, reprit :

– J'ai une idée !...

– Voyons l'idée, fit Corpodibale d'un air de doute.

– *Quia peccavimus tibit,* acheva Trinquemaille.

On entendit un point d'orgue accompagnant les psaumes de Trinquemaille. C'était Bouracan qui ronflait.

– Il est heureux, lui ! fit Corpodibale avec un soupir.

– Voyons l'idée ! grogna Trinquemaille.

– Mais, dit Strapafar, tu renonçais aux pompes de Satan ?

– Sans doute. Mais cela n'a rien de commun avec la bourse qu'il s'agit de subtiliser... car c'est là ton idée.

– Il paraît que tu prends des accommodements avec le ciel ?

– Eh ! tripes du pape ! s'écria le dévot Trinquemaille. C'est ce qui me distingue de vous autres païens. M'est-il jamais arrivé d'aller planter ma dague entre deux épaules sans avoir tout d'abord récité un bon *De profundis* et ensuite un *Deo gratias*, lorsque toutefois l'opération est profitable ? Des accommodements avec le ciel ou avec Satan ! Quel est le bon chrétien dûment baptisé qui n'en prend pas ? Voyons l'idée !

– Voici, dit alors Strapafar. Il y a trois jours, lorsque l'idée nous est venue de prendre ce logis pour notre forteresse...

– C'est moi qui y ai pensé ! dit Corpodibale. Malheureusement, celui que j'espérais y trouver n'y était pas. Ah ! s'il était là, nous ne serions pas à demi morts de faim et de soif.

– Donc, il y a trois jours, reprit Strapafar, vous m'avez vu sortir sur le coup de neuf heures, té ? Je cherchais de tous mes yeux. Rien ! Pas le moindre bourgeois à me mettre sous la dent. Je m'en retournais tête basse, lorsque soudain je vois deux hommes. Je les suis. Ils arrivent aux abords de l'hôtel du grand-prévôt Roncherolles...

– Hon ! Mauvaise affaire !...

– Les mauvais bougres auraient crié et j'aurais eu toute la prévôté sur les bras. Et pourtant, les deux compères doivent avoir une fortune sur eux. Un reflet de lune a frappé sur la poignée de leurs épées. Il y a pour deux mille écus de diamants sur ces poignées...

– Et tu les as laissés échapper ! rugit Corpodibale.

– Attends ! fit Strapafar. Le lendemain, je suis encore sorti pour chercher. Rien, toujours ! Et voilà que l'idée me vient d'aller rôder un peu autour de la grande prévôté, pour voir ! Et qu'est-ce que je vois ? Mes deux parpaillots !

– Toujours avec les mêmes poignées d'épées ?

– Toujours, té ! Est-ce que j'en parlerais, sans ça ? Hier, même coup d'œil ! Les deux endiamantés étaient là ! Qu'y font-ils ? Voilà qui m'est égal ! Mais je me dis qu'il n'y a aucune raison pour que les deux coquins n'y soient pas encore ce soir, et à la même heure, c'est-à-dire vers minuit. Qu'en dites-vous ?

Il était à ce moment onze heures. Pour toute réponse, Trinquemaille se jeta autour du cou le chapelet qu'il avait coutume d'emporter à chaque expédition importante, et s'arma d'une rapière. Quant à Corpodibale, il avait achevé de fourbir sa dague. Bouracan, réveillé, mis au fait, s'arma à son tour. Puis les quatre sacripants s'élancèrent au dehors et prirent le chemin de la grande prévôté.

– Silence ! dit tout à coup. Strapafar.

Et il leur montra deux hommes marchant devant eux. Ils les suivirent, les mâchoires serrées... Les deux inconnus s'arrêtèrent sous une fenêtre éclairée de l'hôtel Roncherolles.

– Attention ! commanda Strapafar.

Ils s'apprêtèrent à bondir... À ce moment, d'une ruelle, débouchèrent trois hommes, ramassés eux aussi pour le bondissement sur la proie. Ces trois furent suivis de deux autres... Les quatre malandrins espéraient que ces nouveaux venus étaient des passants attardés ; mais soudain, cinq autres de ces passants surgirent, puis encore trois !

– Malédiction ! gronda Trinquemaille.

– Bah ! fit Bouracan. Attaquons tout de même. J'aime mieux crever de ça que de faim !...

II

La passion de Roncherolles

Dans cette chambre de l'hôtel Roncherolles dont la fenêtre était éclairée, vers le moment où Strapafar, Trinquemaille, Corpodibale et Bouracan tenaient conciliabule dans le logis de la rue Calandre, le grand-prévôt venait d'entrer.

Comme tous les soirs, le baron Gaëtan de Roncherolles avait fait sa ronde *intra* et *extra muros,* une ronde minutieuse. Cela fait, il s'était, comme tous les soirs, encore dirigé vers les appartements de sa fille.

Tels nous avons vu Roncherolles en sa première jeunesse, méditant la perte de Renaud, tel nous le retrouvons. Seulement, les cheveux ont grisonné. Le visage a maigri. Il apparaît comme ces êtres de deuil dont le seul aspect glace les cœurs.

Et pourtant tout a réussi à Roncherolles. Il est le favori du roi. Grand-prévôt de Paris. Henri II vient de lui promettre de le nommer chancelier. Il est vrai que c'est à la condition que Roncherolles s'empare de Nostradamus et le fasse mourir.

– Redoutable mission ! songe le grand-prévôt. Allons donc ! J'irai chez lui avec douze archers et je lui mettrai la main au collet ! C'est facile. Si c'est facile, pourquoi ne l'ai-je pas fait encore, depuis trois jours que j'ai promis de l'arrêter ? Pourquoi Saint-André, menacé comme moi, ne l'arrête-t-il pas ? Pourquoi Montgomery, bafoué par lui devant toute la cour, ne l'arrête-t-il pas ? Pourquoi le roi, ne donne-t-il pas ouvertement l'ordre de l'arrêter ? Ce matin, au conseil M. de Loyola lui a demandé la tête de cet homme. Et le roi n'a rien répondu !... Pourquoi ? D'où cet homme tient-il ce pouvoir exorbitant de faire trembler les cœurs, et d'y lire leurs passions secrètes ? – Je l'arrêterai ! Et, tout pantelant, le jetterai au bourreau. – Par le ciel, mes espions n'ont encore aucune nouvelle de ce Beaurevers ! Demain, si je n'ai pas de nouvelles, je ferai pendre un ou deux espions. Cela donnera de l'esprit aux autres.

Il eut un rire effrayant. Mais presque aussitôt, il tressaille.

– Arrêter le jeune truand, c'est bien. Mais l'autre ! Le sorcier ! Le Nostradamus ! je tremble à la seule idée de me retrouver devant lui.

J'ai peur ! comme j'avais peur jadis... de Renaud !...

Et à ce nom, Roncherolles tremble. Qui se trouverait, près de lui, à ce moment, l'entendrait murmurer :

– Renaud nous a dit un jour à Saint-André et à moi que les morts sortent du tombeau. Si cela était !...

Roncherolles s'arrête au milieu de l'escalier. Il l'inspecte de bas en haut. Et il tourne encore la tête, alors qu'il se remet à monter, il surveille... quoi ?... Et il gronde :

– Si les morts pouvaient sortir de la tombe, depuis longtemps Renaud et Marie de Croixmart se fussent levés de leur couche funèbre... Ah ! J'arrêterai Beaurevers... J'arrêterai Nostradamus... Et je serai chancelier du royaume... Puis je me ferai créer duc... Puis je me ferai donner une petite royauté... Puis... nous verrons.

Son esprit s'élance. L'ambition y fulgure...

L'ambition !... La plaie secrète de cet homme. Jusqu'où prétend-il monter ?... Il n'en sait rien. Mais il souffre atrocement de tout honneur accordé à un autre que lui. Mais il est la proie d'un rêve monstrueux, et ce rêve, c'est d'arrêter le maréchal de Saint-André, d'arrêter le connétable de Montmorency, d'arrêter le chancelier et les conseillers ; d'être l'homme qui abat sa poigne sur tout et sur tous en hurlant :

– Le maître, c'est moi !...

Roncherolles ouvrit une porte, traversa une antichambre où veillaient deux femmes, poussa une autre porte, et se trouva dans la chambre de Florise.

III

L'autre passion de Roncherolles

Vers 1541, le baron Gaëtan de Roncherolles avait épousé une demoiselle Louvray-de-Sainte-Luce, que François Ier, sur la recommandation de son fils Henri, avait dotée de soixante-mille écus. Elle trembla devant son mari pendant les quinze mois de son mariage, et elle mourut d'une fièvre de lait huit jours après avoir donné naissance à Florise.

Au moment où le grand-prévôt entra dans sa chambre, la jeune fille travaillait à une dentelle. Le cartel marqua dix heures. Florise murmura avec un soupir :

– Si mon père me voit encore veiller si tard, il grondera. Prions, et allons chercher le sommeil qui me fuit... Madame la Vierge, je vous demande le repos de l'âme de ma mère, de tous ceux de ma famille qui ne sont plus, et de tous les trépassés. Accordez à mon père la satisfaction de ses désirs afin qu'il soit moins triste. À moi je vous prie d'accorder la paix du cœur. Est-ce un mal de refuser ce mariage détesté. Oh ! dites. Est-ce un mal de songer à ce jeune homme au regard si doux et si fier ? Hélas ! ne m'a-t-il pas sauvée ? On dit qu'il est rebelle et impie. Mais moi je suis bien sûre qu'il n'est point tel que les apparences le disent. Vous savez, bonne dame, que je m'efforce de ne plus penser à lui. Est-ce donc ma faute s'il est toujours dans mon cœur ? Madame, protégez-le !...

– Florise !...

La jeune fille fut secouée d'un violent tressaut. Son père était devant elle, la fixant d'un regard aigu. Vaillante, elle se remit promptement, se leva et dit :

– Asseyez-vous, monsieur. Vous êtes le bienvenu.

– Florise, dit Roncherolles en prenant place dans un fauteuil et faisant signe à sa fille de s'asseoir elle-même. Vous avez tort de prolonger ainsi vos veilles. Depuis quelques jours, je vous trouve pâlie, et, tenez, cela date de cette nuit où vous avez voulu donner la liberté à ces truands.

Florise leva des yeux lumineux de franchise. Et alors on eût pu voir la physionomie de Roncherolles s'éclairer d'une lueur d'admiration passionnée. Car elle portait en elle toute l'innocence, toute la fierté que peut contenir ce mot : une vierge.

– Vous travailliez à cette dentelle ? reprit Roncherolles.

– J'avais fini et je faisais ma prière de chaque soir, et suppliais madame la Vierge de me protéger contre ce mariage...

Roncherolles se leva et fit quelques pas. Il tremblait... Mais c'était le chagrin qu'il allait infliger à la fille adorée qui faisait grelotter son rude cœur. Il se rapprocha et, avec timidité :

– J'ai engagé ma parole. Veux-tu donc que je me parjure ?

– Je n'ai pas engagé la mienne à Roland de Saint-André.

L'épouvante était au fond de son âme. Mais son visage adorable gardait un calme suprême et elle souriait. Et Roncherolles lisait dans la conscience de sa fille toute la douleur, et il eût pleuré des larmes de sang à lui infliger ce supplice.

– Il le faut ! rugit-il en lui-même. C'est le seul moyen que j'aie de l'arracher au truand, roi du crime – et au roi, truand de cœurs. – Ô ma fille, je te sauverai malgré toi-même !

Il reprit doucement :

– Tu le hais donc bien, ce pauvre Roland ?

– Non, mon père. Je le méprise, voilà tout. Et vous, comment pouvez-vous oublier que là-bas, dans cette auberge...

– Un désespoir d'amour... le roi veut ce mariage.

– Le roi est maître de ma vie, non de mon cœur... Pardon, permettez que j'aille me reposer.

– Demeure, dit rudement Roncherolles, j'ai à te parler.

Florise comprit que le moment de la lutte suprême était arrivé. Toute sa volonté, elle l'arma pour la résistance. Roncherolles haletait. Une terrible bataille se livrait en lui entre cette ambition, qui était toute sa pensée, et cet amour paternel qui était tout son cœur...

Une voix, soudain, frappa ses oreilles !

– Ton cœur sera broyé !

– Qui a parlé ? hurla Roncherolles en bondissant.

– Personne, mon père, dit Florise. Nous sommes seuls...

– Oui, nous sommes seuls. Cette parole, c'est celle du sorcier... c'est l'affreuse prédiction de Nostradamus... Cette parole me poursuit. Florise, mon enfant, écoute-moi. C'est une grave résolution que je viens de prendre.

– Je vous écoute, père, dit Florise en tressaillant d'espoir.

– Ah ! quand ton regard me réchauffe ainsi le cœur, j'oublierais tout, pour t'écouter et te regarder...

Lui jetant ses bras autour du cou, elle posa sa tête charmante sur la poitrine de son père. Il la considérait, extasié.

En ce moment, cet homme eût paru la plus sublime expression de l'amour paternel. Voici ce qu'il songeait :

– J'étoufferai mon rêve ! Je ne serai ni chancelier, ni conseiller du roi, ni gouverneur, ni duc ! Je serai le père de Florise...

Un instant, il ferma les yeux ; un soupir gonfla sa poitrine... c'était l'adieu à tout ce qu'il avait combiné : gloire, honneur, puissance...

– Il y a un moyen d'éviter le mariage qui te fait pleurer.

Florise jeta un cri de joie si passionnée que son père put alors mesurer les ravages que la terreur de cette union avait faits dans cette âme.

– Florise, murmura-t-il, tu es mon bien suprême. Moi qui n'ai jamais aimé... pas même ta mère, moi qui me croyais voué aux seuls sentiments de haine et de vengeance...

– Mon père, mon père ! balbutia-t-elle, que dites-vous !...

– Apprends à connaître ton père ! Moi, dis-je, moi qui niais l'amour, l'amitié, l'affection, je me suis mis à t'aimer, toi !... Oh ! j'ai résisté d'abord. Tu as été la plus forte. Ce fut un soir... un soir que je venais du gibet. Sombre et fatigué, je m'étais assis. Tu vins à moi, tu t'assis sur mes genoux, toute souriante, et moi je me mis à pleurer. C'est de ce soir-là que je compris ce que tu étais pour moi. Je me mis à t'adorer avec fureur ; tu fus l'ange dont un seul regard consolait le damné que j'étais...

– Cher père !... Je veux être toute ta consolation...

– Tu l'es. Jusqu'à cette minute, j'ai cru que mon ambition égalait mon amour. Je me trompais. Je t'aime mieux que cette puissance que lentement j'ai échafaudée ! J'y renonce, la rage et le ravissement dans l'âme. Écoute. Ce mariage avec Roland de Saint-André te fait horreur. Eh bien ! ce mariage n'aura pas lieu. Pour cela, il y a un seul moyen : nous quitterons la cour et Paris. Je résilierai mes fonctions. Je braverai la colère du roi. Je suis riche. Nous irons vivre ensemble en quelque province, renonçant à tout. Dès demain, nous partirons, nous fuirons...

– Nous fuirons ?... Pourquoi ? Qu'avons-nous à craindre ?

Roncherolles essuya la sueur qui dégouttait de son front. Jamais il n'avait éprouvé pareil déchirement.

– Il faut fuir, te dis-je ! Ne comprends-tu pas qu'il faut qu'un effroyable danger te menace pour que je me sois décidé d'abord à te perdre ! Pour que je me décide maintenant à briser ma vie d'homme, à détruire mon rêve d'ambition !

– Un danger ! palpita Florise. Quel danger ? Je veux savoir !

– Tu le veux ! rugit Roncherolles, les poings crispés. C'est toi qui veux savoir pourquoi il faut fuir !...

– Oui, dit Florise. Il faut que je sache, à moins que vous ne vouliez me faire concevoir d'étranges soupçons.

– Eh bien ! sache-le donc, ce secret qui me fait hurler de rage impuissante à la pensée que je ne puis d'un mot, d'un geste, pulvériser un trône et foudroyer un roi !...

– Le roi !... bégaya Florise. Vous m'épouvantez !...

– Le roi, malheureuse ! Le roi ! Eh bien, il t'aime !...

Florise, sans un cri, se redressa, la lèvre frémissante.

– Il t'aime ! Il te veut ! Pour t'avoir, il m'enverra à l'échafaud s'il est besoin, ou bien il me donnera un trône ! Il te veut pour maîtresse ! Toi ! Toi ! Ma fille !... Tu serais le vil instrument des plaisirs de cet homme ! Fuyons puisque tu ne veux pas de ce mariage, qui te sauverait de l'infamie !...

Roncherolles pleurait, se tordait les mains !...

– Tu sais tout, maintenant, reprit-il d'une voix brisée. Ne parlons plus jamais de cela. Prépare-toi pendant que je me prépare de mon côté. Demain, nous fuirons.

À ce moment, Florise recula, baissa la tête, et murmura :

– Non, mon père.

Roncherolles frissonna. Il eut l'affreuse intuition que ce qui venait de se dire n'était rien, que ce qui allait se dire était tout. Il marcha à sa fille, lui saisit les deux mains, et d'une voix blanche :

– Tu as dit non ?...

Éperdue, stupéfaite de sa propre audace, elle balbutia :

– Je ne veux pas quitter Paris...

– Pourquoi ?

– Je ne sais.

Mot de lumineuse et pure vérité : elle ne savait pas pourquoi elle ne voulait pas quitter Paris. Elle savait seulement qu'elle mourrait si elle s'éloignait de Paris. Florise ne voulait pas mourir ! Roncherolles grinça des dents.

– Tu ne sais pas ? dit Roncherolles à voix très basse. Veux-tu que je te le dise, moi !

– Vous me faites mal, mon père...

Roncherolles n'entendit pas. Il la secoua.

– Je vais te le dire ! haleta-t-il avec fureur.

– Dites, mon père !...

Et Roncherolles éclata, hurla :

– Tu ne veux pas quitter Paris, misérable fille, parce que Paris est le domaine des truands.

– Père ! cria Florise devenue blanche comme une morte.

– Parce que le truand dont tu portes l'image au cœur habite Paris ! Parce que tu aimes, maudite !... Oh ! c'est à devenir fou de honte ! Tu aimes Le Royal de Beaurevers !...

Florise tomba sur ses genoux, une aveuglante clarté inonda son cœur, et elle sourit tandis que Roncherolles rugissait :

– Soit ! Je reste ! Je tiens tête au roi ! Je tue le roi, s'il le faut ! Mais l'infamie ne courbera pas mon front. Et quant au truand, dussé-je te voir mourir de douleur et mourir moi-même du désespoir de t'avoir tuée, je l'empoigne ! je suis sur sa trace ! je le tiens ! Et aussitôt pris, à la Grève ! au gibet ! à la hart ! Regarde, Florise ! Voici ton amant qui se balance au bout de la corde que ton père lui a mise au cou !

Roncherolles s'enfuit, écumant, insensé ; dans l'antichambre il jeta sa dague contre un mur pour ne pas succomber à la tentation de rentrer et poignarder sa fille...

IV

La vision

Dans cette minute même, il y avait au pied de l'hôtel, sous la fenêtre de Florise, caché, un homme immobile... Comme s'il eût assisté à la scène que nous venons de retracer, cet homme murmurait :

– Voilà qui va bien. Tout à l'heure, le roi, larron d'honneur, viendra. Oui. Mais moi je veux qu'il y ait ici, sous ces fenêtres, un premier choc entre le larron royal et le larron de Petite-Flambe, entre toi, Henri, et ton fils !... Allons, achevons l'enfant !...

Cet homme, c'était Nostradamus !...

Florise demeura prostrée, écrasée sur elle-même. Pendant quelques instants, elle fut comme éblouie de cette lumière que son père lui-même avait jetée en elle. Tout, en elle, lui cria qu'elle aimait, et doucement elle prononça ce nom qui prit alors une signification qu'il n'avait pas encore :

– Le Royal de Beaurevers...

Dans le même instant retentirent en elle les paroles de malédiction prononcées par son père :

– Regarde, Florise, regarde ! Voici ton amant qui se balance au bout de la corde que ton père lui a mise au cou !...

– Qui a parlé ! cria Florise en se relevant d'un bond.

Elle regarda autour d'elle, et vit qu'elle était seule. Là, dans cette chambre, tout à l'heure, Roncherolles avait entendu une voix lui dire : *Ton cœur sera broyé*. Et lui aussi avait crié : *Qui a parlé !* Comme avait pensé son père, Florise pensa :

– C'est l'affreuse prédiction qui me poursuit !...

Comme elle disait ces mots, elle demeura pétrifiée. Ses yeux venaient de se porter vers la fenêtre. Et dans l'encadrement de cette fenêtre, se dressait une potence géante...

Florise regardait comme on regarde dans les cauchemars. Le ciel devint d'un bleu noir. La potence titanesque dominait Paris, plus haute que les tours de Notre-Dame... C'était une grossière potence de bois mal équarri. Une corde y était attachée.

La corde commença à monter dans le vide, tandis qu'elle descendait le long du poteau, comme si d'en haut on eût tiré.

La corde monta comme si elle fût venue d'un gouffre... Brusquement apparut la tête... la tête du pendu, avec le nœud coulant autour du cou, puis les épaules, le buste, les jambes, les bras liés au dos, et, alors, une fois encore, les paroles de Roncherolles retentirent en elle :

– Regarde, regarde ton amant qui se balance au bout de la corde que ton père lui a mise au cou !...

Un grand cri terrible jaillit des lèvres de Florise :

– Le Royal de Beaurevers !...

D'un bond, elle s'élança vers la fenêtre et l'ouvrit : au même instant, corde, gibet, supplicié, tout disparut...

Le vent, assez fort, entra dans la chambre et souffla sur les flambeaux. Mais Florise ne s'en aperçut pas. Une minute, elle demeura à la fenêtre.

– Puissances du ciel ! fit-elle dans un délire de joie, ce n'était qu'une vision enfantée par les paroles de mon père !

Elle se sentait renaître... et tout à coup, comme elle se penchait, de la fenêtre voisine ouvrant sur la chambre de ses femmes, elle vit se dérouler une longue échelle de corde ou de soie dont le premier échelon alla toucher le sol. Dans le même moment, elle vit deux hommes qui s'avançaient vers cette échelle... elle vit l'un d'eux la saisir... L'instinct le lui fit reconnaître – et elle se rejeta en arrière avec un cri de terreur :

– Le roi !...

V

L'escadron de fer

Henri II était sorti du Louvre vers onze heures et demie, accompagné de son favori et escorté de douze gardes spécialement choisis pour ces expéditions nocturnes auxquelles il se livrait fréquemment. Le roi de France, suivant en cela l'exemple de son père, adorait les escapades.

Ces expéditions n'étaient pas sans danger. Parfois, il fallait en découdre avec quelque bande de coupe-jarrets. Mais cela même était un tel amusement pour Henri que, souvent, il sortait accompagné seulement d'un ou deux gentilshommes, surtout lorsqu'il n'y avait pas de rendez-vous, – car, dans ce cas, le roi, pour être sûr de n'être pas inquiété, s'entourait de gardes.

Cette race des Valois, il faut le dire, était brave.

Ce soir-là, le maréchal de Saint-André lui avait dit :

– Je suis parvenu à gagner l'une des femmes de la belle. On nous jettera une échelle de corde. Ce sera pour minuit.

– Tu as fait cela ! s'écria Henri II palpitant.

– Oui, sire. Mais cela m'a coûté très cher. La femme veut fuir, et il a fallu assurer son existence.

– Combien ? demanda Henri.

Saint-André hésita un instant, puis, frémissant :

– Dix mille écus, sire !...

Henri II écrivit trois lignes et tendit le papier au courtisan qui le dévora du regard et étouffa un rugissement d'avare : c'était un bon de vingt mille écus sur le trésor du roi. Saint-André avait dépensé trois cents écus !...

À l'heure convenue, le roi et Saint-André sortirent donc du Louvre, escortés comme nous l'avons dit. Henri II s'avançait d'un pas rapide. Il riait.

– Vois-tu, mon brave Saint-André, disait-il (et nous traduirons en français honnête) ; vois-tu, cher ami, ton fils est à coup sûr un mignon gentilhomme, et je l'aime bien. Je ferai sa fortune, quand il l'aura épousée. Mais tu avoueras que cette noble enfant est un fruit trop délicat pour lui. J'ai la prétention d'y goûter avant lui !

– Pauvre Roland ! fit tranquillement le père de Roland.

– Plains-le ! Voilà trois nuits de suite que je passe mon temps à regarder quoi ? une fenêtre éclairée – jusqu'à ce qu'elle s'éteigne. Ce n'est pas un métier de roi, cela, avoue !... Saint-André, ton idée de l'échelle de corde est superbe !

Devant eux, ils entendirent comme une plainte.

– Qu'est-ce ?

Arrêtés, le cou tendu, ils écoutèrent.

– Ce n'est rien, dit Saint-André. S'il y avait quelque chose, nos hommes nous préviendraient.

– C'est vrai. Marchons...

Au point où la rue Vieille-Barbette s'embranchait sur la rue de la Tisseranderie, que suivait alors Henri II, il y avait un petit carrefour. Sur la maison qui faisait l'angle nord de ce carrefour, il y avait une niche et, dans cette niche, une statue de saint Paul. Au-dessous de la niche, un auvent. Sous l'auvent, une porte en contrebas de trois marches. Cela faisait un recoin d'ombre opaque. L'angle opposé, au contraire, était éclairé en plein par la lune.

La porte était ouverte, sur une façon de boutique ou de cave, espace surchargé de ténèbres. Dans ces ténèbres, un groupe formidable de silence et d'immobilité. Ils étaient douze, un masque au visage, le poignard à la main. En avant du groupe, un homme à demi-penché. Ces douze, c'était l'escadron de fer.

Lagarde écoutait le silence. Depuis combien de temps étaient-ils là ? Deux ou trois heures, peut-être. Lagarde écoutait... Soudain, il se redressa, et, sans se retourner, il parla. À trois pas, on n'eût pas entendu ce murmure. Mais l'escadron de fer entendit... Lagarde disait :

– Les voici. Quand je lèverai le bras. Qu'il n'y ait pas un cri. Visez à la gorge. D'un seul coup. Deux pour chaque homme.

Un silence noir... Tout à coup, six hommes formant l'avant-garde royale apparurent, sondant les coins obscurs, l'oreille aux aguets, la main à la rapière. Lagarde ne bougea pas. Les six traversèrent silencieusement le carrefour et entrèrent dans la rue Saint-Antoine.

Alors, Lagarde leva le bras.

En une seconde, l'escadron de fer fut hors des ténèbres. En une autre seconde, l'escadron de fer se divisa en six groupes de deux hommes chacun.

Les six hommes de l'avant-garde d'Henri eurent l'impression d'un coup de vent derrière eux. Ils se retournèrent, ou du moins deux d'entre eux qui demeurèrent la bouche grande ouverte. Ils ne crièrent pas. Ils tombèrent d'une masse. Dans le même instant, les quatre autres s'abattirent. Cela avait demandé cinq ou six secondes. Un seul des six malheureux avait eu le temps de jeter une plainte qui s'arrêta court...

Alors, chaque groupe de deux empoigna son cadavre par la tête et les pieds... Quelques instants plus tard, les six cadavres gisaient au fond de l'antre, et tous avaient la bouche et les yeux ouverts, tous portaient à la gorge la même large blessure qui séparait presque la tête du tronc, et l'escadron de fer reprit son épouvantable immobilité.

Une minute s'écoula. Deux hommes parurent dans le carrefour, se tenant par le bras, causant et riant. C'était Saint-André... C'était le roi !... Lagarde ne bougea pas.

Deux minutes se passent. Et voici, à leur tour, six hommes qui composaient l'arrière-garde royale.

– Attention !...

Les six hommes traversent le carrefour et pénètrent dans la rue Saint-Antoine. Lagarde lève le bras. L'escadron de fer se rue. Pas un souffle. Pas un bruit. Pas un cri. C'est fini.

L'effroyable égorgement s'est accompli. La même manœuvre a été refaite. Et maintenant, au fond de l'antre, il y a douze cadavres entassés au hasard, la gorge béante, la bouche grande ouverte, les yeux blancs...

L'escadron de fer est dans la rue. Lagarde ferme à clef la porte de l'antre. Il essuie la sueur de son front, et murmure :

– Ce n'est rien. *Le plus difficile reste à faire !...*

Un instant, Lagarde écoute, au loin. Puis, rudement :

– En route, vous autres !...

VI

L'échelle de corde

Le roi et Saint-André arrivèrent à l'hôtel Roncherolles et s'avancèrent vers l'aile où se trouvait la fenêtre éclairée. La fenêtre voisine s'ouvrit, et l'échelle se déroula.

Henri II, bouleversé par la passion, saisit les deux montants de corde et posa le pied sur le premier échelon. À ce moment, cinq hommes surgirent du fond d'une ruelle, et huit autres se présentèrent, sortant d'un autre coin d'ombre. Henri II, prêt à monter, se retourna.

– Qu'est cela ? fit-il du ton hautain des Valois.

Les douze avaient formé un demi-cercle serré, en sorte que le roi était acculé à la muraille et ne pouvait trouver d'issue que par l'échelle. Un peu en avant de ce demi-cercle, face au roi, un homme masqué paraissait être le chef.

– Messieurs, dit Saint-André, prenez bien garde. Vous vous heurtez à une personne qui tient de près au trône de France.

– Saint-André, dit le roi, appelle nos gens. Et, en rentrant, tu feras mettre aux fers les coquins négligents...

Le maréchal tira de son sein un sifflet d'argent et fit entendre un appel strident. Les douze ne bougèrent pas. Leur chef ne bougea pas. Au coup de sifflet, nul ne vint. Le roi eut un geste de rage et, d'une voix sourde :

– Retirez-vous et je vous pardonne. Mais si vous restez là un instant de plus, demain il y aura dans Paris autant de potences toutes dressées que vous êtes ici de truands ! Or çà, arrière !...

Les douze statues et leur chef demeurèrent immobiles.

Qu'attendait donc Lagarde ! Pourquoi avait-il, au dernier moment, donné l'ordre à l'escadron de fer de ne pas tenter un mouvement contre le roi, à moins qu'il ne criât : *En avant !...* Lagarde n'avait qu'un signe à faire, et la succession d'Henri II était ouverte. Ce signe, il ne le faisait pas !

Henri II n'était pas un homme. C'était le roi !... Lagarde voulait *tuer* le roi... Lagarde ne voulait pas *l'assassiner*...

Toute cette scène fut rapide. Henri II SAVAIT qu'il n'avait qu'à dire : *Je suis le roi* pour voir ces gens tomber à genoux ou prendre la fuite.

– Jette-leur de l'argent, dit-il, qu'ils s'en aillent !

Saint-André étreignit douloureusement sa bourse et la laissa tomber... Aucun des douze ne se baissa pour la ramasser. Le roi marcha sur Lagarde et gronda :

– Veux-tu t'en aller !...

Lagarde ne répondit pas. Dans le même instant, la main du roi s'abattit sur le visage de l'homme.

– Enfin ! dit Lagarde d'une voix sourde, *voilà ce que j'espérais !...* Défendez-vous, monsieur !

En même temps, il tira sa rapière. Henri II, sans une hésitation, tira la sienne. Saint-André ramassa sa bourse. Les deux épées se choquèrent. À ce moment, du fond de la rue on entendit venir une galopade. Quatre ombres frénétiques apparurent. Quatre rapières étincelèrent. Des grognements éclatèrent :

– Notre part ! Notre part ! Part à l'aubaine !...

– Corpodibale et Petite-Flambe !...

– Trinquemaille et Saint-Pancrace !...

– Strapafar ! Bouracan !...

Les douze se retournèrent d'un même mouvement, tombèrent en garde, et formèrent une muraille d'acier à l'intérieur de laquelle le roi et Lagarde se portaient des coups droits – Henri, agile comme à la salle d'armes ; Lagarde les dents serrées, l'âme en tumulte. Les quatre compagnons, décidés à crever d'une indigestion d'acier plutôt que de crever de faim, se ruèrent. Il y eut un terrible cliquetis, et soudain :

– Le Royal ! Le Royal de Beaurevers !

Une voix stridente éclatait, sonnait en fanfare :

– Tenez bon, monsieur, on vient à vous !

– Le Royal ! Le Royal ! rugirent les quatre, l'âme ravie.

Une large rapière tourbillonna. Il y eut une mêlée, des reculs, et tout à coup une trouée. Le Royal de Beaurevers se campa devant le roi qu'il couvrit de sa rapière !...

Lagarde était tombé, assommé d'un coup de pommeau. Il voulut crier : *En avant !* mais sa gorge ne proféra nul son.

– Le Royal ! hurlaient les quatre compagnons en frappant.

– Voulez-vous vous taire, ivrognes ! rugit Le Royal.

– Tudiable ! quels coups ! trépignait le roi enthousiasmé.

Éperdus, sanglants, enchaînés par l'ordre de ne rien tenter contre le roi, les douze rengainèrent leurs épées.

– C'est bon ! gronda l'un d'eux. On s'en va !...

Ils ramassèrent leurs deux ou trois blessés ; quatre d'entre eux soulevèrent Lagarde sans que ni Le Royal, ni le roi s'opposassent à ce mouvement. Une minute plus tard, l'escadron de fer avait disparu au détour de la rue.

– Notre part, maintenant ! fit Trinquemaille.

– Notre part ? fit Corpodibale. Mais tout est à nous !

– Silence, ruffians maudits ! gronda Le Royal.

– Saint-André, dit Henri en rengainant son épée, donne donc ta bourse à ces braves gens, et qu'ils s'en aillent !

Les quatre compères frémirent de joie et saluèrent jusqu'à terre. Mais Saint-André ne remuait pas : il avait reçu un coup droit au travers de l'épaule et gisait évanoui.

– Tiens ! fit Henri. Il est mort. Monsieur, je vous ai mille obligations. Sans vous, je serais peut-être où est mon compagnon. Qui êtes-vous s'il vous plaît ?

– On me nomme Le Royal de Beaurevers.

Henri fronça le sourcil. Son visage se fit cauteleux.

– Jeune homme, dit-il, j'ai entendu parler de vous. Le service que vous m'avez rendu est trop récent pour que je vous dise en quels termes. Tout ce que je puis faire, c'est de surseoir pendant huit jours aux ordres qui vous concernent. Mettez ces huit jours à profit pour gagner au large...

– Monsieur, dit Le Royal, vous m'avez demandé mon nom, et je vous l'ai dit. À votre tour, s'il vous plaît !

Le roi eut un sourire sinistre, et d'un accent glacial :

– Allons, mon brave, retire-toi à l'instant, si tu ne veux que je révoque la grâce que je viens de te faire !

Les quatre compères s'avancèrent, menaçants. Mais ils reculèrent étourdis par une grêle de coups de poing.

– Ah ! chiens maudits ! Ah ! damnés païens ! Hors d'ici ! Ah ! vous m'empêchez de causer avec monsieur et de lui donner une leçon de courtoisie ! Ah ! misérable gibier de potence !...

– Ah ! lou pigeoun ! Quentê poigno ! criait Strapafar ravi.

– Basta, basta ! rugissait Corpodibale extasié.

– Quelle bonne férule ! jubilait Trinquemaille.

– Frappe toujours, mon fils ! disait le sublime Bouracan.

– Allez, chiens d'ivrognes, effrontés pillards, et tenez-vous à distance jusqu'à ce que je vous appelle. Or çà, monsieur, votre nom, maintenant que nous sommes seuls !

Henri grinça des dents. Il se vit seul. Mais la passion, plus haut que la fureur, hurlait en lui.

– Jeune homme, gronda-t-il, une dernière fois, éloignez-vous. J'ai affaire dans cette maison.

– Où vous prétendez monter par cette échelle de corde ?

– Oui ! fit Henri. Il s'agit d'un rendez-vous d'amour !

– Vous mentez ! dit Le Royal de Beaurevers devenu livide.

– Sais-tu bien à qui tu parles, drôle ! rugit Henri.

– Voilà une heure que je vous le demande, monsieur. Mais qui que vous soyez, vous mentez. Cette échelle conduit chez le grand-prévôt. Mlle Florise de Roncherolles ne donne à personne des rendez-vous d'amour. Je dis donc : Vous mentez !

– Misérable ! À genoux et demande pardon ! Je suis le roi !...

Beaurevers se croisa les bras et dit :

– Vous êtes le roi ?... Eh bien, roi de France, vous avez menti ! Roi de France, je vous défends, moi, Royal de Beaurevers, d'insulter la jeune fille qui habite ici ! Roi de France, retirez-vous à l'instant ! Je vous laisse partir sans vous renfoncer dans la gorge l'insulte que vous venez de proférer !...

Henri eut un instant de stupeur prodigieuse. Cet homme avait dit au roi : – Vous avez menti !

LE ROI.

Un être qui pouvait être faible, fort, pauvre, riche, fou, sensé, borgne, scélérat, bienveillant, auguste, ridicule – mais qui jamais, ne pouvait être simplement un homme.

Henri II, de très bonne foi, avait dit :

– À genoux ! *Car je suis le roi.* À genoux !

La réponse de Beaurevers le laissa un moment stupide.

– Hors d'ici ! réitéra Le Royal plus droit que jamais.

Henri se souvint qu'il était homme. Il dégaina, songeant :

– Sera-t-il insensé au point de tirer le fer contre le roi ?

Beaurevers ne fut pas insensé à ce point. Mais il arracha à Henri l'épée royale, la ploya sur son genou et la cassa tout net.

– Misérable ! dit Henri d'une voix blanche.

– Ici, vous autres ! cria Beaurevers.

Les quatre escaliers qui, de loin, et sans rien entendre, regardaient cette scène, se rapprochèrent, empressés.

– Vous vous rappelez mon logis de la rue Calandre ?

– Ya ! répondit simplement Bouracan.

– C'est bien, reprit Le Royal. Conduisez-le là-bas et gardez-le jusqu'à ce que je vienne.

Le temps de se concerter d'un coup d'œil, les quatre sacripants entourèrent Henri, et presque aussitôt, ce groupe disparut au coin de la rue. Un homme avait assisté à tout cela, tout vu, tout entendu. Cet homme murmura :

– Seul un fils de roi pouvait ainsi parler à un roi. Voilà une rude haine entre le père et le fils !...

Nostradamus, en parlant ainsi, frissonnait. Son visage reflétait sa pensée. Le Royal marcha à lui.

– Vous avez entendu ? Vous avez vu ?

– Tout, tout ! Enfant, que vas-tu faire du roi ?

– Je ne sais, répondit machinalement Beaurevers.

Nostradamus rugit de joie. Si Beaurevers avait dit : *Je vais le tuer*, Nostradamus eût eu peur de voir son rêve de vengeance s'écrouler. Beaurevers *ne savait pas*. C'est quelque chose de plus terrible que le meurtre qui allait s'échafauder dans sa cervelle.

– J'y vais, reprit le Royal au bout d'une minute de silence.

– Où cela ?...

– Le rejoindre.

Nostradamus eut une espèce de rire et s'avança vers l'échelle de corde qui pendait toujours de la fenêtre.

– Et ça ? dit-il.

Beaurevers bondit. Un flot de sang monta à son visage.

– Quoi ça ?...

– L'échelle. Personne n'en profitera donc ?...

Nostradamus n'acheva pas : déjà Beaurevers avait saisi les montants de corde... Nostradamus, lentement, s'éloigna...

À ce moment, le maréchal de Saint-André, accoté à son mur, ouvrit les yeux, vit là-haut, cet homme qui atteignait les derniers échelons et disparaissait en enjambant l'appui de la fenêtre ouverte. Saint-André se remit debout avec un sourire égrillard en ronchonnant :

– Que diable est-il arrivé ? Oui, oui. Malpeste, quelle algarade !... Où sont les drôles ? Pardieu, le roi les a mis en fuite. Hum ! Je crois que j'ai reçu un coup de pointe dans l'épaule. Après tout, cela vaut bien vingt mille écus.

Il se tâta, sentit le précieux bon et se mit à rire.

– Vingt mille écus ! Encore soixante mille autres, et mon sixième million sera complet. Six millions !

D'avoir ainsi communié avec son dieu, il ne sentit plus sa blessure, et la joie inonda son cœur.

– Allons attendre le jour pour toucher, dit-il, et joindre ces vingt mille écus à mes coffres. Adieu, sire, amusez-vous ! Ah ! comme il vous grimpait ces échelons !...

Et il s'en alla.

Qu'était devenu Lagarde ?

Le chef de l'escadron de fer avait couru jusqu'au Louvre. Lagarde avait été entraîné par ses hommes enchantés de se tirer de la bagarre. C'étaient de rudes massacreurs. Jamais ils ne s'étaient trouvés à pareille fête. Diable ! L'enragé qui était tombé sur eux méritait considération. On pouvait sans doute battre en retraite devant une épée qui était le tourbillon, l'éclair, la foudre.

Lagarde, revenu à lui, courut au Louvre. On l'attendait, c'est sûr. Toutes les portes s'ouvrirent devant lui. Il trouva Catherine de Médicis dans son oratoire. En voyant Lagarde, elle pâlit. Elle n'eut pas besoin de le regarder deux fois pour comprendre que l'affaire était manquée. Ses lèvres frémirent. Lagarde baissa la tête, et grogna :

– Madame, il faudra doubler, tripler l'escadron.

– C'est dangereux. C'est trop de douze déjà.

– Ils sont tombés à plus de cinquante sur nous.

– Il savait donc ? murmura Catherine.

– Non, madame. Un maudit hasard. Une bande qui cherchait bourses à couper, conduite par un diable d'enfer...

– Il s'appelle ?

– Le Royal de Beaurevers.

– Le Royal de Beaurevers ! dit Catherine qui grava ce nom dans son esprit. Il faut nous en débarrasser. Il est peut-être pour le roi ce que tu es, toi, pour moi. Le roi ?... Rentré, sans doute ?

– J'ignore, madame.

Catherine renvoya le bravo, d'un geste. Elle passa la nuit, épiant par les fenêtres. Vers huit heures du matin, une de ses femmes entra, tout effarée :

– Madame, savez-vous ce qu'on dit ? Que Sa Majesté n'est pas au Louvre !

Catherine se mordit les lèvres pour ne pas crier.

– Est-ce donc la première fois que le roi découche ? fit-elle.

Ce mot rude lui permettait de prendre une attitude. Catherine put dès lors montrer l'agitation de l'épouse outragée, et détendre ses nerfs en sanglotant. Mais à dix heures le roi n'était pas rentré. Catherine sentait son sang bouillir dans ses veines. Les rumeurs du

Louvre la frappaient.

À midi, rien, Catherine pensa : Le Royal de Beaurevers a fait la besogne de Lagarde !... Le tumulte éclata dans le Louvre. Le roi ! Où est le roi ! Catherine leva ses yeux vers le Christ crucifié au-dessus de son prie-Dieu, et gronda :

– Est-ce enfin que tu m'as entendue ?...

Et elle donna l'ordre d'assembler le conseil.

VII

Face à face

Le Royal de Beaurevers avait enjambé et sauté dans une chambre où se trouvaient deux femmes.

– Monseigneur, dit l'une d'elles, c'est là ! Elle montrait la porte de la chambre de Florise.

Florise parut. Beaurevers ne la vit pas. Il s'était penché sur la femme, lui tordait les poignets ; elle tombait à genoux.

– C'est toi qui as jeté l'échelle ? gronda Le Royal.

– Oui ! râla la gueuse. N'ai-je donc pas bien fait ?

Le Royal la traîna jusqu'à la fenêtre, et là :

– Écoute. Je ne te tue pas parce que tu es une femme. Mais tu vas t'en aller.

– Par où ? bégaya la femme, ivre de terreur.

– Par là ! dit Beaurevers. Tu as jeté l'échelle. Tu la descendras. Tant pis si tu te romps les os, ou tant mieux !

– Grâce ! rugit la drôlesse.

– Aimes-tu mieux que j'appelle le grand-prévôt ?

La femme se releva, se pencha, recula. Le Royal tira son poignard... Alors elle se décida. L'instant d'après, elle commençait à descendre, les yeux fermés, échelon par échelon. La gueuse atteignit le sol et se sauva. Le Royal haussa les épaules. Il marcha à l'autre femme qui gémissait d'épouvante.

– Tu as vu, hein !

– Oui ! Mais je n'ai rien fait, moi ! Je ne voulais pas !

– Qui vous a payées ?

– M. de Saint-André.

– Saint-André ! Roland de Saint-André, dis !

– Non. Le maréchal.

– Oui, je comprends. Le fils travaille pour son propre compte et le père pour le compte du roi. C'est bon. Ne pleure pas. Tu resteras, pour que tu puisses dire à quiconque voudrait recommencer que je suis là, moi, et que je veille.

Le Royal de Beaurevers se retourna alors et vit Florise. Il demeura immobile. Il chercha un geste à faire, un mot à dire, rien ne vint. Florise, un peu pâle, les yeux baissés, trouva, elle ! Elle désigna d'un geste cette chambre de jeune fille où pas un homme, hormis le père, n'avait jamais risqué un regard, et elle dit :

– Venez !...

Beaurevers entra. Il ne savait s'il rêvait... Florise poussa la porte !...

Un moment, ils demeurèrent debout l'un devant l'autre. Entre eux, il y avait une chaise : simple hasard. Tant que Beaurevers resta là, cette chaise demeura entre eux.

Florise avait fermé la fenêtre et rallumé les flambeaux. Florise, d'une voix à peine oppressée, parla la première :

– Monsieur, je dois vous remercier. J'ai vu la bataille en bas. Sans vous, j'étais perdue, je le sais.

Et, doucement, avec une admiration passionnée, elle répéta :

– J'ai vu les batailles là-bas, à l'auberge de Melun, puis ici, dans la cour de l'hôtel, puis ce soir, sous ces murs.

– Mademoiselle, ne croyez à rien de mal de ma part. Pourquoi j'étais sous vos fenêtres ? C'est le hasard. Et puis, j'ai vu des gens. J'ai attaqué, pensant que c'était à vous qu'on en voulait. J'ai eu tort de monter jusqu'à chez vous. Mais il fallait que je vous prévienne de prendre garde.

– Si vous n'étiez pas venu, dit Florise, je vous eusse cherché. Vous aussi, vous devez prendre garde. On veut vous tuer.

– Qui ? demanda Beaurevers.

– Mon père ! répondit-elle en frissonnant.

Ses jolies mains s'unirent dans un geste de supplication... elle revoyait l'abominable vision, la potence monstrueuse.

– Jurez-moi, dit-elle exaltée, jurez-moi de veiller sur vous.

– Oui, dit Beaurevers, je veillerai, mais si vous me promettez de vous défendre. Car s'il vous arrivait malheur, j'irais trouver le grand-prévôt et je lui dirais : Me voici.

Il s'était agenouillé pour dire cela. Florise couvrit ses yeux de sa main, et elle dit :

– Si le jour de votre mort se levait, fût-ce au pied de l'échafaud, je jure de mourir en même temps que vous...

Ils demeurèrent palpitants, écrasés de bonheur. Et ce fut leur déclaration d'amour.

Le Royal de Beaurevers se retrouva dans l'antichambre. Leurs mains ne s'étaient même pas touchées. La femme était toujours là, muette, effarée.

– Lorsque je serai en bas, lui dit Beaurevers, tu décrocheras l'échelle et la laisseras tomber pour qu'elle ne serve plus.

Pas même à lui !... mais il n'y songeait pas. Il descendit. Lorsqu'il fut arrivé, la femme obéit à l'ordre. L'échelle vint en bas. Il la roula et s'en alla vers la Seine. Là, il y attacha quelques grosses pierres et jeta le tout dans le fleuve. Puis il s'assit, la tête dans les deux mains, se mit à rêver. Quand il se réveilla, il faisait grand jour. Il se leva et se dirigea vers la Cité. En route, il se ravisa, obliqua à droite ; un quart d'heure plus tard, il entrait dans l'hôtel de Nostradamus.

Douzième chapitre
La grande chasse

I

La bauge du sanglier

Henri II s'était laissé entraîner par les quatre spadassins. Il vivait dans la stupeur de l'événement fantastique : un roi prisonnier !... Prisonnier d'un truand ! À deux pas du Louvre ! En arrivant rue Calandre, il cessa de songer à cela.

– Je suis venu dans cette rue une fois, songea Henri. Quand ? Il y a bien longtemps, sans doute. Pourquoi ?...

Et, en entrant dans le sinistre galetas, il se ressouvint. L'image de cette chambre où il n'était venu qu'une fois dans sa vie, dormait dans son esprit. Il comprit que jamais il n'avait oublié cette chambre !... C'est là !... Oui, c'est là que jadis, lui prince, lui fils de roi, était venu trouver le bravo à qui il avait dit :

– Si la mère n'est pas rue de la Hache à minuit, tu attendras jusqu'à une heure. Et alors il faut que l'enfant meure !...

La mère n'était pas venue au rendez-vous. L'enfant était mort ; le bravo le lui avait assuré. Il revit l'enfant tel qu'au moment où dans le cachot du Temple il l'avait arraché à la mère. Alors le prince Henri n'avait pas eu peur de ces cris d'un enfant. Maintenant, vingt-deux ans plus tard, il frissonna.

Il essuya son front, et murmura :

– L'enfant est mort...

Les quatre estafiers en entendant cette voix funèbre, ces étranges paroles, eurent un frémissement.

– L'enfant est mort ? fit Trinquemaille effaré.

– Ah çà ! on tue donc des enfants, ici ? grogna Strapafar.

Henri se remettait. Il toisa les quatre sacripants, et dit :

– Est-ce que ce logis n'a pas été habité par un routier qu'on nommait Brabant-le-Brabançon ? L'avez-vous connu ?

– Si nous l'avons connu ! fit Strapafar. C'était un brave, sous ses ordres, nous n'avons jamais chômé ni jeûné.

– Qu'est-il devenu ? demanda avidement Henri.

– Il est mort ! dit Corpidobale.

Henri eut un soupir de soulagement. Bouracan ajouta :

– Mort. Comme l'enfant !

– Quel enfant ! hurla le roi qui se sentait blêmir.

– Mais l'enfant dont parlait votre Seigneurie.

– C'est bon, gronda Henri. Répondez : Qui est le coquin à qui j'ai eu affaire et auquel vous obéissez, truands !

Les quatre se jetèrent un long regard.

– Monsieur, fit doucement Trinquemaille, je dois vous prévenir que nous sommes gentilshommes. Il suit de là, que vous êtes plongé dans la plus pitoyable erreur en nous traitant de truands. Quant à lui ! ne l'appelez plus coquin devant moi ; car je serais forcé de vous couper la gorge sans savoir si vous êtes en état de grâce.

Henri vit quatre dagues qui sortirent à demi de leurs fourreaux. Il était brave, répétons-le. Mais ces quatre sinistres figures, ces quatre lames lui donnèrent à réfléchir.

– De vous dire qui il est, reprit Trinquemaille, ce serait une belle histoire à raconter devant une noble assemblée de preux. Vous l'avez vu à l'œuvre, dites ? Eh bien ! dix fois, moi qui vous parle, je l'ai vu faire mieux. Pour une chiquenaude, chacun de nous tuerait son homme. Mais *lui,* il peut rouler du tambour sur nos crânes, s'il veut. Nos crânes sont à lui. Il nous a sauvé la vie à chacun deux ou trois fois, on ne compte plus ! Lui, mort du diable, c'est lui !...

– La plus belle lame du monde ! cria Corpodibale.

– Ya ! rugit Bouracan. Notre maître !

– C'est lou pigeoun ! fit Strapafar en s'essuyant les yeux.

– Le Royal de Beaurevers ! dit Trinquemaille.

Henri, sombre, la rage au cœur, écoutait tout cela.

– Le Royal de Beaurevers ! fit-il. Qu'est-ce que cela ?

– C'est l'enfant, dit Bouracan avec innocence, sans savoir.

Henri courba l'échine et murmura, effaré :

– L'enfant !... L'enfant est mort !...

– Bien parlé Bouracan, fit Trinquemaille, c'est notre enfant !...

II

Le sanglier se montre

– C'est donc, reprit Henri, l'homme avec qui Roland de Saint-André a eu maille à partir dans une auberge du côté de Melun ? C'est donc l'homme qui a bravé le grand-prévôt et a soutenu la bataille dans la cour de la grande prévôté ?

Trinquemaille s'inclina en signe d'assentiment, et dit :

– C'est l'homme qui vous a sauvé cette nuit !

C'était vrai au bout du compte. Mais le roi l'avait oublié.

– Ah ! gronda-t-il en lui-même, quelle corde il va falloir pour un tel drôle !... Écoutez. Je puis obtenir du roi grâce pleine et entière pour vous. Voici de l'or. Laissez-moi partir.

Il jeta à leurs pieds une bourse ronde et pesante – une bourse que le maréchal de Saint-André eût ramassée. Tous les quatre eurent le même mouvement de griffes tendues.

– Je suis sauvé, pensa Henri. Eh bien ! que font-ils donc ?

Mais pas une de ces mains en arrêt ne saisit la bourse.

– Que va dire lou pigeoun ? murmura Strapafar.

– C'est sa prise et non la nôtre ! gronda Corpodibale.

– Ce serait péché mortel ! soupira Trinquemaille.

– L'enfant nous assommerait, ya ! dit Bouracan.

– Monseigneur, dit Trinquemaille : je vous l'ai dit : nous sommes gentilshommes ! Comme tels, nous avons l'honneur de refuser vos ducats, car ce sont des ducats, je les ai reconnus au bruit ; on s'y connaît.

Henri grinça des dents. Il étouffait de rage. Il se décida :

– Savez-vous qui je suis ?

Ils haussèrent les épaules avec indifférence. Henri gronda :

– Je suis le roi !

Et il se redressa et alors ils le reconnurent !...

Chacun d'eux avait vu cinq ou six fois le roi de France, au fond d'un carrosse ou cavalcadant à la tête de ses chevaliers. À peine eut-il dit : je suis le roi ! ils le reconnurent, et quatre cris grondèrent ensemble :

– *Il* a fait cela !

– *Il* arrête des rois, à présent !

– *Il* arrêterait le pape !

– *Il* arrêterait le diable !

Ce fut une explosion d'admiration. Mais tout aussitôt leur apparut l'énormité de l'algarade. Instinctivement, ils portèrent la main au cou. Ensemble, ils reculèrent.

– Ah ! ah ! vous tremblez mes drôles ! Vous avez raison, vous serez tous pendus au petit jour. Et quant à votre chef, la corde, ce ne serait pas assez. Il sera brûlé vif !...

Là-dessus, le roi se dirigea vers la porte. Mais il trouva les quatre drôles qui, serrés l'un contre l'autre, formaient en avant de la porte de bois une porte de chair vivante...

Sur les neuf heures du matin, Henri, assis au bord du lit, était à bout de forces. Il avait crié. On l'avait laissé hurler. Il était tombé à bras raccourcis sur les geôliers : ils s'étaient laissé battre. Il avait promis des fortunes. Ils s'étaient bouché les oreilles.

Le roi était livide. Les quatre étaient pâles. De peur ? Non. Ils avaient faim. La bourse était restée sur le plancher.

– Comme il est pâle ! dit Corpodibale.

– Le povre ! Il a faim, tel fit Strapafar.

Il cligna de l'œil, s'inclina devant le roi, et, la voix émue :

– Vous ne pouvez rester ainsi ! Il faut manger un morceau ; je vais aller vous chercher ça. Et autrement, que voulez-vous manger ?

Henri eut un geste de désespoir.

Strapafar s'agenouilla près de la bourse, l'ouvrit délicatement sans la déranger de sa place.

– Camarades, vous êtes témoins ! je n'y touche pas !

Et il fila.

Ce jour-là, il y eut une bombance comme jamais on n'en avait vu. Tantôt l'un, tantôt l'autre criait que le prisonnier avait encore faim, ou encore soif, plongeait deux doigts dans la bourse et s'élançait, puis revenait chargé comme un mulet. Vers le soir, la bourse était toujours au même endroit, mais il n'y avait plus rien dedans. Tout son contenu était passé dans quatre poches et une faible partie de ce contenu dans le commerce.

À huit heures du soir, Henri mangea un morceau de pain et but un verre de vin. Puis il se détourna pour pleurer.

Depuis longtemps il faisait nuit noire. Un pas ébranla l'escalier. Le Royal de Beaurevers parut. Le roi le dévorait des yeux. Les quatre pensèrent : S'il ne tue pas le roi, il est perdu !...

Le Royal s'approcha d'Henri, se découvrit, et dit :

– Vous êtes libre.

– Libre ? fit le roi d'une voix étranglée.

– À une condition, une seule : vous allez me donner votre parole royale que jamais vous ne tenterez quoi que ce soit contre haute et noble demoiselle Florise de Roncherolles.

III

L'animal relancé

Henri baissa le nez. Il avait reçu le coup en plein crâne.

– Et si je ne jure pas, dit Henri, que feras-tu ?

– Je ne sais pas, répondit Beaurevers.

Le roi frissonna comme avait frissonné Nostradamus.

– Soit ! fit-il. Je te donne ma parole royale de ne rien tenter contre la fille du grand-prévôt. Et je veux vous montrer ce que c'est qu'un roi, mes drôles ! Je donne également ma parole d'oublier le crime de lèse-majesté commis par vous cinq. Allez, vous êtes libres !

Ce fut un beau geste qu'admira Beaurevers.

– Mes compagnons, dit Le Royal, les rues sont peu sûres. Vous escorterez donc le noble sire qui vous a fait l'honneur de sa visite, et ne le quitterez qu'à la porte de son logis.

Le jeune homme, en supprimant les noms de Majesté, roi, Louvre, indiquait à Henri qu'il était incapable de jamais se vanter d'avoir saisi un tel prisonnier.

– Devrons-nous revenir ici ? dit tout bas Strapafar.

– Non. Je vous attendrai demain chez Myrta.

– Prenez garde ! lui glissa Trinquemaille qui rentrait.

– J'ai la parole du roi !

Les quatre estafiers obéirent à l'ordre. Henri, sans encombre, parvint au Louvre. Quand ils l'eurent vu franchir le pont-levis, ils tinrent conseil pour savoir s'ils ne retourneraient pas rue Calandre. Mais Le Royal avait dit : « Demain, chez Myrta. »

Au Louvre, cependant, ce fut une grande rumeur de joie. En un instant, la cour où venait de pénétrer Henri fut pleine.

Il traversa toute cette population du Louvre, d'un pas rude et précipité, et tomba comme une bombe dans la salle du conseil, où, autour de Catherine, était assemblée la cour – Montmorency, Saint-André, son fils Roland, Marie Stuart, Marguerite, Emmanuel Tête-de-Fer, le dauphin François, Ignace de Loyola, Montgomery,

Roncherolles, l'Hospital, Tavannes, Biron, le Balafré, le cardinal de Lorraine, la Trémoille, Brantôme, cent autres seigneurs – seule, Diane de Poitiers n'était pas là : elle faisait ses paquets pour quitter le Louvre. Chacun disait son mot, Catherine était pâle, n'affichait ni joie ni douleur. Elle prenait possession du pouvoir, et son esprit planait de haut sur cette cour. Tout à coup, la porte du fond s'ouvrit, le bouffon Brusquet entra en criant :

– Par Notre-Dame, je veux qu'on rie, moi ! Çà, qu'on s'amuse puisque je reparais en mon Louvre !

La rumeur qui montait les escaliers s'engouffra en tempête d'acclamations, et Henri II parut. Catherine se leva, puis retomba assise. Montgomery, frissonnant, se rapprocha d'elle...

– Le roi ! Le roi ! Vive le roi !...

Le tonnerre était dans le Louvre. Henri marchant droit à Catherine de Médicis, l'embrassa sur les deux joues, ce qui redoubla les acclamations. Puis, dans le silence :

– Montgomery, prenez deux cents hommes et allez rue Calandre – la sixième maison à gauche. Il y a là un homme, peut-être quatre ou cinq. Saisissez le tout. Qu'on me dresse à l'instant cinq potences devant la grande porte. Pas de procès ! Qu'on amène le maître exécuteur – je les veux pendus dans une heure ! L'homme s'appelle Le Royal de Beaurevers...

Roncherolles, Roland, Saint-André bondirent.

– Le Royal de Beaurevers ! dit Roncherolles. Je demande à conduire l'expédition. Ceci est une grave affaire.

– Une grave affaire ! L'arrestation d'un truand ! ricanèrent Tavannes, Biron et quelques autres.

Mais, chose étrange, le roi disait oui d'un signe de tête.

– C'est une grave affaire, dit Saint-André, qui songea à l'homme qu'il avait vu escaladant l'échelle de corde.

– C'est une grave affaire, appuya son fils Roland.

Roncherolles, la rage au ventre, continuait :

– S'il fallait arrêter dix, vingt, cinquante de vous, messieurs, je dirais : qu'on envoie les Suisses ou les Écossais de Sa Majesté. Mais pour ce que le roi veut, je dis : c'est une grave affaire. Ce sont des épées qu'il nous faut. Messieurs, l'homme s'appelle Le Royal de Beaurevers.

– Grand-prévôt, dit Henri, tu as le commandement de l'expédition !

Dix minutes plus tard, Roncherolles, Saint-André, Roland, suivis de cinquante seigneurs, sortaient du Louvre, Montgomery avait pris avec lui cinquante gardes. Les gentilshommes étaient là non pour arrêter, mais pour se battre, s'il le fallait.

Roncherolles dit :

– Il faut commencer par cerner la Cité...

Le Royal de Beaurevers, après le départ du roi, s'étendit sur le grabat. Le logis était éclairé par deux ou trois cierges que Trinquemaille avait achetés dans le début de la soirée.

Puis il ferma les yeux. Il revoyait Florise. Il entrait dans le ciel. Parfois, l'image s'effaçait, remplacée par celle de Nostradamus.

Beaurevers avait passé la journée avec lui. Il ne savait trop quel sentiment lui inspirait cet homme : crainte ou admiration, haine peut-être ! Cet homme avait un but. Lequel ? Beaurevers cherchait en vain... puis, il chassait l'image de Nostradamus et, de nouveau, Florise était là. Florise lui disait :

– Je jure de mourir en même temps que vous, fût-ce au pied de l'échafaud !

– Elle viendra ! balbutia Beaurevers avec un long soupir. Si je dois mourir, elle mourra avec moi, elle l'a juré. Oh ! si je pouvais encore entendre vraiment sa voix comme tout à l'heure !... Essayons... Florise, parlez-moi... j'entends... enfer ! qu'est-ce donc que j'entends !...

En deux secondes, Beaurevers fut debout, éteignit les cierges, saisit sa rapière qu'il boucla, et, silencieux, écouta...

La fenêtre du galetas donnait sur une cour étroite et sombre. Pour voir dans la rue, il fallait aller chercher l'une des meurtrières qui donnaient un jour avare à l'escalier. Beaurevers entrouvrit la porte. Il remonta quelques marches, passa la tête dans la meurtrière, mais il faisait trop noir ; la lune ne descendait pas jusqu'à la rue. Des bruits confus lui parvenaient.

Quand les yeux lui étaient inutiles, il regardait avec l'ouïe.

– Il y a une troupe armée qui vient par là, murmura-t-il en désignant le tronçon de la rue qui était à sa gauche.

Il fallait être lui pour entendre cette troupe, car elle ne faisait pas plus de bruit qu'une bande de fantômes.

– C'est à moi qu'ils en veulent ? Je m'en irai donc par là...

Il désignait la droite de la rue. Dans le même instant, les bruits qu'il avait constatés à gauche, il les perçut à droite.

– Je suis cerné !

Il retira sa tête de la meurtrière, et demeura une minute râlant de fureur. Un hurlement éclata dans la rue :

– C'est là ! Enfoncez ! En avant !

– Roncherolles ! Le père de Florise !...

Beaurevers saisit sa tête à deux mains. Le père de Florise ! Que faire ! Dans la rue, des torches s'allumaient. Des coups ébranlaient la vieille porte. Des ordres brefs se croisaient. Tout à coup, l'escalier fut plein de gens qui montaient en groupe serré ; en tête, Roncherolles ! Le Royal de Beaurevers se pencha. Une seconde, il vit le père de Florise et les autres, derrière, la rapière au poing. Le jeune homme crispa les poings et se mit à monter plus haut.

– C'est là ! Enfoncez ! En avant !

La bande était arrivée devant la porte du logis.

– Pas besoin d'enfoncer ! dit une voix.

– *On n'enfonce pas une porte ouverte,* dit une autre voix venue de haut, et que nul ne reconnut.

– En avant, donc !

Et nul ne bougea. Ils étaient là, devant la porte entrouverte et chacun se disait : Le premier qui va entrer est un homme mort... Roncherolles, d'un mouvement furieux, entra. En même temps que lui, Roland de Saint-André, puis Montgomery et le maréchal. Il y eut des cris terribles.

– Par là ! Par là ! vociféra quelqu'un dans l'escalier.

Tous se ruèrent vers la partie supérieure de l'escalier, et virent un homme qui disparaissait par une fenêtre.

– C'est lui ! C'est lui !...

– Silence ! fit Roncherolles. Dix hommes au Petit-Pont. Dix au pont St-Michel. Dix au pont au Change. Dix au pont Notre-Dame. Le reste échelonné sur les grèves de la Cité. Roland, restez avec moi. Dix hommes autour du marché.

Tous ces ordres furent exécutés avec précision, même par les gentilshommes. Une douzaine d'archers demeurèrent près de Roncherolles. Le grand-prévôt regarda par la fenêtre : elle donnait sur un toit. À l'extrémité du toit, il vit Beaurevers qui rampait. Il le désigna à Roland et lui dit :

– Florise est à toi. Va la conquérir...

– Une bataille sur ces toits, soit ! dit Roland.

– Non pas ! Il s'agit de suivre l'homme, de ne pas le perdre de vue, et, quand il se laissera tomber sur le sol, de me prévenir d'un coup de sifflet. Voici mon sifflet.

Le Royal rampait sur le toit. Il n'y avait au bord ni chéneau ni gouttière. Une tuile qui saute, la main qui hésite, ou le genou qui glisse, et c'était la chute dans le vide. Il atteignit le bord et se cramponna là.

Penché au bord du toit, il vit au-dessous de lui la crête d'un mur. Il la devina plutôt. Le moyen d'atteindre cette crête de mur ? Il n'y en avait qu'un : se laisser tomber. C'était la certitude de la chute, et la mort.

Beaurevers regarda vers la fenêtre qu'il venait de quitter. Deux têtes à cette fenêtre : on l'attendait là ; on guettait son retour. Pas moyen de rétrograder. Il s'allongea au bord du précipice. Dans le même instant, il vit quelqu'un qui franchissait la fenêtre. Il eut l'intuition qu'il allait être poussé d'un coup de pied, balayé dans le vide... il se laissa tomber ; non, il sauta.

Le moment d'après, il se vit sur la crête du mur, allongé, les mains sanglantes. Il eut un soupir où il y avait de la stupéfaction, de la joie, et de l'horreur – presque en même temps, il entendit au-dessus de lui le bruit de quelque chose qui roulait sur le toit, pêle-mêle avec des tuiles arrachées et un corps tomba. Beaurevers fut à demi assommé par cette chose qui s'abattit sur lui, puis la chose ou l'être rebondit dans le vide.

Beaurevers se suspendit des deux mains et s'abandonna... Sur le sol, il roula sur lui-même et alla, à quelques pas, buter au pied d'un grand mur – le mur du Marché – où il demeura sans mouvement. Des bruits de pas rapides, tout à coup, lui rendirent l'énergie. On accourait. Beaurevers allait se redresser...

– Le voici ! cria une voix. Je l'ai touché au pied.

– Nous le tenons ! il ne bouge plus, le misérable !

– Il a roulé du toit ! Il échappe à la corde !

Il y eut dans l'obscurité des remous de gens, puis tout cela s'éloigna, se dissipa comme un songe.

– C'est un songe, se dit Beaurevers. Ils m'emportent ? Non, je suis là, toujours. Qui emportent-ils ?

Brusquement, le souvenir lui revint de la chose ou de l'être qui là-haut, sur le mur, l'avait à moitié assommé... Il se mit à rire.

C'est vers la rue de la Juiverie que s'était dirigée la bande triomphante : il se dirigea vers l'extrémité opposée de la Cité, c'est-à-dire vers l'Île-aux-Juifs. Cependant, là-bas, vers le centre de la Cité, il se faisait un grand bruit ; des acclamations parvinrent au jeune homme.

– Nous le tenons ! Nous le tenons !

Vers le Pont-au-Change, Beaurevers vit luire des piques.

– Diable ! Les ponts sont gardés !...

Il descendit sur la berge. Trois esquifs étaient amarrés là. Il sauta dans l'un d'eux, après avoir détaché la corde.

– Holà ! Halte ! Arrête, arrête !...

Deux hommes, quatre, dix accouraient, dégringolaient sur la berge. Beaurevers poussa sa barque. Au loin, des clameurs de rage éclatèrent. Dix arquebuses tonnèrent...

IV

Chasseurs au repos

La bande qui avait ramassé l'homme tué par la chute, s'était mise en route, avec des cris de triomphe. De toutes parts, les postes qu'avait disposés Roncherolles arrivaient. La besogne était finie. Dans la Cité, ce fut un beau vacarme. Au coin des rues Calandre et de la Juiverie, un groupe, éclairé de torches : l'état-major de l'expédition, Montgomery, Saint-André, quelques gentilshommes, et le grand-prévôt.

– Le voilà ! Le voilà ! Nous le tenons !...

Tous s'élancèrent. Les torches arrivèrent. On découvrit le cadavre, sur lequel on avait jeté un manteau.

– Malédiction ! rugit Roncherolles.

– Mon fils ! dit Saint-André sans excessive émotion.

Roncherolles partit au pas de course, entraînant tout le monde, et distribuant à chacun sa besogne avec lucidité.

– Mon pauvre fils ! répéta Saint-André.

Il s'agenouilla, posa sa tête sur la poitrine de Roland, écouta. Il songeait qu'il était débarrassé des dettes de Roland.

– Dieu soit loué ! fit-il tout à coup, il vit ! Le cœur bat.

Roland de Saint-André n'était qu'étourdi par la chute. Il y a des chances ainsi faites. Un Suisse lui versa dans la bouche le contenu de sa gourde. Le fils du maréchal fut secoué d'un spasme, ouvrit les yeux, et finalement se remit debout.

– Dieu soit béni ! répéta Saint-André.

– L'a-t-on pris ! fut le premier mot de Roland.

– Le sire de Roncherolles court après lui. Il l'aura.

Le maréchal fit quelques pas de retraite.

– Adieu, mon fils. Rentrez vous coucher et dormez jusqu'au grand jour. Je viendrai vous voir demain.

– Monsieur ! fit Roland, il faut que je vous parle.

– Parle donc ! fit le maréchal en soupirant.

Les gentilshommes qui étaient là s'écartèrent discrètement.

– Monsieur, dit Roland, je viens de parler au grand-prévôt. Ce mariage va se faire si vous m'en donnez congé.

– Et je te le donne, par la sambleu ! Le roi a promis une dot magnifique à la petite.

– Monsieur, je vis mal. Je suis un homme déshonoré. Mon hôtel de la rue Béthisy est assiégé par les créanciers.

– Jette-les par les fenêtres. Adieu, Roland...

– Non, mon père. Il faut, il faut qu'avant le mariage, j'aie payé mes dettes : environ deux cent mille écus.

– La dot, mon fils ! Songe à la dot promise par le roi.

– Je n'y toucherai pas avant que Florise ne porte mon nom. Il me faut en outre remonter ma maison sur un pied digne de vous, cela fera cent mille écus au plus juste.

– La dot, Roland, la dot !...

– Monsieur, outre mes dettes, et l'hôtel à remonter, il me faut songer à moi-même. Je suis en guenilles, monsieur. De plus, il faut que je fasse à ma fiancée un don de linge, robes, pierreries ; je mets tout cela à deux cent mille écus.

– Adieu, Roland ! Va dormir, dit le maréchal avec rage.

– Mon père, j'ai tout compté au plus juste. C'est cinq cent mille écus que vous me devez.

– Il faudra donc que j'engage mon hôtel, mes charges à la cour, et vendre l'argenterie de vos grand-mères ?

– Monsieur, on vous sait riche, dit-il. Vous avez au moins trois millions, peut-être quatre. Vous êtes plus riche que le roi. Je suis votre fils unique. C'est une honte, monsieur. Eh bien ! monsieur, je ne vous demanderai plus rien.

Roland lâcha le bras du maréchal et s'en alla rejoindre Tavannes, Biron et quelques autres qui l'attendaient.

– On prétend, dit Roland, que ce Nostradamus fait de l'or à sa guise. Croyez-vous qu'il veuille acheter mon âme ?

– Je le crois ! dit Brantôme avec un sourire pincé.

– Demain, j'irai voir Nostradamus ! dit Roland.

V

Détour du sanglier

Le Royal de Beaurevers aborda, renvoya la barque au fil de l'eau, et monta le talus qu'ombrageaient des ormes et surtout d'antiques peupliers. Sur sa gauche, le Louvre dressait ses colossales ossatures. Beaurevers vit déboucher au pas de charge du Pont-au-Change des hommes d'armes. Ces gens passèrent en tumulte dans la lueur de leurs torches. Du coup, il obliqua à gauche, vers le géant de pierre accroupi au bord du fleuve, sûr d'avoir échappé aux sbires de Roncherolles. À ce moment même, Beaurevers se demandait comment le grand-prévôt avait pu avoir l'idée de venir rue Calandre. Quant à soupçonner le roi de forfaiture, c'était impossible. Le roi, c'était le roi...

Il descendait donc le fil de l'eau. De temps à autre, il se retournait. La bande avait disparu.

Les sbires de Roncherolles, simplement, faisaient le tour du Louvre. Le grand-prévôt, sachant qu'une barque s'était détachée de l'île aux Juifs, avait *vu* ce qui allait arriver. Il concentra son monde, et lui fit franchir le Pont-au-Change. Là, il se dit : « Maintenant, je l'ai ! »

Beaurevers, tout à coup, vit à deux cents pas des hommes qui s'échelonnaient depuis le fossé du Louvre jusqu'au bord de l'eau : une barrière vivante hérissée de piques.

– C'est bon ! grommela-t-il. Retournons d'où nous venons.

Et il fit demi-tour. Un juron gronda entre ses dents ; là-bas, à l'autre extrémité du Louvre, une barrière semblable venait d'être établie. Il avait devant lui vingt hommes ; derrière, autant ; à sa gauche, le Louvre ; à sa droite, le fleuve.

– C'est bon, je vais prendre un chemin un peu mouillé.

Il allait descendre sur la berge ; à ce moment, trois barques apparurent sur le fleuve ; l'une d'elles lâcha un coup d'arquebuse, puis la deuxième, puis la troisième...

Dans ce même instant, il vit sur sa gauche, aux flancs du Louvre, une poterne ouverte ! Sur le fossé, deux planches comme pour lui dire : Voici le salut. Passe. La poterne était ouverte ! Et il n'y avait pas une sentinelle !... Beaurevers s'élança, franchit le pont provisoire, s'engouffra sous la poterne et se vit dans une petite cour. Une grille derrière lui se referma à grand bruit, et tout autour de lui surgirent des arquebusiers qui le couchèrent en joue.

C'était le chef-d'œuvre de Roncherolles.

Lagarde venait d'être placé là par le grand-prévôt.

– J'ai mes hommes, lui avait dit Lagarde. Poussez le sanglier dans la poterne.

Lagarde était donc là avec l'escadron de fer, tous gens ulcérés par leur défaite. L'escadron de fer fit le cercle. Lagarde s'avança. Un éclair, à ce moment, incendia le cerveau de Beaurevers... Des paroles entendues chez Nostradamus ! Des paroles qui, dans cette minute, se mirent à sonner dans sa tête. Il se frappa le front et rengaina sa rapière. L'escadron se mit à rire. Lagarde gronda :

– Suivez-moi...

– Conduisez-moi à la reine Catherine, dit Beaurevers.

– Allons, fit Lagarde, marche, ou je te fais porter !

Beaurevers, d'une voix terrible, lui murmura dans la figure :

– Tu veux que ta reine meure sur l'échafaud ? Et toi aussi ?...

Les yeux de Lagarde jetèrent un éclair. Il tira son poignard.

– Inutile de me tuer, dit Beaurevers. Dans une heure, le roi saura par qui il a été attaqué sous les fenêtres de la grande prévôté, par qui ont été assassinés les douze hommes de son escorte, et qui avait aposté les assassins. Me comprends-tu, Lagarde ? Seul, je puis empêcher cet avis d'arriver au roi. Seul, entends-tu ?

Lagarde chancelait. Il leva le poignard pour se frapper soi-même : l'épouvante venait de le conduire aux frontières de la folie. Beaurevers arrêta son bras et sourit.

– Conduis-moi à la reine. Tu la sauves. Et tu es sauvé aussi. Dépêche, avant que Roncherolles n'arrive !

Lagarde bondit, hagard.

– Oui, oui, bégaya-t-il. Hors d'ici, vous autres ! Qu'on aille m'attendre hors du Louvre ! Et vite.

L'escadron, effaré, s'égailla... Un seul resta, et son chef lui donna quelques instructions. L'homme alla ouvrir la grille de la poterne qui avait été fermée sur l'entrée de Beaurevers.

– Venez ! dit Lagarde d'une voix d'agonisant.

Lagarde songeait à tous les supplices qu'il pourrait faire subir à cet homme *quand il n'y aurait plus de danger.*

Trois minutes ne s'étaient pas écoulées lorsque la cour s'alluma de torches. Il y avait là cent hommes. Roncherolles, arrivé premier, courut au compagnon de Lagarde resté pour supporter le choc.

– Où a-t-on conduit l'homme ? râla-t-il. Chez le roi ?

– L'homme n'est pas venu. Le capitaine a entendu des cris dans la cour voisine et s'y est jeté avec les camarades, me laissant là pour guetter. Je n'ai pas vu entrer l'homme... Voyez ; la souricière est encore ouverte.

Roncherolles gronda une imprécation...

Beaurevers et Catherine, face à face, se mesurèrent du regard. La reine était calme et majestueuse.

– C'est vous qui êtes Le Royal de Beaurevers ? fit-elle. C'est vous qui menacez votre reine ? reprit Catherine.

– Oui, madame ! répondit simplement Le Royal.

– Que savez-vous ? Que voulez-vous ? Soyez franc.

– Madame, dit Le Royal, je puis vous faire mourir comme meurent les régicides. La preuve que je ne me vante pas, c'est que vous m'écoutez, vous reine puissante, moi pauvre diable. Ce que je veux ? Vivre. Voilà tout. Je veux donc votre parole de reine que vous n'attenterez jamais à ma vie. Maintenant, voici ce que je sais : d'abord que votre fils Henri n'est pas le fils du roi de France, et que, par conséquent, il ne pourra régner quand son tour viendra. Ensuite, que vous avez envoyé le sire de Lagarde pour poignarder le roi près de l'hôtel de la grande prévôté. C'est tout, madame.

Catherine suffoquait. L'escadron de fer était dans son antichambre, caché derrière des rideaux. L'ordre était celui-ci : tuer quiconque s'approchait de l'oratoire tant que Beaurevers y serait. Elle ne redoutait donc rien du dehors. Et pourtant cette femme vivait une minute effroyable.

– Vous dites que quelqu'un doit prévenir le roi ?

– Dans une demi-heure, madame, dit Beaurevers.

– Vous pouvez empêcher cet inconnu d'arriver au Louvre ?

– Oui. Je puis obtenir qu'il renonce pour toujours à vous dénoncer. Je m'y engage, si vous vous engagez à respecter ma vie.

Catherine eut un nouveau soupir. L'effort qu'elle faisait pour ne pas se ruer sur ce jeune homme était immense.

– Je m'engage à respecter votre vie, dit-elle. Je le jure.

– Madame, conduisez-moi hors du Louvre, si vous voulez que j'arrive à temps.

– Venez, dit Catherine.

Lorsqu'elle voulut se mettre en route, elle chancela.

VI

Le sanglier forcé

Catherine conduisit le jeune homme jusqu'à une porte bâtarde pratiquée dans cette partie du Louvre où l'on travaillait encore aux travaux de réfection. Elle avait suivi un chemin qu'elle devait bien connaître. Elle ouvrit elle-même la porte. L'instant d'après, Beaurevers était dehors. Une ombre se dressa près de Catherine.

– Suis-le ! gronda-t-elle. Et sur ta vie sache où il gîte !

Lagarde s'élança. Catherine revint sur ses pas, traversa une galerie, où l'on criait, gesticulait :

– Et pourtant, il a franchi les planches de la poterne !

– Il est dans le Louvre, c'est sûr !

– *Il y était !...*

Catherine passa près du grand-prévôt. Elle répéta :

– Il y était.

– Madame... bégaya Roncherolles. Oh ! Ma vie, madame, je donnerais ma vie pour savoir ce que vous savez !

– Demain matin, Lagarde vous dira où trouver l'homme.

Catherine passa et regagna ses appartements, tandis que d'étranges pensées se présentaient au cerveau du grand-prévôt...

Vers six heures du matin, l'hôtesse de *L'Anguille-sous-Roche* entrouvrit la porte de l'étroite chambre où Le Royal avait pris gîte pour la fin de la nuit. Le jeune homme s'était jeté tout habillé sur la couchette et avait dû s'endormir aussitôt d'un pesant sommeil. Myrta, dans l'entrebâillement de la porte, le contempla, silencieuse. Son sein se soulevait d'un rythme plus rapide qu'à l'ordinaire.

– S'il voulait ! songeait Myrta. Nous nous connaissons depuis l'enfance. Ensemble, nous avons joué. Il me défendait. Quand il est parti, il m'a embrassée et m'a dit : « Je t'aime bien, ma petite Myrta... » Moi, je ne lui ai rien dit. Mais j'ai pleuré. Je ne pouvais pas dire : Je vous aime *bien...* mais je l'aimais... S'il voulait !... mais il ne voudra jamais, et moi jamais je ne lui dirai : Voulez-vous que nous unissions nos deux existences ?

Myrta poussa un soupir et, très doucement, referma la porte. Au fond, elle était contente. Le Royal de Beaurevers était là, chez elle.

Achevons d'un mot l'esquisse de Myrta : Myrtho, sa mère, la belle Grecque, avait exercé le métier de ribaude. Myrta n'avait eu autour d'elle que des ribaudes. Eh bien ! jusqu'à ce jour, Myrta, vaillante, résolue et belle, s'était conservée pure dans un milieu qui ignorait la pureté...

Myrta jeta un coup d'œil dans la rue. Précipitamment, elle rentra et fit tomber le châssis. Elle palpitait, très pâle.

– Que veulent ces gens ?...

À travers les vitres elle les étudia. Ils étaient cinq qui semblaient inspecter le cabaret. Parmi eux se trouvait un homme que Myrta reconnut sur-le-champ : le grand-prévôt !

– Pour quoi, pour qui sont-ils là ?... Oh ! pour lui ! Pour lui !...

Un groupe de trois hommes arriva et se joignit aux premiers.

– Le sire de Lagarde ! murmura Myrta. Que veulent-ils ?... Oh ! ils attendent du renfort.

Bientôt ils furent dix. Elle courut à la petite chambre qu'occupait Le Royal. Mais, à la porte, elle s'arrêta.

– Non, qu'il dorme, le pauvre petit. C'est peut-être *son dernier sommeil de vivant !* Je l'éveillerai quand il sera temps. Personne dans l'auberge, pas un homme pour mettre l'épée à la main près de lui. Vierge puissante ! sauvez-le.

Elle courut à la fenêtre : ils étaient quinze, maintenant. Roncherolles donnait des ordres, Myrta dégringola l'escalier, se jeta dans la salle commune ; il y avait deux fenêtres au rez-de-chaussée, solidement grillées ; la porte était massive, renforcée de barres de fer.

– Cela tiendra une heure, dit-elle. Que faire ? Ils veulent l'avoir. Pourquoi ? Pour le pendre. Oh ! le voir au gibet !

Elle eut autour d'elle un regard terrible.

– On se défendra ! rugit-elle.

L'escalier de bois était au fond de la salle, à l'angle gauche. Le trou de descente aux caves était à l'angle droit. Myrta souleva la trappe debout contre le mur. Il y avait dans la salle des bancs, des tables, des escabeaux, deux bahuts, une armoire. Elle traîna l'armoire ; elle traîna l'autre bahut.

Ces meubles, elle ne les plaça pas devant la porte ; elle en fit une ligne de circonvolution autour de la trappe de la cave, divisant la salle en deux parties ; double rempart. Elle les dissémina çà et là, obstruant d'obstacles la première moitié de la salle devenue ainsi une sorte d'avancée.

– Des armes, maintenant !

Près de la trappe, elle plaça deux haches à fendre le bois, des couteaux de cuisine, des lardoires, de gros poids à peser le blé.

Quand elle eut fini, elle remonta en haut, et se jetant à la fenêtre, en passant, elle renversa un gros sac... Elle inspecta la rue : ils étaient toujours quinze. Il lui fut évident qu'ils attendaient encore du renfort, car Roncherolles et Lagarde regardaient vers le bout de la rue. Myrta jeta un coup d'œil sur les maisons d'en face. Toutes étaient closes. Les habitants ne tenaient nullement à voir. Quand on a vu, on a été *témoin*. Une seule fenêtre était ouverte. Une femme immobile regardait – une femme à cheveux blancs, à figure pâle... Myrta murmura :

– *La dame sans nom !* Oh ! Elle va nous porter malheur !...

Si Myrta avait considéré avec attention la Dame sans nom, elle eût vu que cette femme ne regardait rien que deux hommes, et que l'œil de cette femme se posait sur eux comme une malédiction... Et elle eût vu que ces deux hommes, c'étaient le maréchal et le grand-prévôt, Jacques d'Albon de Saint-André et Gaëtan de Roncherolles.

Myrta, en reculant, se heurta à ce sac qu'elle venait de renverser. Ses yeux venaient de se fixer sur le sac, un sourire éclaira soudain son visage. Dans un coin de cette pièce, il y avait un de ces moulins à manivelle destinés à moudre les épices. Saisir le sac et verser le quart de son contenu dans la gorge du moulin, ce fut l'affaire d'un instant. Myrta commença à moudre avec frénésie. Quand ce fut fini, elle versa la poudre obtenue dans une caisse, puis, de nouveau, emplit le moulin qui rendait un ronflement sourd.

– Holà ! ho ! Myrta ! Ma jolie Myrta ! Est-ce ton habitude d'éveiller ainsi à grand ronflement tes pauvres hôtes ?

Et Le Royal de Beaurevers se montra, souriant :

– Quelle occupation est-ce là ? reprit-il.

– Vous le voyez, je mouds des épices, répondit Myrta.

– Au diable ton moulin ! ma petite Myrta.

– Il faut des épices dans une auberge, dit-elle.

– Oh ! mais tu as donc à épicer des gens pareils à ceux dont parle messire Rabelais dans ses fabliaux ?

– Je ne connais pas, mais j'ai à épicer une bande de loups.

– Bon. J'ai faim, donne-moi à manger. Oh ! comme tu es pâle, ce matin !

– Je fais un mauvais rêve et cela me retourne le cœur.

– Myrta, ma petite Myrta, j'enrage de faim.

– Descendez, la table est toute prête.

– À la bonne heure ! J'ai la tête vide. Mon cœur est trop plein.

Myrta pâlit à ce mot. Beaurevers descendit, joyeusement. L'instant d'après, il remonta, les sourcils froncés, courut à la fenêtre, inspecta la rue, puis il ceignit sa rapière ; son visage flamboyait.

– Ils me veulent. Cela dure depuis hier. Traqué, poussé, cerné, acculé à la mort. La rue Calandre. Les toits. La Seine. Le Louvre. J'ai fait grâce au roi, Myrta, et à la reine. Et voici la mort. Et, Myrta, sais-tu qui me traque et m'accule à la mort ? Le père de celle que j'aime !...

Myrta baissa la tête. Deux larmes jaillirent de ses yeux... Son pauvre rêve d'amour s'écroulait. Beaurevers vit cela. Il vit ! Il comprit ! L'effroyable fureur qui le faisait trembler s'affaissa. Il s'approcha de Myrta, timidement.

– Myrta ! murmura-t-il.

– Laissez-moi...

En bas, un grand coup ébranla la porte.

– Myrta ! répéta Beaurevers.

– Songez à vous défendre.

Les coups de madrier sur la porte se succédaient. Cette fois, Roncherolles avait condensé son plan. Il n'avait qu'une vingtaine d'estafiers. Pas de cris. La besogne méthodique de gens qui connaissent leur affaire. La porte gémissait. Elle s'éventrait, se lézardait. Elle était à l'agonie.

– Myrta, ma petite Myrta, ma grande sœur, ce n'est pas ma faute. Tu as été pour moi comme une mère. Tu me pansais quand j'étais blessé. Tu me donnais à manger quand j'avais faim. Tu m'ouvrais ta maison quand j'étais sans gîte. Et moi j'aimais à être grondé par toi. Quand tout me manquait, je me disais : J'ai Myrta. Et j'étais consolé. Je t'aimais plus que tout le monde. Et je t'aime, Myrta, comme la meilleure créature qui soit sous le ciel pour moi. Je viens de voir ce que tu as fait en bas. Pendant que je dormais ! Ô Myrta, ce n'est pas ma faute si je l'ai rencontrée, *elle,* et si... Myrta, je mourrai heureux si c'est toi qui es près de moi pour me fermer les yeux...

Ces derniers mots firent tressaillir Myrta. Elle songeait :

– Je ne veux pas qu'il meure ! Et c'est moi, moi Myrta qui le sauverai. Non pas *elle !...*

Elle descendit la première. Sur sa robuste épaule, elle portait la caisse qu'elle avait remplie de cette poudre qu'elle avait obtenue de son moulin. C'était du poivre.

Beaurevers avait compris. Il descendit et vit Myrta qui, au pied de l'armoire et des bahuts, entassait de la paille ; sur la paille, des copeaux ; sur les copeaux, du bois sec. Près du trou de cave, elle plaça une cire allumée.

Sous un coup de madrier, la porte se fendit. Dans la rue, une voix brève et rude jeta :

– Attention ! Entrez de front !

La porte tomba. Trois hommes entrèrent de front, la brette au poing. Trois autres venaient derrière. Ils étaient de l'escadron de fer. En un clin d'œil tout l'escadron fut dans la salle, écartant à coups de pied escabeaux, tables et bancs, se ruant sur Le Royal. Sa rapière siffla, s'allongea trois fois. Il y eut trois râles. Le Royal se redressa, hurlant :

– Beaurevers ! Beaurevers !

Le temps de jeter ce cri de guerre, et il retomba en garde ; brusquement, un rire féroce : sa rapière venait de se briser !

– Désarmé ! Désarmé !

– Prenez-le !

Ils étaient une huitaine qui marchaient sur lui, soutenus par une autre huitaine. Il reculait vers le rempart des bahuts. Après la clameur, il y eut un silence plein d'angoisse. Ils marchaient. Il était désarmé. Il reculait. Mais cette figure convulsée, cet être dont chaque geste portait la mort leur faisaient peur.

– Sang et tonnerre ! Prenez-le donc ! rugit Roncherolles.

La bande entière eut un en avant ; il y eut une ruée silencieuse et soudain une reculade furieuse, un infernal feu d'artifice d'imprécations, de hurlements, de grognements : je n'y vois plus ! je suis aveugle ! à moi ! de l'eau, de l'eau ! mes yeux !...

À poignées, Myrta lançait le poivre ! À rudes et violentes envolées, en plein dans les yeux, elle épiçait la bande !

– Les haches ! dit-elle froidement.

Beaurevers vit les haches, en saisit une et se jeta à l'abordage. Alors, ce fut effroyable. Dans la mêlée tourbillonnante, on entendit des coups sourds de crânes fracassés, d'épouvantables râles ; dix ou douze hommes sur le carreau se roulaient dans les convulsions suprêmes. À poignées furieuses, Myrta aveuglait les combattants. La hache se levait, s'abaissait, frappait, coupait, tranchait, et dans ce tumulte sans nom, le cri strident, féroce :

– Beaurevers ! Beaurevers !

Dans cette seconde, il tomba derrière le bahut, la hache lui échappa... Lagarde, d'un coup furieux, venait de l'abattre.

Les combattants n'avaient pas vu tomber Beaurevers. Ils l'avaient simplement vu disparaître derrière les bahuts. Haletants, ils contemplèrent un instant les cadavres, les murs éclaboussés, l'énorme désordre. Tous regardaient cette fortification derrière laquelle Beaurevers attendait. Puis, assurant leurs armes, ils se ramassèrent pour l'assaut... À ce moment, une fumée noire, épaisse, envahit la salle.

– Le feu ! Le feu !...

Les flammes tout à coup fusèrent. Les bahuts flambaient. La grosse armoire flambait. En quelques secondes, la salle fut en feu. Les assaillants battaient en retraite dans la rue.

– Mille écus à celui qui a mis le feu ! cria Roncherolles.

– C'est moi ! répondit un survivant de l'escadron.

Des maisons voisines, des cris de terreur partirent.

De toutes parts, on accourait pour combattre l'incendie. Le dizainier de la rue s'avança vers Roncherolles et dit :

– Monseigneur, nous allons attaquer le feu...

Roncherolles répondit :

– *Laissez brûler !*

– Monseigneur !... les voisins...

– Et moi je dis, entendez-vous ! je dis : *laissez brûler !*

Et on laissa brûler ! Le soir, trois maisons étaient détruites. Quant au cabaret, ce n'était plus qu'un amas de décombres.

Treizième chapitre
La Dame sans nom

I

Myrta

Roncherolles, Saint-André, Lagarde, Roland, depuis le matin, étaient là, sans se parler. Il n'y avait qu'eux devant le brasier. Il y avait quelqu'un pourtant qui regardait cela d'une fenêtre de la maison d'en face. C'était la dame sans nom.

La nuit commença à tomber. Roland s'en alla dîner. Le maréchal de Saint-André, enfin, prononça :

– Cette fois, il est mort.

Le grand-prévôt tressaillit et fixa le brasier.

– Lagarde, dit-il alors, celui qui a allumé le feu passera à la grande prévôté ; je lui dois mille écus.

Il se tourna vers le maréchal, et, avec un rire étrange :

– Il était temps que cet homme meure !

– Oui. Le roi va être content.

– Et la reine ! pensa Lagarde.

– Le drôle eût été capable d'empêcher le mariage de mon fils avec votre fille, ajouta Saint-André à voix basse.

– Comment savez-vous !... gronda Roncherolles.

– Je ne sais rien. J'ai entendu dire que ce truand osait lever les yeux sur votre fille. Et puis l'affaire de l'auberge...

– C'est vrai, c'est vrai ! murmura Roncherolles rassuré.

– Adieu, grand-prévôt ; je vais me coucher, je tombe.

– Il faut que vous veniez chez moi. Nous avons à causer...

– De quoi ?...

– De ce mariage ! fit Roncherolles, les dents serrées.

Lagarde demeura seul avec deux de ses acolytes.

– L'animal est mort, dit l'un deux, il faut nous en aller.

– Nous allons rester ici toute la nuit ! dit Lagarde.

Tous trois allèrent se gîter à quelque distance, dans un recoin d'où ils pouvaient surveiller les ruines du cabaret.

En voyant tomber Le Royal de Beaurevers, Myrta, saisissant le flambeau placé près de la trappe, mit le feu à la paille. Elle souleva Beaurevers dans ses bras et le descendit dans les caves. Puis, remontant, prit le flambeau, rabattit la trappe et l'assujettit à l'intérieur. Tout cela demanda les deux minutes pendant lesquelles les sbires reprenaient haleine...

Myrta avait déposé Beaurevers sur le sol, elle écouta. Dans la main, elle tenait un large couteau. Des pensées de meurtre roulaient dans sa tête.

– Ils ne l'auront pas vivant, moi vivante. Paris ne verra pas au gibet Le Royal de Beaurevers. Le gibet ! À lui !... Si le feu s'éteint, s'ils ouvrent cette trappe, mon beau Royal, je te tuerai, d'un coup au cœur. Après ça, je me poignarderai.

Les ronflements de l'incendie, les grondements de la rue lui indiquèrent que sa manœuvre avait réussi.

– Ils ne descendront pas...

Elle jeta son couteau. Ses traits se détendirent. Elle se mit à trembler, et tout à coup, éclata en sanglots. Elle s'agenouilla près de Beaurevers et vit deux blessures qu'elle lava avec du vin. Le Royal ouvrit les yeux, se vit dans une cave, et sourit.

– Ma petite Myrta, tu as réussi à me sauver ? Ah ! je...

Le reste fut bredouillé : de nouveau, il perdit connaissance.

– Qu'il est beau, seigneur ! soupira Myrta.

Des heures s'étaient écoulées. On n'entendait plus de bruit. De temps à autre, Myrta montait l'escalier, puis, touchant la trappe, constatait qu'elle se refroidissait.

– Il doit faire nuit, dit-elle à un moment.

Elle ne se trompait pas. Il était plus de minuit. Elle fit tomber la barre de la trappe et essaya de soulever. Quelque chose pesait. Elle s'arc-bouta. Beaurevers pleura de rage.

– C'est moi qui devrais faire tout cela !

Brusquement, la trappe céda et se rabattit. Myrta passa la tête et vit sa maison anéantie. Elle n'en eut pas un battement de cœur.

– Ils sont partis, dit-elle en redescendant. La nuit est noire. Il faut en profiter. Où irons-nous ?

– En face, dit Beaurevers. N'est-ce pas là que demeure une femme qui s'appelle la *Dame sans nom* ?

– Quoi ! dit Myrta, vous voulez aller... là !

– Certes, ma chère Myrta. Cette femme m'a dit une nuit : « Si jamais vous avez besoin d'un refuge, venez me trouver. » Voilà le refuge. Allons chez la *Dame sans nom*.

Myrta fit le signe de croix, apeurée.

– J'ai bien pu le sauver des estafiers de Roncherolles, murmura-t-elle, mais comment pourrai-je le sauver de ce spectre qu'on a vu rôder dans le cimetière des Innocents ?...

II

La maison de la rue de la Tisseranderie

Le Royal de Beaurevers se leva en se cramponnant aux murs.

– Appuyez-vous sur moi, dit Myrta. Seigneur, vos blessures sont peut-être bien dangereuses ?

– Non, ma bonne Myrta. La tête me tourne, voilà tout.

Il monta les marches, franchit les décombres, mais là il fut forcé de s'asseoir.

– Va, Myrta, va frapper à la porte de la bonne dame...

Il ferma les yeux et se renversa en arrière. Presque aussitôt, il commença à délirer... Éperdue, Myrta franchit la rue et heurta le marteau de fer ; la porte s'ouvrit dès les premiers coups ; un homme parut, de colossale stature, barbe grise ; il portait une lanterne.

– Que voulez-vous ? demanda-t-il rudement.

– Aide et secours.

– Pour qui ? fit derrière l'homme une voix douce.

Et la Dame sans nom s'avança. Myrta n'avait plus peur.

– Pour un jeune homme à qui vous avez promis assistance.

– Son nom ?

– Le Royal de Beaurevers.

– Conduisez-nous, dit la Dame. Venez, mon bon Gilles.

Le colosse que la dame avait nommé Gilles traversa la rue, guidé par Myrta. Il enleva Le Royal comme il eût fait d'une plume. Le Royal délirait, et, dans son délire, il disait :

– Le geôlier ! Voici le geôlier !...

Celui qui s'appelait Gilles s'arrêta court.

La Dame s'avança. Elle jeta un regard sur Le Royal.

– C'est le jeune homme qui nous tira une nuit des mains des spadassins. Il y a eu bataille aujourd'hui en cette auberge. Est-ce donc à lui que le grand-prévôt en voulait ?

– Oui, madame, dit Myrta.

– Il serait dangereux, reprit la dame, de le faire entrer chez moi. Peut-être saura-t-on qu'il n'est pas mort, si on fouille ces décombres. Peut-être voudra-t-on le chercher dans toutes les maisons voisines. Mais où le conduire ?

Elle parut repousser une pensée, puis :

– Soit ! murmura-t-elle. Je puis bien rentrer là-bas, puisque c'est pour sauver une créature qui m'a sauvée. Je le dois. Ce jeune homme est-il votre parent ?...

– C'est mon frère, madame ! dit Myrta en soupirant.

– Un frère ! murmura la dame. Que n'ai-je un frère, moi !... Écoutez. Vous allez rester chez moi avec la Margotte. Il faut que les abords de l'auberge incendiée soient surveillés. Quant à votre frère, je vais le mettre en sûreté. Gilles vous en donnera des nouvelles. Allons, Gilles, en route !

Myrta courba le front. La créature suspecte lui apparaissait comme un ange... Myrta entra dans la maison. La Dame sans nom se mit en chemin, portant la lanterne. Gilles suivait, tenant dans ses bras Le Royal de Beaurevers. La Dame marchait d'un pas ferme. À mesure qu'elle avançait, son visage pâle devenait plus blanc. Mais elle ne ralentit pas sa marche.

Ils arrivèrent rue de la Tissanderie...

– C'est là ! murmura la Dame en s'arrêtant devant une maison.

Ce fut sur cette porte le regard de deux yeux angoissés.

La Dame ouvrit avec une clef suspendue à son cou. Et elle entra dans la maison de la rue de la Tissanderie !...

Gilles entra à son tour, referma soigneusement la porte. Au fond de la salle basse, ils montèrent un escalier. La Dame alluma des flambeaux. Gilles déposa Le Royal de Beaurevers sur un lit. La lumière éclaira le fin visage de Beaurevers et le mit en relief... Et la Dame sans nom contempla cet inconnu !...

III

Deux vieux amis

À l'hôtel de la grande-prévôté, dans une vaste salle à manger d'une sévère magnificence, Roncherolles et Saint-André avaient soupé tête à tête.

Après le souper, Roncherolles fit apporter les vins d'Espagne et renvoya valets et maîtres d'hôtel. Alors, le grand-prévôt aborda la question du mariage de Roland avec Florise. Sa paternelle jalousie se déchaînait en lui. Mais ce fut avec un calme apparent qu'il établit ses conditions, et Saint-André, d'un bout à l'autre, fut charmant.

Premier point : Saint-André s'engageait à obtenir, pour lui, Roncherolles, un gouvernement éloigné de Paris, celui de la Guyenne par exemple.

– Eh bien, oui ! Tu auras ton gouvernement !... Il y a longtemps que c'est convenu avec le roi.

Deuxième point : Saint-André s'engageait à obtenir du roi qu'il renonçât à sa prétention de doter sa fille. Lui, Roncherolles, ne voulait pas accepter ce qu'acceptaient les plus fins gentilshommes.

– Et qui dotera Florise ? haleta Saint-André.

– Moi ! répondit rudement Roncherolles, moi seul.

Saint-André se chargea de la commission, avec assurance que le crédit du nouveau gouverneur n'en serait pas atteint.

Troisième point : Saint-André s'engageait à obtenir pour son fils Roland une importante charge dans la province.

– C'est fait ! s'écria joyeusement le maréchal en pensant que Roncherolles y venait tout seul !

– Cette charge, continua Roncherolles, serait, par exemple en la capitale de la Guyenne ? Dans le palais même du gouverneur, en sorte que Roland vivrait sous mes yeux.

– Soit encore !...

Quatrième et dernier point : Ces conditions seraient en vigueur dès le jour du mariage. Aussitôt après la cérémonie, lui, Roncherolles, partirait, pour prendre possession de sa charge. Roland voyagerait avec M. le gouverneur. Roland emmènerait sa jeune épouse.

– Ah ! fit Saint-André, à l'énoncé de la dernière clause. Difficile !... Diable !... Très difficile !...

Roncherolles se leva. Il saisit la main de Saint-André, et, d'un accent sauvage, les yeux dans les yeux :

– Dis au roi que s'il n'en était pas ainsi, je suis décidé à poignarder ma fille – et toi ensuite – entends-tu, vil courtisan ! lâche ruffian qui, pour dix écus, jetterais mon enfant aux bras de cette Majesté de l'ignominie. Et quant au roi, tu peux lui dire que je me charge de lui asséner un scandale tel, qu'il ne s'en relèvera pas !...

Saint-André avait un peu pâli. Il se borna à murmurer :

– Calme-toi, mon vieux camarade... tu déraisonnes.

Peu à peu, le grand-prévôt revint à lui. Saint-André, gaiement, emplissait les deux gobelets d'or.

– Par la sambleu, comme tu y vas ! Allons, je bois à ton gouvernement, à la charge de mon fils et à leur heureux départ le jour des noces, et sous ta conduite. Es-tu content ?

– Saint-André, si tu fais cela, tu me sauves la vie !

– Et je le ferai, vrai Dieu !...

Il était plus de dix heures. Les deux amis trinquèrent.

– Comme nous faisions jadis à la *Devinière*, t'en souvient-il ? Maître Landry avait un fameux petit vin des coteaux de Saumur. C'était le bon temps. Nous étions le bec ouvert attendant la manne. Eh bien, moi riche et toi comblé d'honneurs, nous regrettons ce temps-là.

Saint-André décida d'accepter pour la nuit l'hospitalité que lui offrait son vieux camarade...

Brusquement, dans un remous de leurs consciences, le forfait monta à leurs lèvres. Roncherolles dit à voix basse :

– Penses-tu quelquefois à *lui* ?

– Lui ! balbutia Saint-André. Qui veux-tu dire ?

– Tu le sais. Je vois que tu le sais. Tu sues la peur !

– Et après, gronda Saint-André. Toi aussi tu as peur, hein ? Tu as peur que Renaud ne soit pas mort ! Renaud ne nous avait rien fait.

Rien, sinon de nous sauver tous deux. Nous étions ses amis, ses frères. Il te donnait de l'argent. Nous l'avons trahi, nous avons livré sa femme. Nous sommes de fameux sacripants, mon brave prévôt. Plus de vingt ans ont passé et voici que tu me demandes si je pense à lui ! Tu te mets à avoir des remords. C'est trop beau pour moi : je n'ai pas de remords. Je ne pense jamais à lui. Voilà, mon camarade.

Roncherolles hochait la tête.

– Que diable veux-tu *dire* avec ton *silence ?* cria Saint-André.

C'était vrai. Le silence de Roncherolles était éloquent. Tout à coup, *sans transition,* Roncherolles dit :

– Je hais ce Nostradamus. Et toi, Saint-André ?

Le maréchal frissonna. Il répondit :

– Je le hais parce que, à la cour, il m'a fait peur.

– Il faut nous en débarrasser. D'ailleurs, le roi le veut.

– As-tu bien regardé ses yeux ? As-tu bien écouté sa voix ?

Saint-André frémit. Il fit oui de la tête.

– Eh bien, reprit Roncherolles, je jurerais que j'ai déjà vu ces yeux flamboyants, entendu cette voix d'airain. Saint-André, nous avons connu déjà ce Nostradamus !

Il y eut un long silence. Chacun d'eux se disait :

– Pourquoi le sorcier m'a-t-il menacé ? Pourquoi Nostradamus me hait-il ?

– Il faut, répéta Saint-André, nous débarrasser de cet homme.

Roncherolles, *sans transition,* dit tout à coup :

– Marie de Croixmart est morte. Dix fois j'ai été à son tombeau dans le cimetière des Innocents.

– Elle est dans le tombeau, fit Saint-André. Notre bon roi était amoureux. Il fit faire un tombeau à la morte.

– Celle-là est morte. Plus rien à craindre de ce côté.

– Et l'enfant est mort, ajouta Saint-André.

– Ce n'est pas nous qui avons tué Marie, gronda Roncherolles. Ce fut le dauphin qui, jaloux, la poignarda.

– Et ce n'est pas nous qui avons tué l'enfant, bégaya Saint-André.

Ce fut Brabant-le-Brabançon qui s'en chargea.

– L'enfant, lui aussi, est mort...

– Il est mort...

À ce moment, un homme essoufflé d'avoir couru fut introduit. C'était le baron de Lagarde. Il dit :

– Le Royal de Beaurevers est sorti vivant des décombres de l'auberge incendiée. Prenez garde. Il est vivant !...

IV

Le spectre

Roncherolles et Saint-André eurent le même soupir de soulagement. Ils échangèrent un regard qui signifiait :

– *J'ai cru qu'on venait dire* : L'ENFANT N'EST PAS MORT !

– Lagarde, êtes-vous sûr ? gronda Roncherolles.

– Je l'ai vu de mes yeux. Il est sorti des ruines et s'est évanoui. Alors est arrivée une femme accompagnée de je ne sais quel géant. Le Royal est grièvement blessé car il a fallu que le géant le prenne sur ses épaules pour l'emporter.

– Où cela ?... Où l'a-t-on emporté ?

– Les deux hommes que j'ai laissés en surveillance rue des Lavandières vont nous le dire.

– En route ! dit Saint-André. Une escorte, grand-prévôt.

– En route ! fit Roncherolles d'un ton bref.

Rue des Lavandières, devant les ruines de l'auberge, ils trouvèrent l'un de l'escadron de fer : lui et son camarade avaient suivi le géant qui emportait Beaurevers. Le camarade était resté en sentinelle devant la maison où était entré le géant.

– Conduis-nous, dit Roncherolles.

– Je me charge de l'achever, dit Saint-André.

– Non pas ! fit Roncherolles. Il faut que le drôle soit pendu. Il le sera. À l'aube prochaine, devant les fenêtres de mon hôtel.

À ce moment, Roncherolles frémit, s'arrêta et gronda :

– Ah çà, mais nous entrons dans la rue de la Tisseranderie !

– Tiens, c'est vrai, grimaça Saint-André.

– Lagarde ! fit le grand-prévôt, est-ce donc dans cette rue ?

– Il paraît !...

Roncherolles se pencha vers Saint-André, et, avec un soupir :

– Vingt-deux ans que je n'ai mis les pieds dans cette rue.

– Moi aussi ! dit Saint-André. C'est une occasion d'y rentrer.

– Messieurs, dit Lagarde, c'est ici.

– Quoi ! hurlèrent le maréchal et le grand-prévôt.

– Le Royal de Beaurevers est dans cette maison.

Ils levèrent les yeux sur la maison : puis ils baissèrent la tête ; ils eurent cette vague intuition que l'épouvante les avait conduits jusqu'à ces pierres qui semblaient crier : « Nous avons vu ! »

Car cette maison, c'était celle où ils avaient juré à Renaud de veiller sur Marie de Croixmart, où ils avaient poignardé la vieille Bertrande, où ils avaient conduit les deux jeunes princes pour leur livrer la femme de Renaud, c'était la maison devant laquelle ils n'étaient plus jamais passés.

– C'est un hasard, dit le maréchal, un hasard, voilà tout. Est-ce que nous avons peur d'un hasard ?

– Non ! gronda Roncherolles. Entrons. Et nous verrons. Lagarde, tenez-vous dans la rue avec vos deux hommes.

– Pourquoi entrons-nous seuls ? bégaya Saint-André.

– Un hasard nous conduit dans la maison. Si ce même hasard voulait qu'il soit resté une trace de ce qui s'est passé jadis, je ne veux pas de témoins. Entrons seuls.

Roncherolles heurta le marteau de la porte. Elle s'ouvrit à l'instant même. Ils entrèrent, et ne virent personne.

Saint-André repoussa la porte. Un cierge sur un bahut éclairait la salle. Ils la reconnurent tout de suite. Au fond, le même escalier au pied duquel dame Bertrande s'était placée pour empêcher les deux princes de monter. Ils n'osaient se regarder, crainte de voir l'épouvante sur leurs visages. Le grand-prévôt fit un effort.

– Il s'agit, dit-il, d'arrêter Le Royal de Beaurevers et de le pendre, il ne s'agit pas d'autre chose.

– C'est vrai, fit le maréchal. Nous avons eu peur d'une ombre. Holà ! n'y a-t-il donc personne ?

– De par le roi ! cria de son côté Roncherolles très fort.

– On ne répond pas. Il s'agit de monter là-haut. Nous y trouverons le sacripant, et tu lui mettras la main au collet.

Chacun d'eux voulut prouver à l'autre qu'il était plus fort que la peur ! Ils montèrent.

En haut, personne. Leur terreur s'évanouit. Trois portes s'ouvraient sur la salle où ils se trouvaient. Celle du milieu donnait sur la chambre où ils avaient vu jadis Marie endormie.

Au même instant, tous deux furent pétrifiés. La terreur qu'ils oubliaient rentra dans leurs esprits exorbités. Ils n'eurent pas la force de se sauver. Ils se sentirent prisonniers de l'horreur, et, dans un souffle, bégayèrent :

– Marie de Croixmart !...

Elle était debout. Elle portait les mêmes vêtements de deuil qu'elle n'avait pas voulu quitter, même la nuit du mariage. Seuls les cheveux gris eussent dénoncé les années qui pesaient sur ce front ; mais un voile noir la cachait. C'était bien elle ! Ils se sentirent devenir fous.

À ce moment, ils éprouvèrent comme un choc terrible : le spectre parlait !... Et voici ce qu'il disait :

– *Marie de Croixmart est morte.* Vous le savez bien, Gaëtan de Roncherolles, Albon de Saint-André. Elle est morte, puisque vous l'avez assassinée. Et je vais vous le prouver.

Le spectre commença à descendre l'escalier.

– Venez ! dit le spectre en se retournant.

Ils se mirent en route, d'une secousse. De toutes leurs forces, de toute leur volonté, ils essayèrent de résister. Mais ils suivirent, toujours se tenant par la main, enchaînés l'un à l'autre par la même horreur, comme ils l'avaient été par le même crime.

Le spectre franchit la porte de la rue : ils la franchirent. Et, derrière eux, la porte se referma. Lagarde et ses deux compagnons les virent passer. Lagarde voulut s'élancer. Mais il les vit si mornes, si décomposés, qu'il s'arrêta frappé de stupeur. Il eut la sensation qu'il se passait quelque chose d'effroyable, et, de loin, il suivit le groupe fantastique.

Le spectre arriva au cimetière des Innocents et y entra. Le grand-prévôt et le maréchal entrèrent... Lagarde regardait.

– Elle va au tombeau ! râla le grand-prévôt.

– Oui. À son tombeau ! souffla le maréchal.

Le spectre atteignit la tombe. Les deux damnés s'arrêtèrent à dix pas. Ils étaient résolus à mourir plutôt qu'à faire un pas de plus. Cette idée que le spectre les avait attirés là *pour les faire entrer* VIVANTS DANS LA MORT, leur tenaillait le cerveau.

– Pas un pas de plus, Saint-André !

– Non ! Si elle nous appelle, tue-moi, Roncherolles !

Le spectre se retourna vers eux. Ils voyaient distinctement son visage que les clartés de la lune faisaient plus pâle. Alors le spectre leur parla. Il disait :

– Marie de Croixmart est morte. Pourquoi l'avez-vous appelée ? *Je suis morte.* Vous le savez. J'ai été tuée par vous. François ne fut que le poignard qui frappe. Vous fûtes la pensée qui tue. Je suis donc morte, et voici ma tombe... Écoutez ce que votre maître Henri a fait graver sur la pierre : *Ici repose Marie... Puisse-t-elle, du haut des cieux, pardonner à ceux qui l'ont tuée... Les vivants se chargent de la venger.*

Ils étaient âgés. Le spectre, d'une voix sourde, reprit :

– *Puisse-t-elle pardonner à ceux qui l'ont tuée !* Écoutez, vous qui m'avez tuée ! Cette prière est vaine. Je n'ai point pardonné ! Je ne pardonnerai jamais !...

Presque aussitôt, sa voix devint un cri terrible :

– *Les vivants se chargent de me venger !...*

Dans le même instant, le spectre disparut.

– Elle est rentrée dans la tombe ! dit Saint-André.

– Rentrée chez les morts ! dit Roncherolles.

Alors, lentement, ils arrivèrent à la porte du cimetière. Là, ils trouvèrent Lagarde qui voulut hasarder une question. Mais ils ne répondirent pas.

– Ils sont possédés du diable ! grommela le baron.

Pensif, il les regarda s'en aller d'un pas titubant.

Lagarde et ses deux hommes coururent à la maison de la rue de la Tisseranderie ; ils trouvèrent la porte entrouverte. Ils entrèrent, visitèrent la maison. Ils ne trouvèrent personne ; ni le géant, ni Le Royal de Beaurevers.

V

Marie de Croixmart

Après avoir lancé son imprécation, Marie avait contourné le tombeau, et, à bout de force, elle s'était abattue à genoux, non pas devant *sa tombe,* mais devant une autre toute proche, une dalle sur laquelle aucun nom n'était gravé. C'était elle-même qui avait fait poser là cette dalle.

Cette tombe était devenue le but de ses quotidiennes promenades ; elle s'y plaisait ; elle s'y sentait protégée ; c'est là que, par une nuit effrayante, elle était venue avec Renaud, quand il avait enterré là les ossements de sa mère, brûlée vive sur l'ordre du seigneur de Croixmart...

Renaud, la terrible scène qui avait suivi le mariage, la lecture de la lettre où elle se dénonçait elle-même, c'étaient là des souvenirs sur lesquels elle se penchait.

La scène de la lecture avait été racontée par Roncherolles et Saint-André pendant le procès de Marie. La Margotte – la geôlière – la lui avait racontée à son tour. Car Marie, endormie magnétiquement, n'en avait aucun souvenir. Et alors, elle avait compris ou cru comprendre pourquoi Renaud n'était jamais revenu !

– C'est égal, pensait-elle en ses rêveries, il eût pu me pardonner cela. Était-ce ma faute, si je m'appelais Croixmart ? A-t-il pu croire que j'ai dénoncé quelqu'un, moi ! Que j'ai dénoncé sa mère ! J'avais tout fait au monde pour essayer de lui cacher mon triste nom. Renaud, j'ai, pour toi, menti à Dieu, sur l'autel. Que dis-je ? J'ai tenté d'éviter le mariage ! J'ai étouffé mes pudeurs de fille !... et ton fils est né ! Ton fils né dans les cachots du Temple, le geôlier et la geôlière en ont eu pitié... mais toi !...

Puis, elle ne savait plus. L'enfant avait disparu. Emporté, lui avaient dit Gilles et La Margotte, par Brabant-le-Brabançon, un homme capable de tuer un enfant. L'enfant était donc mort. Et mort aussi, sans doute, Renaud !

Et tandis que sur la tombe de la suppliciée, Marie de Croixmart sanglotait, râlait, appelait Renaud, appelait son fils, elle se demandait pourquoi elle vivait encore... Et comme elle ne pouvait détacher sa pensée des deux démons qui venaient de lui apparaître, elle comprit que c'était pour assister à leur châtiment.

Brisée, Marie de Croixmart se releva enfin, sortit du cimetière et reprit le chemin de la rue de la Tisseranderie. Elle songeait à Renaud :

– Pourquoi n'est-il pas revenu, selon sa promesse ? Sait-il qu'il a un fils ?... Si je le revoyais, que lui dirais-je ?...

Et alors, tantôt elle se voyait reprochant à Renaud son abandon. Tantôt elle se voyait lui demandant pardon d'être la fille de Croixmart...

Ce qu'il y avait au fond de son cœur, c'était l'amour resté jeune. Ce qui la faisait vivre, c'était son amour...

Une fois de plus, donc, elle se demandait en sanglotant :

– Sait-il qu'il a un fils ?...

Elle répéta doucement, comme dans une caresse :

– Notre fils... mon fils...

En prononçant ce mot « mon fils », sans cesser de pleurer, elle se prit à sourire. Elle sourit, oui, et murmura :

– Il aurait vingt-deux ans à la Saint-Jean. Il serait grand comme Renaud, hardi comme lui, noble de cœur et généreux comme lui. Il porterait fièrement l'épée. Il serait le plus beau.

Marie de Croixmart frappa à la porte de la maison – selon un signal convenu avec Gilles. Elle semblait calmée.

– Ils sont entrés à trois, dit l'ex-geôlier, et ont tout visité.

– Je pense qu'ils n'ont pas découvert la chambre secrète ?

– Il aurait fallu des malins. Et si c'était arrivé, je leur sautais dessus. Ils ne seraient pas sortis vivants.

– Et ce jeune homme ? reprit-elle.

– Il dort comme un bienheureux.

Marie fit signe à Gilles de veiller en bas. D'ailleurs, depuis plus de vingt ans que le geôlier et sa femme s'étaient attachés à elle, elle avait pris l'habitude de s'en remettre à eux. Si des ennemis tentaient de l'approcher, il leur faudrait d'abord passer sur Gilles et la

Margotte. Elle monta. Dans la chambre où tout à l'heure l'avaient vue Roncherolles et Saint-André, elle poussa un panneau de lambris ; une porte étroite béa. Marie entra.

C'était une petite chambre, où il n'y avait qu'un lit, une table et deux ou trois chaises, évidemment un refuge secret. Un jeune homme dormait paisiblement dans le lit. Et Marie de Croixmart se pencha sur Le Royal de Beaurevers.

VI

Le nom maudit

Un inexprimable attendrissement lui vint. Elle posa le flambeau loin du lit, et elle-même s'assit loin du lit, les yeux fixés sur ce visage placé ainsi dans la pénombre. Parfois un brouillard s'étendait devant elle, et alors cette figure semblait s'animer. Elle souriait. Elle ouvrait les yeux...

Et ce n'était pas le regard de Beaurevers !... Dans un de ces moments, Marie se leva toute droite, terrifiée.

Le brouillard disparut... Le visage redevint ce qu'il était : celui de Beaurevers... d'un inconnu. Elle murmura :

– J'ai cru... chimère de mon pauvre cerveau affolé... oh ! j'ai cru que là, sur ce lit, *c'était* RENAUD !...

Les heures s'écoulèrent. Le jour vint. Marie était restée là. Elle n'éprouvait aucune fatigue. Elle continuait à fixer ce jeune visage. Elle luttait contre un mirage. Mais le mirage fut le plus fort. Tout à coup, Marie de Croixmart s'approcha du lit et balbutia :

– Quoi que je fasse et dise, cet inconnu ressemble... oui, c'est vrai... ce jeune homme RESSEMBLE À RENAUD !...

Brusquement, la suggestion fut complète.

– Est-ce toi, Renaud ? demanda-t-elle.

Et elle avait cette même voix de rêve qu'elle avait jadis lorsque Renaud l'endormait. À ce moment, Le Royal ouvrit les yeux. Cette figure pétrifiée, ces yeux qui ne voyaient pas et qui pourtant se fixaient sur lui, cette voix qui ne ressemblait à aucune des voix qu'il avait entendues, cela lui produisit une prodigieuse sensation d'étonnement mêlé d'effroi. Il tint les yeux fixés sur la voyante. Elle parlait lentement.

– C'est donc toi, mon bien-aimé ? Tu m'as donc entendue enfin ? Oh ! comme je t'ai appelé ! Comme j'ai pleuré ! Renaud, n'as-tu jamais eu pitié de ta femme ? Écoute ! Ce qu'il y avait sur la lettre, c'était vrai ! Je suis Marie de Croixmart...

– Marie de Croixmart ! répéta sourdement Le Royal.

En une seconde, l'affreuse légende qui s'était faite sur ce nom s'échafauda dans son esprit. La conversation que devant lui, dans les caves de la grande prévôté, avaient eue Trinquemaille, Corpodibale, Strapafar et Bouracan se retraça dans sa mémoire. Et aussi son indignation ! Et aussi la promesse qu'il avait faite de punir Marie de Croixmart ! La dénonciatrice ! Ses poings se crispèrent.

– Si c'est elle, par tous les diables d'enfer, je...

– Renaud, disait Marie. J'avoue. Je suis la fille du grand juge. Je porte ce nom abhorré de Croixmart...

– Enfer ! hurla Beaurevers. C'est bien elle !

Marie s'était abattue sur les genoux. Elle sanglotait. *Elle répétait la scène de la lecture.* Son esprit *repassait par toutes les phases de cette scène.* Et c'était à faire frissonner de pitié...

Et Le Royal de Beaurevers frissonnait. Et lorsque Marie revint à la vie normale, lorsqu'elle se releva effarée, il n'y avait plus que de la pitié dans l'âme du jeune homme. D'avoir entendu de pareils sanglots, Le Royal de Beaurevers pleurait... Et il murmurait :

– Pauvre femme !...

– Vous êtes réveillé, dit Marie de Croixmart en tremblant. Depuis quand ? Qu'ai-je fait depuis que vous êtes réveillé ?

– Rien, madame, dit doucement Le Royal.

– Rien ? Est-ce bien sûr ? J'ai dû parler, dire des choses... extravagantes, sans doute. Qu'ai-je dit ?...

– Rien, madame...

– N'ai-je pas dit que je m'appelais... j'ai dû dire un nom...

– Madame, dit Beaurevers, je sais que vous vous appelez la Dame sans nom. Moi, je m'appelle Le Royal de Beaurevers. Vous m'avez offert un abri. C'est tout ce que je sais.

Un joyeux sourire éclaira cette pâle physionomie. Elle s'occupa aussitôt de défaire le bandage de la blessure pour renouveler la compresse. Le Royal de Beaurevers songeait :

– Non, je ne punirai pas cette pauvre femme. Si Trinquemaille et ses acolytes osaient venir lui demander compte de son passé, ils auraient affaire à moi !... Mais puis-je demeurer sous le même toit que la fille de ce grand juge dont la mémoire suscite encore des malédictions !... Non, je ne resterai pas ici... et pourtant... qui sait ce qu'elle a pu souffrir !...

– Vous sentez-vous mieux ? fit Marie de Croixmart.

– Si bien, madame, que je vais pouvoir me retirer...

– Vous voulez vous en aller ! Blessé comme vous êtes !

– J'en ai bien vu d'autres. Que de fois il m'est arrivé de monter à cheval tout saignant et de faire l'étape sans autre baume qu'un linge mouillé sur la blessure !

– Mais vous êtes traqué ! Vous ne vous en irez pas !

– Il le faut. Et quant à ceux qui me poursuivent, le mieux qui puisse leur arriver, c'est de ne pas me rencontrer. Au surplus, il faut tôt ou tard que cela ait une fin.

Marie de Croixmart, en proie à une exaltation mystérieuse, lui saisit la main, hésita, balbutia, puis, tout d'un coup :

– *Avez-vous connu votre mère ?*...

– Oui, dit simplement Beaurevers. Elle s'appelait Myrtho. Elle habitait dans la Cour des Miracles. C'est là, que j'ai été élevé. Vous voyez, je suis un homme de sac et de corde. On me l'a dit, le métier que j'exerce est plus horrible encore que le métier du grand-prévôt...

Marie de Croixmart laissa tomber ses bras découragés.

– Sa mère s'appelait Myrtho, murmura-t-elle. Chimère de mon cerveau !... Dites-moi, mon enfant, alors, cette femme qui était avec nous dans les ruines de l'auberge...

– Myrta ?...

– Oui. Vous êtes son frère ?... fit Marie palpitante.

– Bonne Myrta. Oui, madame, je suis son frère...

Marie de Croixmart secoua la tête et murmura :

– Ressemblance ? Rêve !... Et puis, quand même il y aurait ressemblance ?... Est-ce la première fois que les traits d'un visage répètent vaguement les traits d'un autre visage ?...

Elle sortit de la chambre. Le Royal de Beaurevers s'habilla. Dans la salle du bas, il trouva la Dame sans nom.

– Merci, de votre hospitalité, de votre baume, et adieu.

Les mains jointes, d'une voix de caresse, elle implora :

– Vous reviendrez, n'est-ce pas ?...

– Je ne crois pas, fit-il brusquement.

Marie baissa la tête et ses larmes coulèrent... Le Royal, à la porte, hésita. Ces larmes lui faisaient mal. Brusquement, d'un bond, il fut près d'elle, lui saisit les deux mains, se courba, baisa ses mains diaphanes, et, sanglotant, sans savoir pourquoi :

– Eh bien, oui, oui ! Je reviendrai, je vous le jure !

Et il s'élança au dehors...

Quatorzième chapitre
Recrues à l'escadron

I

Gardes du corps

Si le lecteur a oublié peut-être que Le Royal avait donné rendez-vous chez Myrta à Bouracan, Strapafar, Corpodibale et Trinquemaille, eux n'avaient garde de l'oublier.

Ils arrivèrent donc rue des Lavandières. Lorsqu'ils furent arrivés, ils demeurèrent consternés, n'en pouvant croire leurs yeux. Mais il fallait bien se rendre à l'évidence ; il n'y avait plus d'auberge !

Les quatre estafiers songèrent à s'informer des moyens de retrouver Beaurevers. Trinquemaille, que son caractère onctueux et papelard appelait aux délicates missions, fut délégué vers un bourgeois ventru et congestionné, lequel, établi tripier et marchand de rogatons à quelques pas de l'auberge, avait tout vu et pour la septième fois depuis le matin, recommençait le récit de l'incendie.

Notre bourgeois avait réellement tout vu. Sollicité par Trinquemaille et enchanté de trouver un auditeur de bonne volonté, il recommença une huitième fois son poème. Lorsqu'il eut terminé, Trinquemaille était pâle et tremblant.

– Mes enfants, nous sommes perdus, dit-il à ses acolytes.

– Quoi ? Qu'est-ce qui se passe ?

– Le Royal est mort ! Attaqué par une bande de ruffians du guet, il s'est enfermé dans l'auberge, à laquelle il a mis le feu plutôt que de se rendre vif. Honneur à sa mémoire !

Ils se regardèrent et se firent pitié les uns aux autres. Pour la première fois de leur vie, ils connaissaient la douleur. Et cette douleur n'était pas seulement sincère, elle était désintéressée.

Désemparés, ils partirent pour aller à l'aventure. À ce moment, Trinquemaille se sentit arrêté par le manteau :

– Myrta !...

– Chut ! Et suivez-moi tous quatre.

Ils suivirent, le cœur battant. Myrta les fit entrer dans le logis de la *Dame sans nom,* où, la Margotte, stylée par Myrta, leur servit d'un certain vin, qui suscita en eux une véritable vénération. Et alors, Myrta :

– *Il n'est pas mort !...*

Pas mort ! Ils en ouvrirent des yeux féroces. Mais tout aussitôt, se poussant du coude, haussant les épaules et souriants, bien que les voix éraillées fussent un peu tremblantes :

– Je le disais, té ! Il ne pouvait mourir comme ça !

– Palsambleu ! je disais que saint Pancrace ne pouvait s'être ainsi comporté envers Le Royal de Beaurevers !

– Jo lo disais. La prima spada du monde et d'ailleurs !

– C'hallais le tire. C'être bas bossible.

Myrta les connaissait : elle vit clairement leur ravissement.

– Voici, dit-elle. Le Royal n'est pas mort. Il est blessé. Il a été transporté dans une maison de la rue de la Tisseranderie. Il y a une demi-heure, il en est sorti. Gilles l'a suivi et vu entrer dans un hôtel de la rue Froidmantel. Il y a un pont-levis, vous le reconnaîtrez. Dans la rue, il y a le cabaret de la Truie-Blanche. Or, Le Royal est traqué par les gens de Saint-André, par les gens du chevalier du guet, par les gens du grand-prévôt, par les gens du roi. Tout ce qu'il y a à Paris de bourreaux et de valets de bourreaux est à ses trousses. Il s'agit de le surveiller, de le protéger, de mourir pour lui ou avec lui. Voulez-vous veiller sur lui ? Je vous embauche. Vous vous installez à la Truie. C'est moi qui paie toute la dépense et je vous donne en plus, à chacun, deux écus par jour. Cent écus sont en outre assurés à chacun de vous à la fin de cette campagne. Acceptez-vous ?

Il y eut des grognements, des rugissements, de furieux appels du pied, de grands gestes à tout pourfendre !...

– Gardes du corps du Royal ! Ça nous va, milodious !

– Ça nous va ! Et les écus aussi ! dit Trinquemaille.

– À la Truie ! vociféra Corpodibale.

– Forvertz ! rugit Bouracan.

II

Le conseiller invisible

Une semaine s'écoula, pendant laquelle les divers acteurs de la bataille engagée parurent reprendre haleine. En réalité les acteurs de ce drame étaient arrivés à un point où tous avaient reçu le suprême avertissement de la destinée. Le roi Henri, Catherine de Médicis, Montgomery, Roncherolles, Saint-André, son fils Roland, Lagarde, Marie de Croixmart, Le Royal de Beaurevers, Florise, chacun de ces êtres se disait que l'heure approchait où il allait se passer quelque chose d'effrayant dans son existence...

Sur toutes ces angoisses planait la figure de Nostradamus.

On touchait à juin. Paris était paisible. Depuis quelque temps les prédications contre les huguenots baissaient de ton. Le temps et les consciences étaient au beau fixe... En attendant la tempête !

Le soir du 30 mai de l'an 1559, il y eut au Louvre un conseil secret auquel prirent part Henri II, Jacques d'Albon de Saint-André, maréchal de France, Roland de Saint-André, fils du maréchal, Gaëtan de Roncherolles grand-prévôt royal de la ville de Paris, le révérend père Ignace de Loyola, Gabriel de Montgomery capitaine général du Louvre.

Quant à Catherine de Médicis, on ne l'appelait jamais. Seulement, elle assistait tout de même au conseil, comme on va le voir.

Il s'agissait de Nostradamus.

Tout le monde était d'accord. Le roi n'avait qu'à confirmer ce qu'il avait murmuré à Roncherolles ou à Saint-André : son désir d'être débarrassé du sorcier...

Le moine, miné par la maladie, grelottant de fièvre, avait affirmé avec une terrible froideur qu'il ne s'en irait pas de Paris laissant derrière lui une aussi formidable insulte à la religion : la sorcellerie tolérée en plein cœur du royaume chrétien. Roland avait assuré qu'on ferait d'une pierre deux coups et que, d'après les rapports de Lagarde, Le Royal s'était réfugié en l'hôtel du sorcier. Montgomery avait dit que cet homme en savait trop et était une menace pour la sûreté de l'État. Saint-André avait raconté en pâlissant qu'une aventure qui venait de lui arriver à lui et à Roncherolles lui faisait croire que, depuis la présence de Nostradamus à Paris, le temps des miracles infernaux était revenu. Roncherolles avait dit que l'affluence à l'hôtel de la rue Froidmantel était un scandale menaçant la sûreté de Paris.

Lorsque tout le monde eut donné son avis, le roi, les yeux fixes, la physionomie bouleversée, parut lutter contre un dernier conseiller invisible. Sûrement, quelqu'un était près de lui – quelqu'un qu'on ne voyait pas et qui lui parlait. Le roi, du geste, refusait ; de la voix, il grondait ; parfois il écumait. Loyola priait. Les autres claquaient des dents. Seuls Roncherolles et Saint-André regardaient cela avec la farouche curiosité de gens qu'un tel spectacle ne pouvait étonner. Enfin Henri rugit :

– Je veux que cet homme soit arrêté. Je veux qu'on instruise son procès. Je veux qu'il périsse par le feu sur la Grève !

– Dieu soit loué ! dit Loyola avec ferveur.

Le roi se retira aussitôt dans ses appartements. Le moine partit aussi ; on dut le porter à sa litière. Demeurés seuls, les hommes de guerre firent leur plan. Ils résolurent de s'adjoindre Lagarde. Ils convinrent que cent archers du guet suffiraient pour l'arrestation de Nostradamus et de son hôte Beaurevers. Enfin, ils résolurent d'agir le lendemain vers le milieu de la nuit. Montgomery se retira en songeant :

– La reine est sauvée. Quand je devrais y laisser ma vie, cet homme qui sait le terrible secret mourra de ma main.

– Florise est à moi, songea Roland de Saint-André.

Le maréchal et le grand prévôt, restés seuls, se regardèrent.

– Crois-tu que nous puissions les arrêter ? fit Saint-André.

– *Je ne sais pas !* répondit sourdement Roncherolles.

III

Au rapport

Lorsque tout le monde eut quitté la salle du conseil, la tenture qui masquait une des fenêtres se souleva, et Lagarde parut. Il se dirigea vers les appartements de la reine, auprès de laquelle il fut admis dès qu'il se présenta.

– Madame, dit Lagarde, il s'agit de l'arrestation du sorcier, du sire de Notredame.

Catherine tressaillit :

– Et ce rebelle ? Ce Beaurevers ? fit-elle d'une voix dure. Depuis quelques jours vous jouez de malheur, Lagarde...

– Je sais ce qu'il advint à mon prédécesseur, madame, lorsqu'il cessa de vous plaire. Vous le priâtes un jour de vous accompagner. En passant dans un couloir souterrain, une trappe s'ouvrit sous ses pas, et depuis on ne l'a plus revu. Vous m'avez montré la trappe, madame. Je suis prêt à y passer. En attendant, je fais de mon mieux.

Il y avait une sorte de grandeur sauvage dans cette attitude. Catherine l'admira un instant, puis plus doucement :

– Je le sais. Ce n'est pas ta faute si la fatalité a voulu que... Nous trouverons une autre occasion. Dis-moi... le roi...

– Depuis le soir, fit Lagarde, il n'est jamais sorti du Louvre.

– Tiens, mon bon Lagarde, prends ce diamant. Il me fut donné par le municipe de Florence. Je sais que tu es prêt pour une autre fois. Il vaut bien quarante mille livres. Sans doute, tu es fidèle, brave, adroit. Ne parlons plus de l'affaire de la grande-prévôté, Lagarde. Une autre occasion viendra. Mais ce Beaurevers !... Là, pourtant, tu marches à visage découvert, pour le compte du roi... Tu l'as perdu, dis ?

Lagarde se redressa.

– Madame, dit-il, on connaît son métier, je pense. Suivre à la piste une bête traquée, ne pas lâcher un instant le fil conducteur, voilà le délicat de la profession. Je tiens le Beaurevers, madame. Je ne l'ai pas perdu une minute. Il sera arrêté demain ; arrêté ou poignardé, comme vous voudrez. Car il a pris gîte chez Nostradamus, et il paraît que je fais partie de l'expédition contre le sorcier.

Catherine murmura ces mots que Lagarde n'entendit pas :

– Beaurevers chez Nostradamus !... Que peut-il y avoir entre ces deux hommes ?

Elle reprit d'une voix lente :

– Veux-tu savoir mon idée ? Eh bien, Nostradamus ne sera pas arrêté. Beaurevers ne sera pas arrêté.

– Pourquoi ? Ce sorcier vient-il au nom du diable ?

– Peut-être ! À moins qu'il ne vienne au nom de Dieu. Quoi qu'il en soit, il me faut ce Beaurevers. Il sait des choses, Lagarde. Je vois maintenant comment il les sait. As-tu réorganisé ton escadron décimé par lui ?

– Sur douze, qui est le chiffre réglementaire, nous avons huit cœurs solides, huit dagues de première force. Il nous en manque quatre, et les vides seront comblés.

– Cherche-les Lagarde, hâte-toi. Trouve-les. Je ne peux plus attendre. Ces hommes portent ma fortune. Es-tu sûr des huit que tu as ?

– Comme de moi-même, madame. Quant aux quatre qui manquent, peut-être les aurais-je bientôt... Je les étudie depuis quelques jours... qui sait ?... mais non ! impossible.

– Qui sont-ils ? fit Catherine avec un regard perçant.

– Madame, avez-vous entendu parler de la mort du baron Gerfaut, seigneur de Croixmart, sous le règne du feu roi ?

Le sire de Croixmart était grand juge. Un matin d'exécution publique, il fut saisi, en place de Grève, et mis en morceaux. Eh bien, madame, le grand juge fut saisi et tué par les quatre dont je vous parle. Avez-vous entendu parler de Brabant-le-Brabançon ? On l'appelait le poignard du duc d'Orléans. Il était à l'époque dont je vous parle, pour votre époux, ce que j'ai l'honneur d'être pour vous. Après l'affaire de la place de Grève, les quatre disparurent. Brabant-le-Brabançon disparut aussi. En Flandre, en Italie, en France, Brabant conquit la réputation d'un diable. Il sema l'épouvante. Eh bien, les quatre dont je vous parle étaient les quatre épées de

Brabant. Plus près de nous, madame, ce sont ces quatre-là qui, conduits par Beaurevers, sont tombés sur nous sous les murs de la grande prévôté. Ce sont ces quatre qui ont gardé le roi prisonnier dans le logis de la rue Calandre. Voilà les quatre que je voudrais vous offrir. Malheureusement, ils sont corps et âme à celui qu'il faut supprimer : à Beaurevers. Et je vais être obligé de les supprimer eux-mêmes !

– Où sont ces hommes ? fit la reine après un silence.

– Dans un cabaret de la rue Froidmantel, où ils surveillent et guettent, prêts à mourir pour leur chef.

– Quels hommes sont-ils ?

– Insoucieux, sans scrupules, ne connaissant d'autre Dieu que leur Beaurevers, bons à prendre ou à pendre.

Catherine retomba dans sa méditation. Enfin, elle dit :

– Tu ne toucheras pas à ces hommes. Dans deux jours, tu leur feras tes propositions. Ils accepteront. Va maintenant.

Lagarde s'inclina et sortit sans demander d'autres explications. Alors Catherine se redressa, s'approcha d'un miroir et regarda attentivement son front.

– La trace a disparu, murmura-t-elle. La trace du doigt de François. Sire, trouvez-vous toujours que Catherine de Médicis *sent la mort ?...* Prenez garde ! Plus que jamais la mort est là qui vous touche... Que mes braves filles réussissent, et ce Beaurevers succombe. Après lui, Nostradamus ! Après lui, Montgomery ! Tous ceux qui savent ! Et après lui, le roi !... Et alors, je suis la reine ! Et je prépare à mon fils un trône digne de lui...

Elle frappa sur un timbre. Une suivante apparut.

– Envoyez-moi Mlles de L..., de B..., de M... et d'O...

IV

L'escadron volant

Ce jour-là, donc, vers cinq heures du soir, ils étaient tous quatre dans la rue Froidmantel, se promenant.

– Vé, disait Strapafar, encore une litière. Cette fois, c'est une grande dame qui franchit le pont-levis. Est-elle assez jolie ! Que peut-elle avoir à demander au sorcier ?

– Il y en a ! Il y en a des litières ! Comptons-les.

– Ces deux, c'est au moins ouna marquesa et ouna doukessà...

– C'ti montsir, baufre tiaple, il n'afre plus ses champes...

– Voici des ribaudes qui arrivent à la file.

– Encore une pigeounette qui passe le pont.

C'était leur émerveillement de tous les jours, cette foule bigarrée, grandes dames, ribaudes, bourgeoises, artisans, hommes d'armes, seigneurs, enfants, vieillards, foule sans cesse renouvelée qui venait demander la santé au guérisseur, des philtres d'amour ou de mort au sorcier, des horoscopes à l'astrologue :

À midi, le pont-levis était baissé : dès l'aube des gens attendaient ! Alors, on commençait à entrer. Les gens étaient reçus par le petit vieillard grimaçant. Les uns sortaient désespérés, mais ceux-là, on ne voulait pas les entendre. D'autres sortaient hurlant de joie, criaient qu'ils étaient sauvés. Alors, une rafale passait : Encore un miracle !

Le guérisseur recevait indistinctement quiconque se présentait à la porte ; il refusait toute espèce de paiement.

Le seul ordre était l'ordre d'arrivée au pont-levis. À sept heures du soir, le pont-levis se relevait : on n'entrait plus. Alors la rue se vidait en quelques minutes. Et le lendemain cela recommençait.

Ce soir-là, comme les soirs précédents, nos quatre gardes du corps – gardes de Royal-Beaurevers ! – ayant assisté à ce brusque changement à vue, regagnèrent le cabaret de la *Truie-Blanche* pour s'y livrer à cette occupation agréable qu'était le souper.

– Tiens ! fit Trinquemaille. Des servantes !...

Généralement c'était l'hôtesse qui servait, aidée par une goton. Ils s'étaient arrêtés, stupéfaits de l'aubaine.

– Elles sont quatre, reprit Trinquemaille.

– Et nous être quatre, observa judicieusement Bouracan.

– Qu'elles sont jolies, madonna ! gronda Corpodibale.

– Outre ! fit Strapafar avec un sifflement d'admiration.

Ils se mirent à table, et attaquèrent. Les quatre servantes s'empressaient autour d'eux avec des sourires bienveillants. Elles portaient le costume ordinaire des servantes d'auberge. Seulement ces costumes étaient faits d'étoffes fines. C'étaient des servantes qui sentaient la grande dame déguisée.

Elles étaient fringantes. Nos quatre estafiers louchaient.

Il y avait une blonde, une châtaine, une rousse et une brune. La blonde eut Trinquemaille, la brune eut Strapafar, la rousse eut Bouracan et la châtaine Corpodibale. Vers le chapon aux perdreaux, elles s'assirent près de nos estafiers. Vers les vins d'Espagne, elles consentaient à se laisser pincer la taille ; mais Bouracan ayant voulu embrasser sa rousse reçut un soufflet d'une main fine, mais sévère. Trinquemaille invoquait saint Pancrace au secours de sa vertu ; Corpodibale chantait une sérénade de son pays ; Strapafar roulait des yeux incandescents.

Cette soirée-là resta dans leur mémoire comme un rêve.

Nos braves, sur les onze heures et demie, étaient ivres de vin, de palabres, d'attendrissement, d'amour. Il leur restait à connaître l'ivresse de l'amour-propre satisfait. Il paraît que les drôlesses avaient appris à fond l'art de la flatterie. La rousse, abandonnant tout à coup son élégante prononciation, se prit à dire :

– Ha, mein gott, mentsir Bouracan, il être choli carçon !

Strapafar traduisit l'admiration de ses camarades :

– La roussotte, elle hable lou patois à Bouracan, vaï !

Bouracan eut un moment de stupeur émerveillée.

– Ya, dit-il, che lui abrends à barler vrançais.

Les autres l'enviaient, ce coquin de Bouracan. Mais alors :

– Vivadiou, mon pigeoun, gasconna la brune, nous autres

Parisiennes, nous sommes du pays de nos amoureux, que !

Strapafar demeura écrasé de joie. Corpodibale fut foudroyé d'orgueil.

– Per la madonna lavandaia, cria la châtaine, c'est que l'amore, il est oune bien belle çose !

– Mesdemoiselles, soupira la blonde, modérez ces transports dont il vous faudra vous confesser.

Trinquemaille pleura de pieuse allégresse. Ils connaissaient tous le triomphe de la vanité.

Or, phénomène remarquable, nos braves, du fait de ce triomphe, s'avisèrent tout à coup d'avoir des scrupules ! C'est pourquoi Bouracan, le meilleur des quatre, poussa un sanglot.

– Qu'est-ce gu'il afre ? s'effara la rousse.

– Sacrament ! dit gravement Bouracan. Nous afre ouplié notre vaction ! Nous afre berdu Montsir ti Beaurevers !

Les spadassins baissèrent la tête ; ils se jugeaient coupables. Avoir oublié qu'ils étaient là pour veiller sur Le Royal ! Ils levèrent des yeux timides vers leurs colichemardes pendues au mur. Alors, ils firent, pour quitter leurs escabeaux, un robuste effort. Ils retombèrent accablés.

– Nous sommes déshonorés, dit Strapafar.

Les trois autres approuvèrent puis vidèrent leurs gobelets que les jolies servantes s'étaient empressées d'emplir. À ce moment, l'une d'elles – c'était la brune – ayant souri d'un sourire capable de les damner :

– Mes pigeouns, dit-elle, vous n'êtes pas déshonorés. Le Royal de Beaurevers n'est plus dans l'hôtel au pont-levis, dans le logis du sorcier Nostradamus. Il n'a plus besoin de vos rapières. Et il nous a envoyées pour vous le dire.

Il y eut le cri de quatre consciences soulagées. On hurla qu'il fallait boire à cet heureux événement. On but.

Mais la joie devint du délire lorsque la blonde, déposant quatre bourses sur la table :

– Et voici deux cents écus pour chacun !

– C'est Myrta qui nous envoie cela ! C'était convenu.

La blonde échangea avec ses compagnes le coup d'œil de la comédienne à qui on donne une réplique inattendue :

– Oui, c'est Myrta, dit-elle en se remettant.

À ce moment, et comme minuit sonnait, il y eut dans la rue comme un bruit sourd de troupes en marche. Mais nos braves n'entendirent rien dans le bruit de leurs gobelets heurtés.

Sur un signe de ses camarades qui semblait dire : « C'est le moment », la rousse reprenait alors :

– Le Royal de Beaurevers est parti de Paris.

– Sans nous ! fit douloureusement le chœur des estafiers.

– Il veut être seul, désormais, affirma solidement la brune.

Cela s'accordait si bien avec ce que Le Royal leur avait répété deux ou trois fois qu'ils n'eurent pas un doute.

– Hélas ! fit Trinquemaille, ce n'est pas en vain qu'il nous a fait ses adieux chez Myrta. Nous ne le reverrons plus...

– Qu'allez-vous devenir ? continua la roussotte. Vous avez chacun deux cents écus. Mais, vous n'en avez pas pour trois mois. Voyons, voulez-vous, tous les jours que Dieu fait, avoir dans vos ceintures des écus à discrétion ?

– Voulez-vous, dit la brune, être habillés de neuf et boire tous les soirs comme vous avez bu ce soir ?

– Voulez-vous, dit la châtaine, faire bombance et ripaille sans souci du lendemain ?

– Voulez-vous conquérir nos cœurs ? termina la blonde.

Il n'y eut qu'une voix parmi les estafiers :

– Que faut-il faire ?...

– Vous le saurez demain !...

Elles se levèrent vives et légères, avec des éclats de rire et de langoureuses œillades. Cette fois, ils s'arrachèrent à leurs escabeaux et se mirent à la poursuite des gazelles qui montaient l'escalier...

Nos braves arrivèrent en haut juste à temps pour voir quatre portes se refermer sur leur nez... Alors, simplement, chacun choisit sa porte et se coucha en travers sur le carreau. Il y eut des soupirs terribles, des éclairs, même des larmes. Bientôt ces soupirs, ces grognements, ces larmes se fondirent en un formidable quatuor de ronflements...

Le lendemain de cette scène, vers le soir, le baron de Lagarde entrait chez Catherine de Médicis :

– Madame, l'escadron de fer est au complet.

– Nos quatre vaillants ?

– Sont à vous, madame, corps et âme, cœur et peau.

– Lagarde, ces quatre hommes seront pour moi. Pour le reste, vous aurez assez des huit autres. D'ailleurs, je vous les rendrai. En attendant, ils seront sous la surveillance de mes vaillantes. Et puis, reprit-elle sourdement, je me sens menacée. Je vois, je devine que je suis prisonnière de la garde royale qui veille autour de ces appartements. Il me faut près de moi quelques hommes que j'aurai tirés d'un abîme de misère et que j'éblouirai. Ces quatre hères vivront ici. Dans trois jours ils me seront dévoués comme des chiens. De ton côté, prépare-toi. Duel à mort, cette fois. Si tu le manques encore, tu me tues. Dès tout à l'heure, amène-moi mes quatre chiens de garde...

Quinzième chapitre
Premier coup de foudre

I

Le dompteur

Ce bruit de troupes en marche qui avait réveillé les échos de la rue Froidmantel, en cette nuit où Trinquemaille, Strapafar, Bouracan et Corpodibale entraient, sans le savoir encore, au service de la reine Catherine, venait de cent archers du guet se dirigeant vers l'hôtel de Nostradamus.

La consigne était brève, simple et grandiose : Entrer dans l'hôtel, le fouiller, mettre la main sur : 1° le magicien Notredame, convaincu de sorcellerie ; 2° le rebelle Royal de Beaurevers, convaincu de lèse-majesté.

Si les deux accusés se rendaient, les mener aussitôt au grand Châtelet, et les enchaîner au fond de quelque bon cachot jusqu'au jour proche du bûcher pour l'un, de la pendaison pour l'autre. S'ils résistaient, les massacrer sur place.

Roncherolles et Saint-André tenaient pour l'exécution de la première partie de ce beau programme, ils voulaient *questionner*, avant de le livrer au bourreau, l'homme qui les faisait trembler, et savoir *pourquoi* ils en avaient peur.

Henri II tenait pour le deuxième procédé, plus expéditif : il avait seulement exigé que si on tuait sur place, on lui montrât les têtes des deux démons : simple précaution.

Les archers étaient commandés par le chevalier du guet. Ce personnage était le seul qui eût la conscience tranquille. Il ne connaissait ni Beaurevers ni Nostradamus.

Il y avait le roi, il y avait Montgomery. Il y avait Roncherolles, Saint-André, Roland, Lagarde – convulsés de haine et de peur. Lagarde et ses huit hommes s'étaient joints à l'expédition. Le roi se défiait de ce Lagarde qu'il savait au service particulier de la reine. Lagarde répondait à cette défiance en se mettant en toute dangereuse circonstance, à la disposition du roi.

Roland de Saint-André marchait, résolu à tuer Beaurevers. Quant à Nostradamus, il regrettait sa mort. Plus que jamais aux abois, Roland avait formé le projet de forcer le sorcier à lui donner de l'or. En tuant Nostradamus, on lui tuait son projet. Montgomery, capitaine, marchait près du roi. Sous son manteau, il tenait à la main son poignard.

– Et si l'infernal sorcier, avant de mourir, a le temps de jeter un mot !... La reine est perdue, et je vais à l'échafaud, et mon fils Henri entre dans quelque cloître. Si le sorcier veut parler...

Montgomery serrait convulsivement son poignard, et tâchait de peser la pensée du roi... pour qui le poignard ?

Roncherolles et Saint-André avaient le haut commandement de l'affaire : le roi était là en spectateur. Le maréchal et le grand-prévôt marchaient avec l'indifférence du joueur qui abat sa dernière carte. Tout ce monde s'arrêta devant le pont-levis. Et Roncherolles, sans attendre :

– Chevalier du guet, au nom du roi, sonnez du cor...

Au moment où dans la cour du Louvre, cette troupe allait se mettre en marche, un homme avait franchi la porte du château – un homme du service du roi. Cet homme devançant d'une minute la colonne d'expédition, était sorti du Louvre. Au coin de la rue Froidmantel, il avait jeté un coup de sifflet. Au loin, un autre coup de sifflet pareil lui avait répondu. Et alors l'homme était rentré dans le Louvre.

Le chevalier du guet, ayant reçu l'ordre de donner du cor, prit ses dispositions. Vingt hommes porteurs de fascines, sur un signe s'approchèrent, prêts à combler le fossé. Deux autres groupes de dix hommes saisirent chacun un fort madrier capuchonné de fer, destiné à servir de catapulte. D'autres portaient des pinces, des leviers. Quarante hommes sur trois rangs apprêtèrent leurs arquebuses.

Tout ce monde savait que les assiégés n'obéiraient pas à la sommation du cor. Il fallait frapper un grand coup.

En deux minutes, toute la manœuvre s'accomplit.

Le chevalier du guet vit que tout était prêt. Il porta le cor à sa bouche... À cet instant, le pont-levis commença à s'abaisser...

Le chevalier n'eut pas le temps de sonner : le pont s'abattit. Le roi, Montgomery, Roland, Lagarde, Saint-André, Roncherolles, tous ces sacripants de haut parage refluèrent, le cœur glacé, devant la porte qui, au-delà du pont baissé, s'ouvrait toute grande. De cette porte venait un souffle d'épouvante.

Maintenant, il est nécessaire que nous entrions dans la forteresse du sorcier. Dans l'heure qui précéda l'arrivée des assaillants devant le pont-levis, Nostradamus et Beaurevers se trouvaient dans la chambre même où le jeune homme avait reçu l'hospitalité, où Nostradamus avait soigné et guéri sa blessure.

Entre ces deux hommes, c'était un étrange entretien sans suite, coupé de longs silences. Nostradamus était assis et souriait. Beaurevers allait et venait.

– Bref, reprit tout à coup le jeune homme avec rage, vous avez fermé cette blessure, peut-être vous dois-je la vie...

– Votre blessure n'était pas mortelle, vous ne me devez rien.

– Une entaille qui eût dû me clouer au lit pour un bon mois !

– Oh ! j'eusse pu vous guérir en quelques heures ; mais je tenais à vous garder cette semaine pour empêcher des folies.

– Je vois, gronda tout à coup Le Royal, que vous avez gardé la dague...

– La dague avec laquelle vous devez me tuer quand vous n'aurez plus besoin de moi. Vous l'avez juré au vieux Brabant. Vous ne pouvez vous en dédire.

– Sur mon âme, je ne m'en dédis pas !

Une joie sinistre flamba dans l'œil noir du mage.

– Je vous tuerai, haleta Beaurevers, parce que vous m'avez fait reculer. Voyons, l'heure est-elle venue où vous devez me dire ce que vous savez ?

– Elle approche... dit Nostradamus. Dans quelques jours, vous saurez qui était votre mère, qui était votre père.

Le Royal frissonna. Tout à coup, Nostradamus reprit :

– Pensez-vous encore à *elle* ?

– Elle ? balbutia le jeune homme.

– Florise de Roncherolles, pour dire son nom !

Beaurevers avait baissé la tête. Il murmura :

– Elle m'a juré que si je mourais, elle mourrait, fût-ce au pied de l'échafaud... Un jour, elle m'a dit que mon métier est horrible. Et, depuis, ce métier m'est horrible à moi-même. Dites-moi, est-ce que vraiment je n'ai fait que du mal dans ma vie ? Et si je l'aime, moi, comment oserai-je jamais le dire à cet ange ?

Un sanglot râla dans sa gorge, et brusquement :

– Rendez-moi cette dague !

– Pas encore ! Et le roi, que pensez-vous du roi ?

Le Royal fit un effort pour s'arracher à ses pensées.

– Le roi de France, murmura-t-il, m'a juré à moi de ne jamais rien tenter contre Florise. Je n'ai rien à dire de lui...

– Alors, dit-il, vous pensez que le roi tiendra sa parole ?

– Le roi est le roi ! dit Beaurevers.

À ce moment, le vieillard au sourire grimaçant entra.

– Qu'y a-t-il, Djinno ? fit Nostradamus sans se retourner.

– Ils sortent du Louvre. Le coup de sifflet me prévient.

Nostradamus se leva.

– Promettez-moi, dit-il, de ne pas sortir de cette chambre, quoi que vous entendiez.

– Je le promets, dit Beaurevers après une hésitation.

Dans le couloir, la porte fermée, Nostradamus poussa un rauque soupir tout chargé de haine.

– Le fils d'Henri ! rugit-il en lui-même. Le maudit, oui ! mais c'est le fils de Marie !... Pitié, que veux-tu de moi ! Non, mon cœur ne s'est pas ému pour ce jeune homme ! Le fils de Marie sera broyé dans l'étau de ma vengeance.

– Ils approchent, murmura à son oreille la voix de Djinno. Ils sont cent archers, conduits par le grand-prévôt.

– Et pourtant, songeait Nostradamus sans entendre, quelle magnifique nature ! Comme je l'aurais adoré, s'il eût été mon fils à moi ! C'est le fils du maudit !...

– Le roi est avec eux !

– Il n'est pas encore au point où je le voulais, se disait Nostradamus. Il a confiance dans la parole du roi de France. Et pourtant il faut que ce roi, son père !... il le tue ! Il faut que je puisse dire à Henri : Tu meurs tué par ton fils ! Il faut que cette agonie paie mes vingt ans d'agonie à moi !...

– Messire, ils sont là !...

– Qu'on baisse le pont-levis !

Nostradamus ouvrit une fenêtre et se pencha au moment où commença à grincer le pont-levis qui se baissait. Ses deux mains se crispaient. Ses yeux s'étaient fermés.

Ce visage empreint d'une volonté forcenée exprima l'effort d'un esprit domptant la matière et l'asservissant à ses désirs.

Devant le pont-levis baissé, la bande recula. Le roi comme les autres. Henri gronda un juron.

Puis, le premier, il mit le pied sur le pont.

– *Caïn !* tonna une voix.

La voix, que si souvent déjà il avait entendue ! La même voix qui, près de vingt-trois ans auparavant, avait hurlé en lui. Henri rugit et fit deux pas rapides.

– CAÏN ! sonna la voix à toute volée.

Henri jeta un gémissement qui fit reculer en désordre la troupe d'archers. Pas à pas, il recula... Dès qu'il ne fut plus sur le pont, tout se tut en lui.

Puis, dans un souffle rude :

– Messieurs, qu'attendez-vous pour avancer ?

Roncherolles et Saint-André marchèrent. Les archers tremblaient. Tous ces hommes qui avaient entendu cette plainte du roi, qui l'avaient vu revenir en arrière, bégayaient ce qu'ils pouvaient savoir de prières. Le grand-prévôt et le maréchal se donnèrent la main comme ils avaient fait rue de la Tisseranderie. Ils mirent le pied sur le pont.

Ils s'arrêtèrent. Tout à coup, quelqu'un leur demandait :

– Qu'avez-vous fait de Marie ?

Hagards, ils jetèrent autour d'eux un regard de folie. Il n'y avait personne. La voix était toute proche. Une deuxième fois, ils l'entendirent. Elle dit :

– Qu'avez-vous fait de Renaud ?

Saint-André, d'un bond, se mit hors du pont. On entendit ses dents claquer. Roncherolles rugit :

– Renaud ! RENAUD ! RENAUD !

Il y eut quelques minutes d'effarement. Une vingtaine d'archers, se mirent à courir, fous de terreur. Le chevalier du guet se tourna vers ses hommes et leur dit :

– Je casse la tête au premier qui sort des rangs.

À ce moment, une lumière apparut sous le porche de l'hôtel. Le petit vieux s'avança, tenant un flambeau, disant :

– Messire de Notredame attend ses illustres visiteurs.

– Dussé-je entrer seul, dit le chevalier du guet, je le verrai !

– Entrez, entrez, mes dignes seigneurs !

Le chevalier s'élança. Montgomery, Roland, Lagarde, suivirent.

– Tous ! répétait Djinno. Mon maître vous attend tous !

Le roi, Roncherolles et Saint-André s'avancèrent... Rien ! Cette fois ils n'entendirent rien ! Ils passèrent...

Les archers passèrent. Il en entra autant qu'il put en entrer. Tout ce monde monta le grand, escalier au haut duquel une immense porte ouverte dégorgeait des flots de lumière. Ils entrèrent dans la vaste salle aux douze portes, aux douze colonnes, au douze sphinx. Alors, Roncherolles, d'une voix rude :

– Au nom du roi !...

L'éblouissante lumière disparut. Les ténèbres régnèrent...

– Des torches ! Qu'on allume des torches !

Aucune torche ne s'alluma. Ils en avaient pourtant. Il y eut un grand silence. Tout à coup, un cri de terreur vint d'un archer ; cet homme venait de sentir le contact d'une main glacée.

Un autre cri, puis un autre. Un troisième. Dix, vingt ! Tous les archers criaient, hurlaient. Dans les ténèbres, ils cherchaient à gagner la porte. Il n'y avait plus de porte. Leurs cris devenaient des plaintes. Une douzaine s'évanouirent. Les plaintes devenaient des hurlements. Et toutes ces clameurs formaient l'hymne effroyable de l'épouvante. Ce qui hurlait en eux, c'était la peur – non la peur de la mort : la peur de l'Invisible qui était parmi eux. Et pour tous, c'étaient les mêmes sensations. Des mains visqueuses prenaient leurs mains ou les touchaient au visage. Des choses inconnues s'accrochaient à leurs jambes. Des rires d'enfer résonnaient à leurs oreilles. Bientôt, l'épouvante les submergea. Les ténèbres, pour eux s'éclairèrent, et ils virent des êtres désincarnés voler dans l'espace en tourbillons, des langues de feux voleter, des femmes aux corps vaporeux se tordre les mains.

Henri II, Saint-André, Roncherolles, échappaient seuls à ce délire. Mais le délire les pénétrait. Ils souhaitèrent la mort. Peu à peu, les hurlements s'apaisèrent. Et alors, de nouveau, ce fut un silence plein de respirations de damnés.

Dans ce silence, tout à coup, une clameur de détresse. Puis une deuxième. Puis une troisième. C'était le roi ! C'était Roncherolles ! C'était Saint-André ! C'était leur tour !...

– Caïn ! Caïn ! Voici ton frère qui vient à toi !...

– Saint-André, voici Marie qui sort de sa tombe !...

– Roncherolles, voici Renaud, le voici !...

Il y eut trois cris d'effroyable détresse – puis, plus rien.

Une voix, alors, une voix humaine cette fois, d'une infinie douceur, dans cet instant, murmura à l'oreille du roi :

– Sire, voulez-vous que je vous donne Florise ?...

Henri II fut secoué d'un tressaillement où il y avait encore une peur.

– Florise ?

– Oui. Si vous voulez, je vous la donne... Seul au monde, je puis faire que volontairement elle vienne à vous dès demain...

– Que faut-il faire ? râla le roi.

– Appelez Nostradamus et faites sortir tous ces importuns.

Tout disparut de l'esprit du roi. Il n'y eut plus que sa passion, plus que Florise et le roi prononça :

– Nostradamus, venez à moi !...

Dans la même seconde, l'éblouissante lumière reparut. Le roi palpitant vit Nostradamus qui disait :

– Sire, me voici à vos ordres.

Quand on vit Nostradamus, pareil aux autres hommes, une rage furieuse les souleva tous. Roncherolles et Saint-André rugirent : « Nous le tenons enfin ! » Montgomery s'apprêta à frapper.

– Arrière tout le monde ! cria le roi.

Nostradamus se redressa et se croisa les bras en souriant.

– Sire ! balbutia Saint-André. Cet homme...

– Le premier qui le touche aura affaire au bourreau. Et vous, un mot de plus, je vous fais arrêter. Sortez tous !

Il y eut dans un silence d'énorme stupeur, le départ hâtif. La grande porte s'était ouverte. À chaque archer qui passait, Djinno remettait une pièce d'or. Montgomery sortit le dernier. Il grondait :

– Le sorcier va dénoncer la reine et me dénoncer !

Il tourmentait son poignard. Nostradamus alla à lui, dit :

– Rassurez-vous. *Il ne saura pas.*

Montgomery s'enfuit. Le roi voyant Nostradamus devant lui, voulut s'assurer que lui, roi, avait encore quelque autorité en ce lieu.

– Vous avez ici un rebelle. C'est lui que nous venions chercher.

– Le Royal de Beaurevers ? En effet, il est ici, chez moi.

– Il faut me livrer cet homme, reprit rudement Henri.

– Tout de suite, si le roi le désire. Mais je vous préviens que ce sera un danger pour vous. Laissez-moi choisir le moment où la destinée du rebelle devra entrer en conjonction avec celle du roi. Alors, sire, je le mettrai en votre présence.

Le roi, content d'avoir *rétabli* son autorité n'insista pas.

– J'attendrai le moment que vous jugerez favorable, dit Henri.

– Et en attendant, dit Nostradamus avec un sourire, je vous donne Florise. C'est elle-même qui viendra. Seulement...

– Parlez, parlez, balbutia Henri.

– Il faut vous débarrasser du grand-prévôt sans effusion de sang, sire, c'est nécessaire.

– Demain matin, il sera à la Bastille, grinça Henri.

– Il faut vous débarrasser du révérend Ignace de Loyola.

– Je le chasse de France, rugit Henri.

– Enfin, il faut trouver un logis pour la fille du sire de Roncherolles. Elle ne doit pas rester à Paris.

– On la conduira à Pierrefonds, une bonne forteresse.

– Où voulez-vous qu'elle vienne vous trouver ?

– À la porte Saint-Denis. J'aurai là une litière et une escorte prête à la conduire.

– Sire, demain matin, à dix heures, la jeune fille viendra d'elle-même prendre place dans la litière.

Ces paroles s'étaient échangées en quelques secondes. Le roi songeait : « Comment se fait-il que je me sente une confiance absolue en cet homme que je venais tuer ? D'où vient que je suis rassuré mille fois plus qu'en mon Louvre en ce logis de mystère ? » Il fixa un ardent regard sur Nostradamus :

– Monsieur, je vous sais puissant. On raconte de vous de merveilleuses choses. M. de Loyola dit que vous êtes un démon. Eh bien ! moi, le roi, je vous dis : Si *elle* vient, vous pouvez compter que, à partir de demain, vous êtes le compagnon et l'ami du roi – son frère !... À demain, monsieur !

Le roi s'éloigna.

Nostradamus était demeuré immobile au milieu de la salle. Une effrayante expression d'angoisse s'étendit soudain sur ce visage que la haine bouleversa. Il éclata tout à coup d'un rire terrible, gronda : *Son frère !* et s'abattit sur le plancher, terrassé par le gigantesque effort de cette inoubliable nuit...

II

Le grand-prévôt

Il était entré en son hôtel, tout courant. Il avait refusé de s'entretenir avec Saint-André qui lui disait : Il faut nous défendre ! Il n'éprouvait qu'un besoin : être seul. Son escorte dans le trajet l'entendit qui murmurait : – Pourtant, elle est morte !... Pourtant, il est mort !

Il s'enferma dans sa chambre, après avoir envoyé chercher un prêtre, qu'il installa dans une pièce voisine, et à qui il dit : « Tout ce que vous savez de prières capables d'écarter les esprits des morts, dites-les. Si vous m'entendez crier, entrez et faites les exorcismes qui chassent les spectres. »

Seul, toutes lumières allumées, il se mit à songer :

– J'ai entendu crier Renaud. Saint-André l'a entendu. Nous avons vu ensemble l'esprit de Marie de Croixmart. Nous avons entendu ensemble la voix de Renaud. Rien ne peut faire que nous n'ayons vu et entendu. Qu'est-ce que Nostradamus a bien pu dire au roi ? Fuir ! Fuir avec ma fille. Oui, c'est la meilleure solution.

Sur le matin, le grand-prévôt se remit. Il déjeuna, et quelques vigoureuses rasades lui donnèrent de la confiance. Il organisa le service de la journée. Ce travail le tranquillisa. Il se mit à rire de son idée de fuite. Il considéra sa situation à la cour et la vit ce qu'elle était : inattaquable.

Il se sentait invincible. Il eut un sourire d'orgueil.

Ce sourire défiait Renaud mort ou vif, Marie morte ou vive, la destinée, Nostradamus.

À ce moment, un messager, aux armes de France, entra dans son cabinet, s'inclina, et dit :

– Le roi attend monseigneur le grand-prévôt à neuf heures.

Il n'était pas huit heures. Roncherolles renvoya le messager et reprit sa méditation. Il n'y avait qu'un point noir dans son ciel.

Il y avait la passion du roi pour Florise. De là pouvait se déchaîner l'ouragan. Mais Florise épousait Roland. Le jour du mariage, départ pour la Guyenne dont lui était nommé gouverneur. Saint-André avait promis. Il murmura :

– Saint-André tient le roi. Et moi, je tiens Saint-André.

Comme l'heure de se rendre au Louvre approchait, il monta chez sa fille. L'amour paternel illumina ce front toujours chargé de nuages. Il la considéra et gronda :

– Encore, pour la sauver, faut-il que je la donne à ce Roland. Faisons ce mariage. Et une fois là-bas, nous verrons. Huit jours de mariage et Florise peut être veuve.

L'amour paternel devenait passion sauvage. Et cependant, il parlait doucement à sa fille. Il évitait soigneusement de prononcer le nom de Beaurevers. Il lui faisait admirer un collier de perles acheté pour elle. Chaque fois, c'était ainsi. Elle ne pouvait rien souhaiter : d'avance, le souhait était réalisé. Elle souriait et admirait que cet homme si dur se fît pour elle une incarnation de tendresse. Et alors, elle se reprochait de ne pas assez aimer son père. Il partit, l'âme ravie.

Au Louvre, dans les antichambres, on annonça au grand-prévôt que Sa Majesté était sortie avec M. le maréchal de Saint-André ; une fantaisie comme en avait souvent Henri II.

Le roi étant sorti, Roncherolles attendit une demi-heure, puis une autre, puis une troisième. Il y avait foule de courtisans qui, en attendant l'arrivée du roi, faisaient leur cour au grand-prévôt. Mais leurs fadaises l'ennuyaient. Il finit par se mettre à l'écart dans une embrasure de fenêtre.

– Monsieur le grand-prévôt, fit une voix aigre à son oreille, avez-vous entendu parler du colosse de Rhodes ?

Roncherolles tourna légèrement la tête et vit la figure grimaçante du bouffon d'Henri. Brusquet reprit :

– Où est-il le colosse ? Où est-il ? *Chi lo sa ?* Et qui l'a renversé ? Un souffle d'enfant, peut-être. Les colosses sont faits pour tomber. Il faut qu'ils tombent.

Roncherolles, dans les yeux du fou, démêla de la pitié. Brusquet agita sa marotte, puis ricana en la montrant :

– Voici ma favorite, par Notre-Dame. Favorite, ou favori ? Peu importe le sexe. Je suis roi, tudiable ! Et des favoris, je fais ce que je veux. Marotte, es-tu connétable, ou capitaine ou grand-veneur, ou grand-échanson, ou grand-prévôt ? Tu m'ennuies, marotte !

Le fou brisa la marotte, en laissa tomber les morceaux et les repoussa du pied. Roncherolles le saisit par le bras.

– Monsieur Brusquet, vous savez quelque chose !...

– Moi ! Rien. Je demanderai à Henri de m'acheter une autre marotte. Monsieur le grand-prévôt, Henri m'a fait présent, hier, d'un beau cheval noir. Je l'ai essayé sur la route de Picardie. Route ombragée, sans fondrières. En revenant, je me disais que, sur une route pareille, en quelques heures je pourrais gagner la frontière, si la fantaisie m'en prenait...

Roncherolles devint livide. Il se pencha sur le fou :

– Monsieur, vous êtes un honnête homme ; je vous remercie.

Il redressa la tête d'un air de défi, puis se mit à marcher vers la porte. Son parti était pris. Comme il allait l'atteindre, cette porte s'ouvrit à deux battants, et une voix forte cria :

– Place au roi !...

À droite et à gauche, il y eut un reflux de courtisans courbés. Henri II et Roncherolles se trouvèrent face à face.

– Monsieur, dit le roi de cette parole amorphe, qui était bien la voix de son caractère, à quoi me sert d'avoir doublé votre service d'espions, comme vous me l'avez demandé... À quoi me sert d'avoir un grand-prévôt ?

– Sire, voulez-vous me permettre de demander humblement à Votre Majesté ce qui a pu...

– Rien, monsieur, je ne vous permets rien. Il n'est question dans la ville que de gentilshommes attaqués la nuit ; nous sommes infestés de truands. Bien mieux. Il y a eu crime de lèse-majesté. Et ce Beaurevers n'est pas encore pendu.

Roncherolles regardait autour de lui et se disait :

– Je risque ma vie. S'il me fait arrêter, je crie que le dauphin François fut empoisonné à Tournon par son frère Henri.

Mais le roi ne donna aucun ordre d'arrestation. Il lui restait à dire quelque chose qui ne voulait pas sortir. Il baissa un peu la tête, puis se dirigea vers la porte de son cabinet. Au moment d'atteindre cette porte, il dit sans hausser le ton :

– Allez, monsieur, vous n'êtes plus grand-prévôt.

Roncherolles sortit du Louvre sans aucune difficulté. Dehors, il respira à pleins poumons. Il n'était pas question d'arrestation. Alors seulement, il sentit le poids de sa disgrâce.

Tout en conduisant au pas son cheval, il sentait gronder en lui l'imprécation de ses ambitions détruites.

– Roi fourbe ! Roi lâche ! Tu sauras ce que vaut Roncherolles. Rien qu'avec ce que je sais de ton infamie, je puis en trois mois refaire ma fortune. Ce soir, j'aurai quitté Paris. Dans trois jours, j'aurai quitté le royaume. Et alors, j'ai l'Empire, l'Espagne, l'Angleterre, l'Autriche. À toutes les haines, éparses dans le monde, il manque une tête. Je serai cette tête ! Je rentrerai dans Paris avec les armées qui auront détruit tes armées. Je te ferai enfermer dans un cloître. Et je me ferai donner la régence de ton royaume. Je te verrai à mes pieds.

Il se calma pour songer à l'organisation de son rapide départ. En mettant pied à terre dans la cour de son hôtel, il murmura avec un cri de joie passionnée :

– Et j'ai ma fille ! Je la garde !

Il monta lentement chez Florise, ruminant sa vengeance.

– Pardieu ! fit-il joyeusement. J'hésitais, fou que j'étais ! J'hésitais devant les offres venues d'Espagne et d'Autriche ! Je veux être pour le moins vice-roi. Florise sera princesse. Allons la prévenir qu'elle ait à préparer son départ.

Il vit dans l'antichambre les femmes de Florise, pénétra dans les appartements, et revint précipitamment sur ses pas. Il demanda :

– Où est ma fille ?

– Seigneur, mais elle est là !

Roncherolles rentra dans les appartements. Il avait l'air d'un tigre dans sa marche rude, renversant tout.

– Florise !...

Une femme bégaya en se frappant la poitrine :

– Endormies... malgré nous... cela n'a duré qu'un quart d'heure... Sommeil insurmontable...

Roncherolles était hagard. Un sanglot terrible, un seul. Puis, deux cris brefs : les deux femmes étaient à terre, la gorge ouverte. Roncherolles s'était jeté sur elles. Son bras s'était abattu. Il jeta son poignard rouge. Sa furieuse lamentation palpita dans l'air :

– Florise !...

La tête dans les épaules, il descendit l'escalier. On l'entendait hurler :

– Florise !...

Dans la cour, il vit ses gardes, ses officiers épouvantés. Il voulait parler, menacer ou supplier, il ne savait pas.

Comme il s'avançait, une troupe de vingt Écossais du Louvre barra le grand portail. L'officier vint à lui et dit :

– Monsieur, au nom du roi, – votre épée.

Roncherolles se ramassa pour quelque bond terrible. Mais, le corps s'affaissa. Le grand-prévôt roula sur le sol. Avant l'évanouissement, son dernier souffle fut :

– Florise !...

III

La porte Saint-Denis

Après le départ de son père pour le Louvre, Florise s'était mise à ses travaux de maîtresse de maison. Escortée de ses deux femmes de chambre – deux geôlières – elle avait passé l'inspection de deux ou trois armoires. Ayant distribué leur ouvrage aux lavandières, elle rentra chez elle, et les deux geôlières reprirent leur poste dans l'antichambre.

Doucement, Florise murmurait :

– Mon père dit que c'est un truand. Je n'ai jamais vu regard plus loyal. A-t-on le cœur bas quand on est si brave ?

Tout à coup, elle se dressa. Elle parut écouter, et balbutia :

– Folie !...

Elle fit quelques pas, s'arrêta, puis se remit en marche, et, dans l'antichambre, vit ses deux femmes *endormies*.

– *C'est vrai : elles dorment !...* bégaya-t-elle, terrifiée. Je puis passer. Je puis sortir. Je ne passerai pas !

Un sourd grondement, dans le ciel. Elle n'entendit pas le tonnerre. Elle ne vit pas que la moitié du ciel était noire. Elle écoutait en elle-même. Jamais l'idée ne lui était venue de désobéir et de sortir seule de l'hôtel. Sortir ! Pourquoi ? Pour aller où ?... *On le lui dirait !*

Elle ne voulait pas. Tout ce qu'il y avait de conscient en elle résistait. Brusquement sa physionomie prit une expression d'indifférence. C'était elle. Et ce n'était plus elle. Sans hâte, elle se couvrit d'une capuche, et se mit en route. Au grand escalier, elle s'arrêta et murmura :

– Pas par là ?... Par où, alors ?... Par l'escalier secret ?...

Elle entra dans l'appartement de son père. Elle souleva une tenture, poussa un bouton, et descendit alors un étroit escalier qui aboutissait à une sortie secrète où jamais il n'y avait de gardien ! C'était une porte basse, en fer. Elle s'ouvrait par un mécanisme que Florise fit fonctionner sans aucune recherche ni hésitation.

Et cependant Florise avait toujours ignoré, Florise ignorait encore non seulement le moyen d'arriver à l'escalier secret, non seulement le mécanisme de la porte de fer, mais encore l'existence même de cet escalier et de cette porte.

Un peu après neuf heures et demie, le roi Henri et le maréchal de Saint-André sortirent de Paris et vinrent se mettre à couvert sous les châtaigniers de la route de Saint-Denis. Une litière de voyage attendait les deux courriers en selle. Autour du véhicule, douze cavaliers. À l'intérieur, deux femmes, vigoureuses matrones.

Tout cela était parfaitement organisé. En fait de guet-apens amoureux, le roi était roi. Les comparses étaient stylés. Henri était inquiet, non ému : il en avait vu bien d'autres.

– Sire, dit Saint-André, est-ce que vous escortez tout de suite la belle jusqu'à Pierrefonds ?

– Nous avons, répondit le roi, le mariage de Marguerite. Mon cousin de Savoie s'impatiente. J'irai voir Pierrefonds après les fêtes. J'aurai mes noces, moi aussi.

– Je comprends, dit Saint-André, l'impatience de Tête-de-Fer.

– Tais-toi ! gronda Henri. Regarde cet homme qui vient.

– Le sorcier ! murmura sourdement Saint-André.

Nostradamus s'avança. Il semblait que quelque fatigue énorme eût brisé ses forces. Il s'arrêta près du roi, et ne parut pas voir Saint-André. Henri voyant qu'il se taisait :

– Viendra-t-elle ?...

– *Elle vient !* répondit Nostradamus.

Dix minutes se passèrent. Le roi, angoissé, reprit :

– Vous avez dit : *elle vient,* et...

– La voici ! dit Nostradamus.

Henri et Saint-André jetèrent un avide coup d'œil sur la porte Saint-Denis ; ils ne virent personne.

– Sorcier ! gronda Henri. Songe que c'est au roi que...

Nostradamus, d'un accent de souveraine hauteur, répéta :

– La voici !...

Dans le même instant, Florise apparut, sortit de la porte, franchit le pont et, sans hésitation, comme si elle eût su qu'il y avait là pour elle une litière, monta dans le véhicule et s'assit sur une banquette, où elle s'endormit...

Le tonnerre roula. Le ciel saigna du feu.

– Dieu réprouve ce qui se passe ici ! balbutia Saint-André.

Le roi était demeuré muet de stupeur. Jusqu'à la dernière seconde, il n'avait pas cru à la possibilité du prodige : Florise venant d'elle-même se livrer ! Le prodige était accompli.

Il considéra Nostradamus avec effroi. Son regard se reporta sur Florise. Il la vit paisiblement endormie et souriante. Et alors la passion gronda en lui comme le tonnerre là-haut. Il haleta :

– Fût-ce au prix de mon âme, elle sera à moi ! Sorcier, d'où vient ta puissance ? De l'enfer, dit-on. Eh bien, soit ! S'il le faut, je t'offre mon âme...

– Je la prends ! répondit Nostradamus.

Le roi s'élança. Avait-il entendu ? Nous en doutons. Il s'élança, donna rapidement ses ordres au chef de l'escorte et aux deux matrones :

– Dans trois jours, je serai à Pierrefonds...

La litière s'ébranla. Toute l'escorte suivit d'un bon trot. Henri demeura sur place, sous la pluie qui commençait, jusqu'à ce que voiture et chevaux eussent disparu. Alors, sûr du triomphe, il revint à Nostradamus.

– Demandez ce que vous voudrez ! fit-il d'un ton bref.

– Rien. Mais vous avez encore besoin de moi. Vous allez partir pour Pierrefonds. Il faut que je sache le jour.

– C'est aujourd'hui samedi. Mercredi je serai à Pierrefonds.

Nostradamus, s'inclinant, fit un mouvement pour se retirer. Henri le saisit par le bras et gronda :

– Vous avez tenu parole pour la jeune fille. Vous ne voulez rien. Sachez-le cependant : le Louvre vous est ouvert, et malheur à qui chercherait à nous faire du mal. Mais vous avez promis aussi Le Royal de Beaurevers.

– Vous l'aurez ! comme la jeune fille ! Dans quelques jours.

– Comment l'aurai-je ? Dites ! comment ?

– Comme vous avez eu la fille du grand-prévôt, sire ! C'est le truand qui viendra au roi !...

Le roi, Saint-André, Nostradamus avaient disparu depuis quelques minutes lorsque, du fond d'un bouquet de châtaigniers, s'avança un jeune homme pâle de rage. Il avait tout vu. Cet espion, c'était Roland de Saint-André. Au détour du Louvre, et comme il s'y rendait, il avait rencontré son père escortant le roi. Les deux personnages avaient le visage masqué. Mais Roland, à la taille, au costume, les avait très bien reconnus. Il les avait suivis. Il avait pu pénétrer dans le bosquet sans se faire remarquer. Maintenant il savait tout.

Roland rentra dans Paris et courut jusqu'à un hôtel de la rue de Béthisi, grondant de furieuses imprécations. Au coin de la rue Thibautodé, il se heurta à quelqu'un qui hurla :

– Tudieu, monsieur le coureur, où mettez-vous vos yeux !... Oh ! fit-il tout à coup d'une voix terrible, vous !...

Roland de Saint-André lui aussi eut un cri de haine :

– Le Royal de Beaurevers !

Beaurevers pâlit. Sa main s'abattit sur l'épaule de Roland.

– Au large, truand ! grinça le gentilhomme.

– Je ne te lâche pas, dit Beaurevers. Voilà assez longtemps que vous me cherchez pour me tuer. Dégainez...

Roland se mordit les poings. Son imagination lui montra la litière de Florise. Beaurevers écumait.

– Dégaine ! rugit-il, ou je te tue sans combat.

– J'ai besoin de ma liberté, dit Roland. Nous nous battrons, je vous le jure. Je désire vous étriper. Voulez-vous m'accorder huit jours ?

– Soit ! gronda Beaurevers, à regret. Où ?

– Dans huit jours, venez me trouver en mon hôtel.

Beaurevers lâcha Roland, qui reprit aussitôt sa course furieuse. Puis, essuyant de son manteau la rapière dont il fouettait la pluie, il la rengaina et continua son chemin... Son chemin vers l'hôtel de la grande-prévôté... Son chemin vers Florise !...

Arrivé à son hôtel, Roland de Saint-André sella lui-même son meilleur cheval, sauta en selle, et s'élança... Une heure plus tard, il avait rattrapé la litière de Florise.

IV

Le paradis

Ce n'était pas à la Bastille, mais au Grand-Châtelet que Roncherolles avait été enfermé après son arrestation.

Il y avait là un certain nombre de cachots dont chacun avait son nom. Il y avait le *Fin d'aise*, qui était rempli de reptiles. Il y avait la *Fosse*, où l'on vous descendait au moyen d'une corde. Il y avait la *Gourdaine*, où on ne pouvait ni s'asseoir ni se coucher. Il y avait les *Chaînes*, où l'on vous scellait au mur au moyen d'un carcan qui emboîtait le cou.

D'autres cachots, où le prisonnier *payait* de cinq à douze sols, étaient moins horribles : tels la *Boucherie*, la *Grièche*, le *Puits*. D'autres enfin étaient presque logeables. Mais le prisonnier y *payait* dix livres. L'un s'appelait le *Paradis*.

C'est au *Paradis* qu'on avait enfermé de Roncherolles.

C'était une chambre basse garnie d'un étroit lit de fer et d'un escabeau. Sur l'escabeau, le moine était assis et parlait. Le prisonnier était assis et écoutait. Ils avaient tous deux des faces livides.

Dès le lendemain de l'arrestation, Loyola avait obtenu le droit de confesser Roncherolles. Ignace de Loyola disait :

– Vous êtes de la Compagnie. Vous avez rendu d'importants services à l'ordre. Moi parti, vous en rendrez de plus importants encore. Vous aurez à surveiller la reine. Vous aurez à faire exécuter le plan que j'ai dressé pour sauver la France. Je vous blâme d'avoir désespéré. Vous eussiez dû vous dire que sur un signe de moi les portes de votre prison s'ouvriraient. Mais je fais la part de la faiblesse humaine. Debout, soldat de Jésus ! Vous n'avez le droit ni de pleurer, ni de désespérer...

– Ma fille ! révérend père, ma fille ! balbutia Roncherolles.

– Vous avez une fille, et c'est l'Église. Vous avez une mère, et c'est l'Église. Elle veille. Demain, vous serez libre.

– Vous espérez donc obtenir du roi...

– Le roi est condamné ! prononça Loyola.

– Le roi ?... condamné ?... bégaya Roncherolles. Ah ! tenez, vous mettez trop de joie d'un seul coup dans ce cœur où il y a eu trop de désespoir. Assister à l'agonie du roi lâche, du roi félon !... Comment est-il condamné ?... Et par qui ?...

– Condamné par moi...

Loyola redressa sa taille maigre que le mal courbait. Roncherolles avait repris sa place. Immobile, il écoutait, il s'enivrait. Le moine disait :

– Tant que j'ai espéré, je l'ai laissé vivre. J'ai même calmé les impatiences de Catherine. Mais je me trompais. Ce roi peut tuer des hérétiques. Il ne tuera pas l'hérésie. Je rends justice à Henri : il ignore la pitié. Il a frappé beaucoup. Mais il ne frappera pas le vrai coup. Si cet homme règne encore dans dix ans, la Réforme triomphe. Ce sont les agents de l'enfer qui deviennent les maîtres. Depuis hier, Nostradamus est grand favori de ce roi qui, voilà quelques jours, m'a promis sa mort.

Au nom de Nostradamus, Roncherolles vacilla. L'éclair de la haine incendia le fond de ses prunelles. Le moine sourit.

– J'ai donc condamné le roi, continua-t-il. Ce que Catherine n'a pas su faire va s'exécuter ce soir. Tout est prêt. Je n'ai qu'un signe à faire, dans dix minutes, en sortant d'ici. Demain, Catherine sera régente. Et demain vous serez libre. Mes heures sont comptées. Et d'ailleurs, je veux quitter au plus tôt la France. Votre premier soin sera de venir chez moi pour y recevoir mes instructions. Adieu, monsieur, soyez implacable, soyez inébranlable, car si Catherine va être régente de France, vous allez être, vous, régent de Catherine ! Je vous bénis, mon fils...

Puis il sortit du cachot, dont un geôlier referma la porte. Comme il allait s'engager sous la voûte et franchir le porche du Grand-Châtelet, le moine entendit une voix qui disait :

– Messire, je crois que voici quelqu'un qui vous cherche...

Loyola eut un tressaillement. Il avait reconnu la voix. Et, cette voix, il la haïssait. Sans tourner la tête vers l'homme qu'il entrevoyait confusément, il gronda :

– Au large, démon ! Tu ne prévaudras point contre l'envoyé du Christ ! Nostradamus, devin, écoute ma prédiction, à moi : Nostradamus, tu es pesé, compté, divisé !

– La main de l'Invisible qui écrivit *Mane, Thécel, Phares* ne saurait s'abattre sur moi, car c'est moi qui la dirige. Messire, encore une fois, voici quelqu'un qui vous cherche.

Alors Loyola vit s'avancer un officier des gardes du Louvre, qui, respectueusement, s'inclina devant lui.

– Révérend père, dit-il, je suis chargé de vous communiquer une décision de Sa Majesté.

En même temps, une porte s'ouvrit sur l'une des murailles qui soutenaient la voûte, et l'officier y entra. Le moine suivit. Nostradamus entra et ferma la porte. C'était une grande salle qui servait de corps de garde ; mais en ce moment, il ne s'y trouvait que ces trois personnages.

– Révérend père, le roi m'a ordonné de vous dire qu'il se trouve satisfait de la visite que vous avez faite au royaume.

– Ce qui veut dire, fit Loyola avec un sourire amer, que je dois considérer cette visite comme terminée ?

L'officier s'inclina.

– C'est bien, reprit le moine. Sous trois jours, j'aurai quitté Paris. Telle était d'ailleurs mon intention.

– Révérend père, ce n'est pas dans trois jours que le roi vous prie de quitter Paris, mais aujourd'hui même.

– Soit ! fit Loyola. *Il était temps !* songea-t-il.

– *Il est trop tard !* dit à haute voix Nostradamus, répondant à cette pensée.

Le moine frissonna. Mais, se dominant, il reprit :

– Je partirai donc ce soir...

– Ce n'est pas ce soir, c'est à l'instant même qu'il faut partir.

Le moine étouffa un rugissement. L'homme à qui il devait donner le signal de la mort du roi, l'attendait sur le parvis Notre-Dame. Eh bien ! Il passerait sur le parvis, et ferait le signe. Demain, il rentrerait dans Paris, assisterait aux obsèques d'Henri II, donnerait ses instructions à Roncherolles ; il n'y avait rien de changé... Loyola redressa la tête.

– Soit encore, dit-il. Veuillez donc m'escorter jusque chez moi, au parvis Notre-Dame, pour prendre...

– Vos papiers et livres, votre argent, vos vêtements, tout est déjà dans la litière qui doit vous emmener et qui attend devant le porche. J'ai ordre de ne vous quitter qu'en Italie.

Une dernière chance lui restait : faire passer la litière par le pont Notre-Dame, et, sur le parvis, coûte que coûte, au péril de sa vie, donner le signal. À ce moment même, Nostradamus prononça :

– C'est par la porte Bordette, officier, que vous sortez de Paris. Lisez vos instructions. Vous devez franchir la Cité par le Pont-au-Change et le pont Saint-Michel...

Le moine s'affaissa sur un escabeau ; il était vaincu. L'officier sortit. Loyola regarda Nostradamus, et songea :

– C'est ce démon qui me frappe !

– C'est moi ! dit Nostradamus avec simplicité.

Le moine chancela. L'épouvante fit irruption dans son esprit pour la deuxième fois depuis quelques minutes, cet homme venait de répondre à une pensée non exprimée ! Cet être possédait-il donc la faculté d'entendre la pensée d'autrui ?

Nostradamus essuyait son front ruisselant de sueur : il venait sûrement de faire un effort exhorbitant. Il s'avança.

– C'est moi qui vous chasse au moment où vous alliez délivrer le grand-prévôt. J'anéantis votre plan ; le roi ne sera pas tué ; Catherine ne sera pas régente ; pas encore...

– Qui êtes-vous ! Qui êtes-vous ! balbutia Loyola.

– Je suis celui qui *voit*, dit Nostradamus. Croyez-vous maintenant que j'ai conquis le pouvoir que vous avez nié ?...

– Oui, oui ! râla Loyola, en claquant des dents.

– Écoute donc, puisque tu crois. Dans un mois, jour pour jour, moine, tu seras mort. Tu vas arriver à Rome, brisé, sans forces, et tu n'auras pas le temps de parler au maître des chrétiens. Ton œuvre aboutira au néant. Je vois la compagnie que tu as fondée pour dominer le monde, en butte à la haine universelle. Je la vois traquée par les rois, maudite par les peuples. Je la vois enfin mourir au fond des siècles.

– Tais-toi ! râla le moine. Laisse-moi une illusion suprême.

– Je me tais, dit Nostradamus avec une pitié hautaine. Mais je t'en ai assez dit. Mes paroles resteront dans ton esprit.

Il sortit, calme, majestueux, terrible. Lorsque l'officier des gardes rentra dans la salle, il vit le moine prostré sur les dalles, et il l'entendit qui murmurait :

– Inutile !... Mon œuvre mourra ! Ne plus croire !... Dieu ! *Si tu existes,* un mot, par pitié, un signe qui chasse le doute ! Rien !... Rien !... Tout se tait !

Trois ou quatre gardes le saisirent, l'emportèrent et le mirent dans la litière qui aussitôt s'ébranla.

V

Deux aspects de l'amour

Au moment où Le Royal de Beaurevers avait été rencontré par Roland de Saint-André, le jeune homme allait au hasard. Sa blessure fermée, c'était, se disait-il, plaisir de reprendre pied dans Paris. Heureux de vivre. Heureux d'échapper à ce mage qui, peu à peu, s'emparait de lui.

– Reviendrai-je dans cette maison ? Oui, puisque par lui seul je puis savoir qui je suis. Ce Nostradamus me pèse ! Il ne me pèsera pas longtemps. Mon vieux Brabant, je tiendrai ma promesse. Tuerai-je cet homme qui m'a sauvé, chez qui je sens sous la haine une étrange affection ? L'amitié de cet indéchiffrable me fait peur plus que sa haine.

Tout à coup, il vit qu'il était rue de la Tisseranderie, devant la maison de la Dame sans nom. Il grommela :

– Pour moi, elle a un nom. Elle s'appelle Croixmart.

La porte silencieuse et triste fascinait son regard. Lentement, sans bruit, elle s'ouvrit. Marie de Croixmart apparut. Le Royal de Beaurevers se sentit frémir. Au jour, ce visage était auguste. Elle souriait au jeune homme. Elle vint à lui et prit sa main qu'elle garda dans la sienne.

– Madame, dit Le Royal, ce que j'ai promis, je le ferai. Je viendrai chez vous, et, si je puis, je vous consolerai.

– Votre vue seule me console, mon enfant, dit-elle. Mais voici que vous allez par les rues sous l'orage. Vous êtes ruisselant. Il faut entrer et attendre que la pluie cesse.

C'était là une inquiétude d'amante ou de mère. Le Royal sourit orgueilleusement. Il n'y avait pas d'orages pour lui. Avec une douce fermeté, il reconduisit Marie jusque dans le vestibule pour qu'elle-même fût à l'abri.

– Madame, je viendrai, car je plains de toute mon âme ; mais aujourd'hui… Tenez, je ne savais pas pourquoi j'allais ainsi sous l'orage. Je le sais maintenant et j'éprouve je ne sais quel charme à vous le dire. Pourquoi à vous ? Madame, j'ai peur d'un malheur arrivé à celle que j'aime, et je vais voir...

– Celle que vous aimez ? interrogea Marie.

– Florise, balbutia Le Royal, Florise de Roncherolles...

Et il s'éloigna à grands pas – furieux et ravi d'avoir dit son secret à haute voix. Quand il fut au bout de la rue, il se retourna et vit la Dame sans nom qui, sous la pluie, le regardait s'en aller. Elle était très pâle, et d'une voix douloureuse, répétait :

– La fille de Roncherolles...

Il arriva à l'hôtel de la Grande-Prévôté : c'était là qu'il allait ! Pourquoi ? Pour rien. Cela s'appelle rien. Mais tous ceux qui, pour rien, ont rôdé autour d'une maison, savent que *rien* est parfois quelque chose d'énorme.

Il rôda, leva les yeux, enfin s'enivra de *rien*. Il finit par se trouver devant le grand porche, jeta un coup d'œil dans cette cour où il avait si rudement mené la fameuse bagarre, et, dans cette cour, il remarqua un étrange mouvement de valets, de gardes, d'officiers.

Il eut l'intuition qu'il était frappé, *lui*, par l'événement inconnu. Et il entra dans la cour. Dès les premiers pas, sans avoir besoin d'interroger, les rumeurs éparses se condensèrent en quelques mots :

– Le grand-prévôt arrêté, Florise disparue.

Le Royal de Beaurevers bondit dans le grand escalier. Un calcul instinctif lui montra le chemin de cet appartement où il était entré par la fenêtre. Il y fut en quelques secondes et entra. Les cadavres des deux femmes de chambre lui apparurent. Ces pièces que le grand-prévôt avait parcourues une ou deux heures avant, il les parcourut...

Une minute plus tard, il était dans la rue ; un quart d'heure plus tard en présence de Nostradamus. Il avait ces yeux sans expression qu'on voit aux gens que vient de frapper quelque effroyable catastrophe.

Nostradamus courut à son cabinet, en revint avec un flacon dont il lui fit boire quelques gouttes... Beaurevers se mit alors à respirer à coups précipités... Le sang reprenait sa circulation, il était sauvé, il ne sut jamais que ce jour-là, la mort l'avait pris à la gorge.

Nostradamus dit :

– Elle se retrouvera. Vous la reverrez...

Beaurevers n'eut aucun étonnement. Il haleta :

– Je la reverrai ?

– Tu veux savoir où elle est ?...

– Je le veux ! grinça Beaurevers.

– Je le saurai mardi soir. Et je te le dirai. Je le jure.

– J'attendrai ici. Tu es mort si tu as menti.

– Je ne mens jamais. Et tu veux savoir qui te l'a prise ?

– Pour le faire souffrir, l'égorger de mes mains, l'étrangler. Oh ! Donne-moi cet homme et prends ma vie !

– Eh bien, je te le donne. Tu le verras mercredi.

– Où cela ? rugit Beaurevers.

– Où je t'enverrai !...

Nous avons dit que Roland de Saint-André avait rejoint la litière qui emportait Florise. Il la suivit de loin. L'escorte s'arrêta à Villers-Cotterets. Puis, sur le coup de deux heures se trouva devant Pierrefonds dont elle franchit le pont-levis.

Quelques masures étaient disséminées au pied de l'éminence sur laquelle Pierrefonds dressait sa géante silhouette. Roland s'abrita dans une de ces chaumières et y obtint des renseignements précis sur la garnison de la forteresse. Au bout d'une demi-heure, il vit l'escorte, mais non la litière. Roland savait désormais que Florise n'irait pas plus loin. Il sauta à cheval, dépassa l'escorte par un raccourci et rentra à Paris, où il s'enferma dans son hôtel.

Le résultat de ses réflexions fut : 1° qu'il lui fallait lever une petite armée de trente à quarante hommes déterminés ; 2° que ces gens ne seraient déterminés et braves qu'en raison directe de la somme d'argent qu'on offrirait à leur audace ; 3° qu'il fallait agir au plus tôt ; 4° qu'il lui fallait se procurer le soir même ladite somme d'argent.

Après cette assurance formelle donnée par Nostradamus qu'il reverrait Florise et connaîtrait *mercredi matin* celui qui « la lui avait prise », Le Royal de Beaurevers s'était soudainement endormi. Peut-être la volonté de Nostradamus y fut-elle pour quelque chose.

Le soir vint. Neuf heures sonnèrent. Nostradamus, pénétra dans la chambre de Beaurevers et considéra le jeune homme endormi. Une infinie douceur se dégageait de cette noble physionomie où rayonnait le génie. Il murmura :

– Pauvre victime qui va se trouver broyée entre ma destinée et celle de son père !... Pitié, pitié, que me veux-tu !...

Pour la vingtième fois, peut-être, la haine et la pitié se livrèrent quelque formidable bataille dans ce cœur. Une minute, Nostradamus demeura pantelant. Puis son regard tout chargé de magnétiques effluves, se dressa vers le ciel. Il eut un sanglot, un nom fut prononcé par sa voix éperdue de désespoir :

– Marie !...

Puis, par degrés, cette physionomie se calma, et une implacable froideur s'y étendit. C'était fini. La haine triomphait. Le fils de Marie et d'Henri était condamné... Le fils d'Henri !... À ce moment, Djinno s'approcha et murmura :

– Roland demande à entrer...

Un sourire glissa sur les lèvres de Nostradamus.

– Voilà la réponse du destin !...

Roland, mis en présence de Nostradamus, pensait :

– Plutôt que de la savoir à un autre, j'aime mieux planter moi-même un poignard dans son sein.

Nostradamus, d'un pénétrant coup d'œil étudia cette physionomie. Il y reconnut les stigmates impurs ; il y vit la cruauté froide, l'indomptable lâcheté de la force, et, çà et là, quelques rares traits de courage et de bonté, derniers efforts de la jeunesse.

– Que me voulez-vous ? demanda-t-il.

– D'abord une preuve que vous êtes bien l'homme tout-puissant que vous prétendez être.

– Une preuve ? fit Nostradamus avec indolence ; eh bien ! soit... *Je vais vous montrer votre pensée...*

La stupeur fit tressaillir Roland. Dans ce moment, les lumières s'éteignirent. Il sentit qu'on le prenait par la main. Il suivit sans résistance, décidé à sortir de là avec les moyens de conquérir Florise, c'est-à-dire avec de l'or. Et tandis qu'il marchait, il se répétait :

– J'aime mieux la tuer, la poignarder de mes mains ! *J'aime mieux la voir morte, un poignard au cœur !*

Tout à coup, Roland ne sentit plus la main qui le guidait. Il se vit dans une pièce vaguement éclairée et pleine de parfums pénétrants. En même temps, il vit Nostradamus, qui lui désignait le miroir...

– Voici ta pensée, dit gravement le mage. *Regarde-là !*

– *Regarder ma pensée !* balbutia Roland.

Et alors il eut le vertige. De ses yeux exorbités, de toute sa puissance, il regardait... Nostradamus ne regardait pas le miroir, mais Roland.

Soudain, une forme vaporeuse se balança dans ces régions imprécises qu'on semblait voir dans une glace. Roland se raidit contre l'épouvante.

La forme, lentement, se précisait. Elle prit corps... Roland jeta un cri terrible et tomba à genoux. Et cette apparition, c'était sa *pensée réalisée !* C'était le fantôme de Florise ! Florise morte ! Florise poignardée ! Florise, avec, au sein, un poignard qu'elle paraissait désigner à l'assassin !... Nostradamus murmura :

– Il a vu ! Comme a vu Catherine ! Comme ont vu tous ceux à qui j'ai dit : « Regarde !... » Il a vu... mais moi, cette *fois comme les autres*, JE N'AI PAS VU !

Nostradamus s'élança vers Roland, l'entraîna dans la pièce où il l'avait reçu, et pendant quelques minutes le laissa se débattre contre l'épouvante. Peu à peu, Roland parut reprendre son sang-froid.

– Êtes-vous convaincu ? demanda Nostradamus.

– Oui, dit Roland. Ce que j'ai vu hier, ce que je viens de voir me prouvent votre infernale puissance.

– Eh bien ! Demandez, puisque vous êtes venu pour cela !

– Mais vous ! Qu'allez-vous me demander en échange ?

– Rien. Demandez. Que voulez-vous ?

– De l'or ! répondit Roland.

– De l'or ? Je ne vous en donnerai pas. L'or qui sort de mes mains ne doit servir que des causes sacrées. Pour les crimes que vous méditez, il faut de l'or ramassé dans le crime. Je vais vous dire où vous allez trouver cet or maudit !

– Cet or maudit, où le trouverai-je ? gronda Roland.

– Chez ton père !

– Chez le diable si vous voulez, pourvu que vous m'en donniez le moyen !

– Djinno ! appela Nostradamus.

Le petit vieillard se montra aussitôt, toujours souriant.

– Djinno ! Tu vois M. Roland de Saint-André, fils du maréchal, gentilhomme brillant de cette brillante cour du roi Henri II. Explique-lui où se trouvent les millions de son père et comment il peut les prendre dès cette nuit, s'il veut...

– Des millions ! Dès cette nuit ! balbutia Saint-André.

– C'est facile. M. le maréchal a caché le trésor qu'il a acquis par de longs et honorables travaux dans l'angle gauche de la troisième cave de son hôtel. Seul il a le moyen d'entrer dans cette cave sans porte apparente... mais l'hôtel est adossé aux murs de l'enceinte. Les murs de ses caves, du côté des fossés Mercœur, sont les murs mêmes de Paris. Il a fait pratiquer par un maçon une sorte de trou, d'armoire, dans le mur, à l'angle gauche. Lorsque le maçon eut terminé son travail, il l'étendit d'un coup de dague et le maçon fut enterré dans la cave... Alors il fit venir un forgeron, et lui fit exécuter une porte de fer pour fermer son armoire. Quand la porte fut placée, l'homme rejoignit le maçon : il y a deux tombes dans la troisième cave de M. le maréchal.

Roland écumait. Il tourmentait le manche de sa dague.

– Ensuite ! hurla-t-il.

– Il n'y a pas d'eau dans les fossés de Mercœur. Supposez qu'une charrette attelée d'un solide cheval attende vos ordres sur le talus des fossés de Mercœur, que quatre vigoureux gaillards dévoués, muets, sourds, mais non aveugles, attendent vos ordres, dans le fond des fossés où il n'y a pas d'eau. Supposez que quelqu'un ait mesuré sur la face de la muraille qui surplombe les fossés la place correspondant à la fameuse armoire... Supposez enfin qu'on ait là, creusé une sorte de boyau qu'on a dissimulé en attendant votre visite ! Eh bien, le boyau aboutit à la fameuse armoire, non pas par devant, certes... mais par derrière ! Vous entrez dans le boyau, vous faites transporter les six millions par les quatre gaillards dans la charrette, et avant trois heures le trésor repose tranquillement chez vous. Voilà !

Djinno partit d'un éclat de rire aigre, strident, et se frotta les mains avec vivacité. Roland s'était levé, livide. Nostradamus avait disparu... Le fils du maréchal râla :

– Et vous pouvez me conduire à l'endroit...

– Où se trouve le boyau ? Où vous attend la charrette ? Où vous attendent les quatre gaillards ? Tout de suite.

Djinno s'élança et on entendit son rire aigre qui se perdait au loin. Roland se rua derrière lui, hurlant en lui-même :

– À moi les millions ! À moi Florise ! À moi les jouissances de la vie ! Et malheur à qui se trouvera sur ma route.

Seizième chapitre
Les jeux du destin

I

Travaux mondains

Cette nuit-là, il y eut dans les fossés Mercœur bonne et prompte besogne. Le dimanche matin, Roland s'élança sur la route de Picardie, noblement escorté. Rien de nouveau jusqu'à mardi, jour où Nostradamus reçut du Louvre un ambassadeur lui apportant des lettres par lesquelles Henri II le nommait médecin royal. Nostradamus se rendit au Louvre pour y remercier le roi de cette faveur. Il fut reçu avec de grandes démonstrations d'amitié.

Le roi lui confirma son intention de se rendre le lendemain mercredi auprès de Florise. C'est tout ce que voulait savoir Nostradamus, qui rentra dans son hôtel, tout frémissant : le lendemain, il lâcherait Le Royal de Beaurevers sur Henri II – *le fils sur le père.*

Cette journée du mercredi, où il devait savoir en quel lieu il retrouverait Florise, Beaurevers l'attendait aussi. Nostradamus avait promis de parler dès le mardi soir.

Quant au roi, il vivait dans une fébrile impatience : le lendemain, il se rendait à Pierrefonds ! Sa passion grondait...

Enfin, Catherine de Médicis attendait, avec rage.

Catherine était reine. Mais elle était femme. Le Louvre était encombré de ses espionnes. Elle savait donc très bien pourquoi Roncherolles était au Châtelet, et que le roi devait, le lendemain, rejoindre Florise à Pierrefonds.

– Il faut que j'aille voir le sorcier, dit-elle à un moment.

Elle sortit, franchit un couloir et se trouva dans l'appartement où elle logeait ses gardes du corps. Elle pouvait les surveiller, écouter d'un cabinet dont ils ignoraient l'existence. Elle pénétra dans ce cabinet.

Officiellement, ils faisaient partie du service des Gardes de la Reine. En réalité, ils n'étaient astreints à aucune corvée de faction ; on ne les voyait dans aucune cérémonie.

Catherine les avait à elle seule. Quatre dogues bien dressés, et prêts à se ruer sur qui elle leur désignerait. C'était ainsi qu'elle les voulait.

Ils avaient un logement à eux, séparé de toute la séquelle féminine par un simple couloir. Mais Catherine se connaissait si bien en discipline que ce couloir était infranchissable. Un valet était attaché à leur service. Ce valet se nommait Hubert. Mais ils l'appelaient Capon, mot qui n'avait pas alors la signification de poltronnerie.

Ce soir-là, au moment où la reine pénétra dans le cabinet à l'invisible guichet, ils venaient de terminer leur souper. Bouracan était vautré sur un canapé. Strapafar allongeait ses jambes sur un fauteuil. Corpodibale, renversé sur un autre fauteuil, avait placé ses bottes sur la nappe, Trinquemaille, plus décent, se contentait de se coucher à demi sur ladite nappe.

On les eût difficilement reconnus : ils étaient gras...

Et leurs costumes ! Leurs chapeaux à plumes ! Leurs pourpoints de velours ! Leurs bottes montantes en cuir souple ! Ils étaient splendides, ils étaient tout flambant neufs !

– Jouons-nous ? fit Trinquemaille languissant et il sortit un cornet avec des dés de son superbe haut-de-chausses.

Les quatre se fouillèrent et chacun d'eux, d'un geste nonchalant, tira de sa poche une forte poignée d'or. Strapafar rejeta l'or dans sa poche, d'une main dédaigneuse. Les autres en firent autant ! À quoi bon jouer ! À quoi bon voler ! À quoi bon tricher !

Ils n'en pouvaient plus de richesse.

– Corpodibale, te rappelles-tu ce soir où nous n'avions pas mangé depuis la veille et où, entrés chez cette vieille femme où nous comptions trouver un peu d'argent, nous n'emportâmes que ce morceau de pain dur de huit jours ?...

– Si je me rappelle !...

Alors, la bonde des souvenirs fut ouverte en grand. Cela coula à flots. Chacun dit les siens. Et sur ces variations revenait toujours le thème :

– C'était le bon temps !...

– Il ne reviendra plus, nous sommes trop riches !

– Et puis, nous avions quelqu'un avec nous.

– Quelqu'un qui faisait oublier faim, soif, fatigue !

– C'est vrai, nous avions lou pigeoun !...

– Nous avions Le Royal de Beaurevers !...

– Sacrament ! rugit Bouracan dans un sanglot.

Les chiens gras regrettaient leur vie de loups maigres. Le collier dont ils étaient attachés les démangeait au cou !

Les soupirs se modulèrent en quatuor nostalgique. Ce fut à ce moment qu'entrèrent en un coup de vent les quatre *estafières* de l'escadron volant attachées par Catherine à l'instruction de nos quatre gaillards – les servantes de la *Truie blanche,* si l'on n'a pas oublié.

– Santa madonna, fit la châtaine, encore à table ?

– Et vite, dit la blonde, au travail, nobles seigneurs !

Nos estafiers s'étaient levés et lancèrent quatre regards... des regards de fureur, de rage, de révolte !

Tout leur avait été promis, ils n'avaient pas eu le moindre baiser furtif, rien, pas ça, qué ! disait Strapafar. Ils n'aimaient plus : elles étaient les damnées maîtresses de travaux mondains.

Travaux *mondains !* Ah pécaïre ! Ah ! doux Jésus ! Ah ! porco dio ! Ah ! sacramant ! Voilà qu'il leur fallait apprendre à marcher *comme on marche à la cour,* quoi encore !

Catherine-la-Grande avait reconnu quelle force pouvait lui donner quatre molosses de cette taille et de cette moralité. Elle les voulait partout avec elle. Il fallait les rendre présentables. Et elle les élevait !

– Capon ! rugit Corpodibale, mon épée, drôle !

– Capon, mon manteau vert bouteille, milo dious !

– Capon, mon toquet à plumes violettes.

– Capon, mon écharbe chaune, sacramant !

– Voilà, mon gentilhomme, voilà, monseigneur, voilà !

Le valet s'empressa ; en un clin d'œil, les quatre estafiers se trouvèrent alignés à la parade. Gravement, elles passèrent l'inspection. C'était à qui, avec son malandrin, obtiendrait le plus beau gentilhomme. Elles signalaient les erreurs de tenue, les fautes de goût.

Ils écoutaient, attentifs et dociles, mais roulaient des yeux féroces, et les péronnelles, sans se fâcher, entendaient des jurons gronder dans la gorge de leurs gentilshommes.

– Allons, fit la brune ! Qui prend leçon, ce soir ?

– C'est le tour de M. de Bouracan, dit la rousse.

La table repoussée à un bout de la pièce, les fauteuils disposés à l'autre bout, la rousse indiquait :

– Monsieur de Bouracan, nous supposons que vous êtes admis à l'honneur de saluer Sa Majesté. Vous allez pour la première fois faire votre entrée en audience. Vous, monsieur de Strapafar, sur ce fauteuil, vous êtes le roi. Vous, monsieur de Trinquemaille, asseyez-vous là, vous êtes le dauphin ; vous, monsieur de Corpodibale, mettez-vous à la gauche du roi, vous êtes le duc de Savoie ; mesdemoiselles, vous êtes Sa Majesté la reine, madame Diane de Valentinois et madame Marguerite de France. Mettez-vous près de la porte, monsieur de Bouracan. Attention, j'annonce.

La rousse, imitant la voix aigre de l'huissier, cria :

– Monsieur le chevalier de Bouracan !

Le pauvre Bouracan s'avança, mais comme un rhinocéros qui ne veut pas écraser des coquilles d'œufs.

– Allons, criait la rousse très en colère, redressez le buste, par la sambleu ! Regardez droit devant vous ! Le poing sur la hanche. Tendez le jarret ! Trop de raideur, là ! vous y êtes. Arrêtez-vous à trois pas du roi, saluez !

Bouracan s'arrêta, s'inclina, et, de sa voix de basse taille :

– Ponchour, sire !

– Attendez que le roi vous adresse la parole !... Sa Majesté vous dirait, par exemple : « Monsieur de Bouracan, je suis content de vous voir. » Maintenant, faites votre compliment au roi.

– Sire...

– Inclinez-vous en parlant au roi. Là. Plus bas !...

– Che beux bas !...

– Comment ! Vous ne pouvez pas ! Devant le roi !

– Che beux bas ! gémit Bouracan. J'afre trop manché !

La rousse leva les bras au ciel. La brune, la blonde et la châtaine partirent d'un éclat de rire cristallin.

– Soit, reprit la rousse. Supposons donc que vous êtes respectueusement courbé. Là. Faites maintenant votre compliment à Sa Majesté qui vient de vous dire qu'elle est contente de vous voir.

– Ponchour, sire ! dit Bouracan.

– Voilà qui est du dernier galant ! s'écrièrent les femmes.

Bouracan déjà se rengorgeait. Mais la rousse, furieuse :

– Vous êtes odieux, mon cher, avec votre « Ponchour, sire ! »... Vous parlez au roi de France ! Trouvez un compliment de bon aloi. Par exemple, vous diriez : « Sire, vous voyez en moi le plus heureux gentilhomme de votre royaume, puisque je suis admis à l'honneur de me présenter devant vous. » Avant de vous retirer, offrez quelque chose à Sa Majesté.

– À la ponne heure ! fit Bouracan... Sire, si vous afre soif, che baie une binte d'hybocras à la *Druie planche...*

Et Bouracan tira de sa poche plusieurs écus qu'il montra au roi Strapafar. Le roi, d'ailleurs, allongeait déjà la main pour saisir les écus. Mais Bouracan referma son poing. La rousse était indignée.

– Mais vous êtes à battre ! cria la rousse. Est-ce qu'on offre de l'hypocras au roi ! Est-ce qu'on l'invite à aller boire à la *Truie blanche !...* On offre son sang, ses biens... On dit par exemple...

– La reine ! cria la blonde en se levant.

La reine s'avança souriante, tandis que les estafiers se raidissaient en une attitude de soldats devant le général en chef. Elle sourit à Trinquemaille, tira la moustache de Corpodibale, eut un geste d'admiration devant Strapafar, et tapota les joues de Bouracan. Ils étaient bouleversés d'émotion...

Ils l'admiraient passionnément. Sur un signe de la reine, les demoiselles sortirent.

– Mes enfants, dit-elle alors, il faut ce soir que je sois escortée par des hommes résolus. Si on me suit, un bon coup de dague me délivrera de l'espion. Puis-je compter sur vous ?

– Madame la reine, dit Strapafar, nos bras et nos cœurs sont à vous : usez-en donc à votre fantaisie.

La reine eut un éclair de joie. C'était bien répondu.

– Eh bien, oui, dit Catherine, je me fie à vous. Venez !

Un instant après, ils se trouvaient hors du Louvre.

II

La vie et la mort

Dans son cabinet de travail, vers le moment où Catherine de Médicis pénétrait dans la salle à manger de MM. de Strapafar, de Trinquemaille, de Bouracan et de Corpodibale, Nostradamus considérait avec pitié Le Royal de Beaurevers, debout devant lui. Cette pitié était sincère. Nostradamus n'avait aucune haine contre le *fils de Marie et de Henri...* Mais le jeune homme était condamné par le *Destin !*

– Le destin est logique, songeait Nostradamus. Il serait absurde que Roncherolles, Saint-André et Henri de France ne subissent pas le châtiment logique. François a été frappé à Tournon. Frappé par moi. Le poison de Montecuculi ne fut que l'instrument. Ces trois-ci doivent être frappés... Dans l'auberge de Melun, je me suis trouvé mis en présence du fils d'Henri, du fils de Saint-André, de la fille de Roncherolles. Voilà mes instruments ; reprit-il à haute voix : quand vous n'aurez plus qu'à venger ce vieux truand que j'ai frappé à mort...

– Brabant ! murmura Le Royal avec un frisson.

– À ce moment-là, tiendrez-vous la parole que vous avez donnée au mort ? Me frapperez-vous de cette dague ?

Il eût tout donné pour que Le Royal lui répondit : *Oui !*

– Vous avez peur ? fit Beaurevers.

– Répondez à ma question. Quand vous n'aurez plus besoin de moi, me frapperez-vous ?

– Ne me provoquez pas ! Ce que je veux faire de vous, je ne le sais plus. Ce qui arrivera de moi à vous me regarde seul. Ne me parlez plus de cela. Vous m'avez promis que ce soir mardi je saurais où *elle* se trouve. Voilà de quoi il est question.

– Je vais tenir ma promesse. Mais vous, promettez-moi de ne pas sortir de cet hôtel avant demain matin.

Le Royal ne répondit pas.

– Soit ! reprit Nostradamus. Écoutez donc : à quelques lieues de

Villers-Cotterets se trouve un château fort. Il s'appelle Pierrefonds. C'est là, si vous y pouvez entrer, que vous retrouverez...

Nostradamus s'interrompit. Le Royal venait de s'élancer hors du cabinet. Comme il arrivait dans la cour, on baissait le pont-levis, et Djinno s'avançait au-devant de Catherine de Médicis. D'un bond, Le Royal disparut dans la direction de la halle.

Au moment où Le Royal franchit le pont, il se trouva une seconde vivement éclairé par les torches portées par deux valets sous les ordres de Djinno... En même temps, dans la rue, un coup de sifflet retentit. Alors, des ombres se jetèrent sur le chemin que prenait Le Royal de Beaurevers... C'était Lagarde !... et les huit hommes de l'escadron de fer...

Depuis trois jours, Lagarde surveillait ; les abords de l'hôtel. Il lui fallait la peau de Beaurevers... Lagarde agissait pour le compte de la reine. Mais il agissait aussi pour son propre compte.

Le Royal de Beaurevers, seul, en pleine nuit !... Au lieu, donc, de s'étonner de l'arrivée de la reine (d'ailleurs suffisamment protégée par les quatre recrues), il s'élança avec ses hommes. Au détour de la rue, il rejoignit Le Royal, tira son épée et dit :

– Attention !...

Les huit dégainèrent avec un frémissement joyeux.

Le Royal marchait rapidement. Il n'entendait pas les pas des assassins. Il n'écoutait que les battements de son cœur. Il eût donné la moitié de sa vie pour se trouver face à face avec le ravisseur. Qui était-ce ?... Les portes de Paris étaient fermées : le lendemain matin seulement, il pourrait courir à Pierrefonds.

– Holà, monsieur ! fit tout à coup une voix rocailleuse. Oui, vous, monsieur ! Où courez-vous si vite ?

Le Royal se retourna, et vit les reflets des neuf rapières.

– Ah ! Ah ! grinça-t-il. Il s'agit donc d'en découdre ?

Les neuf tombèrent sur lui tous ensemble. Le Royal s'accula et sa rapière décrivit une zébrure d'acier.

– Sus ! Sus ! rugit Lagarde.

– À mort. À nous sa tête ! vociféra l'escadron de fer.

Nos quatre estafiers, transformés par l'escadron volant en

spadassins de cour, s'étaient arrêtés devant le pont-levis. Eux aussi virent cet homme qui, à grands pas traversait le pont, et qui passa en les bousculant. Ils demeurèrent ébahis. Déjà Le Royal disparaissait au fond de la nuit.

– Sacrament, gronda Bouracan, c'est sa poigne !

– Vé, fit Strapafar, c'est lou pigeoun, mes enfants !

– C'est bien lui ! murmura Trinquemaille.

– Andiamo ! cria Corpodibale. Au diable les donzelles, le Louvre, les rois, les reines ! Mon roi, c'est Beaurevers !

Ils allaient s'élancer pour le retrouver. À cet instant, Djinno s'avança, et, avec force courbettes :

– Vous ne pouvez attendre dans la rue. Entrez, messeigneurs. Il y a pour vous une collation. D'ailleurs la reine le veut !

Ils hésitèrent. Mais le Royal était loin. La reine commandait... L'oreille basse, ils franchirent le pont qui se releva.

Catherine de Médicis était entrée dans le cabinet de Nostradamus qui se leva.

– Maître, dit-elle en s'asseyant, je ne vis plus. Aucune de vos promesses ne se réalise. Pourtant je dois croire en votre pouvoir.

– Que vous ai-je donc promis, madame ?

– Tout ! fit sourdement Catherine.

– Rien ! dit Nostradamus. J'ai été l'interprète. J'ai dit ce qui sera. Je ne promets que ce que je puis tenir, moi. Vous avez demandé si votre fils Henri régnerait. Il vous a été répondu que sûrement vous le verriez un jour sur le trône. Eh bien ! attendez, madame !

– Mais le roi ? balbutia Catherine.

– Il vous a été dit que le roi mourrait de mort violente. Il mourra.

– Quand ? palpita la reine.

– Avant la fin du présent mois, ce sera fait.

– Écoutez, maître. Si ce que vous dites est vrai, pourquoi Lagarde a-t-il échoué ? Pourquoi ce misérable Beaurevers s'est-il trouvé là à temps pour sauver celui qui est condamné ?

– Vous haïssez Beaurevers, madame ?

– Oui. Non seulement parce qu'il a sauvé le roi, mais encore parce qu'il sait une chose que Montgomery et moi nous savions seuls. Je ne vous compte pas. Qui l'a instruit ? Qui lui a dit que mon fils Henri n'est pas le fils du roi ?...

Nostradamus ne répondit pas.

– Il le sait, fit-elle. C'est là un secret qui tue, maître !

Elle fixa un regard menaçant sur Nostradamus.

– Vous pouvez tuer votre époux, dit-il, comme vous avez tué François ; vous pouvez tuer Beaurevers portant un secret dont on meurt. Mais vous ne pouvez rien contre moi. Il ne vous a pas été dit que le roi serait assassiné par Lagarde. Il vous a été annoncé que le roi succomberait sous le fer de Montgomery. Et ce sera bien ainsi. Encore une fois, madame, tout est logique. Il sera *naturel* que le roi de France meure frappé par l'arme de Montgomery...

– Gabriel ! balbutia Catherine en passant sa main sur son front. Je le connais. Jamais Montgomery ne tuera le roi !

– On ne vous a pas dit que Montgomery tuerait le roi, madame. *On* vous a dit seulement que le roi tomberait sous le fer de Montgomery. Ce sera fait avant la fin du mois. Et tenez, vous m'avez apporté une épée qui a appartenu à Montgomery, n'est-ce pas ?

– Vous me l'avez demandée. Eh bien ?

– Eh bien ! en ce moment, *cette épée est aux mains de l'homme qui doit tuer le roi.*

La figure de la reine se colora d'un rapide afflux de sang.

– Oui, songeait Nostradamus, j'ai eu cette faiblesse de vouloir *aider* le destin. J'ai changé l'épée de Beaurevers, qui porte maintenant celle de Montgomery. Qui sait si cette substitution n'a pas été prévue ?... Oui, cela doit être ainsi. Henri ne peut être tué à la fois par Montgomery et par Beaurevers. C'est Beaurevers seul qui est l'instrument...

Il reprit tout haut :

– N'avez-vous plus rien à me demander, madame ?

Catherine leva lentement les yeux sur le mage.

– Non, je n'ai plus rien à vous *demander*. Mais il est dans mon esprit une sombre question. Vous m'avez dit un soir qu'on peut ressusciter les morts. Oh ! non pas seulement évoquer leur ombre. Cela, je le sais. J'ai vu ! Je parle de les ressusciter. Avez-vous jamais tenté cette opération ?...

– Non, madame.

– Mais, s'il le fallait, vous la tenteriez ?...

– Oui. Sur une personne qui me serait bien chère. Mais je n'en connais pas. Mon cœur est mort à toute affection.

– Mais vous persistez à croire que ce prodige est possible ?

Nostradamus, d'une voix de certitude, dit alors :

– Nous appelons impossibles les phénomènes qui ne se sont pas encore produits, ou qui semblent aller à l'encontre des lois de la nature. Mais, qu'est-ce qu'une loi de la nature pour l'ignorance humaine ? C'est seulement la constatation d'un fait toujours répété. Nous n'avons vu aucun être réellement privé de la vie se relever, revivre. Et nous disons : la résurrection, ou la réincarnation est *impossible* parce qu'elle est contraire à une loi de nature. En réalité, contre la résurrection ou la réincarnation c'est que, jusqu'à présent, la plupart des hommes n'ont vu aucune résurrection, mais ce n'est pas une preuve. C'est une probabilité... Cet esprit hardi se plaisait à ces spéculations.

– Voici un être vivant, continua-t-il. Un millième de seconde s'écoule, et il ne vit plus. L'instant d'avant, il vivait. L'instant d'après, il est cadavre. Que s'est-il passé ?... Si je l'examine, je trouve les mêmes os, les mêmes muscles, les mêmes nerfs, en même quantité, en même disposition, le même sang en même poids. C'est le même être. Il était vivant. Il est cadavre. On dit : il y avait quelque chose dans l'être vivant. Ce quelque chose n'est plus dans le cadavre. Et voilà la mort expliquée. *Eh bien ! renversons cette affirmation, et disons :* QUELQUE CHOSE QUI N'ÉTAIT PAS DANS L'ÊTRE VIVANT VIENT D'Y ENTRER, ET VOILÀ UN CADAVRE !

– Quelque chose ! La mort ! C'est la mort qui est entrée...

– La mort ! Terme vague. On disait : *manque à ce cadavre quelque chose qui ne manquait pas à l'être vivant.* En réalité, on se contentait de remarquer que le mouvement, la sensibilité, la marche du Sang manquent au cadavre, alors qu'ils ne manquent pas à l'être vivant. C'était dire : la vie manque au cadavre. C'était une constatation, sans plus. Mais moi, madame, moi qui suis entré dans les demeures de la mort, je dis au contraire : *Il y a quelque chose dans ce cadavre qui n'était pas dans l'être vivant !* Dans la première thèse, impossibilité de résurrection naturelle. Car où prendre le quelque chose qui était dans le vivant et qui n'est plus dans le cadavre ?... Avec ma thèse, la résurrection devient possible. Car je dis : Si *quelque chose existe dans le cadavre, qui n'existait pas dans le vivant,* JE PUIS CHASSER CE QUELQUE CHOSE, ET LE CADAVRE REDEVIENT UN ÊTRE VIVANT.

– Et vous avez trouvé ?

– J'ai trouvé que cette force qui ne *détruit pas,* mais qui *modifie* le mouvement, peut être chassée par une force qui laissera au mouvement sa forme, ce que nous appelons *vie.* J'ai trouvé que l'être affaibli par une cause quelconque, devient impuissant à se défendre. J'ai trouvé que tous les êtres vivants, en pleine santé, sont sans cesse assaillis par le *quelque chose* qui veut les transformer en cadavres. Ils se défendent jusqu'au jour où les moyens de défense leur échappent... Alors le *quelque chose* entre... Répétons que c'est une *force.* Si j'arrive à chasser cette force par une force contraire et que je l'empêche de rentrer, j'obtiens la résurrection... Toute la question est donc de composer cette *force contraire* que je veux INTRODUIRE DANS LE CADAVRE.

– Et vous arrivez à la composer ? palpita Catherine.

– Je n'ai pas essayé, répondit simplement Nostradamus. Je n'ai pas essayé, parce que l'un des éléments de cette composition répugne à ma faiblesse humaine.

– Et quel est cet élément ?... fit Catherine étonnée.

– La vie d'un enfant, âgé de moins de douze ans, un enfant né d'un véritable amour... Jamais je ne le chercherai.

– Quoi ! vous laissez-vous donc arrêter par...

– Ah ! madame. Songez à ce que vous me dites. Tenez, je vais vous faire comprendre. *Votre enfant ! Votre fils Henri ! Eh bien il se trouve dans les conditions les plus favorables !* Si, pour rendre la vie à un cadavre, je lui prenais sa vie, À LUI !...

Catherine poussa un cri terrible.

– Taisez-vous ! hurla-t-elle, soudain debout, frémissante.

– Vous voyez bien ! fit Nostradamus.

– Vous avez raison, dit-elle encore palpitante. C'est effroyable. J'en mourrais... mais... il y a... d'autres enfants...

Nostradamus saisit rudement le poignet de Catherine :

– À mon tour de vous dire : Taisez-vous, madame !... Vous venez d'avoir un mouvement maternel qui rachète peut-être bien des pensées criminelles. Mais songez qu'une mère dans la plus misérable des chaumières est auguste au même titre que vous dans votre Louvre. Allez, madame...

Catherine s'inclina sous cette parole et sortit.

III

Apparition

Nostradamus, après le départ de la reine, s'assit à une grande table chargée de livres ouverts. Il songeait :

– Travail ! C'est toi seul qui me donnes la force de supporter les misères de ce cœur qui bat encore pour ELLE. Que de fois, depuis mon retour à Paris, j'ai été m'asseoir sous les peupliers du bord de la Seine !... C'est là que j'ai connu le seul bonheur de ma vie.

Il ouvrit un livre, puis le ferma et le laissa tomber.

– Ce fut terrible, devant le porche de Saint-Germain-l'Auxerrois ; lorsque je sus qu'elle s'appelait Croixmart, je crus que j'allais mourir. Et pourtant, je lui ai pardonné cela. Oui, je crois, je suis sûr qu'elle n'a pas dénoncé ma mère ! Elle n'était pas coupable des crimes de son père. Ô Marie ! ton amour t'avait dicté ton mensonge... mais puis-je te pardonner d'avoir cédé à Henri !... Oh ! ce fils ! Ce Beaurevers ! Cette preuve de ta trahison !... Parfois, j'ai essayé de douter. Je me suis demandé même si cet enfant... Espoir stupide !... Les paroles du dauphin à l'agonie furent formelles ! Et c'est la vérité qu'il me dit lorsque, près de mourir, dans cette chambre de Tournon, il me cria que tu avais un fils et que ce fils, c'était l'enfant de son frère Henri !... Ô Marie ! de quelle boue est fait mon cœur puisque je t'aime encore ! Où es-tu ? Pourquoi n'as-tu jamais obéi à ma voix ! aux incantations auxquelles obéissent tous les esprits !...

Sa pensée entrait dans un autre monde. Il murmura :

– Ces esprits, comment se fait-il que je ne les aie jamais vus, moi !... Cinq ou six fois, j'ai tenté des évocations. Toujours, l'esprit s'est montré à qui je le désignais, *mais jamais à moi !...* Pourquoi ?... Mystères. Jeux infinis de l'infini. Abîmes insondables. Allons, travaillons ! c'est encore la seule consolation !

Il se mit à écrire.

– Travaillons ! C'est bien dit, maître ! fit une voix aigre.

– Tais-toi, Djinno, dit doucement Nostradamus.

Le petit vieux s'avança, les yeux pétillant de malice.

– Eh ! Eh ! fit-il. J'ai travaillé moi aussi. J'ai compulsé tous ces vieux parchemins que vous m'avez remis. Et je sais ! Écrivez, maître ! Je sais le nombre des démons !...

Djinno se frottait les mains ; tout en lui riait. Il s'approcha de la table et jeta un coup d'œil sur les papiers épars.

– Vous n'écrivez pas ? dit-il avec une moue. À quoi me sert le mal que je me suis donné ? À quoi travaillez-vous ?... Bon ! Toujours à vos Centuries ! Maître, laissez là vos Centuries et écrivez !... Savez-vous ce que j'ai compté de démons ? Il y en a six mille six cent soixante-six légions... Et chaque légion comprend six mille six cent soixante-six anges. Cela nous fait une armée de près de quarante-cinq millions qui...

– Djinno, laisse-moi travailler, dit doucement Nostradamus.

– À vos Centuries ! Quand je vous apportais la preuve qu'il y a juste autant de démons que de créatures humaines...

– Oh ! oh ! fit Nostradamus en souriant. Veux-tu dire par là que chaque créature humaine est un démon ?

– Non. Je veux vous prouver que le nombre des démons est toujours égal au nombre de créatures humaines vivantes, en sorte que chacun de nous est escorté, conseillé par un ange noir... Qu'écrivez-vous là ?... Voyons ?...

Nostradamus, après avoir consulté plusieurs parchemins, venait d'écrire les deux lignes suivantes :

Anno 1589.
La mort subite du premier personnage
Aura changé et mis un autre règne.

– Maître, maître, pourquoi vous tuez-vous à ce travail ?

– Pour oublier ! répondit sourdement Nostradamus.

Le petit vieux cessa de rire, et déposant sur la table plusieurs papiers numérotés et mis en ordre :

– Maître, dit-il, soyez tranquille. Nous avons l'œil partout. Consultez ces notes qui résument les différents rapports de nos espions. Voici ce qui concerne la demoiselle Florise. Voici pour le sire de Roncherolles. Voici pour le sire de Saint-André. Voici pour le roi de France. Voici pour la reine et les quatre spadassins qui sont entrés à son service.

Djinno se retira. Nostradamus prit le papier qui concernait Roncherolles, le lut attentivement, et poussa un soupir...

– Souffre, damné ! gronda-t-il. Tu ne souffriras jamais ce que j'ai souffert !...

Il se pencha sur ses parchemins et s'immobilisa dans une étude qui dura deux ou trois heures. Alors, sans cesser de considérer les lignes géométriques, à tâtons, il chercha la plume, et – sans regarder – écrivit :

Le Grand de Blois son ami tuera.
Le règne mis en mal et doute double.

Le jour commençait à filtrer à travers les vitraux lorsque Nostradamus se rejeta en arrière les yeux fermés. Il ne dormait pas pourtant. Et sans doute, la pensée dominante de sa vie continuait à le persécuter, car il murmura :

– Quoi ! Ce que voient les autres, lorsque j'évoque les esprits, je ne pourrais donc jamais le voir, moi !... Oh ! la revoir ! une fois... une seule fois !... Essayons encore !

De tout son être, de toute Sa volonté centuplée, Nostradamus appela l'esprit de Marie. Tout ce qu'il y avait en lui de fluides puissants s'extériorisa et se répandit dans les espaces... Tout à coup, une forme se manifesta dans l'air, à trois pas de Nostradamus, droit devant lui...

Nous disons une forme, à défaut d'autre terme. C'était plutôt une condensation brillante en une place déterminée de l'atmosphère. Nostradamus vit clairement cette blancheur qui se balançait dans l'air... Il fut secoué d'une terrible secousse... Pour la première fois, *il voyait l'invisible.*

Il parla. Non des lèvres, mais de la pensée :

– Est-ce toi, Marie bien-aimée ? Est-ce toi ? Je t'en conjure, fais-moi comprendre que c'est toi !... Je le veux !

Alors la vague blancheur aérienne se condensa davantage.

Cela prit cette fois une forme. Et c'était une forme humaine toute blanche, où il distinguait les vagues contours d'un corps suspendu dans l'air. Il redoubla de volonté. La forme humaine se précisa encore et devint une forme féminine sans qu'il pût distinguer le visage ni les détails du costume...

Un temps inappréciable s'écoula. Les secousses qui agitaient Nostradamus devinrent plus rapides. Ses yeux étaient révulsés, c'est-à-dire que la prunelle était tournée en dedans, *c'est-à-dire qu'il ne pouvait plus voir.* Et c'est à ce moment qu'il VIT !...

Il vit le visage et le reconnut ! C'était elle !... C'était Marie !...

Elle était vêtue de noir et de blanc, costume de deuil. Elle portait exactement les mêmes vêtements que la nuit où elle l'avait aidé à chercher les ossements de la suppliciée !...

Un long, un funèbre hurlement s'éleva dans le silence... C'était Nostradamus qui appelait Marie ! qui se débattait contre la présence de *l'invisible !*

Il s'affaissa sur le tapis, sans connaissance.

Quand il revint à lui, Djinno le soignait et répétait :

– Voilà ce que c'est que vos Centuries du diable !

IV

Roncherolles

Nostradamus venait de réussir pour son propre compte une évocation. Cette fois, il avait vu lui-même. Il chercha les causes de ce fait, et voici ce qu'il trouva :

– Ce jour qui commence est celui où Henri et Beaurevers vont enfin se trouver aux prises. C'est le châtiment du roi Henri qui commence. Et, en ce mercredi, c'est aussi Roncherolles qui va être frappé. Il est donc naturel que Marie se soit montrée à moi pour m'encourager...

La terrible dépense de volonté, l'effort accompli, l'avaient laissé prostré. Vers midi, grâce à son inépuisable réserve d'énergie, et aussi grâce à des stimulants dont il avait le secret, il commença à reprendre la direction de soi-même. Quelques heures plus tard, il avait surmonté cet abattement. Il monta à cheval, et, suivi de deux valets armés, prit la direction du Grand-Châtelet.

Il faisait grand jour encore au dehors lorsque, avec un laissez-passer du roi, Nostradamus pénétra dans la vieille forteresse. Mais quand il eut franchi les portes, quand il se trouva devant le *Paradis* où était enfermé Roncherolles, les ténèbres l'enveloppèrent. Il prit le falot et les clefs des mains du geôlier qui l'escortait, ouvrit lui-même et entra seul. Le prisonnier se leva du petit lit où il gisait, et, hagard, s'avança en grondant :

– Qui vient là ? Est-ce vous enfin, mon révérend père ?...

– Loyola ne viendra pas, dit Nostradamus. Il est sur la route de Rome, et je doute qu'il y arrive vivant...

– Parti en m'abandonnant ! Qu'il soit maudit !...

– Vous avez tort de le maudire. Il voulait vous sauver. Il en a été empêché par le roi qui l'a chassé du royaume.

– Le roi ! Oui, ce doit être cela ! C'est ce roi fourbe qui a commis encore cette félonie ! Eh bien ! maudit soit donc le roi Henri !...

– Vous avez tort de maudire le roi, dit Nostradamus. Il n'a fait qu'obéir à l'ordre que quelqu'un lui a donné.

Roncherolles cherchait à reconnaître celui qui lui parlait ainsi, de cette voix, sans *couleur*. Il râla :

– Et qui a été plus puissant qu'Ignace de Loyola ? Qui est assez puissant pour donner des ordres au roi de France ?

– Moi ! dit Nostradamus.

– Vous ! Oh ! Qui es-tu, démon ! Je ne vois pas ton visage... Mais il me semble que j'ai déjà entendu cette voix ! Qui es-tu ? Ose au moins me jeter l'infamie de ton nom !

– Nostradamus !

Roncherolles, pendant quelques minutes, demeura haletant, les yeux fixés sur cette physionomie impassible.

– Que vous ai-je fait ? Pourquoi avez-vous empêché le moine de me sauver ?

– Parce que c'est moi qui ai demandé votre arrestation.

– C'est vous qui m'avez fait arrêter ! balbutia Roncherolles hébété. J'aurais dû le deviner. Dès le premier mot que vous m'avez dit, j'ai senti que vous étiez mon ennemi. Que vous ai-je fait ? Je ne le savais pas ! Ce que je comprenais c'est qu'un jour vous me tueriez, si je ne vous tuais !... Eh bien ! Êtes-vous content ?... Regardez ce cachot !...

Nostradamus accrocha le falot à un clou, et le cachot se trouva mieux éclairé. Alors, il se tourna vers le prisonnier :

– J'aurais pu dit-il, infliger au moine un plus rude châtiment. Mais le moine avait une excuse, lui : il était sincère. Je regarde ce cachot. Mais j'en ai vu un autre, jadis. Celui-ci est convenable. Celui dont je vous parle était immonde. Le prisonnier était attaché par les chevilles. Les anneaux étaient étroits et rouillés ; la chair du malheureux formait un bourrelet de souffrance. Le prisonnier vécut ainsi pendant des mois. Lorsque le moine descendit dans cet enfer, le prisonnier lui jura sur son âme qu'il n'avait rien fait. Il se mit à genoux. Il pleura... Il supplia le moine de lui permettre de sauver son père. Le moine s'en alla... Je viens au nom de cet infortuné. Ai-je bien fait de frapper Loyola ?...

– Mais moi ! haleta Roncherolles. Qu'ai-je à faire en tout ceci ? Est-ce que la cruauté du moine me regarde, moi !...

– C'est vrai... mais il était utile que vous le sachiez. J'ai oublié de vous dire le nom du malheureux qui m'envoie. Vous le saurez. Cet homme s'appelait Renaud.

Roncherolles sentit un frisson courir sur son échine. Nostradamus reprit :

– Ce cachot est un logement suffisant. Mais j'en ai vu un autre en arrivant à Paris. J'achetai le gouverneur du Temple.

– Le Temple ! bégaya Roncherolles horrifié.

– Je pus donc descendre dans la tombe où fut enfermée la malheureuse qui m'envoie. Comment des hommes, ont-ils eu ce courage d'enfermer là, une jeune fille ! Je l'ai vue, cette tombe ! Je l'ai vu, ce cachot ! Et je me demande comment, par quel miracle elle a pu vivre !... Voulez-vous que je vous dise son nom ?

– Marie de Croixmart !

Roncherolles jeta le nom dans un hurlement. Il songea que tout n'était peut-être pas encore perdu, qu'il lui fallait se défendre ; et, tout d'abord, savoir qui était Nostradamus. Il reprit :

– J'ai connu Renaud. J'ai connu Marie de Croixmart.

– Je viens en leur nom, répondit Nostradamus.

– Quand les avez-vous vus ? demanda Roncherolles.

– Je vois Renaud à chaque instant. Et, quant à Marie de Croixmart, je l'ai vue il y a quelques heures.

– Vivante ! rugit Roncherolles en lui-même. Ce n'était pas un spectre que nous avons vu avec Saint-André ! Elle est vivante ! Il vit !... Ce n'est plus dès lors qu'une question de ruse et de force !...

Sa voix reprit cette ironie qui lui était habituelle.

– Et de quoi vous ont-ils chargé, vous, leur envoyé ?

– De les venger, dit doucement Nostradamus.

– De les venger, soit ! grinça Roncherolles. Pourquoi ne s'en chargent-ils pas eux-mêmes ?

Nostradamus saisit le poignet de Roncherolles, et dit :

– *Parce qu'ils sont morts...*

Le front de Roncherolles se mouilla... Il balbutia :

– Vous disiez que vous avez vu Renaud à chaque instant, et

Marie, il y a quelques heures. Ils sont donc morts aujourd'hui même ?... il y a quelques instants ?

Nostradamus répondit :

– *Ils sont morts depuis plus de vingt ans...*

Alors, le vertige de l'inconnu s'empara de Roncherolles. Il n'était plus dans ce cachot. Il était dans la chambre de Marie de Croixmart. Dans la chambre où il avait amené François et Henri. Et brusquement une voix tonna comme sur le pont-levis de la rue Froidmantel :

– Renaud ! Voici Renaud qui vient !...

Lorsqu'il reprit son sang-froid, il se sentit brisé. Une ressource lui restait : demander grâce. Il s'agenouilla et dit :

– J'ai une fille. C'est pour la sauver que je désire la liberté. Laissez-moi sauver ma fille !...

– Je le sais. Elle s'appelle Florise. Et je sais que vous aimez cette enfant. Le destin vous a mis au cœur l'instrument avec lequel je devais broyer ce cœur...

– Que veux-tu dire ! hurla Roncherolles. Oh ! je comprends ! ma Florise est en ton pouvoir !

Nostradamus saisit la tête de Roncherolles et gronda :

– Regarde-moi !...

– Qu'as-tu fait de ma fille !... râla Roncherolles.

– Je l'ai donnée au roi !...

– Grâce ! Grâce ! rugit Roncherolles. Il est temps encore. Ma vie pour la sienne ! Cours !... Sauve-là !...

– Trop tard. En ce moment, le roi est auprès d'elle.

– Livrée ! pantela Roncherolles. Livrée au roi !

– Le même à qui, jadis, tu livras Marie de Croixmart !...

Roncherolles tomba la face contre terre.

Nostradamus sortit. Le geôlier remarqua que ses mains tremblaient un peu. À l'encoignure de la rue Froidmantel, il vit aux abords du Louvre un grand rassemblement de peuple, qui criait :

– Vive Monseigneur ! Vive Sa Majesté !

– Vive Savoie ! Vive le roi !...

Nostradamus se sentit mordu au cœur par un soupçon.

– C'est aujourd'hui mercredi ! Le roi, à cette heure, est à Pierrefonds en présence de Florise et de Beaurevers !...

S'adressant à un artisan qui criait plus fort que les autres :

– Mon ami, dit-il, pourquoi tout ce monde ?

– C'est, dit l'homme, que monseigneur le duc de Savoie est allé visiter la lice qu'on prépare près de la Bastille Saint-Antoine pour le tournoi qui aura lieu à l'occasion de son mariage et qu'il vient de rentrer au Louvre. Comme Sa Majesté le roi accompagnait le duc, nous crions vive Savoie et vive le roi !...

Nostradamus entendit en lui comme un fracas effroyable. Il lui sembla que le ciel croulait. Le roi n'avait pas été à Pierrefonds, où Beaurevers se trouvait en ce moment !

La vengeance avortait !...

Dix-septième chapitre
Pierrefonds

I

En campagne

Nous ramènerons le lecteur à cette nuit du samedi au dimanche où Djinno conduisit Roland de Saint-André dans les fossés Mercœur, sur les derrières de l'hôtel du maréchal.

La galerie qui aboutissait aux coffres dans les caves du maréchal, apparut aux yeux de Roland dès que Djinno eut fait tomber la mince couche de plâtras qui dissimulait l'ouverture. Les quatre gaillards en question étaient là. La charrette annoncée attendait sur le talus. En moins d'une heure, les fameux sacs furent transportés sur la charrette.

Lorsqu'il n'y eut plus qu'un sac à prendre, Djinno ricana :

– Ne laisserez-vous pas cette consolation à votre père ?

– Non, non ! rugit Roland. Je veux tout !

Le dernier sac alla rejoindre les autres.

– Où allons-nous mettre ces millions ? dit le petit vieux.

– Des millions ! délirait Roland. Et tout cela est à moi !...

– À vous. À vous seul. Il y en a au moins six.

– Six millions ! Portons-les à mon hôtel de la rue Béthisy.

– Où M. le maréchal viendra tout fouiller dès qu'il trouvera son armoire vide. Nous avons songé à cela aussi.

La charrette se mit en marche. On arriva à une courtille enclose de murs, où il y avait une maison et un puits.

– Cette maison est à vous. On vous la donne, dit Djinno. Le puits est desséché. Cela fera un excellent coffre.

– Oui. Un coffre où vous pourrez puiser, moi absent.

– Si nous avions voulu ces millions, nous n'avions qu'à les

prendre sans vous en parler !

– C'est vrai, c'est vrai ! bégaya Roland.

Il éventra l'un des sacs, bourra sa ceinture, ses poches, les fontes de sa selle, de belles pièces d'or rutilantes. Puis les sacs furent précipités au fond du puits. On jeta dessus des pierres et de la terre. Puis Djinno remit à Roland les clefs de la courtille et de la maison.

Lorsque Djinno, ses quatre compagnons, la charrette eurent disparu, Roland se pencha sur le puits et demeura là, longtemps, méditatif. Il songeait au coup terrible qu'il portait à son père... Il songeait que, en somme, il était plus vil que ces truands qu'il voyait pendre, et qui avaient au moins risqué leur vie pour dévaliser un bourgeois.

– Truand ! cria distinctement une voix dans la nuit.

Il bondit. Durant une heure il écouta. Il n'entendit plus rien.

– Je n'ai rien entendu bégaya-t-il. C'est la peur... Allons ! Je suis riche. Et maintenant, à Pierrefonds !...

La rue des Francs-Bourgeois était aussi importante que de nos jours pour son commerce. Le commerce a changé. Alors, on y louait des arquebuses, des rapières, de bonnes dagues et des pistolets qui ne manquaient jamais leur coup. En louant l'arquebuse, on louait ipso facto l'arquebusier, en louant la rapière, on acquérait du coup le bravo qui allait la manœuvrer.

Un cabaret servait de marché ; il y avait une cote ; les prix variaient aussi selon les saisons, selon la qualité du dos qu'il fallait daguer ou de la poitrine qu'il fallait arquebuser.

Roland de Saint-André, sur le coup de trois heures du matin, entra dans ce cabaret, fit venir le patron, aligna un certain nombre de piles d'écus, et indiqua ce qu'il lui fallait. Le patron sortit et revint une heure plus tard ; une vingtaine de cavaliers assez bien montés l'accompagnaient, tous gens sentant d'une lieue le guet-apens et le meurtre. Le chef se nommait Lorédan.

Il entra seul dans le cabaret ; Roland lui expliqua ce dont il s'agissait ; on convint du prix, dont Roland versa moitié.

– Maintenant, dit Lorédan, nous sommes à vous.

Le dimanche matin, les dagues, les rapières louées par Roland prirent au grand trot la route de Picardie, et, quelques heures plus tard, cette troupe s'arrêta sous les hautes murailles de Pierrefonds.

Les chevaux installés dans les étables et les sacripants remisés en l'unique auberge du pays, Lorédan et Roland de Saint-André grimpèrent jusqu'aux abords des ponts-levis.

– Au large ! crièrent des sentinelles dans les créneaux.

Là-haut, dans la guérite du veilleur, il y eut un mugissement de trompe. Dans les cours de la forteresse, on entendit comme un bruit de prise d'armes. Roland et Lorédan dégringolèrent l'escarpement. Roland était pâle. Lorédan hochait la tête.

– Nous n'entrerons jamais là-dedans, dit-il.

– Avant mercredi, j'y serai, répondit Roland.

– Pourquoi avant mercredi ?

– Parce que ce jour-là le roi de France y entrera, lui ! Pierrefonds n'est pas à lui. Mais il sera bien accueilli !

– Les vingt braves que j'ai amenés sont inutiles, dit Lorédan. La ruse doit ici remplacer la force...

– Avant mercredi, dit Roland, j'entrerai ou je serai mort.

L'auberge était placée au pied du géant. Elle avait la spécialité de ravitailler MM. les officiers de la garnison en pâtés de faisans et venaisons. De plus, on y tenait buvette pour les archers, les arquebusiers et les moines de Saint-Jean qui y faisaient escale avant de monter au château. Maître Tiphaine, patron de cette auberge, était un homme de cinquante ans, sec, quelque peu sombre.

Il était marié à une jeune Normande de vingt-quatre ans, une de ces silencieuses gaillardes dont l'œil vous raconte tout de suite le genre de poésie qu'elles préfèrent. Tiphaine, de temps à autre, répétait à Martine :

– Si jamais tu me trompes, je te tue.

– Bah ! se disait-elle, je ne serai jamais tuée qu'une fois !

II

Utilité de l'adultère et du braconnage

Ce soir-là, vers cinq heures, dame Tiphaine épluchait des oignons destinés à la sauce d'un beau lièvre, lequel devait être mangé par Roland de Saint-André et Lorédan. Tiphaine mettait du lard en capilotade, rageusement, les yeux mauvais.

– Martine, dit-il tout à coup, il me semble que ce blondin du château, ce jeune cornette, ce damné vicomte... vient bien souvent rôder autour de mon poulailler...

– Le soupçonnes-tu d'en vouloir à nos poules ?

– Je te dis, moi, que c'est autour des jupes qu'il rôde !

– Ah ! si c'est cela que tu veux dire, il vient peut-être bien pour Madelon, qu'en dis-tu ?

– À moins que ce ne soit pour toi, damnée bique !

Martine leva sur son mari des yeux pleins de larmes.

– Où faut-il mettre les oignons ? demanda-t-elle.

– Mets-les là ; mais si jamais tu me trompes, je te tue !

– Tu me le répètes dix fois par jour.

Tiphaine agita furieusement son hachoir. Au fond, il était parfaitement rassuré par la superbe tranquillité de Martine. Rassuré tout au moins pour la nuit prochaine. Cette scène était, en effet, une scène préventive. Après un bon quart d'heure, il fit :

– Dis donc, à quelle heure se lève la lune ce soir ?

– Est-ce que je sais, moi ; je me couche comme les poules.

– C'est que, reprit-il, il paraît que mercredi prochain un gros seigneur de Paris vient au château, un gros, comme qui dirait un prince. Et alors, on m'a mandé de là-haut de me munir d'un bon chevreuil, avec quelques autres bricoles autour. Il faut que j'aie la grosse pièce cette nuit, c'est pas trop tôt pour la faire attendrir.

– Si fait, dit Martine, c'est un peu tôt. Vas-y demain.

– Bon ! pensa Tiphaine, j'irai ce soir ! Alors, tu comprends, la lune se lève à neuf heures ; je partirai à dix ! aie soin de me préparer mon arbalète qui est au grenier.

– Je vais la chercher, dit Martine avec soumission.

Martine monta au grenier, et, avant de s'occuper de l'arbalète, plaça un linge blanc en travers de la lucarne qui regardait le château. Voici, ce que disait ce linge :

– Il fait clair de lune, ce soir. C'est un temps de braconne. Fin renard, ce soir le poulailler sera sans défense !

À dix heures, Tiphaine sortit de l'auberge dont il ferma la porte à double tour et dont il emporta les clefs. Quant aux fenêtres, elles étaient bardées de fer comme des meurtrières de prison.

Vingt minutes après le départ de Tiphaine, le cornette était dans la chambre de Martine. Par où diable peuvent bien passer les amoureux quand portes, fenêtres et cheminées leur sont défendues ?

Martine ne dormait pas, ni le cornette, ni Roland de Saint-André. Quant à Lorédan et à ses sacripants, ils ronflaient sur du foin, dans un bâtiment sis à trente pas de l'auberge, et qui servait de magasin à fourrage.

Roland, dans sa chambre sans lumière, assis près de la fenêtre ouverte, contemplait le château qui se plaquait en noir sur un ciel baigné de lune.

– Elle est là ! Je n'ai plus que deux jours pour forcer les portes qui doivent s'ouvrir devant le roi. Je les forcerai !...

Ce monologue fut interrompu par un sonore éclat de rire.

Roland se redressa et tira son poignard : il n'y avait personne dans la chambre ! Roland prêta l'oreille. Et il entendit une voix féminine, assez fraîche :

– Allons, ne riez pas si fort, soyez sage, mon beau cornette.

– Jolie Martine, répondit une voix plus mâle, pourquoi ne rirais-je pas quand les pâtés de maître Tiphaine sont si bons, son vin si généreux, et sa femme si aimable ?

Roland entendit un bruit de baisers, puis de gobelets.

– À la santé de maître Tiphaine ! ricana la voix mâle.

– À sa santé, pauvre cher homme ! dit la voix fraîche. Mais, avec vos rires, vous allez réveiller ce jeune seigneur qui dort à côté. Il est généreux. C'est une bonne aubaine pour l'auberge. Il ne faut pas l'empêcher de dormir. Je veux bien tromper Tiphaine, mais non ruiner l'auberge.

– Au diable le gentilhomme ! cria le cornette.

– Par où diable a pu passer l'amoureux de l'hôtesse ? songea Roland, et par où diable va-t-il s'en aller ?

Roland se remit à écouter. En mettant bout à bout les lambeaux de cette conversation, Roland apprit : 1° Que le sieur Tiphaine, deux ou trois fois la semaine, était aussi trompé que peut l'être un mari ; 2° Que l'amoureux s'appelait Agénor, de son petit nom ; 3° Qu'il appartenait à la garnison du château.

Roland se dit que le cornette allait lui ouvrir les portes du château. Il s'installa sur un escabeau, près de la porte. Il n'entendait plus rien. Mais il en savait assez : lorsque le cornette s'en irait, il était résolu à lui dire :

– Voulez-vous me conduire dans le château ? Sans quoi, j'aurais, moi, le regret de vous couper la gorge.

Roland attendit longtemps. Enfin, il entendit s'ouvrir la porte de la chambre voisine.

Roland sortit, et vit une lumière qui s'enfonçait dans l'escalier. Il se mit à descendre avec une légèreté silencieuse. L'escalier conduisait à la cuisine. La lumière continua de descendre et de s'enfoncer dans un escalier en pierre qui conduisait aux caves.

– Le cornette a encore soif !

Roland, arrivé au bas de l'escalier, ne vit plus que la lumière posée sur le sol. Martine et le cornette avaient disparu.

Roland se vit dans un caveau, dont la voûte se soutenait sur huit arcs-doubleaux qui venaient s'appuyer sur un pilier central massif. Sur l'une des faces de ce caveau s'ouvrait un couloir qui pouvait se fermer au moyen d'une porte en chêne. À dix pas de là, le couloir était barré par une nouvelle porte – en fer, cette fois.

Le caveau avait dû, autrefois, se trouver sous quelque pavillon isolé qui servait de retraite en cas d'invasion du château. Le souterrain reliait le pavillon au château et on pouvait se sauver par là.

Roland vit la porte de chêne ouverte. Dans le souterrain, le cornette faisait ses adieux à la tendre Martine.

La porte de fer se ferma. Martine revint au caveau, verrouilla la porte de chêne, reprit sa lumière, s'avança et...

– Bonsoir, ma chère hôtesse ! fit Roland se montrant.

Martine devint blanche comme sa fine collerette. Sa petite lampe trembla dans sa main. Martine reconnut sur-le-champ le généreux seigneur de Paris.

– Vous êtes gentilhomme, dit-elle, et vous ne me trahirez pas.

– À Dieu ne plaise, dit Roland. Mais ne restons pas ici. Maître Tiphaine pourrait rentrer, et il vous tuerait.

L'instant d'après, ils étaient installés dans la chambre de Roland. Roland, sans mot dire, aligna sur la table cent pièces d'or. Martine regardait, effarée.

– Ce soldat, dit Roland, cet Agénor...

– Il est cornette et vicomte, dit fièrement Martine.

– Ma chère hôtesse, dit gravement Roland, je veux entrer la nuit prochaine dans le château. Vous prierez M. le vicomte Agénor de vouloir bien m'y introduire...

– Impossible, dit-elle.

– Alors, je vous dénonce à votre mari, qui vous tue. À vous de décider le cornette. Adieu, à la nuit prochaine !

Roland prit Martine par la main et la conduisit jusqu'à sa porte. Un quart d'heure plus tard, il entendit maître Tiphaine qui revenait bredouille !

III

Braconnier à l'affût

Florise, sa première stupeur passée, de se retrouver *sans savoir comment* au fond du vieux manoir féodal, établit nettement qu'elle avait dû être enlevée, ou par le roi, ou par Roland et se prépara à la défense. Elle vit qu'il lui fallait opter entre la mort et la honte. Et elle choisit la mort.

La nuit du mardi au mercredi.

Dans une vaste chambre précédant celle de Florise, les deux matrones bavardaient. Un seul flambeau éclairait ces deux têtes de sbires femelles. C'étaient deux rudes commères. L'une d'elles était boiteuse, et s'appelait la Boiteuse. L'autre avait des moustaches, et s'appelait l'Arquebuse.

Deux heures du matin sonnèrent à l'horloge.

– Je crois que nous pouvons nous coucher, dit l'Arquebuse. Seigneur Jésus, quand je pense qu'en quarante-trois un jeune seigneur de haute mine... il faut vous dire qu'on se retournait sur moi... un jeune baron, donc...

– C'est comme moi, interrompit la Boiteuse. J'avais, en l'an trente-neuf, mes deux jambes d'aplomb. Moi, c'était un duc, le duc de...

– Oui, mais veillons. Nous aurons chacune deux cents écus demain à midi sonnant. Je ne fus pas cruelle au baron. Si je ne l'avais consolé, il était capable d'en mourir, et alors...

– Moi, mon duc se fût passé l'épée au travers du corps. Et quand je pense que cette petite ne veut pas d'un roi.

Elles levèrent les yeux au plafond, et, en chœur :

– Veillons, veillons !

– Il faut vous dire qu'après le baron, reprit l'Arquebuse... Êtes-vous sûre que nous aurons nos deux cents écus ?

– Saint-André est riche. On le dit maître de millions.

– Des millions ! Ah ! des millions !...

– Comment peut être fait un million, dites, ma chère ?...

– Voulez-vous en voir un ? fit une voix.

Les deux matrones jetèrent un cri perçant. Un homme était là près d'elles. Mais presque aussitôt elles furent rassurées en reconnaissant le fils du maréchal. Elles trouvèrent naturel que Roland eût été chargé sans doute de leur apporter un ordre du maréchal.

– Voulez-vous savoir comment est fait un million ?

Elles se regardèrent, effarées. Il disait : *un million.* Il eût aussi bien dit : deux, trois millions ! Tout !... Introduit et guidé jusqu'ici par le cornette, à qui il avait promis de payer ses dettes, il était venu en disant : j'offrirai mille livres aux deux commères.

Le mot *million* vint tout seul à ses lèvres.

– Un million que vous vous partagerez !

– Quand l'aurons-nous ? fit l'Arquebuse.

– Dans quelques heures. Je suis le fils du maréchal de Saint-André. En ce moment les trésors du maréchal sont dans les caves de mon hôtel. Demain, trouvez-vous chez moi, rue de Béthisy, et vous verrez *comment est fait un million.*

– Votre père doit nous donner à chacune vingt mille écus...

– Un million, grinça Roland. Je vous donne un million !

– Pour, continua l'Arquebuse, garder ici cette jolie jeunesse auprès de laquelle nous devons demain mercredi introduire un puissant seigneur que nous ne connaissons pas...

– Mais qui peut nous faire pendre, acheva la Boiteuse.

– Un million ! rugit Roland.

Il crispa les poings. Elles eurent peur.

– Hé ! fit l'Arquebuse, il fallait ça, voyez-vous, pour nous décider à vous livrer la petite !

– Oui, dit la Boiteuse gravement, il fallait cela : un million !

Livrer Florise à Roland ! Il n'en avait pas été dit un mot. Mais elles avaient deviné. Roland n'y prêta pas garde.

– Il s'agit de me l'amener à l'auberge, dès l'aube.

– Par où passerons-nous ? Il y a des gardes dans la cour.

– Venez, dit Roland, qui sourit.

La Boiteuse resta. L'Arquebuse accompagna Roland.

Au bout d'une demi-heure, l'Arquebuse remonta. La Boiteuse l'attendait avec une fébrile angoisse.

L'aube commençait. Elles éteignirent le flambeau. L'Arquebuse raconta la descente, le souterrain, la porte de fer, montrés par Roland.

– Comment l'emporter ? dit la Boiteuse. Elle va crier.

– Il faut qu'elle vienne d'elle-même, dit l'Arquebuse.

– Je vais lui dire que je me repens et lui proposer de fuir...

– Elle ne nous croira pas... Laissez-moi faire : je sais ce qu'il faut dire : le jeune homme au million m'a expliqué.

– Au million ! songea la Boiteuse. Si je pouvais l'avoir seule !

L'Arquebuse pensait :

– Le million sera pour moi !

À voix basse, elles convinrent de leur plan. Et alors, l'Arquebuse entra dans la chambre de Florise...

Elle dormait. Son sommeil était agité. Son bras gauche pendait du lit. Sa main droite se crispait sur le manche d'un petit poignard.

L'Arquebuse s'approcha et la toucha à l'épaule. Florise, éveillée se souleva, et sa voix trembla de fierté outragée :

– Comment osez-vous me toucher ? Surveillez, espionnez. Mais épargnez-moi votre contact et votre présence. Sortez !

– Madame, le roi est dans la cour du château.

– Le roi !... bondit Florise.

– Madame, un seul mot. Le roi nous donne deux cents écus...

– Misérable ! râla Florise, qui tentait de se vêtir.

– Promettez le double, siffla la femme, et je vous fais fuir.

– Fuir ! oh ! oui, fuir !... Le double ! Tout ce que vous voudrez ! Mille, deux mille écus ! Mon père donnera tout...

– Venez ! dit l'Arquebuse en la couvrant d'un manteau. Florise vit sur son visage un sourire effroyable.

– Oh ! cria-t-elle en se reculant. C'est un piège !...

– Il faudra donc que je dise à ce jeune homme que vous avez refusé de me suivre et préféré attendre ici le roi ?

– Quel jeune homme, misérable, parle donc !

– Il s'appelle Le Royal de Beaurevers.

Florise palpita un instant. Puis, tout en elle devint calme. Le Royal de Beaurevers était là ! Plus rien de mal ne pouvait plus lui arriver. Elle commença à se vêtir.

– Le roi va monter, venez, venez !...

Florise s'enveloppa étroitement du manteau et dit :

– Conduisez-moi...

C'était à peu près le moment où Nostradamus évoquait et *voyait* Marie de Croixmart. Il était huit heures du matin.

Roland prenait ses dernières dispositions pour emporter de force Florise, alors enfermée dans la chambre de Martine. L'Arquebuse et la Boiteuse étaient en route pour Paris, avec rendez-vous rue de Béthisy, où elles devaient voir un million. Six des sacripants de Lorédan gardaient à vue maître Tiphaine, sa femme et les deux domestiques de l'auberge. Les autres attendaient à l'entrée du bois en selle.

Les chevaux de Roland et de Lorédan étaient attachés dehors. Roland allait monter auprès de Florise ; d'une voix hachée :

– Écoutez, gronda-t-il. Je vais la saisir. Qu'elle crie, tant pis. On n'entendra peut-être pas. Je la descends. Je monte à cheval. Elle en travers de ma selle. Je pique vers Villers-Cotterets, où je trouverai bien une carriole. Il peut arriver qu'on s'aperçoive là-haut de ce qui vient de se passer ; que le cornette, par remords, me dénonce, qu'on nous poursuive...

– Je réponds de cela, dit froidement le bravo. Fussent-ils cinquante, je les empêcherai de vous atteindre.

– Il peut arriver d'autre part qu'en chemin nous nous heurtions à une troupe qui sûrement est en marche, venant de Paris.

– Nombreuse ? demanda le chef des estafiers.

– Non. Cinq ou six. Il faudra passer au travers.

– Et tuer tout, n'est-ce pas, s'il le faut ?

Roland eut un soupir. Une seconde, il hésita, puis :

– Oui ! Rejoignez vos hommes, moi, je monte.

– Un instant ! dit Lorédan. Est-ce que dans cette troupe ne se trouvera pas le maréchal... *votre père ?*

– Tant pis...

– Ah ! fit le sacripant. Voilà qui va bien. Mais ce n'est pas tout. À côté du maréchal votre père, est-ce que nous ne trouverons pas... le roi !... Ah ! voyez-vous... parricide... c'est votre affaire. Mais régicide !... Nous n'avons jamais rien convenu de pareil.

– Vous hésitez ?

– Non pas, mort-diable ; je refuse tout net.

Roland grinça des dents. Il fit un effort et bégaya :

– Même si je vous enrichis, vous et vos compagnons ?

– Ne parlons pas de mes camarades. Parlons de moi. Qu'appelez-vous enrichir ? Dites un chiffre.

Roland se pencha à l'oreille de l'estafier, et murmura un mot, un seul... Lorédan s'inclina jusqu'à terre et gronda :

– Sire, roi, diable, démon, ange ou Dieu, nul n'empêchera votre seigneurie d'arriver à Paris, j'en réponds.

Lorédan rappela ses six sentinelles, enferma Tiphaine et sa famille dans la cuisine, et s'en fut rejoindre sa bande. Roland de Saint-André se mit à monter.

Il était devant la porte. D'un geste rude, il ouvrit, et se rua sur Florise. Il eut un hurlement de triomphe : il venait d'oser la saisir !... Il l'étreignit frénétiquement et se mit en marche la tête perdue.

Un grand cri déchira le silence de l'auberge maudite :

– Beaurevers ! À moi ! À moi, Beaurevers !...

IV

Où était Beaurevers

En cette nuit qui venait de s'écouler, Nostradamus avait dit à Beaurevers : « Vous la trouverez à Pierrefonds... » Beaurevers s'était élancé, bousculant Trinquemaille, Strapafar, Bouracan et Corpodibale, gardes du corps de la reine, passant près de Lagarde et de ses huit hommes. Lagarde s'était jeté à la poursuite de Beaurevers et l'avait atteint, comme on a vu.

Le Royal de Beaurevers compta les rapières dégainées contre lui. Neuf ! C'était bonne mesure.

Le chef vit que ses hommes n'attendaient que son signal.

– Prenez-le, dit-il, mais je veux son foie.

– Voici du fouet ! rugit Beaurevers, dont l'épée en effet siffla et fouetta la joue de Lagarde.

Lagarde poussa un hurlement, auquel répondit un gémissement. Un des hommes tombait ! C'était le coup de Beaurevers ! La rapière, en cinglant, avait décrit un demi-cercle, et, après avoir souffleté Lagarde, avait éraflé ici un nez, là un menton, et s'était plantée dans une gorge.

– Et d'un ! vociféra Le Royal. Mon poignet se dérouille !

Huit épées furieuses pointèrent. Il y eut un rugissement :

– Nous aurons tes tripes pour les mettre à la chaudière !

Les huit rapières ne trouvèrent que le vide. Beaurevers s'était jeté à plat ventre. L'instant d'après, il se relevait, non sans porter un coup. Un ventre fut ouvert.

– Prenez celles-ci pour votre chaudière ! Et de deux !...

Ils étaient sept : ils reculèrent. Un étonnement mêlé d'admiration et de rage les paralysait.

Cela dura deux ou trois secondes. Et comme ils étaient là, attendant le moment favorable, un cri rauque :

– Une sortie ! Une sortie par tous les enfers !

Le Royal surgit, jaillit de son encoignure, puis s'y renfonça. Mais la *sortie* avait abattu un homme encore.

– En avant ! tonna Lagarde.

Les six, ensemble, foncèrent... Il y eut, dans les ténèbres de cette encoignure, un cliquetis de fers, des grognements, des imprécations, puis, un recul de la bande réduite à cinq !... Un cri retentit :

– Le chef est mort !...

Lagarde gisait sans mouvement, la poitrine trouée. Beaurevers haletait. Ses deux épaules saignaient. Mais il était vivant, et sa voix vibrait :

– Qui veut apprendre le coup de Beaurevers !

– En avant ! En avant !...

Ils s'élancèrent à cinq : mais ils n'arrivèrent qu'à deux ; trois firent semblant de se jeter sur lui, et s'enfuirent. Les deux s'arrêtèrent stupides.

Alors, Beaurevers prit leurs épées et les brisa. Il les eût souffletés sans qu'ils eussent pensé à se défendre. Ils se disaient : C'est Beaurevers ! Il va nous achever.

Il les acheva, en effet : il les saisit par la tignasse, et se mit à cogner leurs crânes l'un contre l'autre, en hurlant :

– Mais allez-vous en donc, puisque je vous fais grâce.

Ils partirent comme des flèches. Et de cette aventure, demeurèrent à moitié idiots. Le Royal se pencha sur Lagarde, et vit que la mort avait achevé son œuvre.

– Pauvre diable ! murmura-t-il.

Alors seulement, Le Royal de Beaurevers s'aperçut qu'il ne tenait plus qu'un tronçon d'épée. Il l'examina quelques instants, puis, pensif, murmura :

– Tiens ! ce n'était pas ma rapière !...

C'était vrai. Ce n'était pas sa rapière : elle était restée dans l'hôtel de la rue Froidmantel. C'est avec l'épée de Montgomery que Le Royal avait combattu... l'épée apportée par Catherine de Médicis à Nostradamus parce que le Destin voulait *que le roi tombât sous, le fer de Montgomery !*

– Pourquoi me suis-je trompé de rapière ?

Il haussa les épaules, et se mit en route. Il se rendit à ce cabaret mal famé où, un soir, après leur sortie des caves de la grande prévôté ses quatre acolytes et lui avaient cherché refuge. Il fit panser ses blessures. Il avait de l'argent : Nostradamus avait garni sa ceinture. Il acheta un manteau, remplaça son pourpoint déchiqueté, et choisit une rapière longue, forte, souple : un véritable estramaçon de guerre. Après quoi, il se munit d'un bon cheval. Tout cela le conduisit à peu près jusqu'à l'heure de l'ouverture des portes.

Il se présenta à cheval à la porte Saint-Denis.

Il allait en tempête. Et sa pensée rugissait, tonnait, galopait, furieuse, frénétique, devançant l'effroyable galop du cheval...

Lorsqu'il sortit de la forêt, lorsqu'il vit se profiler sur le ciel éclatant le sombre colosse qui semblait l'attendre. Beaurevers eut un long rugissement de triomphe. Il hurla :

– À nous deux !...

Le cheval emporté par l'élan, piqua droit sur l'auberge, à un tourniquet de laquelle hennissait un autre cheval.

– Bon ! dit Beaurevers tout haut, sans savoir, j'aurai ici des renseignements sur ce nid de larrons !

Il sauta à terre. À ce moment son cheval s'abattit...

Beaurevers poussa violemment la porte d'entrée et pénétra dans une salle déserte, silencieuse. Un étrange bruit de lutte s'entendait en haut. Des pas pesants firent crier un escalier. Beaurevers écoutait, palpitant... et alors une clameur s'éleva, une voix affolée, qu'il reconnut :

– Beaurevers ! À moi ! À moi ! Beaurevers !...

– Me voici ! dit Le Royal.

Une porte, au fond de la salle, battit, poussée d'un coup de genou. Roland de Saint-André entra, serrant dans ses bras Florise, à demi-morte. Il ne vit rien. Il n'entendit rien. Mais dans l'instant même où il mettait le pied dans la salle, il tourna trois fois sur lui-même, et alla rouler à dix pas... Quand il se releva, il vit Beaurevers qui, doucement, déposait sur le plancher Florise évanouie de joie.

Debout Roland, marcha sur Le Royal l'épée à la main.

Brusquement, les deux fers se trouvèrent engagés, les deux

hommes en garde, et Roland débuta par un coup droit terrible : le coup de parade releva l'épée qui érafla le menton de Beaurevers. D'un bond, Roland évita la riposte.

Roland, à trois pas de Beaurevers, tournait lentement. Tout à coup, il engagea. Pendant une minute, ce fut une frénétique succession d'attaques, de parades, de ripostes, de coups de fouet – et comme Roland se mettait à rompre, la rapière de Beaurevers s'allongea, et entra dans la poitrine d'où le sang jaillit à flots.

Le Royal vit Florise qui s'enveloppait de son manteau.

– Fuyons, fit-elle.

– Ne craignez plus rien, dit-il doucement.

Elle le regarda, et sous ce regard il pâlit.

– Je ne crains rien, mais il faut fuir, et vite... Fuyons.

– Venez donc, reprit-il. Où faut-il vous conduire ?

– À Paris, chez mon père, dit-elle avec fermeté.

Il fit oui de la tête. Il ne savait plus de quoi il était question. Il ne savait qu'une chose, c'est qu'il était près de Florise, que cette voix c'était la voix de Florise. Elle, étrangement calme, sortit la première.

– Mon cheval est mort, bégaya Beaurevers.

– En voici un, dit-elle en désignant le cheval de Roland.

Légèrement, elle prit place en avant de la selle. Beaurevers se mit en selle. En avant ! Il était ivre. Il se sentait mourir à sentir palpiter sur son bras ce corps gracieux. Était-ce lui qui galopait, emportant Florise conquise de haute lutte !... En avant !...

– Halte-là ! hurlèrent des voix rauques.

V

Après la bataille

C'étaient Lorédan et sa bande qui barraient le chemin.

Lorédan, posté à l'entrée de la forêt, attendait l'arrivée de Roland, ruminant une vision d'échafaud et une vision rutilante d'or.

Tout à coup, il aperçut au loin un cheval qu'il reconnut :

– Le cheval de Saint-André ! Enfin !... Attention, vous autres !... Ah ! le gaillard ! Il emporte la jolie donzelle... Oh ! Mais, par tous les diables, je ne reconnais pas ce chapeau à plumes... ni ce manteau rouge ! Ce n'est pas lui ! Tonnerre du ciel, on lui enlève la petite ! Holà, vous autres, pied à terre ! Sur la route tous ! C'est le cavalier de tout à l'heure ! Les dagues au vent ! Cent écus à qui coupe les jarrets du cheval ! Cinq cents à qui abat l'homme ! Sans toucher à la petite ! Peste. Elle porte ma fortune dans son manteau !...

Les chevaux furent attachés à des arbres. Les estafiers envahirent la route. Beaurevers n'était plus qu'à trente pas...

Florise vit cette bande de gens armés. Elle songea :

– Les gens du roi ! Le roi est derrière !...

Le Royal s'arrêta. Il attacha les rênes au pommeau. De sa main droite, il saisit sa rapière. Dans son bras gauche, il assura Florise éperdue. La rapière se leva. Sa voix tonnante répercuta d'éclatants échos sous le bois :

– Au large !... Au large !...

– Par pitié, n'y allez pas ! bégaya Florise défaillante.

– Je vais balayer cette truandaille, et nous passerons !

Alors, la pensée de Florise s'égara. Son amour éclata :

– Si tu m'aimes, aie pitié de toi-même et tourne bride !

Il devint livide. Il chancela sur sa selle. Ce tutoiement soudain, cette parole d'amour pur, cela fit de lui un de ces fabuleux géants qui tenaient tête à des armées. Le cœur frissonnant, il répondit :

– Je t'aime ! oui, je t'aime, et je te garde !...

L'épée haute, il enfonça les deux éperons dans les flancs du cheval qui, d'un bond furieux, fut au milieu des estafiers.

Cela dura quelques minutes. Florise se serrait sur sa poitrine. Et lui, tandis qu'il frappait d'estoc et de taille, tandis que les hurlements de mort montaient, tandis que le sang giclait, lui murmurait :

– Je t'aime... oui, par le Dieu vivant, je t'aime, je t'aime...

L'un des estafiers sauta aux rênes, dix autres se ruèrent sur le flanc, un autre à genoux s'apprêta à couper le jarret du cheval. L'œil de Beaurevers était partout. Le lourd estramaçon fut partout. Un furieux coup d'éperon. Le cheval se cabra, entraînant dans les airs l'homme pendu aux rênes : c'était Lorédan !...

L'estramaçon s'abattit sur le crâne de Lorédan, qui s'affaissa sur la route, dans un soupir. L'estramaçon bondit sur le flanc gauche, sur le flanc droit. Des crânes furent défoncés. Le cheval rua... L'homme à genoux eut les mâchoires fracassées...

Une seconde plus tard, Beaurevers disparaissait au loin...

Et le cheval galopait dans l'air pur. Des oiseaux chantaient au fond des taillis. La forêt n'était plus qu'un chant de triomphe et d'amour. Beaurevers et Florise s'enivraient de leurs regards...

Maître Tiphaine, en homme habitué à manipuler les serrures, avait crocheté la porte de sa propre cuisine, où il était enfermé à double tour avec sa femme et ses deux servantes. Ils avaient très bien entendu le cliquetis du duel dans la salle.

– Je crois que nous sommes perdus, dit Tiphaine à Martine. Pardonne-moi les misères que je t'ai faites.

– Nenni, fit Martine. Moi, d'ailleurs, ça m'est égal, de mourir, puisque un jour ou l'autre, tu m'aurais tuée. Autant l'être tout de suite de la main de cet enragé qui bataille là.

– Comment ça je t'aurais tuée ? M'aurais-tu trompé ?

– Regarde-moi. Ai-je l'air d'une femme qui trompe son mari ?

Pendant cette intéressante discussion conjugale, le bruit d'armes avait cessé. Au bout de dix minutes de silence, Tiphaine se hasarda à appeler. Ne recevant pas de réponse, il crocheta la serrure et s'aventura au dehors, suivi des trois femmes.

– Et c'est aujourd'hui, grinça-t-il, que doit venir au château ce gros seigneur de Paris. Rien de prêt ! Je suis perdu d'honneur. Allons, volailles ! Allumez-moi ces fourneaux !

Un grand cri lui répondit. Martine s'était précipitée dans la salle et se penchait sur le corps de Roland de Saint-André.

– Pauvre jeune homme ! dit-elle, sincèrement émue.

Tiphaine était jaloux, mais il n'était pas méchant. Et puis, Roland lui était apparu comme l'incarnation de la générosité. Il examina le corps et finit par surprendre sous le pourpoint, un imperceptible battement de cœur.

– Il vit, dit-il, mais il n'en vaut guère mieux.

Le blessé fut transporté dans la chambre qu'il occupait en haut, et couché. Martine lava ses blessures.

Il n'y avait pas de médecin dans le hameau. L'auberge était la seule maison sérieuse du pays, après le presbytère, et elle vivait du château. Mais dans ce château il y avait un chirurgien. Il vint et déclara que le blessé mourrait dans la journée.

En cette journée, il y eut au château et aux alentours de grandes allées et venues, des départs de cavaliers qui s'en allèrent battre le pays. Et maître Tiphaine se creusait le cerveau pour deviner ce qui se passait. Martine, elle, devinait, et tremblait pour le cornette.

Le seigneur attendu ne vint pas. Et le blessé ne mourut pas.

Le lendemain jeudi, les battues de cavaliers recommencèrent dès la pointe du jour. À l'auberge, le blessé n'avait pas repris connaissance. Mais, par moments, des paroles incompréhensibles venaient expirer sur ses lèvres.

Vers midi, un nuage de poussière sortit de la forêt. Cinquante cavaliers, richement équipés, apparurent au trot. Ils étaient commandés par M. de Montgomery. Tout ce qu'il y avait d'habitants à Pierrefonds était accouru et criait Noël.

À dix pas en avant de cette escorte, deux seigneurs chevauchaient, causant et riant.

L'un était le roi. L'autre, le maréchal de Saint-André.

Henri II fut presque aussitôt reconnu. On cria fort : « Vive le roi ! » Le château, de son côté, salua son hôte par une bonne arquebusade. Le guidon aux armes de France fut hissé et toute cette cavalcade pénétra dans la cour d'honneur.

Tout ce bruit, toute cette joie s'affaissèrent soudainement. Un silence pesa sur le château et s'abattit sur le pays.

– Il est arrivé un malheur ! dit Tiphaine. Ah ! Voici le cornette du diable ! Il vient ici ! Martine, si jamais...

Tiphaine n'acheva pas, et demeura bouche béante. Foulant aux pieds toute prudence, Martine s'était élancée au-devant du vicomte Agénor, qui accourait pâle, décomposé.

– Pour Dieu, que se passe-t-il ? dit-elle avec angoisse.

– Rien encore. Mais si les personnes qui viennent ici apprennent que la porte de fer a été ouverte, vous me verrez bientôt là-haut à quelque bonne potence...

Là-dessus, le cornette fit demi-tour et disparut. Martine et Tiphaine n'eurent pas le temps d'échanger l'explication que nécessitait cette scène ; un groupe de cinq ou six officiers descendait vers l'auberge. Parmi eux se trouvaient le roi, le maréchal et le chirurgien...

Le groupe passa devant l'aubergiste et sa femme, et pénétra dans l'auberge, guidé par le chirurgien. Le roi était blanc de fureur. Tous entrèrent dans la chambre de Roland.

– Sire, dit le chirurgien, voici le blessé dont je vous ai parlé. Mon humble avis est que ce gentilhomme est pour quelque chose dans l'événement qui occupe Votre Majesté...

– Roland !... interrompit sourdement le roi.

– Mon fils ! fit le maréchal, qui s'approcha vivement. Il y eut une minute de silence. Enfin, Henri prononça :

– Que tout le monde sorte ! Restez, maréchal !

Lorsqu'ils furent seuls, Henri dévisagea Saint-André.

– Voilà, dit-il avec rage, pourquoi je n'ai pas trouvé Florise ! Votre fils me l'a enlevée. Vous en étiez, maréchal ! Mais si vous avez osé vous jouer de moi à ce point, prenez garde ! Il y a un bourreau à Paris.

Le maréchal était livide d'épouvante.

– Sire, dit-il, vous accablez ici la douleur d'un père au chevet du fils mourant. Ceci n'est pas digne d'un roi.

Ces paroles frappèrent Henri II. Il tendit la main au maréchal qui baisa cette main en murmurant :

– Ah ! sire, il me fallait un tel honneur pour me consoler.

– Mais quelle fatalité ! rugit Henri II. Oh ! je veux connaître celui qui me l'enlève ! Quand je devrais torturer...

– Sire ! interrompit le maréchal, vous allez savoir la vérité. Voici Roland qui ouvre les yeux.

– Eh bien ! grinça Henri, interroge-le donc.

Henri se laissa tomber sur une chaise. Jacques d'Albon Saint-André se pencha sur Roland.

– Roland, palpita le maréchal, me reconnais-tu ?...

– Oui ! dit le blessé dont la parole sifflait. Et je reconnais aussi l'homme qui est assis là !...

– Ton roi, malheureux, ton roi !... Sire, c'est le délire !...

– Non ! râla le mourant. C'est le roi. Roi d'infamie. Roi voleur de filles. C'est vous, mon père, qui vouliez donner au roi la fiancée de votre enfant !...

– Sire, bégaya Saint-André, il est insensé !

– Interroge-le ! fit durement le roi.

– Roland ! Vous allez paraître devant Dieu. Je vous adjure de dire la vérité. Qui a enlevé Mlle de Roncherolles ?

– Moi ! dit le blessé.

Et il se redressa à demi dans cet effort vital des agonisants.

– Moi ! continua-t-il d'une voix sauvage. L'amour entre où il veut, sachez-le ! Je l'ai enlevée... Mais il est venu !...

– Qui ? Qui donc ? rugit Henri II.

– Beaurevers ! Le Royal de Beaurevers !

– Lui ! grinça furieusement le roi. Oh ! malheur sur lui !...

– Malheur ! répéta l'agonisant. Oui, malheur sur moi !... Elle l'aime ! Et moi, elle me hait ! Elle me méprise ! Je meurs !... Père infâme, roi infâme, voici le châtiment !... Je vois !... Ah !... je... soyez maudits tous deux !...

Et il retomba tout raide, la bouche et les yeux ouverts...

Le maréchal et le roi s'enfuirent, le dos courbé, poursuivis par cette imprécation funèbre, par la vision de ce mort qui les maudissait.

Et ils reprirent au galop le chemin de Paris.

Dix-huitième chapitre
La passe d'armes

I

Un logis pour Florise

À Villers-Cotterets, Florise put se reposer une heure chez une certaine dame de Touranges à qui le grand-prévôt avait rendu d'importants services. La dame était reconnaissante : elle ne fit aucune question à la jeune fille sur ce qu'elle voyait d'étrange en toute cette rencontre. Elle se contenta de mettre ses armoires à sa disposition ; puis, lorsque Florise se fut habillée, lorsqu'elle témoigna le désir de partir, la bonne vieille fit atteler sa chaise de voyage.

À midi, la chaise escortée par Le Royal de Beaurevers franchissait la porte Saint-Denis. Florise avait dit : Conduisez-moi à mon père. Le Royal prit le chemin de la Grande-Prévôté. Il ne lui vint pas à l'idée qu'il risquait la mort. Il songeait seulement qu'il allait être séparé de Florise. Lors même qu'il eût été sûr de trouver un échafaud dans la cour de Roncherolles, il y fut allé : Florise l'avait dit.

Devant l'hôtel Roncherolles, la chaise s'arrêta. Il mit pied à terre. Florise trembla. Son cœur criait : « N'y va pas, c'est ta mort ! » Mais elle était de ces filles vaillantes qui savent regarder en face le danger. Seulement, si son père n'accueillait pas Beaurevers en père, elle était prête à mourir avec lui.

– Messieurs, dit Beaurevers en saluant les deux gardes du porche, je désire parler à M. le grand-prévôt.

– Il n'y a plus de grand-prévôt, répondit l'un d'eux.

– Le roi n'a encore désigné personne pour remplacer le seigneur de Roncherolles, dit l'autre garde.

– Mais le baron de Roncherolles... balbutia Beaurevers.

– Il loge au Châtelet. Allez l'y demander.

– Arrêté ! fit Beaurevers dans un grondement d'espoir.

Un cri, derrière lui, étrangla cette joie. Florise avait entendu !... Florise tremblait, car elle savait bien que la prison du Châtelet n'était que l'antichambre de la mort ! Le Royal de Beaurevers la considéra un instant, bouleversé. Un rude combat se livrait en lui. Enfin, il s'approcha de la chaise :

– Vous avez entendu ?...

– Mon père est perdu ! bégaya Florise. Quand on enferme un grand-prévôt au Châtelet, c'est pour l'y oublier à jamais. Ou, s'il en sort, c'est pour marcher à l'échafaud.

– Le grand-prévôt n'ira pas à l'échafaud et ne restera pas au Châtelet, dit Beaurevers.

– Et qui l'en fera sortir ? haleta Florise.

– Moi. Dans huit jours, votre père sera délivré. Je le jure.

– Je vous crois ! murmura-t-elle.

– Si je meurs en cette tentative, rugit en lui-même Beaurevers, je mourrai avec le paradis dans le cœur !

Florise abaissa un regard sur son amant en murmurant :

– C'est péché mortel, mon Dieu ! Entre mon père et *lui*... C'est *lui* que je choisis !... Je l'empêcherai d'aller au Châtelet... ou, s'il y va... eh bien ! nous irons ensemble !

– En attendant que je vous rende votre père, dit le jeune homme, voulez-vous de la mère que je vais vous choisir ?

– Votre mère ? demanda Florise.

– Non. Je n'ai ni père, ni mère, ni famille.

– Où voulez-vous me conduire ? reprit-elle.

– Chez une femme que je ne connais pas. Mais cette inconnue a pour moi un cœur de mère et elle aimera tout ce que j'aime.

– Partout où vous me conduirez, dit-elle avec l'adorable dignité de l'innocente, je sais que je serai en sûreté...

Il se remit en selle et la chaise le suivit. Bientôt, ils s'arrêtèrent rue de la Tisseranderie, devant le logis de la *Dame sans nom*. C'est chez Marie de Croixmart que Le Royal de Beaurevers conduisait la fille de Roncherolles.

Là, Beaurevers s'arrêta et donna la main à Florise pour la faire descendre de la chaise. Puis la chaise reprit le chemin de Villers-Cotterets. La porte du logis s'ouvrit avant que Le Royal eût frappé.

– Myrta ! s'écria Le Royal. Toi ici !...

– On vous a vu d'en haut, dit Myrta après un rapide coup d'œil à Florise, et on m'a ordonné d'ouvrir.

Et Myrta soupira. La présence de Florise, c'était pour elle la fin d'un rêve...

La porte s'était refermée. Florise ayant levé les yeux, vit au haut de l'escalier une femme... avec un de ces visages livides qu'ont seules les mortes. La jeune fille eut un cri. Elle se serra contre Beaurevers.

– Cette femme, balbutia-t-elle, cette femme... là... j'ai peur comme jamais... jamais je n'ai eu peur...

– C'est la mère, dont je vous ai parlé : elle veillera sur vous.

Il donna la main à Florise, et ensemble ils montèrent.

– Madame, dit Beaurevers, vous m'avez assuré que près de vous, quoi qu'il m'arrivât, je trouverais aide et protection.

– Oui, mon enfant, dit la Dame sans nom, qui considérait Florise avec une étrange attention.

Et c'était un peu le regard qu'ont les mères quand, pour la première fois, elles voient celle qui est aimée de leur fils. Regard d'anxiété et toujours, au fond, de jalousie maternelle : la seule jalousie, peut-être, qui soit digne de respect.

– Madame, disait Beaurevers, ce que vous feriez pour moi et j'ai conscience que vous feriez autant qu'une mère...

– Oui, oui ! haleta Marie de Croixmart.

– Ce que vous feriez pour moi, je vous supplie de le faire pour cette noble demoiselle. Je vous demande pour elle votre affection et votre dévouement. Et alors, madame, vous pourrez me demander à moi jusqu'à la dernière goutte de mon sang, puisque je n'ai à donner que mon sang.

Marie de Croixmart tendit ses deux mains à Florise, avec une telle sympathie, dans un tel mouvement de sincère affection que la jeune fille sentit ses craintes se dissiper.

– Comment vous nommez-vous, mon enfant ?

– Florise, madame, dit la jeune fille. Soyez remerciée de l'hospitalité que vous m'accordez. Où irais-je, sans vous ?... Je n'ai plus de mère...

– Je serai la vôtre ! dit vivement Marie de Croixmart.

– Et quant à mon père, ajouta Florise, frappé en pleine prospérité par la fatalité, jeté en prison... lui qui, hier encore, était un des plus puissants seigneurs de la cour...

– Pauvre petite ! De quoi est-il accusé ?... Qui est-ce ?...

– C'est le grand-prévôt, le baron de Roncherolles...

Marie de Croixmart eut au fond de l'âme un cri terrible :

– Il aime la fille du maudit !...

Elle eût été la mère, qu'elle n'eût pas davantage souffert. Le Royal aimait la fille de Roncherolles ! Fille digne de ce père, sans aucun doute !... Comment *le sauver ?* Comment lui dire que cet amour cachait un abîme de désespoir.

– Madame, fit Florise, vous souffrez ! Qu'avez-vous ?

– Rien ! bégaya Marie de Croixmart d'une voix dure.

Et elle songeait :

– Prévenir ce malheureux ! lui dire l'infamie du père... lui expliquer que la fille d'un Roncherolles ne peut traîner après soi que malheur et...

Elle s'arrêta soudain. Sa pensée eut une volte soudaine.

– Madame, qu'avez-vous ? répétait Florise. Si c'est une souffrance du corps, je vous soignerai. Si c'est une souffrance du cœur, je vous consolerai...

– Et moi ! rugit en elle-même Marie de Croixmart. N'ai-je pas été la fille d'un maudit ! Si Renaud m'avait condamnée, repoussée, humiliée, parce que j'avais pour père le grand juge Croixmart !... Quel père, grand Dieu ! Celui qui a fait mourir par le feu la mère de son amant !

Mais encore le nom de Roncherolles sonnait en elle le tocsin de la haine. Peut-être allait-elle crier à Beaurevers : « Malheureux, écartez-vous de cette fille, car elle est maudite !... » Elle le chercha de ses yeux hagards. Et Florise aussi se retourna : ni l'une ni l'autre ne le vit.

Le Royal de Beaurevers avait disparu. Il avait doucement descendu l'escalier et s'était élancé au dehors :

– Même si le grand-prévôt doit me faire pendre, il faut que je sauve le père de Florise !...

II

La vengeance de Nostradamus

Cette journée du mercredi, Nostradamus l'avait passée dans une sombre rêverie. Il lui semblait qu'il venait d'être abandonné par les *esprits* qui, jusqu'à ce jour, l'avaient conduit par la main au but de sa vie : la vengeance.

Sa destinée, à ce moment même, se jouait à Pierrefonds. Son génie lucide et mathématique avait établi cette vengeance comme un problème. Voici quelle était l'ordonnance du problème :

Frapper Loyola dans sa foi, Saint-André dans son or.

Tuer Roncherolles en l'atteignant dans son orgueil paternel.

Susciter contre Henri II son fils, Le Royal de Beaurevers.

Nostradamus considérait Loyola et Saint-André comme des comparses, des coupables au second degré. Il réservait à Henri II un châtiment violent et matériel et à Roncherolles, une punition de sentiment.

Restait une *inconnue* :

L'attitude qu'aurait Le Royal devant Henri II.

On a vu que déjà Nostradamus avait tenté de les mettre en présence : la générosité du truand faisant grâce au roi avait fait dévier le coup porté. C'est alors qu'il avait préparé le traquenard de Pierrefonds : Roncherolles réduit à l'impuissance, Florise dans le vieux château féodal, le roi lancé sur Florise, et Beaurevers au dernier moment lâché sur le roi !

Or, Le Royal de Beaurevers, en cette journée du mercredi, était à Pierrefonds. Mais le roi n'y était pas !

– Il semble qu'un génie protège ce jeune homme, songeait Nostradamus. Le Royal, fils d'Henri, est l'instrument de ma vengeance. Pourquoi, puisqu'il m'a été donné pour servir mon œuvre, est-il un obstacle à cette œuvre ?

Et pour la première fois depuis leur rencontre sur la route de Melun, Nostradamus eut à repousser cette question qui s'imposait à lui. Question illogique *puisqu'il savait que Le Royal était le fils d'Henri.*

– Qu'est-ce que Le Royal de Beaurevers ? D'où vient que je pleure en le condamnant ?

Nostradamus passa une nuit affreuse. Cette tempête de sentiments dura jusqu'au lendemain jeudi, vers midi, heure à laquelle Djinno apparut.

– Eh bien ? demanda vivement Nostradamus. Le roi ?

– Eh ! eh ! victoire, cette fois ! Le roi est parti pour Pierrefonds, ce matin, avec une imposante escorte. Albon de Saint-André l'accompagne joyeusement. Il n'a pas encore visité sa cave rutilante, et je voudrais bien...

– As-tu su pourquoi Henri n'est pas parti hier, jour fixé ?

– Tête-de-Fer ! dit Djinno.

– Le duc de Savoie n'a rien à voir en cette affaire...

– Non, mais son affaire à lui, c'est son mariage avec la belle et sage Marguerite. Il a fait une scène à son royal cousin hier matin ; et le roi a fixé le mariage à la fin du mois ; de plus, il a mené Tête-de-Fer voir préparer les lices de la Bastille, car il y aura de grandes fêtes.

– C'est bien, dit-il. Quand aura lieu cette passe d'armes ?

– Les 27, 28 et 29 du présent mois. Le roi joutera le premier jour contre Tête-de-Fer, le deuxième jour contre Saint-André, le troisième jour contre Montgomery...

– Montgomery ! tressaillit Nostradamus.

Nostradamus s'occupa jusqu'au soir de nombreux malades. En ce temps, il y eut des miracles à Paris. Des sourds entendirent. Des fiévreux cessèrent de grelotter. Des paralytiques marchèrent. Nostradamus guérissait et consolait.

Sur le soir, comme Djinno venait de fermer les portes de l'hôtel, Nostradamus vit dans un coin de la salle où il recevait tant de désespérés, un dernier visiteur. Il le reconnut et frémit.

– Le Royal de Beaurevers !

– Je viens vous demander deux choses, dit Beaurevers avec son habituelle froideur hostile pour Nostradamus.

– Vous ! râla Nostradamus frappé de vertige.

Et cette pensée terrible fulgura dans son esprit :

– Il a été à Pierrefonds, il a vu le roi, il a eu peur, il a fui ! Ce n'est pas l'homme du destin ! Je me suis trompé !

– Oui, moi, répondait Beaurevers.

– Demandez ! gronda Nostradamus avec mépris.

– Écoutez, continua Beaurevers, vous avez tué Brabant, vous m'avez forcé de reculer ; pour ces deux crimes, je devais vous tuer...

– Avec ceci ! dit Nostradamus en jetant aux pieds de Beaurevers la dague de l'auberge des Trois-Grues.

Le Royal la ramassa, la brisa et jeta les deux morceaux.

– Oui, avec ceci ! Et vous voyez, je ne vous tue pas. Je vous pardonne... Seulement, n'abusez pas de ma patience. Mais quelqu'un m'a dit : *Ceci est horrible...* n'en parlons plus. Je vous pardonne parce que vous avez fait beaucoup pour moi. Et puis, j'ai vu tant de malheureux sortir de votre antre un sourire aux lèvres. Qui êtes-vous ? Peu m'importe. Mais vous êtes celui qui console. En vous tuant, c'est des milliers de consolations que je tuerais.

– C'est pour cela que vous me pardonnez ?

– Oui, et pour autre chose aussi. Maintenant, voici. Vous m'avez juré que je connaîtrais le nom de ma mère et de mon père. Je veux les connaître. Ma mère, pour lui demander pourquoi j'ai été abandonné, pourquoi, j'ai été élevé par des truands, pour la plaindre, peut-être ! Mon père, puisque vous m'assurez qu'il était riche et puissant, pour le souffleter dans sa richesse et sa puissance, pour le maudire !...

Nostradamus se reprit à espérer.

– Vous aviez deux choses à me demander, reprit-il. Je connais la première, voyons la deuxième.

– La voici : messire de Roncherolles est au Châtelet.

– Je le sais. Eh bien ?

– Eh bien ! éclata le jeune homme avec désespoir, depuis hier je rôde autour du Châtelet, et ces murailles m'écrasent. On ne peut pas en quelques heures forcer de pareilles portes. Or, je veux, moi, délivrer Roncherolles. Aidez-moi de votre pouvoir magique. Ma vie pour la liberté de cet homme.

Nostradamus sentit tout lui échapper à nouveau. Il bégaya :

– Tu veux délivrer Roncherolles ? Toi qu'il fera pendre !

– Qu'il me fasse pendre ! rugit Beaurevers, mais il *faut* que je délivre cet homme, puisque je l'ai juré à Florise !

– Voyons, songea Nostradamus, la passion de ce jeune homme pour la fille de Roncherolles est formidable. Voilà le moyen.

Il dit à haute voix :

– Je vous avais indiqué que vous trouveriez Florise au château de Pierrefonds. Pourquoi n'y avez-vous pas été hier ?

– J'y étais vers huit heures du matin, dit Beaurevers, et je suis rentré à Paris hier à midi.

– Oui, fit Nostradamus, vous avez dû vous sentir bien petit devant le colosse de Pierrefonds. Je comprends que vous ayez laissé là-bas celle que vous aimez...

– Je l'ai ramenée à Paris, dit simplement Beaurevers.

– Vous êtes rentré à Paris à midi avec Florise !

– Oui. Et ceci est l'autre chose qui fait que je vous pardonne la mort de Brabant. Vous m'aviez dit que je trouverais à Pierrefonds le ravisseur... je l'ai trouvé et je l'ai tué...

– Vous avez tué le ravisseur ! râla Nostradamus.

– Oui : Roland de Saint-André.

– Malédiction ! hurla Nostradamus au fond de lui-même.

Ainsi il avait emprisonné Roncherolles, conduit Florise à Pierrefonds, préparé le choc entre Beaurevers et Henri – *le fils et le père !* et un seul geste de ce jeune homme jetait bas le solide échafaudage.

– Ainsi, dit-il, tu crois avoir tué le ravisseur de Florise ?

– J'ai laissé Saint-André pour mort dans l'auberge où il avait amené Florise et où je me suis battu avec lui.

– Roland de Saint-André n'était qu'un pauvre amoureux. Ce n'est pas lui qui avait donné à Florise le manoir de Pierrefonds pour prison et peut-être pour tombeau.

– Et qui ? rugit Beaurevers, dont l'œil s'ensanglanta.

– Qui ?... Enfant ! Celui-là seul qui était assez puissant pour emprisonner le père, afin de s'emparer de la fille !...

– Oh ! bégaya Beaurevers. Le roi m'a donné à moi sa royale parole qu'il ne tenterait jamais rien contre Florise !...

– Tu l'as nommé ! Celui qui a fait conduire cette fille à Pierrefonds, celui qui essayait d'escalader ses fenêtres ! C'est le roi qui l'aime en insensé ! Et qui te l'arrachera !...

Beaurevers était livide. Ses lèvres blanches tremblaient...

– Henri de France, dit-il, a fait ce que vous dites ?

– Djinno ! appela Nostradamus.

– J'arrivais justement ! fit le petit vieux en apparaissant. Il y a du nouveau, maître. Nos espions sortent d'ici et...

– Djinno, interrompit Nostradamus, où est le roi ?

– Au Louvre, où sa Majesté vient de rentrer, fatiguée, furieuse de sa course inutile à Pierrefonds.

– Ah ! Ah ! Parle, Djinno, parle !...

– C'est bien simple. Notre bon roi fait saisir une fille et la confie à de bonnes et solides murailles. Ce matin, il court à la cage. Plus d'oiseau ! Qui a ouvert la cage ? On sait le nom de l'audacieux ! Il s'appelle Le Royal de Beaurevers ! Gare à la potence, gare à la roue, messire de Beaurevers !

Et il s'inclina devant Le Royal qui grinça des dents.

– En ce moment, continua Djinno, tout ce qu'il y a de sbires dans Paris est à la recherche de l'oiseau et de l'oiseleur. Il y a cent mille livres pour qui ramènera l'oiseau. Il y a cent mille écus pour qui apportera la tête de Beaurevers.

– Assez ! Assez ! rugit Le Royal. Cet homme mourra !

Quand il eut tonné ce mot, Le Royal de Beaurevers se redressa. D'une voix basse et dure, il gronda :

– Je ne savais pas qu'un roi pût parjurer sa parole. On m'avait enseigné ceci : Le roi, c'est le roi ! C'est-à-dire la fleur de noblesse, l'honneur, la bravoure. C'est le roi !... Le roi va mourir, messieurs ! Qui le tuera ? Moi, truand ! J'entrerai dans son Louvre, et cette main ne frappera qu'un coup. Ce sera le bon !

– Vous êtes décidé à tuer le roi ? dit Nostradamus.

Beaurevers fit un signe de tête rude et bref.

– Bien ! Vous allez donc essayer d'entrer au Louvre. Si vous n'êtes pas tué aux portes, vous le serez devant les appartements royaux par les gardes de Montgomery. Et quelques heures plus tard, Florise sera livrée au roi, puisque vous ne serez plus là pour la défendre.

Beaurevers se frappa le front. Ses yeux hagards rebondirent de Djinno à Nostradamus. Nostradamus comprit que ce jeune homme qui venait de passer par de si terribles émotions n'en pourrait supporter davantage. Il lui saisit les deux mains et le regarda dans les yeux.

– Calmez-vous, dit-il, je le veux... Me croyez-vous ?...

– Je vous crois, parce que vous ne m'avez jamais trompé.

– Eh bien ! écoute. Je te jure, moi, que je te mettrai en présence du roi, les armes à la main...

Beaurevers tomba à genoux, saisit la main de Nostradamus et la baisa ardemment. C'était son amour qui le jetait aux pieds du mage. Nostradamus le releva doucement.

– Quand ferez-vous cela ? bégaya Beaurevers.

– Djinno, quel jour le roi joutera-t-il contre Montgomery ?

– Le 29 du présent mois, dit le petit vieux.

– Bien. Le Royal de Beaurevers, le 29 de ce mois tu iras combattre en champ clos pour l'honneur de ta dame.

– J'attendrai le jour que vous me dites. Maintenant, je veux le nom de ma mère, le nom de mon père. C'est cela que je suis venu vous demander.

– Tu les sauras le jour où tu auras combattu le roi.

– J'attendrai ce jour ! reprit-il. Mais le père de Florise ?...

– Roncherolles ! Tu veux qu'il soit délivré ?...

– Oui. Je l'ai juré à Florise. Je m'attaquerai au Châtelet. Je ne suis pas le roi, moi : je tiens mes serments.

Beaurevers vit Djinno qui se frottait les mains.

– Délivrer le grand-prévôt ! disait le petit vieux. Impossible, par tous les saints ! Impossible !...

– Pourquoi ? fit Nostradamus en fronçant le sourcil.

– *Parce qu'il est déjà délivré !* répondit Djinno. Ce fut le premier soin de Sa Majesté en rentrant de Pierrefonds. Il s'en alla au Châtelet, descendit au cachot du sire de Roncherolles, et lui dit : « Mon brave grand-prévôt, pardonne-moi de t'avoir fait connaître les joies du *Paradis*... Mais un sacripant a profité de ton absence pour te voler ta fille... Or, moi, roi de France, je ne veux pas qu'on moleste ainsi les filles de ma noblesse. Et c'est une indignité que ta fille soit aux mains d'un truand. Et de quel truand ! Le Royal de Beaurevers ! J'ai donc pensé que si quelqu'un au monde est capable de retrouver ce damné sacripant, ce ne peut être que toi. C'est pourquoi je te délivre. Je te rends ta place de grand-prévôt. Va, mon brave. Fouille Paris et rends-moi ta... non ! rends-moi le sacripant, afin que je le fasse tirer à quatre chevaux. En sorte...

Djinno s'interrompit et parut prêter l'oreille.

– En sorte ? demanda Nostradamus.

– Voici la réponse ! dit le petit vieux en s'élançant.

On entendait au loin le son du cor.

– Entrez là ! dit vivement Nostradamus en poussant Beaurevers dans un cabinet. Et écoutez.

Deux minutes s'écoulèrent. Puis un homme entra, précédé de deux pages, escorté de douze gardes. C'était un héraut royal. Il adressa à Nostradamus un salut et prononça :

– Moi, Superbe-Écharpe, de la part de Sa très chrétienne Majesté, Henri deuxième ; à Michel de Nostredame, salut ! Vous savez que le roi de France vous tient en estime singulière et qu'il a ordonné à son grand-prévôt de ne conserver contre vous aucune animosité ni dessein de vengeance...

– Dites au roi que je suis content de savoir le sire de Roncherolles rentré en grâce ; dites-lui que je n'ai rien à craindre du grand-prévôt. Veuille donc Sa Majesté cesser de se préoccuper ainsi du salut de ma personne ; je suffis à assurer ce salut.

Le héraut royal parut prendre acte de ces paroles. Puis :

– Vous saurez en outre que Sa Majesté et son grand-prévôt se sont mis d'accord pour retrouver une fille ravie à son père par un truand. Il s'agit de très puissante demoiselle Florise de Roncherolles. Le roi et le grand-prévôt supplient le grand Nostredame d'employer sa science à trouver les traces de cette noble demoiselle.

Nostradamus hésita un instant, puis d'une voix sombre :

– Si les recherches demeurent vaines, je trouverai, moi.

Le héraut royal s'inclina de nouveau, puis continua :

– Michel de Nostredame, vous saurez enfin que le roi...

– Cherche le truand qui a *volé* Florise de Roncherolles, interrompit Nostradamus. Je le sais. Je sais aussi que la tête de Beaurevers est mise à prix pour cent mille écus. Est-ce vrai ?

– C'est vrai, dit le héraut étonné.

– Voici ce que le roi vous a chargé de me dire. Il me rappelle la promesse que je lui ai fait de mettre en sa présence Le Royal de Beaurevers, il me somme de tenir cette promesse.

– C'est vrai ! dit le héraut stupéfait.

– Eh bien, voici ma réponse : le 29 du présent mois, je mettrai Le Royal de Beaurevers en présence du roi Henri II...

Nostradamus eut, pour signifier que l'audience était terminée, un geste de roi. Le héraut salua très bas et sortit.

– Vous avez entendu ? dit Nostradamus en allant ouvrir à Beaurevers.

– Oui : ma tête est à prix. On recherche Florise... mais je suis là ! Moi vivant, nul ne la touchera... Cependant, il faut que j'aille lui annoncer que son père est délivré et que je ne suis pour rien dans cette délivrance.

– Attendez, croyez-moi. Attendez au 29. Florise, prévenue que son père est libre, rien ne l'empêchera de retourner aussitôt à la grande-prévôté. Dès lors, elle appartient au roi...

– Que faire ? bégaya Le Royal, ivre de fureur.

– Est-elle en sûreté parfaite, là où vous l'avez mise ?

– Oui. Oh ! oui. J'en jurerais par ma tête.

– Je ne vous demande pas où elle est. Laissez-la. Quelques jours à peine nous séparent du 29. Le 29, vous irez lui dire que son père est libre et qu'elle est, elle, délivrée du roi !...

– Oui ! gronda Le Royal. Car ce jour-là, je tuerai le roi !...

– Et moi, ce jour-là, songea Nostradamus, je dirai à Henri : « Roi de France, c'est moi qui vous tue ! Moi, l'époux de Marie de Croixmart ! Seulement, pour vous tuer, j'ai pris le bras du Royal de Beaurevers ! Mourez désespéré, car Le Royal de Beaurevers, c'est votre fils !... »

III

Le 29 juin

Henri II, levant le masque, venait de se jeter à corps perdu dans la lutte contre l'hérésie. Et cependant la Cour s'amusait follement. Les danses, les fêtes se poursuivaient jusqu'aux matins clairs.

Le 16 juin, après une nuit d'orgie, Henri II expédiait des lettres aux gouverneurs pour la destruction des hérétiques.

Le 27 juin fut signé le contrat de mariage de Marguerite avec le duc Emmanuel Tête-de-Fer. Du Louvre, le bruit des festins et des danses se répandait sur Paris.

La passe d'armes, qui devait durer trois jours, commença le matin même de la signature du contrat.

Le 27, donc, les tenants du tournoi furent : le roi, le duc d'Albe, ambassadeur de Philippe II d'Espagne ; le connétable de Montmorency, malgré son âge, et le duc de Guise. Tête-de-Fer rompit une lance contre Henri II et eut l'avantage.

Le 28, il y eut combat général de deux camps opposés l'un à l'autre. Puis le roi jouta contre le maréchal de Saint-André, lequel, se laissa galamment désarmer.

Le 29 juin était le dernier jour de ce mémorable tournoi. Pendant les deux premières journées le roi porta les couleurs de Diane de Poitiers : blanc et noir. Couleurs de deuil ! Dans sa galerie, Catherine de Médicis, pâle, vit cette livrée. Et alors, se tournant à demi vers Montgomery, du bout des lèvres, elle laissa tomber ces mots :

– Sous ces couleurs, *le roi sent la mort !...*

La lice s'étendait sur une ligne qui formait T avec la rue Saint-Antoine. Tout le côté adossé à la Bastille était occupé par des tribunes. Tout le côté situé vers la rue était barré par une palissade à hauteur d'homme. La lice formait une longue piste ovale d'une longueur d'environ cent cinquante toises. Elle avait la forme de nos hippodromes modernes.

Aux deux extrémités, on avait dressé des tentes où les *chevaliers* revêtaient leurs armures. Toutes portaient l'écu ou le fanion de l'occupant. La tente de Montgomery était placée du côté de l'hôtel des Tournelles et celle du roi à l'extrémité opposée.

Les tribunes étaient divisées en trois parties : au centre, une grande loge destinée à la famille et aux familiers du roi. À gauche et à droite de la loge, deux longues galeries pour les seigneurs et dames ; chacune de ces galeries pouvait abriter plus de trois mille spectateurs.

En face des galeries et séparé d'elles par la lice, il y avait le peuple derrière sa barricade, et derrière la palissade des hallebardiers.

Lorsque vous serez passé des lices étincelantes d'armures à la loge prestigieuse, oui, là, au centre même de ce tumulte d'images et de clameurs, là, pareille à l'incarnation du destin, là, penchée sur la reine Catherine de Médicis, livide, regardez ! Voyez cette figure flamboyante et funèbre, dont l'immense décoration de ce spectacle semble, n'être que le cadre.

C'est Nostradamus !...

Nostradamus, dans l'oreille de la reine, n'avait laissé tomber que ces trois mots :

– Il est temps.

Nostradamus jeta un regard sur Montgomery, puis sur Saint-André, puis sur Roncherolles... L'instant d'après, il avait disparu.

La mêlée se terminait dans la lice. Le duc de Guise, le fils du duc de Ferrare, les deux fils du connétable de Montmorency. La Trémoille, Tavannes, Biron, dix autres seigneurs avaient pris part à cette mêlée. Mais déjà, avant, Henri II avait rompu trois lances.

Lorsque les cris des hérauts eurent proclamé le nom du parti vainqueur dans la mêlée, Henri II se leva en donnant le signal des applaudissements. Ce spectacle l'enivrait.

– Par Notre-Dame, cria-t-il, rien ne m'empêchera de courir une quatrième fois. Mais je veux cette fois un rude champion, qui ne ménage pas ses coups.

Il jeta un long regard autour de lui. Catherine de Médicis adressa à Montgomery un regard terrible. Elle allait parler, elle allait dire :

– Sire, rappelez-vous que vous avez promis à votre capitaine des gardes l'honneur de vous mesurer avec lui aujourd'hui.

À ce moment même, Henri II prononça joyeusement :

– Montgomery, nous romprons ensemble une lance.

Catherine faillit s'évanouir. C'était étrange ! Le roi lui-même désignait le champion qu'à tout prix il fallait lui indiquer ! Elle fit un effort, se remit. Et alors, par un admirable artifice, elle s'écria :

– Mais, sire, je vous en supplie... Votre Majesté est déjà bien fatiguée. N'est-ce pas, ma chère duchesse ?

– Certes ! fit Diane de Poitiers. Sire, quatre lances rompues dans la même matinée, c'est trop !

– Me croyez-vous donc hors de service ? Allons, Montgomery, allons, brisons une lance pour l'amour des dames !

Et il courait à sa tente pour revêtir son armure. Montgomery, en chancelant, se rendit à la sienne. Catherine de Médicis, alors, se tourna vers quatre gentilshommes de sa suite particulière qui, dans un angle obscur de la loge, se faisaient aussi petits que possible.

Les quatre s'éclipsèrent sans bruit. Et ces quatre c'étaient nos dignes sacripants qui faisaient leurs premiers pas à la Cour. Trinquemaille, Bouracan, Corpodibale et Strapafar savaient marcher, saluer, selon les principes de la pure galanterie. Seulement, il leur était défendu de parler. Si d'aventure on leur adressait la parole, ils devaient se contenter de s'incliner en souriant. Ils étaient d'ailleurs magnifiques.

Par derrière, ils se dirigèrent vers la tente de Montgomery !...

IV

Le Royal de Beaurevers

Montgomery était sorti de la loge royale en jetant sur le petit prince Henri un regard chargé de désespoir. Il gagna sa tente, des pensées terribles dans sa conscience : « Non ! non ! Je ne ferai pas cela !... Tuer le roi !... Moi ! là, devant Paris assemblé !... Il le faut !... Si je ne tue pas le roi, il saura aujourd'hui que mon fils... »

– Il y a là quelqu'un qui vous attend, interrompit son écuyer.

Montgomery, reprit son sang-froid et gronda :

– C'est bien. Tu viendras m'appeler quand je t'appellerai.

Il entra dans la tente et vit Nostradamus... Derrière Nostradamus, Montgomery vit son armure. Il tressaillit. Cette armure, casque à panache, cuirasse, brassards, écu, lance, cuissards, jambards, cette armure, au lieu d'être disposée par pièces séparées, se tenait debout, immobile. Il songea :

– Quelqu'un est là, sous *mon* armure... quelqu'un qui n'est pas *moi*... Et il me semble que c'est *moi*... Qui est-ce ?

La visière était baissée. Il ne put voir le visage. Mais il remarqua que l'inconnu serrait le bois de sa lance avec une énergie convulsive. Ses yeux se portèrent alors sur *son* écu, et il vit que son écu ne portait ni la devise que lui avait léguée son père, ni les armes de sa famille.

D'étranges armoiries flamboyaient au centre de l'écu : C'était une croix sur les bras de laquelle s'enchevêtraient des cercles enfermés eux-mêmes dans une grande circonférence. Des signes étaient tracés dans chacun de ces cercles. Entre les bras de la croix apparaissaient quatre figures représentant un homme, un aigle, un lion, un taureau.

Montgomery désigna l'écu de son doigt tendu, et demanda :

– Quelles sont ces armoiries ?...

Nostradamus, d'un accent qui le fit frémir, répondit :

– Ce sont les armoiries de la suprême Force, qui décrète pour aujourd'hui la mort d'Henri II, roi de France... C'est le symbole des

Mages... C'est la Rose-Croix !...

– La mort du roi ! bégaya Montgomery, ce sera un meurtre !

– Non. Le roi, dès ce moment, est prévenu qu'il est défié à un combat à outrance, et, s'il meurt, ce sera loyalement frappé, à la face de Paris, que le Destin a assemblé.

L'armure sous laquelle il y avait quelqu'un frissonna...

– Le roi n'acceptera pas ! gronda Montgomery.

– Le roi accepte ! dit Nostradamus.

– Qui êtes-vous ? rugit Montgomery. Vous qui avez surpris le secret de ma vie ! Vous qui tenez dans vos mains l'honneur et la couronne de Catherine ! Vous que le roi nous a ordonné de tuer et qui avez subjugué le roi ! Qui êtes-vous ? Je veux le savoir !

– Je suis le Mystère. Je suis le Malheur, dit Nostradamus.

– Et que me voulez-vous, à moi qui ne vous ai rien fait !... À ce moment, au loin, on entendit la trompette royale qui défiait l'adversaire du roi. L'armure, de nouveau, frissonna.

– Je suis perdu ! râla Montgomery.

– Tu es sauvé, dit Nostradamus. Tu ne combattras pas contre le roi. *C'est ton armure seule qui combattra.* Va-t'en. Un bon cheval t'attend près de l'entrée du château de Vincennes. Un de mes hommes te le remettra. Dans les fontes, tu trouveras assez de pierres précieuses pour vivre en grand seigneur partout où tu iras. Gagne la frontière la plus proche. Ou si tu ne veux pas de ce que je t'offre, j'entre dans la lice et je crie : « Montgomery ne peut combattre contre le roi ! J'accuse ici Catherine, reine, et Montgomery, capitaine, du crime d'adultère commis contre Henri de France !... » Va-t'en, si tu ne veux pas être foudroyé, toi aussi, par l'orage qui va éclater !

Il entraîna Montgomery jusqu'à une porte de derrière. Il lui montra de la main le chemin qui conduisait à la porte Saint-Antoine et de là à la frontière. Montgomery murmura :

– Mon fils ! Si je suis dénoncé, mon fils mourra !...

Il franchit la porte, se glissa entre les tentes, et disparut... Nostradamus se tourna vers l'armure ; et dit :

– Le Royal de Beaurevers, es-tu prêt ?

– Je suis prêt. Si je meurs, vous direz à Florise que j'ai voulu la délivrer et que ma dernière pensée est pour elle...

– Pauvre enfant ! Oh ! je... Mais non !

– Ce roi a menti, continua le jeune homme. Ce roi félon était en mon pouvoir. Je lui ai fait grâce parce qu'il a fait serment de ne plus rien tenter contre Florise. Je retire la grâce. Je reprends mes droits. Par la lance aujourd'hui, ou sinon par l'épée demain, ou par le poignard, je jure, moi, de délivrer Florise en tuant cet homme. Donc, je suis prêt. Allez, et dites qu'on annonce mon entrée dans la lice !

Henri II était dans la lice depuis quelques instants déjà. Ses trompettes défiaient par intervalles l'adversaire contre lequel il devait jouter. Le roi ne faisait pas caracoler son cheval, mais il se tenait immobile près de la barrière, et il se dégageait de cette attitude une si funèbre impression que peu à peu un lourd silence tombait sur les galeries. Très peu de personnes remarquèrent que le roi portait, une lance à fer affilé au lieu de la lance terminée par un tampon de cuir. Sous la visière baissée, le visage du roi était livide de rage...

Tout à coup la barrière opposée s'ouvrit... Une trompette éclatante répondit à la trompette royale...

Montgomery parut !...

Aussitôt, les hérauts d'armes poussèrent leurs cris de combat. Les trompettes donnèrent le signal. Puis, soudain, ce fut un silence étrange. Malgré le signal donné, les deux champions demeurèrent une minute immobiles.

Tout à coup, ils s'ébranlèrent... La course des deux chevaux devint un galop furieux. Des milliers de têtes se penchèrent et voici ce qu'elles virent :

Deux nuages se ruant l'un sur l'autre... L'éclair des deux armures à peine entrevu... Soudain, un choc formidable, deux poitrails de chevaux qui se heurtent, un fracas de cuirasses, la rapide vision des deux bêtes cabrées – puis un cri terrible.

Et ce fut tout.

Le double nuage de poussière tomba. Et alors une clameur énorme fusa. Des cris de terreur. Des appels. Des seigneurs qui se précipitent. Des femmes qui s'évanouissent.

La poussière dissipée on vit le cheval du roi s'enfuyant,

Montgomery regagnant au pas sa tente, et, au milieu de la lice, le roi étendu, les bras en croix !... Catherine de Médicis se tourna vers Roncherolles et lui jeta cet ordre :

– Arrêtez *l'homme qui vient de tuer le roi !*

Dès l'instant où Henri tomba, les médecins de la cour s'étaient précipités des premiers et parmi eux, maître Ambroise Paré. Il détacha rapidement le heaume – et la tête du roi apparut : un masque rouge ; les cheveux, la barbe, tout était sanglant ; la bouche rendait un léger râle, et sur cette face noyée de sang, le trou noir de l'œil qui n'était plus qu'une plaie : la lance... *la lance de Montgomery !... la lance, don de la reine !...* la lance était entrée là !

– Mais ce tournoi n'a pas eu lieu à armes courtoises !...

Ce cri jaillit dans la conscience d'Ambroise Paré, non sur ses lèvres : au moment où cette parole allait lui échapper, il leva la tête et vit Catherine qui le regardait avec sévérité.

– De l'eau ! demanda rudement Ambroise Paré.

Le chirurgien lava le visage, puis la plaie qu'il sonda. Il fit un pansement sommaire et dit :

– Il faut que Sa Majesté soit d'abord transportée au Louvre, où je vais me rendre.

Catherine s'approcha du chirurgien et à voix basse :

– La vérité !... Vite !...

– Dans deux heures, le roi sera mort.

– Vous vous trompez, maître ! dit quelqu'un près de lui.

Ambroise Paré se retourna vivement. Il vit un homme agenouillé verser dans la bouche grande ouverte du roi le contenu d'un flacon.

– Nostradamus ! murmura le chirurgien.

Le roi poussa un long soupir, et Nostradamus se releva :

– Vous le sauvez ! gronda Catherine, prête à se trahir.

– Non, dit Nostradamus. Je lui donne huit jours de vie parce que j'ai besoin qu'il vive huit jours encore !...

Nostradamus se dirigea vers la tente de Montgomery : elle était cernée d'archers, et devant la porte se tenait le grand-prévôt, hésitant s'il arrêterait Montgomery.

– Roncherolles, dit Nostradamus, ne me forcez pas à me rappeler en un tel moment que vous êtes vivant.

Nostradamus entra dans la tente.

Strapafar, Bouracan, Trinquemaille et Corpodibale ayant fait le tour derrière les galeries, s'étaient arrêtés devant l'ouverture de la tente par où Montgomery s'était éloigné.

– Attendons ici, dit Trinquemaille, et prions, je me sens tout ému à l'idée d'arrêter le capitaine des gardes.

À ce moment s'éleva dans les lices une sourde rumeur qui se gonfla, monta, éclata. Leurs yeux disaient : c'est fait !...

– Attention ! se murmurèrent-ils, la main à la rapière.

Une minute s'écoula, pendant laquelle, dans la lice, les cris, les clameurs d'effroi se croisèrent.

– Le voici !...

– Entrons !...

Ils entrèrent tous quatre, et, la rapière au poing, entourèrent l'armure vivante qui était là immobile, mystérieuse...

– Monsieur le capitaine, dit Trinquemaille, nous sommes chargés de vous faire prisonnier.

L'homme commença à se défaire des pièces d'acier qui couvraient les jambes et les bras. Puis sa cuirasse tomba.

– Allons, reprit rudement Trinquemaille, rendez-vous !

L'homme se redressa. Son casque à panache couvrait encore sa tête. Mais, entre les lamelles de la visière, baissée sur le visage, ils voyaient fulgurer ses yeux.

– Voilà bien des façons, gronda Corpodibale. Je vous arrête !

Il allongea la main vers l'épaule de *Montgomery.* À l'instant, il roula à trois pas : entre les yeux ; il venait de recevoir un coup qui eût défoncé un crâne ordinaire. Strapafar, Bouracan et Trinquemaille se ruèrent... et brusquement s'arrêtèrent net, effarés de stupeur, ivres de joie, devant celui que tant ils regrettaient et qui, déposant le casque, criait d'une voix éclatante :

– Approchez, truandaille de cour ! Lequel de vous osera porter la main sur Le Royal de Beaurevers !

– Saints et anges, c'est lui ! – Santo Bacco, c'est lui ! – Hé, c'est lou pigeoun ! – Sacrament, Montsir Beaurevers !...

– Allons, arrêtez-moi !

Arrêter Le Royal de Beaurevers !... qui avait parlé de ça ? Ils arrêteraient plutôt la reine, le grand-prévôt, le connétable, toute la cour !... Et en chœur, les yeux fous, la rapière haute :

– Qu'on y vienne ! Qu'on y vienne !...

Le Royal, à ce moment, vit entrer Nostradamus.

– Tu vas savoir le nom de ton père et de ta mère...

À l'instant tout disparut de l'esprit de Beaurevers, et jusqu'au souvenir de ce qui venait de se passer dans les lices.

– Mon père ! gronda-t-il.

– Henri II, roi de France !

Le jeune, homme plia sous le choc de cette effroyable pensée : parricide !... Mais presque aussitôt la haine se mit à sonner le tocsin dans son cœur. Il rugit :

– Ah ! je comprends pourquoi je suis né dans un cachot ! Pourquoi, dès ma naissance, je fus voué au bourreau ! Pourquoi mon père désira ma mort ! Fils du roi ! Oui ! j'étais un danger !... Et ma mère ?... Oh ! si je dois la maudire, elle aussi, par pitié, gardez son nom !...

– Ta mère est morte il y a plus de vingt ans.

– Morte ! râla Beaurevers.

– Elle s'appelait Marie de Croixmart ! dit Nostradamus.

Un cri déchirant jaillit de la poitrine du jeune homme. Marie de Croixmart ! Sa mère ! La Dame sans nom ! Celle qui était maintenant la mère de Florise ! Non ! Non ! Elle n'était pas morte ! Oh ! comme il comprenait maintenant cette immense douleur qui semblait figée sur la physionomie de la pauvre Dame sans nom ! Mais il était là maintenant pour la consoler, la ramener à la vie ! Et le premier mot qu'il lui dirait, ce serait :

– Vous êtes vengée ! Le roi est mort, tué par son crime, puisque c'est la main de son fils, qu'a armée le Destin !...

Éperdu, il allait crier : Ma mère n'est pas morte !... Et alors il vit

Nostradamus si sombre qu'un nouveau frisson le secoua. Qu'était cet homme ? Pourquoi Nostradamus lui avait-il mis à la main la lance qui devait tuer son père ! Pourquoi lui disait-il que sa mère était morte depuis vingt ans !... Le Royal de Beaurevers marcha à Nostradamus. À ce moment, celui-ci sortit en jetant ce seul mot :

– Adieu !...

Alors la tente s'emplit d'archers...

Le Royal tira son poignard, et sur les quatre estafiers jeta un regard qui criait : Êtes-vous prêts à mourir avec moi ?... Dans cette seconde, une main rude s'abattit sur son épaule. Le Royal se retourna et leva son poignard...

– Au nom de la reine, dit l'homme, je t'arrête !

Le bras de Beaurevers retomba inerte à son côté. Le poignard échappa à sa main. Il baissa la tête et bégaya :

– Le père de Florise !...

– Emmenez-le, rugit Roncherolles.

Dix-neuvième chapitre
Le tombeau de Marie

I

Régicide ?...

Les quatre estafiers s'avancèrent. Le Royal les foudroya du regard. Ils s'arrêtèrent. Roncherolles gronda :

– Qui sont ces quatre ?

– Des gentilshommes de la reine ! fit Trinquemaille.

Roncherolles crut qu'ils étaient là pour l'aider – c'était d'ailleurs la vérité.

– Vous pouvez aller rassurer la reine : l'homme est pris.

D'un coup d'œil, ils se concertèrent pour la bataille... Le Royal les tint sous son regard et, d'une voix étranglée :

– Oui, oui : allez rassurer la reine... allez donc !

Ils avaient un tel respect pour les moindres volontés de leur dieu, qu'ils rengainèrent, et, à reculons, sortirent...

Le Royal de Beaurevers fut conduit au Châtelet. Tout le long du chemin, Roncherolles marcha près de lui, le tenant par le bras. Beaurevers était hagard. Toutes ses pensées se battaient en tumulte. En vérité, pendant ce parcours, il n'y eut en lui qu'une idée :

– Je suis arrêté pour avoir meurtri le roi. Je vais mourir : je suis à jamais séparé de Florise. Si je tue cet homme, là, près de moi, je puis peut-être échapper. Oui. Mais si je tue le père de Florise, je suis séparé d'elle par l'horreur. Oh ! si Roncherolles pouvait seulement s'écarter une minute !...

Sur l'ordre du grand-prévôt, Beaurevers fut descendu au *Paradis* : c'était une idée de Roncherolles.

La première pensée de Beaurevers fut de se dire :

– Comment faire savoir à *ma mère* que je suis vivant ? Comment donner cette dernière joie à la Dame sans nom ?

Toute la journée, il ne pensa qu'à cela. Pendant ces longues heures, il ne *songea* ni à Florise, ni au roi. Il fut uniquement occupé de sa mère.

– Comme elle a souffert ! Comment mettre une joie dans cette existence ! Lui faire savoir que son fils est vivant !...

Sur le soir, un geôlier entra. Beaurevers eut une idée. Il fouilla vivement dans sa ceinture de cuir, où Nostradamus avait mis de l'or. Il en tira une dizaine de pièces, et dit :

– Veux-tu gagner ceci ?

– Je veux bien, fit le geôlier ébloui, mais comment ?

– Tu iras trouver une femme qui demeure rue de la Tisseranderie et s'appelle la Dame sans nom. Tu lui diras : Votre fils est vivant et vous aime. Il s'appelle Le Royal de Beaurevers...

– Donnez !... Dans une heure la commission sera faite.

Le geôlier compta les dix pièces d'or en souriant. Puis il salua son prisonnier avec un certain respect et se dirigea vers la porte. Le Royal songeait. Comme le geôlier atteignait la porte, le jeune homme eut un sursaut terrible. Il bondit vers le porte-clefs avec un cri :

– Arrête !...

Le geôlier obéit, flairant peut-être une nouvelle aubaine. Beaurevers haletait. Son front ruisselait de sueur. Il râla :

– Cette commission est inutile. Tu n'iras pas.

Le geôlier crut qu'on allait lui reprendre ces dix belles pièces. Il fit la grimace, et grommela :

– J'ai été payé. Rien ne m'empêchera d'aller dire...

– Tiens ! rugit Beaurevers. Voici *pour ne pas y aller !...*

Et il vida le reste de sa bourse dans la main du geôlier, ébahi de joie. Le geôlier n'y comprit qu'une chose, c'est que son prisonnier était fou. Le Royal s'était jeté sur son lit, et sanglotait :

– Lui dire que je suis vivant !... Mais c'est le coup de grâce que je lui porte ! Puisque je vais mourir !... Allons, il ne me reste qu'à obéir à l'ordre donné par mon père quand je vins au monde : aller trouver le bourreau à qui j'appartiens !... Et, au moins, la mère ne saura pas que ce truand qu'on va pendre, c'est son fils !... Pauvre mère, voilà tout ce que je puis faire pour toi !

Le troisième jour de sa détention, Le Royal de Beaurevers vit entrer plusieurs archers escortant deux hommes en robe noire. L'un était le commissaire royal chargé de l'interroger, l'autre son greffier. Le commissaire, le voyant paisible, renvoya les archers. Puis il repoussa la porte. Puis il se mit à lui parler à voix basse :

– Vous êtes accusé de lèse-majesté. Qu'avez-vous à dire ?

– C'est vrai, gronda Beaurevers. Je l'avoue. Je le proclame. Mais quand on saura pourquoi, dans les lices de...

– Plus bas ! Plus bas ! fit le commissaire.

– Pourquoi j'ai frappé de ma lance le roi Henri...

– Qui vous parle de cela, voyons ?

– Je ne suis donc pas accusé de régicide ?...

– Régicide ? Perdez-vous déjà la tête ? Qui a frappé Sa Majesté d'un coup de lance *maladroit ?* C'est le sire de Montgomery, qui désespéré de ce malheur, a disparu...

Le Royal écoutait avec stupeur. Et comment eût-il pu comprendre que Catherine de Médicis ne voulait pas qu'on pût soupçonner un meurtre ! Et qu'il fallait que Paris crût à un accident !...

– Diable ! continuait le commissaire, toujours à voix basse, comme vous y allez, mon cher ! Si vous étiez accusé de régicide, vous auriez le poignet droit coupé, la langue arrachée, et vous subiriez le supplice d'être tiré à quatre chevaux. Lèse-majesté, voilà tout ! Et c'est déjà bien assez. Car vous devriez être pendu, avec estrapade !... Au lieu de cela, vous aurez simplement le cou tranché. Vous serez reconnaissant de cette faveur à Sa Majesté la reine !...

Le Royal de Beaurevers eut un éclair de joie. Il songea :

– *Elle* ne verra pas mon cadavre se balancer au gibet...

– Vous êtes donc accusé de lèse-majesté, poursuivit le commissaire pour avoir attiré le roi dans un logis de la rue Calandre, de l'y avoir détenu, de l'avoir menacé...

Le prisonnier avoua tout ce qu'on voulut.

Le Royal de Beaurevers ne vit plus personne.

Il ne vivait plus qu'avec deux images penchées sur lui : Florise et Marie de Croixmart... Sa fiancée ! Sa mère !...

Le neuvième jour, à la nuit, des gardes vinrent le chercher, lui firent monter des escaliers et l'introduisirent dans une vaste salle située au rez-de-chaussée. Le prisonnier avait les mains solidement attachées au dos. Les gardes étaient tous armés. Mais quand il apparut, un long murmure traduisit la terreur des gardes :

– Le Royal de Beaurevers !...

Au fond, il y avait sur une estrade sept ou huit hommes solennels. L'un d'eux se mit à questionner le prisonnier qui répondit « oui » à chaque question. Un autre parla dix minutes. Puis tous ensemble, ils tinrent conciliabule. Et enfin, il y en eut un qui se mit à lire un grimoire qui signifiait ceci :

Le Royal de Beaurevers était déclaré coupable de lèse-majesté. Il était condamné à avoir la tête tranchée par l'exécuteur sur un échafaud dressé en place de Grève. L'exécution aurait lieu le lendemain matin à neuf heures.

Il restait au Royal trente-six heures à vivre.

II

Jacques d'Albon de Saint-André

Il y avait quelqu'un qui devait tout à Henri, et qui, à sa mort, eût dû pleurer des larmes de sang. C'était Jacques d'Albon, comte de Saint-André, maréchal de France. Le grand favori du roi !

Lorsque le bruit se répandit que le roi allait mourir, Saint-André sentit que la terre allait lui manquer sous les pieds.

Il avait été l'un des adulateurs de Diane de Poitiers. Il avait humilié Catherine de Médicis autant de fois que cela avait été nécessaire à son crédit, c'est-à-dire tous les jours. Au moment où tous les regards étaient fixés sur le blessé qu'on plaçait sur une civière pour le transporter au Louvre, Saint-André fixait les siens sur Catherine de Médicis. Il était tout prêt à se faire le premier chevalier servant de la reine si celle-ci lui faisait signe.

Lorsque le brancard s'ébranla, Catherine de Médicis regarda autour d'elle pour reconnaître ses amis et ses ennemis, imposer du premier coup son autorité de régente.

– Messieurs, dit-elle, suivez-moi au Louvre, où je vais assembler le conseil. Monsieur le Maréchal, vous attendrez mes ordres en votre hôtel.

Saint-André se mit en route vers les Fossés-Mercœur, suivi de ses écuyers, précédé de ses pages, escorté de ses gardes. Il songeait :

– Il va pleuvoir du sang, et peut-être de l'or. Les Guise ont besoin de moi, Montmorency a besoin de moi ; je leur proposerai une alliance, et peut-être pourrai-je... Oh !... mais qu'est-ce que j'éprouve donc ?...

Il avait pâli soudain. Un mystérieux malaise s'emparait de lui. Machinalement, il se retourna, et, à dix pas derrière ses gens, il vit un homme de haute stature, monté sur un cheval noir, enveloppé d'un manteau noir.

Saint-André ne prêta qu'une médiocre attention à ce cavalier. Son malaise se dissipait, d'ailleurs. Il songea :

– Il faut que je mette *tout cela* à l'abri, dès cette nuit. Bon ! j'en profiterai pour compter un peu et voir au juste ce qui manque du dernier million...

Prétexte ! Saint-André savait le compte à un ducat près. Saint-André savait qu'il ne trouverait pas de coffre plus sûr que celui qu'il avait imaginé. Prétexte pour contempler l'or.

En mettant pied à terre dans la cour de son hôtel, il riait, et... Un fracas retentit dans sa tête. Tout ce bruit qu'il avait entendu déjà une nuit sur le pont-levis de la rue Froidmantel. Puis tout se tut, et une voix, la même qu'il avait entendue aussi, hurla :

– Renaud ! Renaud ! Renaud !

Saint-André jeta autour de lui des yeux de folie, et ne vit que ses gens d'armes qui, à grand bruit rentraient leurs chevaux aux écuries.

Subitement, l'hallucination disparut. Devant le porche de l'hôtel, le cavalier noir attachait son cheval.

Saint-André descendit dans les caves sans plus tarder. Devant le coffre, il s'arrêta. Il songeait :

– Mon fils est mort. À ma mort, j'eusse été forcé de lui laisser mon or. Moi mort, ma fortune aux mains de Roland eût fondu comme une neige de printemps. À qui laisserai-je cette fortune ? La mort de Roland a sauvé mes millions. À qui la laisserai-je ? Si le roi avait vécu... Non, tout compte fait, Henri ne méritait pas, si j'étais mort avant lui, d'être mon héritier. Il eût tout dépensé. Suis-je avare ? Non. J'ai honorablement tenu mon rang. À qui laisserai-je tout cela en mourant ? C'est ma vie. Dois-je donc laisser ma vie à quelqu'un ? Non, non, de par Dieu ! À personne ! Je ne laisserai mon or à personne !...

Il alla s'assurer qu'il avait bien fermé la porte du caveau.

Il approcha une table. Sur la table, il y avait une balance. Il y avait trois coffres. Il ouvrit le premier.

Un instant, il tint dans ses mains le couvercle levé, plongeant des yeux hagards à l'intérieur. Puis il laissa retomber le couvercle. Il demeura quelques instants immobile.

Puis il ouvrit le deuxième coffre.

Et il demeura hébété, la bouche et les yeux grands ouverts.

Précipitamment, il rouvrit le premier coffre.

Il laissa les deux couvercles rabattus et murmura quelques mots indistincts. Il souffrait atrocement.

Il eut alors un geste pour ouvrir le troisième coffre. Il s'y reprit à trois fois, et lorsqu'enfin il eut jeté un seul regard à l'intérieur, lorsqu'il vit que ce coffre était vide comme les deux premiers, lorsqu'il fut certain de son malheur, il demeura immobile, pétrifié, l'œil dilaté. Cela dura quelques secondes, et brusquement, sans un cri, l'avare tomba à la renverse, foudroyé.

Promptement, Saint-André revint au sentiment : quelqu'un lui faisait respirer un puissant révulsif qui, sans doute, lui évita l'apoplexie. L'avare eut un frémissement de terreur, il se releva d'un bond, se rua à l'armoire de fer, la ferma à toute volée, et se campa, le dos à la porte, le poignard à la main... L'inconnu se mit à rire.

– Avez-vous donc peur que je vous vole ? dit l'homme.

– Qui êtes-vous ? rugit Saint-André. Et comment avez-vous pu entrer ici ?

L'homme laissa tomber son manteau.

– Nostradamus ! râla Saint-André.

– Oui, dit Nostradamus. Ne vous attendiez-vous pas à me voir ?

Saint-André claquait des dents. Pourtant la nécessité de supprimer cet homme, qui avait surpris le secret de son trésor et de l'entrée des caves, lui apparaissait urgente. Le trésor !... Avait-il donc oublié que les coffres étaient vides ?... Son poignard dans sa main, il se ramassa... et se rua en hurlant :

– Nostradamus du diable, c'est ici ta dernière diablerie !

Un effroyable cri d'agonie lui échappa et le poignard tomba de sa main endolorie ; il éprouva l'impression d'un choc contre un mur invisible. En réalité, il y avait eu arrêt brusque de son élan.

Déjà il oubliait sa vaine tentative. Il ramassa l'arme.

– Je veux savoir comment tu es entré ici !

– C'est vous qui m'avez ouvert la porte. Je vous ai rejoint là-haut, et je vous ai ordonné de ne pas me voir. Vous avez obéi, puisque je suis là depuis le moment où vous avez ouvert vos coffres.

– Alors, vous avez vu mes coffres ?

– Je les ai vus, et, comme vous, j'ai vu qu'ils sont vides.

– Vides ? bégaya l'avare frappé d'horreur.

Il bondit à l'armoire, l'ouvrit, souleva les couvercles. Et alors, il se retourna vers Nostradamus, les traits décomposés.

– Vides ! murmura l'avare en baissant la tête. C'est bien vrai. Mes coffres sont vides. Et je vis ?...

Il souffrait en cette heure ce qu'une vie de désespoir peut représenter de souffrances accumulées. Sa tête tremblait sénilement. Ses yeux étaient ceux d'un fou. Nostradamus souriait.

– Oui, reprit l'avare, je vis et mes coffres sont vides. Qui m'a tué mon trésor ? S'il y avait un Dieu de justice, il m'apprendrait le nom de l'assassin...

– Je vais vous le dire !

– Vous !... Ah ! oui, vous savez, vous ! Eh bien, écoutez, dites-moi cela, et je suis à vous ! Le nom ! Le nom !

– Roland de Saint-André ! dit la voix de Nostradamus.

– Mon fils ! délira l'avare avec une effroyable joie. Alors... je vais retrouver mon trésor... puisqu'il est mort !...

L'avare titubait. Et maintenant qu'il se croyait sûr de retrouver le trésor, *puisque son fils était mort...* il sanglotait. Nostradamus le contempla une minute avec curiosité. Puis, il s'avança vers l'avare et lui prit la main. Saint-André tressaillit. Il sentit la peur se glisser dans ses veines. Le visage de Nostradamus resplendissait de haine. Il demanda au mage :

– Que voulez-vous ?

– Je veux vous dire que ma vengeance est satisfaite.

– Votre vengeance ? grelotta Saint-André.

– Votre fils ne vous rendra pas vos six millions. Votre trésor il l'a partagé en fractions de vingt mille livres ; et chacune de ces fractions, avant de courir trouver la mort à Pierrefonds, il les a données. En ce moment, il y a dans Paris trois cents familles qui bénissent le bienfaiteur inconnu grâce à qui elles vont pouvoir vivre...

L'avare se tordait les bras. Et Nostradamus continua :

– Votre fils Roland ignorait où se trouvait le trésor.

– Oui, oui ! Tout le monde l'ignorait...

– Roland n'avait même pas l'idée de s'en emparer.

– C'est vrai ! Il ne pouvait avoir l'idée de tuer son père...

– Il a donc fallu que quelqu'un lui donnât d'abord cette idée ! puis, le conduisît jusqu'au trésor...

– Ce quelqu'un ! grinça l'avare dans un hoquet d'agonie.

– C'est moi ! dit majestueusement Nostradamus.

– Vous ! Vous !... Nostradamus !...

– Je m'appelle ainsi. Mais j'ai porté jadis un autre nom.

– Un autre nom ? balbutia Saint-André, livide.

– Descends dans tes souvenirs de jeunesse et tu y trouveras ce nom. J'étais heureux ! L'amour inondait mon cœur. Et la confiance m'illuminait de ses lueurs radieuses. Confiance en la vie, confiance en ma fiancée, confiance, oh ! confiance en mes amis ! Cherche, comte !

– Ce nom ! Ce nom ! râlait le comte.

– Écoute-le dans ta conscience ! répondit Nostradamus.

Et il s'en alla.

– Cet homme est fou ! bégaya Saint-André ! Il s'appelle Nostradamus. Il n'a jamais eu d'autre nom. Oh ! le misérable ! Comme il me fait souffrir !... Quoi ! C'est mon fils qui me tue ! Qui est cet homme qui m'a assassiné ?... Nostradamus ! Oh ! je...

Dans cet instant, subitement, il y eut dans son cerveau ce fracas de cloches qu'il avait entendu, – et le nom tonna en lui, cette fois, avec toute sa signification : Renaud !...

– Puissances du ciel !... C'était Renaud !...

Lorsque, le lendemain, des serviteurs retrouvèrent leur maître dans ce coin de ténèbres, Saint-André se laissa emmener docilement. Et lorsqu'il fut remonté à la lumière du jour, on vit que ses cheveux étaient devenus blancs.

III

Les gentilshommes de la reine

Myrta, le jour de la passe d'armes, se dirigea vers la lice de la rue Saint-Antoine. Au fond, elle avait l'espoir d'y rencontrer Le Royal de Beaurevers. Qu'était-il devenu ?

Myrta regardait *de tous ses yeux*. Or, tout à coup, il se fit un silence dans la foule. Le roi, les reines, les princes et les princesses, tous les grands premiers rôles étaient passés déjà : on ne voyait plus défiler que le menu fretin des hobereaux. Qu'était-ce ?...

Une rumeur traduisit la naïve stupeur de la foule.

– Ho ! Qui sont ceux-là ? – Sainte-Vierge, les beaux mignons que voilà ! – Leurs rapières pèsent bien dix livres ! Et leurs moustaches ! – Ce sont les envoyés de la reine de Saba ! – Hourra !

Ils étaient quatre qui se redressaient, fiers, majestueux et enflés d'un exorbitant orgueil. Il est certain qu'ils étaient superbes, tout neufs, trop neufs, empêtrés de plumes, de rubans, de galons. Ils se dandinaient, frisaient leurs moustaches énormes avec impertinence.

– Attention ! disait Trinquemaille. Nous sommes à la cour !

– Il n'y a pas de tapis ! observa Bouracan.

– Tiens-toi ! fit Corpodibale. Le peuple nous admire !

– Ah ! milodious, dit Strapafar, c'est pour nous le succès !

Tout à coup, le même Strapafar cria :

– Outre ! Parfandious !...

– Té ! Vé ! C'est Myrta !... Et adieu donc, la pitchoune !

Les quatre avaient tressailli. Ils écartèrent les hallebardiers, s'accoudèrent à la barrière de bois avec cette pensée qu'ils allaient avoir des nouvelles de Beaurevers. Myrta ouvrait des yeux effarés. Le peuple applaudissait ces gentilshommes familiers. On écoutait. Myrta disait :

– Vous ! sous ces costumes ! dans la suite du roi !

– De la reine ! rectifia Trinquemaille. Ma chère. On a fait son chemin, nous sommes gentilshommes de la reine...

– Et nous habitons au Louvre ! fit Corpodibale.

– Dans les appartements de la reine ! dit Strapafar.

– Ya ! ponctua Bouracan, majestueux.

En quelques mots, Myrta fut mise au courant de la nouvelle fortune des quatre compères, et elle frémit :

– À quelle besogne sont-ils destinés ? songea-t-elle.

Eux énuméraient les repas somptueux, décrivaient leur logement et, enfin, la même question fut posée :

– *Et lui ?...*

Hélas ! Myrta ignorait. Et les quatre ne savaient rien. Bref, on se sépara, non sans promesses de se revoir.

Le passe d'armes eut lieu comme on a vu. Le drame se déroula, selon les péripéties arrangées par ce mystérieux metteur en scène qu'est le Destin – représenté par Nostradamus.

Myrta ne vit rien de la tragique péripétie. Elle était trop loin et elle songeait à Beaurevers. Elle fût partie si sa rencontre avec les estafiers n'eût surexcité sa curiosité. Soudain, la grande clameur qui venait des lices. Puis, dans le peuple, de sourds murmures :

– Le roi est blessé mortellement. Le roi va mourir.

Et, par groupes hâtifs, la multitude s'écoula... Bientôt les lices furent vides. La fête était terminée.

Et ce fut alors que Myrta aperçut au loin, près d'une tente, les quatre compères immobiles, vers lesquels elle se dirigea. Et, comme elle approchait, elle vit qu'ils pleuraient.

Qui pleuraient-ils ? Il n'y avait qu'un homme au monde que ces quatre-là étaient capables de pleurer. Elle courut à eux, avec la certitude d'un malheur.

– Que lui est-il arrivé ?

– Il est arrêté !

Les estafiers ne se trompèrent pas plus à la demande que Myrta ne se trompa à la réponse : *lui... il...* cela ne pouvait signifier que : Le Royal de Beaurevers. Elle devint très pâle.

– Arrêté !... Par qui ?...

– Roncherolles ! dit Corpodibale.

Il sembla à Myrta qu'elle allait mourir. Mais elle avait l'âme forte. Elle dompta sa douleur.

– Pourquoi l'a-t-on arrêté ?...

– C'est lui qui l'a voulu ! dit Trinquemaille. Pourquoi ?

– Il n'a pas voulu tuer Roncherolles, dit Bouracan.

Myrta frissonna de jalousie. Le Royal s'était laissé arrêter plutôt que de frapper le père de Florise !...

– Comme il l'aime ! songea-t-elle, désespérée.

Mais, dans le même moment, cet élan de jalousie s'affaissa. Sa douleur se concentra en une pensée unique :

– Il faut que je le sauve !...

Elle se fit raconter l'arrestation dans tous les détails. Ils ne pleuraient plus. Et elle leur donna ses ordres.

– Vous allez rentrer au Louvre, puisque vous y logez, y a-t-il un moyen de parvenir jusqu'à vous, de jour ou de nuit ?

– C'est facile. Il y a un mot spécial pour nous : Pierrefonds.

– C'est bien. Rentrez. Et attendez. Tenez-vous prêts à agir quoi que je vous fasse savoir. C'est pour *lui !*... Est-ce dit ?

Déjà Myrta s'éloignait en courant. À leur tour, les estafiers partirent empressés, se disant entre eux :

– Elle le sauvera !...

IV

La mère

« Il faut que je le sauve !... » Myrta se répétait cela en courant vers la rue de la Tisseranderie. Mais comment sauver Beaurevers ? Comment pénétrer au Châtelet ? Et une fois entrée, comment en faire sortir le prisonnier ?...

Lorsqu'elle arriva rue de la Tisseranderie, Myrta cria, sanglota. Aux questions de la Dame sans nom, elle ne put que dire :

– Oh ! madame... il va mourir !

Marie de Croixmart jeta un cri : tout de suite, elle avait compris qu'il s'agissait de Beaurevers. Elle se redressa.

– Et que m'importe ! se gronda-t-elle. Qui est ce jeune homme ? C'est celui qui aime la fille de Roncherolles. La malédiction est sur lui puisque son cœur va à des maudits...

Presque aussitôt, elle ajouta, frissonnante :

– Pauvre jeune homme !...

Et alors elle s'aperçut qu'elle-même souffrait, comme si *ce jeune homme* qu'elle connaissait à peine eût été *son fils*. À ce moment, la porte de la pièce voisine s'ouvrit, et Florise entra. Elle était habillée comme pour sortir. Son visage était blanc comme cire, mais ses yeux disaient toute la vaillance de son âme. Et sa voix ne trembla pas lorsqu'elle dit :

– Myrta, comment et pourquoi *va-t-il mourir...*

Il y avait là trois femmes séparées par une sourde hostilité.

Pour Marie de Croixmart, Florise était une Roncherolles.

Pour Florise, Myrta n'était pas la sœur de Beaurevers.

Pour Myrta, Florise était la rivale heureuse.

Marie de Croixmart frémit. La voix de Florise était un poème de douleur et de vaillance. Marie étudia Florise. L'amour rayonnait sur ce visage de vierge. Marie sentit son cœur battre à grands coups, mais elle se cria :

– Non, non, je ne puis aimer la fille de Roncherolles !

La voix de Myrta fut stridente d'amertume :

– Sachez, dit-elle, que votre père n'est plus au Châtelet, et que le roi lui a rendu ses fonctions de grand-prévôt…

– Ah ! fit Florise.

– Comprenez-vous ?... Non ?... Eh bien ! le grand-prévôt et Le Royal de Beaurevers se sont rencontrés…

– Ah ! fit encore Florise.

– D'un geste, Beaurevers pouvait assurer sa liberté et sa vie ; mais ce geste eût tué votre père… Le grand-prévôt l'a traîné au Châtelet. Comprenez-vous, maintenant ?

Myrta s'effondra. Les yeux de Florise ne versèrent pas une larme. Elle se tourna vers Marie de Croixmart, et dit doucement :

– Adieu, madame. Soyez remerciée de votre hospitalité. Vous ne m'aimez pas. Je vous aime, parce qu'il vous aimait…

Elle descendit sans hâte. Seulement elle marchait comme une somnambule, et elle se disait :

– *Je lui ai promis ma foi, et je serai son épouse. Je lui ai promis de mourir avec lui, et je mourrai dans la seconde où il mourra…*

Marie de Croixmart entendit la porte du dehors qui se refermait. Alors, son Cœur se fondit et cria :

– Ma fille ! Ma fille ! Sauve-le !...

Marie de Croixmart parvint à retrouver un peu de calme.

– Allons ! reprit-elle, il faut laisser faire cette enfant qui sort d'ici. Elle aime votre frère. Elle est capable de le sauver…

– Mon frère ! dit amèrement Myrta.

– Pauvre fille ! Vous n'avez plus que ce frère ?...

– Je n'ai pas de famille, gronda Myrta, *pas de frère !*

– Pas de frère ? balbutia Marie de Croixmart. Et lui ?...

– Ce n'est pas mon frère.

Marie de Croixmart ferma les yeux. Elle se sentit pâlir.

– Ce n'est pas son frère, fit-elle tout haut.

– Non, répéta Myrta.

Marie s'assit devant Myrta, lui prit les mains et la regarda dans les yeux. Myrta fut épouvantée de son expression d'égarement.

– Madame, madame, qu'avez-vous ?...

– Moi ? fit Marie de Croixmart, mais rien, mon enfant ! Je m'intéresse à ce jeune homme. N'est-ce pas tout simple ?

Des tumultes de pensées étranges retentissaient dans sa tête. Elle ne s'en apercevait pas. Elle demanda :

– Alors, qui est-il ?...

Myrta allait répondre. À ce moment, Gilles entra. L'ancien geôlier du Temple était maintenant un homme d'une soixantaine d'années, la barbe grise. Il avait gardé cette carrure athlétique d'autrefois.

– Madame, dit-il en entrant, monseigneur de Roncherolles est libre. Il a repris ses fonctions de grand-prévôt...

– Laisse-nous ! cria Marie de Croixmart.

– Madame, reprit-il, j'ai appris que le grand-prévôt veut savoir pourquoi il a eu une apparition la nuit où il est venu ici avec le maréchal de Saint-André... Il faut fuir.

– Laisse-nous ! Mais laisse-nous donc ! cria Marie.

Elle se tourna vers Myrta, et pendant que Gilles se retirait :

– Allons, mon enfant, il faut me dire qui il est...

– Madame, ce que votre serviteur vient de dire...

– Qu'a-t-il dit ? fit Marie étonnée. Allons, parlez !

– Beaurevers n'est pas mon frère. La vérité, madame, c'est que nous avons été élevés tous deux par ma mère Myrtho. Dès l'enfance donc, je pus le considérer comme mon frère, et c'est ainsi en effet que je le considérai jusqu'au jour où je m'aperçus que ma tendresse n'était pas une affection de sœur. D'ailleurs, j'ai toujours su qu'il n'était pas mon frère. Ma mère, en mourant me le confirma. Vous me demandez qui il est, madame. Je ne le sais pas. Ma mère ne le savait pas. Tout ce que nous avons su, c'est que sa naissance fut bien triste...

Marie de Croixmart baissa la tête. Myrta ajouta :

– Le Royal de Beaurevers est né dans un cachot... Myrta ne

s'aperçut pas que Marie de Croixmart venait d'être agitée d'une imperceptible secousse. Elle continua :

– Il paraît que sa naissance fut odieuse à un puissant prince qui condamna le pauvre tout petit à être porté au bourreau parce que sa mère, disait-on, était sorcière. Tout cela fut raconté ensuite à ma mère par l'homme même qui devait porter l'enfant au bourreau. Brabant-le-Brabançon vous le dirait s'il était encore de ce monde...

Marie de Croixmart s'était levée. D'une voix éclatante de jeunesse, elle appela :

– Gilles ! Marguerite !...

L'ancien geôlier et sa femme la Margotte accoururent.

– Comment s'appelait l'homme à qui mon fils fut donné pour être remis au bourreau ?

– Il s'appelait Brabant-le-Brabançon, dit Gilles.

Marie se tourna vers Myrta.

– En quels cachots dis-tu qu'est né Le Royal de Beaurevers ?...

– Dans les cachots du Temple !...

Alors la mère parla. Ce fut un cœur qui se répandait. Ce qu'elle disait, ni Gilles, ni la Margotte, ni Myrta ne l'entendaient. *Marie de Croixmart parlait à Renaud !...*

Non, ils n'entendaient pas ces fragments de paroles, mais la voix de la mère effondrée devant eux, avait des accents que jamais ils n'avaient entendus. Si bien que vers la fin, tous trois, bouleversés, sanglotaient.

Cela dura quelques minutes. La voix de la mère allait s'affaiblissant. Et à mesure que s'affaiblissait la voix, Marie de Croixmart penchait de plus en plus le front... Ce front toucha le plancher. Ils entendirent encore un murmure indistinct, puis un soupir, puis plus rien.

Ils demeurèrent là immobiles, n'osant risquer un geste. Cependant comme Marie de Croixmart ne bougeait pas, Gilles s'approcha, puis la toucha à l'épaule en disant :

– Madame...

À ce léger contact, Marie de Croixmart s'affaissa.

– Morte ! rugit l'ancien geôlier.

Les deux femmes jetèrent un cri. Elles se hâtèrent. En quelques instants, Marie de Croixmart fut déposée sur son lit, et déjà Myrta faisait chauffer des linges. À ce moment, la Margotte appela Gilles, et d'un ton étrange :

– Regarde !...

– Oh ! fit Gilles, c'est comme en 39, où cela dura treize jours !

– Et comme en 46 où cela dura dix jours ! dit la Margotte.

– Et comme en 52, où cela dura onze jours ! reprit Gilles.

À ce moment, Myrta s'avançait vers le lit :

– Inutile, dit la Margotte : *elle n'a pas besoin de soins...*

Myrta jeta un regard sur Marie de Croixmart et vit qu'elle avait pris une attitude cadavérique. Elle était *comme morte.* Myrta s'agenouilla pieusement et dit :

– Seigneur, vous avez donc eu pitié d'elle, puisque vous n'avez pas voulu qu'elle assiste au supplice de son fils !...

L'ancien geôlier entraîna sa femme dans un coin.

– Elle ne peut rester ici, dit-il. Roncherolles va venir aujourd'hui où demain. Nous ne pouvons pas non plus la porter rue des Lavandières : la maison est surveillée. Que faire ?

Toute la journée, la Margotte réfléchit à la terrible question. Toute la journée, Gilles se tint dans la salle du bas, porte barricadée, des armes à sa portée, prêt à mourir, mais non sans avoir expédié *ad patres* le plus d'envahisseurs qu'il pourrait. Mais la maison ne fut pas attaquée. Aucune tentative ne fut faite.

– Ce sera pour demain ! dit Gilles. Je défendrai la porte jusqu'à ce que je sois tué... et puis, elle tombera au pouvoir de Roncherolles. Oh ! cet homme l'a devinée, vois-tu !...

– On viendra peut-être, dit la Margotte, on ne la trouvera pas. J'ai trouvé pour elle un logis sûr.

Gilles frémit. Alors Myrta fut appelée. Et entre ces trois êtres, il y eut un colloque à voix basse.

– *Puisqu'elle est comme morte...* commença la Margotte...

Et ce qu'elle dit était sans doute terrible, car Gilles devenait livide et Myrta se signait.

Vers onze heures du soir, la Margotte prononça :

– Il est temps !...

Myrta frissonna de tout son corps, mais dit :

– Je suis prête !...

V

Le pendant de la scène de Tournon

Nous devons laisser s'écouler les neuf journées qui séparèrent la Matinée où eut lieu l'arrestation de Beaurevers, de la Soirée où il fut jugé. Simulacre de jugement, on l'a vu.

Ce soir-là, vers dix heures, Nostradamus, allongé sur un divan, dormait d'un de ces sommeils absolus, qu'il provoquait lui-même.

Tout à coup, il s'éveilla : Djinno entrait et dit :

– Le jeune homme est condamné. Il aura la tête tranchée après-demain, à neuf heures du matin, en Grève...

– Condamné ! répéta sourdement Nostradamus.

De sa main il couvrit ses yeux. Des larmes glissèrent ; Djinno regardait avidement ces larmes.

Vers minuit, Nostradamus entra au Louvre. Cette faiblesse qui, un instant, avait brisé sa volonté de vengeance, avait disparu. Dans le château, le bruit se répandit aussitôt de l'arrivée du *guérisseur*.

Cette arrivée, Catherine l'attendait : elle se méfiait.

– Qui sait s'il ne voudra pas sauver le roi ? songeait-elle.

Puis, comme Nostradamus ne venait pas, malgré les ardentes supplications du blessé, qui, vingt fois par jour, envoyait un courrier à l'hôtel de la rue Froidmantel, Catherine avait fini par se rassurer – lorsque cette nuit-là, on la prévint que le guérisseur était là. Elle le fit entrer et, le regardant :

– Venez-vous pour sauver Sa Majesté ?

– Madame, rien ne peut sauver le roi, surtout moi.

– Vous voulez le voir ? reprit Catherine.

– Il le faut, répondit rudement Nostradamus.

– Ainsi donc, la mort du roi est inévitable ?... C'est un grand malheur pour moi d'abord, pour mes enfants, pour le royaume de France qui perd un bon maître. Mais si rien ne peut sauver le roi, rien non plus ne pourra sauver le meurtrier... rien ! Je le jure sur Dieu !

Nostradamus avait tressailli. Un sourire erra sur ses lèvres.

– Oui, dit-il, et pourtant, qui sait si Le Royal de Beaurevers est vraiment coupable ?

– Il est surtout coupable de savoir que les droits de mon fils Henri peuvent être contestés.

– Madame, il y a un homme, sans me compter, qui sait ce que sait ce jeune homme. Et vous l'avez laissé fuir.

– Montgomery ? fit la reine. Lui aussi mourra.

– Et moi ! gronda Nostradamus.

– Vous !... Oh ! vous... je sais que vous ne me trahirez pas, quoi qu'il advienne. Venez. Je vais vous conduire au roi...

Quelques instants plus tard, Nostradamus se trouvait devant le blessé, et était laissé seul dans la chambre.

Le roi était immobile, le visage blafard. Des linges cachaient l'œil blessé. L'autre œil était à découvert, mais fermé. Nostradamus prit l'une des mains du roi, puis l'abandonna ; la main retomba, inerte. Sûrement, le roi était en agonie. Nostradamus le contemplait...

Là, sous ses yeux, vivant sa dernière heure, c'était donc l'homme qui avait fait le malheur de sa vie ! Et, chose étrange, Nostradamus n'éprouvait pas devant cet agonisant la joie qu'il avait espérée. Sa vengeance lui échappait. Ce n'était pas de la pitié. Ce n'était pas de la haine satisfaite. C'était le sentiment du vide ! L'effroyable inutilité de tout !

Il eût, dans cette minute, donné dix ans de sa vie pour éprouver un peu de cette haine pour laquelle il avait vécu.

– Voyons, dit-il. Je hais cet homme. Je veux qu'il meure en pleine conscience de sa damnation. Pourquoi ma mère est-elle morte ?... Morte ? Non ! Mais entre ma haine et moi, il y a un sentiment interposé. Quel est ce sentiment ?...

Comme il disait ces mots, il s'aperçut que, si sa haine disparaissait, c'est qu'il n'y avait place en lui que pour la douleur !... Et, comme il cherchait la cause de cette douleur, il vit clairement qu'il pleurait parce que Le Royal de Beaurevers était condamné !...

– Rien ne peut le sauver ! Cette reine eût tout pardonné à cet enfant, excepté de savoir le secret de la naissance de son fils

Henri !... Et c'est cela que je pleure !... Moi ! Je pleure sur le fils du roi !...

Un ricanement sec éclata. Nostradamus vit Djinno.

– Pourquoi es-tu là ? demanda-t-il. Et comment y es-tu ?

– Comment ? Peu importe. Pourquoi ? Vous avez oublié ceci.

Il tendait un flacon empli d'une liqueur brune.

– L'élixir de longue vie ! grinça-t-il en éclatant de rire. Ou du moins l'élixir qui peut rendre à ce mourant une heure de vie – juste le temps de délecter cette vengeance après laquelle vous courez depuis vingt-trois ans. Prenez !...

Djinno s'approcha d'Henri II, et dans la bouche entrouverte, versa le contenu du flacon. Puis il fit un mouvement pour se retirer. Nostradamus le saisit par la main.

– Qui es-tu ? gronda-t-il.

– Je suis Djinno, votre humble serviteur.

– Oui ! balbutia Nostradamus. Et pourtant... il y a des jours où je me demande si tu es bien ce que tu parais être...

– Alors, vous n'avez qu'à interroger sur moi l'Occulte !

– L'Occulte ! En vain je lui ai demandé qui tu es ! En vain je l'ai interrogé sur moi-même ! En vain j'ai voulu connaître le sort de...

– De ce jeune homme ? fit Djinno. Le Royal de Beaurevers va mourir, seigneur ! Voilà la réponse !

– Tais-toi !... Va-t'en !...

– Je m'en vais. Tenez, voici Henri qui s'éveille.

Nostradamus se tourna vivement vers le roi. Djinno se redressa, puis se retira dans un angle obscur. Henri II sortait en effet de léthargie. Il sentait la vie lui revenir à flots.

Nostradamus se rapprocha. À mesure qu'il avait vu le roi revenir à la vie, il avait aussi senti renaître toute sa haine. Le roi lui tendit les mains et bégayait :

– Merci, merci, vous êtes mon sauveur !

– Je suis votre juge ! dit Nostradamus.

Le roi le vit si terrible d'aspect qu'une terreur insensée fit irruption dans son âme. Il allongea le bras vers une clochette. Nostradamus, du bout du doigt, toucha la main prête à saisir la clochette – et la main demeura comme paralysée.

– Inutile d'appeler. Il faut que vous m'entendiez. Il vous reste une heure à vivre. Cette heure m'appartient !

– Une heure à vivre ? bégaya Henri. Je vais donc mourir ?

– Oui. Quand vous m'aurez entendu...

– Mourir ! râla le blessé. C'est donc vrai !... Sauvez-moi !

– Ceci n'est pas en mon pouvoir, dit Nostradamus.

– Vous êtes un faux mage ! rugit le roi. Le moine avait raison ! Je le vois maintenant. Vous vous êtes vanté d'une science impossible pour vous approcher de moi. Vous ne savez rien. Vous ne pouvez rien !

– J'ai pu du moins vous réveiller pour une heure au moment où, sans souffrir, vous alliez entrer dans la mort. J'ai pu du moins vous rendre assez de force pour jeter un suprême regard sur les jouissances que vous allez abandonner...

– Oh ! le misérable qui, pouvant me laisser mourir en paix, est venu m'éveiller pour m'obliger à contempler ma propre agonie ! Que t'ai-je fait ? Parle. Qui es-tu ?

– Je vous l'ai dit : je suis votre juge. Je veux ignorer le mal que vous avez fait. Je veux ignorer que vous avez empoisonné, votre frère François...

– Grâce !...

– Cela ne me regarde pas ! continua Nostradamus. Que vous ayez envoyé au bûcher une foule de malheureux innocents, cela ne me regarde pas.

– Mais alors... quel mal vous ai-je fait, à vous ?

– Je vais vous le dire. Mais d'abord sachez que c'est moi qui ai armé le bras de Beaurevers. C'est moi qui, avant votre entrée dans la lice, vous ai persuadé de remplacer l'arme courtoise par une lance aiguisée. C'est moi qui vous ai prouvé que votre adversaire était aimé de Florise. C'est moi qui vous ai soufflé la haine, comme je l'avais soufflée à votre adversaire. Je voulais un combat loyal. Je voulais voir si vous étiez destiné à mourir sous les coups de l'homme suscité contre vous... L'événement a donné raison au Destin !

– Oui, fit le roi, ce misérable m'a frappé, et moi-même j'eusse donné une fortune pour le frapper à mort. Oh ! il faut que tu haïsses bien, toi qui viens me rappeler au seuil de la tombe que j'ai eu un seul amour sincère, et qu'un autre est aimé de Florise, de celle que je destinais au trône...

– Vous devez horriblement souffrir en ce cas ?

– Oui !... Je meurs désespéré, c'est vrai, mais je meurs vengé. Le Royal de Beaurevers est condamné ; j'espère vivre encore assez pour apprendre sa mort. Lui mort, Florise mourra aussi.

– Bien ! dit Nostradamus. Maintenant, sire, il faut bien que vous sachiez qui est ce Royal de Beaurevers...

– Qui est-ce ? rugit le roi en se redressant.

– C'est votre fils ! dit Nostradamus avec majesté.

Henri II demeura quelques minutes comme écrasé. Il entrevit aussitôt que l'homme qui l'avait tué, l'homme qu'il allait faire tuer par le bourreau pouvait être son fils : il avait eu tant de maîtresses !... Il fouilla ses souvenirs, et bientôt :

– Si c'était vrai, ce serait horrible, en effet. Mais en dehors de mes enfants légitimes, *je ne me connais pas de fils...*

Nostradamus se pencha sur le roi et murmura ce nom :

– Marie de Croixmart !...

Le roi étendit les mains comme pour conjurer un spectre.

– Vous vous souvenez maintenant, n'est-ce pas ?

– Ce n'est pas moi qui ai tué cette infortunée !

– Je le sais. Ce fut votre frère. Il la tua par jalousie.

– Oui, oui... Ce fut affreux. Je me suis souvent repenti de ce crime de ma jeunesse. C'est vrai. François et moi, nous avons persécuté cette jeune fille. Nous l'avons fait enfermer au Temple... Vous pleurez ? Qu'était pour vous cette jeune fille ?...

– C'était ma femme ! dit Nostradamus.

– Pardonnez-moi, murmura le roi.

– Le Royal de Beaurevers est le fils de Marie de Croixmart. Un bravo, nommé Brabant-le-Brabançon fut par vous chargé de faire disparaître l'enfant. Le bravo fut pitoyable...

– Oh ! je me souviens ! C'est vrai ! balbutia Henri. Cet enfant, j'ai bien souvent pensé à lui. Je le croyais mort...

– Et pourtant vous redoutiez sa venue ! Il est venu !... Le fils de Marie de Croixmart s'est levé contre son propre père et c'est moi, qui l'ai conduit jusqu'à vous...

– Contre son propre père ? haleta le roi.

– Contre vous !...

– Moi ! Mais je ne suis pas son père !... Le Royal de Beaurevers n'est pas mon fils, puisque vous dites vous-même que c'est l'enfant de Marie de Croixmart et que... ni moi, ni mon frère n'avons jamais pu abattre la résistance de la prisonnière.

Nostradamus étreignit son front comme pour empêcher la pensée de fuir. À ce moment, il entendit derrière lui un ricanement. Il se retourna et vit Djinno. Il n'y prêta aucune attention. Il se sentait tomber dans il ne savait quel abîme.

Et, dans cette seconde où s'écroulait l'échafaudage de sa vengeance, il s'aperçut que c'était la joie qui le faisait trembler.

Marie ne l'avait pas trahi !...

Il oublia que Marie était morte, il oublia que Le Royal de Beaurevers allait mourir. Haletant, d'une voix rauque :

– Elle vous a résisté ?...

– J'étouffe ! bégaya Henri. C'est la fin... Je meurs...

– Un mot ! rugit Nostradamus. Un seul mot !...

Henri étendit la main vers un crucifix, et, le visage transfiguré par l'approche de la mort :

– Sur Dieu devant qui je vais paraître, je jure que je dis la vérité : Marie de Croixmart mourut sans tache. Elle n'a cédé ni à moi ni à mon frère. Adieu... Époux de Marie, l'enfant de Marie n'est pas mon fils... Ah !... je...

Le roi se renversa, sur le lit. Ses traits s'immobilisèrent à jamais... Hagard, Nostradamus rugissait en lui-même :

– Oh !... mais... si Le Royal de Beaurevers n'est pas son fils... cet enfant que j'ai conduit à l'échafaud… c'est donc…

Il n'osa pas ! Non ! Il n'osa pas achever !… Mais quelqu'un, à ce moment, acheva pour lui !… Et ce quelqu'un, c'était Djinno… Le petit vieux s'avança, le toucha à l'épaule et dit :

– Cette pensée qui mille fois s'est présentée à ton esprit, c'était la vraie !… Le Royal de Beaurevers est ton fils.

VI

Devant la tombe

Comment Nostradamus se retrouva-t-il en son hôtel. Il ne le sut pas. Il avait vaguement conscience d'être tombé assommé, dans la chambre royale. Presque aussitôt, sous l'influence de quelque révulsif que lui administra Djinno, il était revenu à lui. Le petit vieux l'avait entraîné. Confusément, Nostradamus se souvenait que la chambre du roi avait été envahie par une foule, et qu'une voix avait dit : Le roi est mort !... Il avait entendu alors un grand cri de : Vive le roi ! Et il s'était retrouvé dans son hôtel.

Il était seul. Il voulait courir à la recherche de Djinno. Et il ne pouvait faire un pas. Enfin, il put hurler : Djinno !... Le vieillard apparut. Nostradamus voulut s'élancer pour l'interroger. Mais Djinno étendit la main et Nostradamus demeura cloué sur place. En même temps, il s'aperçut que l'aspect de Djinno s'était étrangement modifié. La taille du petit vieux semblait s'être développée. La flamme narquoise de ses yeux avait fait place à un regard où il n'y avait aucun sentiment humain. Alors il sembla à Nostradamus qu'il avait déjà vu cette figure.

– Qui êtes-vous ? fit-il tout haletant. Où vous ai-je vu ?

Djinno parla. Sa voix était d'une grande pureté.

– Tu m'as vu, dit-il, il y a vingt-trois ans dans les souterrains de la grande Pyramide. Je suis l'un des mages gardiens de l'Énigme. L'un de ceux qui ont essayé de t'enseigner la sagesse.

– Maître ! Maître ! bégaya Nostradamus éperdu.

Lourdement il tomba à genoux. Djinno continua :

– Tu nous cachais tes projets de vengeance. Lorsque nous t'eûmes donné une partie de cette puissance réelle dont tu étais digne, nous t'avons renvoyé sur la terre pour savoir si tu triompherais de tes pauvres sentiments humains...

– Maître ! Maître ! sanglota Nostradamus.

– Alors, t'ayant mis en contact avec ton fils, nous t'avons défendu de savoir que c'était ton fils... Je t'ai suivi depuis ta sortie de la Pyramide. Je t'ai aidé. J'ai espéré que tu saurais t'élever au-dessus des misérables sentiments qui s'agitaient dans ton cœur. Alors, tu eusses pardonné ! Alors, je t'eusse reconduit auprès de tes paisibles maîtres et tu fusses devenu notre égal. Nostradamus, tu es resté homme par la vengeance. Nous t'avons laissé faire. Nous t'avons caché soigneusement la destinée de tous ceux qui te sont chers, et, avant tout, celle de ton fils...

– Sauvez-le ! oh ! sauvez-le ! râla Nostradamus.

– Par tes douleurs comme par tes colères, tu es toujours un homme... Tes douleurs sont néant. Tes vengeances étaient néant ! Adieu...

Il sembla à Nostradamus que Djinno s'évanouissait... Il tendit les bras vers cette apparition de plus en plus fluide :

– Puisque vous m'avez mis un bandeau sur les yeux, cria-t-il, laissez-moi au moins une parole d'espoir ou de pitié...

Nostradamus entendit en lui des paroles lointaines :

– Poussière d'humanité... siècles et millénaires, poussière de temps... Amour, haine, joie, fureur... poussière de sentiments...

Djinno avait disparu. Nostradamus se releva, pantelant. Il ne songeait déjà plus à cet être. Une sorte de rage le transportait à l'idée qu'il avait été impuissant à reconnaître son fils et que ce fils était condamné sans rémission.

– Et elle ! que j'ai maudite cent fois ! Elle me fut donc fidèle... jusque dans les cachots, jusque dans la mort !

Alors sa douleur s'exaspéra.

Nostradamus vécut une heure effrayante. Puis il se souvint que les mages de la Pyramide lui avaient du moins donné la science d'évocation. Et il voulut revoir la morte...

Alors, grâce à sa puissance sur lui-même, Nostradamus put triompher de sa douleur. Pourtant, lorsqu'il s'arrêta devant le tombeau de Marie, un tremblement le saisit. Mais, se remettant aussitôt, il commença les incantations qui devaient atteindre l'esprit de Marie et le forcer d'accourir du fond des limbes.

Peu à peu, sa pensée entra dans les sphères inconnues... L'image de Marie ne se montrait pas... Les morts qui dormaient là demeuraient tapis au fond de leurs retraites.

Puis, bientôt, ses invocations se firent plus impérieuses... Ses yeux se révulsaient, ses muscles craquaient...

Enfin, épuisé, brisé, il tomba à genoux devant la porte du tombeau, et il s'accrocha à une croix... et, dans cet instant même où il s'écrasait ainsi, tout à coup, il lui sembla qu'une dalle voisine venait d'éprouver une secousse...

Oui ! cette dalle vacillait !... Et là-bas, plus loin, une autre se mettait en mouvement, puis d'autres encore !...

Alors, le mirage se produisit... Alors, les tombes s'ouvrirent, les spectres se levèrent... Nostradamus en vit un d'abord, puis deux, puis plusieurs, toute une foule d'êtres aériens... Alors, il poussa un cri terrible...

Et, dans le même instant, les spectres disparurent. Il revit toutes les tombes fermées... Toutes ?... Non !

L'une d'entre elles, au contraire, venait de s'ouvrir alors que les autres se fermaient ! Une tombe dont la porte achevait de rouler sur ses gonds... Et c'était le tombeau de Marie !...

Nostradamus, d'un bond, fut debout. Il râla :

– Marie !... Est-ce toi ?... Es-tu là ?...

Dans cet instant, une forme noire s'encadra dans la porte.

Nostradamus la reconnut aussitôt : c'était Marie. Elle était vêtue comme il l'avait vue, à deux pas, la nuit où il avait enterré sa mère. C'étaient les mêmes vêtements de deuil. C'était la même attitude... Et il murmura :

– Un esprit n'aurait pas ces contours !... Je rêve !... À ce moment, l'apparition fit deux pas.

– Marie ! Marie ! hurla Nostradamus.

– Renaud ! cria Marie de Croixmart.

Hagard, fou, il la souleva dans ses bras et bégaya :

– Vivante ! Toi ! Toi ! Vivante !

Et ce qui se passa alors dans l'âme de Marie fut sublime. La joie de se trouver dans les bras de Renaud demeura enfouie au fond de son cœur. La mère seule vécut en elle en cette seconde de prodige :

– Sauve-le ! oh ! sauve-le !... furent ses premiers mots.

– Le Royal de Beaurevers ! râla Renaud.

– Notre enfant !... Ton fils !...

Et elle se renversa dans les bras de l'époux retrouvé. Il la serra sur sa poitrine, et sans chercher à comprendre le prodige, se mit en route, emportant sa femme dans ses bras.

– Venez ! dit près de lui une voix de pitié.

Nostradamus vit une femme qui pleurait, un homme, un colosse, qui le regardait avec une sorte de curiosité émue.

– Qui êtes-vous ?

L'homme répondit :

– Je suis le geôlier qui, jadis, garda Marie de Croixmart dans les cachots du Temple.

Et la femme :

– Je suis la geôlière qui, jadis, au Temple, reçut dans ses bras le nouveau-né, l'enfant de la prisonnière... votre fils !

Vingtième chapitre
L'échafaud

I

La veille de l'exécution

Beaurevers devait être exécuté à neuf heures du matin. La veille, vers dix heures du soir, Nostradamus se présenta au Louvre.

– On ne passe pas ! lui dit l'officier de garde.

– Pas même moi ? demanda Nostradamus.

– Surtout vous, messire. La reine a donné des ordres.

– Il faut que je la voie... Il y va de son intérêt...

– La reine prie. Éloignez-vous, ou je vous fais arrêter.

Nostradamus jeta un coup d'œil désespéré sur les cours encombrées de soldats, d'officiers, de gentilshommes.

Des forces imposantes avaient été en hâte rassemblées au Louvre – pour rendre à la dépouille du roi les honneurs funèbres, disait-on – en réalité pour mettre le château à l'abri d'un coup de main très possible de la part des Guise.

Dans la chambre funéraire, Henri II reposait sur un lit de parade. Dans une salle voisine, l'archevêque de Paris récitait les prières des morts. Autour du lit, douze gentilshommes montaient la garde.

On ne voyait pas Catherine. On la disait en prières.

La vérité, là encore, était ignorée. Avec une prodigieuse activité, Catherine organisait cette véritable régence, qui allait commencer sous le nom de règne de François II. Dans ces vêtements de deuil qu'elle ne devait jamais quitter, elle était entourée d'une douzaine de conseillers, dont le cardinal de Lorraine et le duc de Guise avaient été soigneusement exclus. Le connétable de Montmorency avait mis son épée au service du nouveau roi, c'est-à-dire de Catherine. Quant au maréchal de Saint-André, il avait disparu...

À cette conférence assistait, pour la forme, le jeune roi

François II. Sa mère, de temps à autre, passant dans sa chambre, saisissait dans ses bras son fils Henri, qu'elle embrassait avec passion et à qui elle murmurait :

– Tu seras roi !... Toutes les prédictions de Nostradamus se réalisent. Pourquoi celle-ci ne se réaliserait-elle pas ?...

Puis elle disait à quatre hommes assemblés là :

– Vous avez juré de ne pas le quitter une minute...

– Nous avons juré sur notre âme, bien mieux : sur saint Pancrace ! Ne craignez rien, nous veillons !

– Vous tueriez tout ce qui voudrait approcher de mon fils...

– Eh ! vivadiou ! répondait l'un des quatre, celui qui franchira cette porte est mort d'avance, té !...

– Vous avez juré de mourir pour mon fils s'il le faut...

– On mourra, per Dio santo, on mourra, madame !

– Ya ! faisait le quatrième en roulant des yeux terribles.

La reine, alors, rassurée, s'en allait reprendre sa conférence. Tous quatre avaient une mine lugubre et, parfois, Strapafar traduisait leurs sentiments en murmurant :

– Lou pauvre pigeoun !...

Nostradamus n'insista pas pour entrer au Louvre. Pourtant, il voulait voir la reine. Il savait pourtant que rien n'ébranlerait Catherine de Médicis. Le Royal de Beaurevers savait que le jeune prince Henri n'était pas un fils légitime du feu roi. Cela condamnait le jeune homme.

Ainsi, donc, Nostradamus n'aurait retrouvé femme et fils que pour les perdre ensemble. Son cœur saignait. Il avait essayé d'entreprendre quelque suggestion à distance sur la reine. Mais sans forces, il avait pleuré des larmes impuissantes...

Et c'est alors qu'il s'était rendu au Louvre pour menacer, supplier, réussir peut-être de près ce qu'il n'avait pu réussir à distance... Catherine de Médicis, en donnant l'ordre de ne pas laisser entrer le devin au Louvre, avait déjoué cette tentative, sans le vouloir, d'ailleurs. Car elle n'obéissait qu'à une pensée superstitieuse qui lui conseillait de ne pas laisser en ce moment Nostradamus approcher de son fils Henri.

Un instant, Nostradamus songea à en finir, à se tuer là...

Puis, secouant la tête :

– Il sera temps de me tuer quand j'aurai vu mourir mon fils !...

Son fils !... Cette pensée dominait tout, même cet immense amour qui se réveillait dans son cœur, décuplé par l'amour même de Marie !... Et, pour elle aussi, tout se résumait en ce mot : Sauver son fils !

Il n'y avait plus que douze heures pour arriver au moment où Le Royal devait être exécuté. L'officier, avec étonnement, le vit pleurer...

– C'est fini ! râla Nostradamus.

Et il allait s'en aller. À ce moment, une pensée soudaine traversa son esprit... Il saisit ses tablettes et écrivit :

« Madame, j'ai vainement essayé de parvenir jusqu'à vous. Voici ce que je voulais vous dire : il est indispensable que vous assistiez à l'exécution de demain matin. J'y assisterai aussi. Il y va du bonheur de votre fils...

« NOSTRADAMUS. »

Nostradamus n'avait écrit ces lignes que pour s'assurer la possibilité d'approcher de Catherine. Mais lorsqu'il eut écrit, il répéta machinalement les derniers mots : *il y va du bonheur de votre fils...*

– Son fils ! murmura-t-il... Oh ! quelle pensée me vient là !... Djinno ! Est-ce toi... qui me l'envoies ?

Il remit le billet à l'officier, et lui dit :

– Si vous tenez à votre tête, que ceci parvienne à Sa Majesté...

– La reine aura votre dépêche dans deux minutes.

Nostradamus regagna la rue de la Tisseranderie. Il appela :

– Myrta !...

Une heure plus tard à la suite d'un long entretien avec Nostradamus, Myrta sortit du logis...

II

La fiancée du condamné

En cette même nuit, une scène terrible se déroulait en l'hôtel de la grande-prévôté.

Vers onze heures du soir, Roncherolles était monté jusqu'à l'appartement de sa fille, comme il faisait tous les soirs depuis que Florise, ramenée à Paris par Beaurevers, était venue le retrouver. Quatre hommes armés veillaient nuit et jour à la porte de cet appartement. Dans l'appartement, c'étaient quatre femmes qui ne perdaient pas de vue un seul instant la jeune fille. Les fenêtres étaient condamnées. Les portes étaient fermées...

– Mon père ! Il est prisonnier ! Il faut le sauver !...

Tels avaient été les premiers mots de Florise, lorsque, partie de la rue de la Tisseranderie, elle était accourue à la grande-prévôté. La joie de Roncherolles en voyant entrer sa fille, était tombée du coup.

– Sauver qui ? gronda-t-il, le cœur serré de soupçons.

– Celui qui, une fois encore, vient de me sauver moi-même : Le Royal de Beaurevers.

Florise, à travers ses sanglots, raconta ce qui s'était passé à Pierrefonds...

Le grand-prévôt écouta en silence le récit fiévreux. Quand Florise eut terminé, il lui dit froidement :

– Il sera condamné. La reine seule peut faire grâce...

– J'irai la trouver, je me mettrai à ses pieds, je...

– Vous ne sortirez pas d'ici ! Et d'ailleurs, si la reine faisait grâce à cet homme, je le poignarderais de mes mains.

Florise s'évanouit. Roncherolles résista. Il ne saisit pas sa fille pour la consoler, comme il en éprouvait l'envie mais il s'en alla en se disant :

– Il faut tenir bon. Oui, au risque de la rendre malheureuse pour quelque temps, il faut que je la sauve d'elle-même...

Deux ou trois jours s'écoulèrent. Et alors Roncherolles en arriva à se dire : *Au risque de la tuer !...*

En effet, l'attitude de Florise ne changeait pas. Seulement, elle ne priait plus Roncherolles de sauver Beaurevers, elle le suppliait seulement de la laisser sortir. Son amour, maintenant, elle le proclamait en verbes d'éclatante passion.

– Un truand ! grinçait Roncherolles. Vous aimez un truand !

– Le plus généreux des gentilshommes !... répondit Florise.

Un travail, cependant se faisait dans son esprit. L'amour filial qui était en elle s'émiettait, s'évanouissait... Roncherolles n'était plus son père : ce n'était plus qu'un ennemi. Une nuit, le grand-prévôt entra chez elle en disant :

– Il est condamné. Après-demain, il aura la tête tranchée.

Florise ne pleura pas. Seulement, elle devint blanche et prononça :

– On l'assassine. C'est vous l'assassin. Vous me faites horreur !

Il sortit, chancelant. Mais sa haine contre Beaurevers se décupla. Ce fut une sorte de rage qui s'empara de lui... Et le jour qui précéda l'exécution, le grand-prévôt se disait :

– Que ma fille meure ! Et moi-même, alors, je disparaîtrai !

C'est dans cet état d'esprit confinant à la folie que Roncherolles, en cette nuit, rendit la dernière visite à sa fille.

Il entra chez Florise comme onze heures venaient de sonner. Des quatre surveillantes, deux veillaient dans la chambre de la jeune fille. Roncherolles trouva Florise plus calme que les jours précédents. Il l'examina et comprit que cet apaisement funèbre venait de quelque résolution mortelle. Elle dit :

– C'est pour demain ?...

– Dix heures encore, dit-il, et la tête du truand tombera.

– En dix heures, fit-elle, vous pouvez réparer le crime.

– Le crime ! tonna Roncherolles. Quel crime !

– Le vôtre !... En dix heures, vous pouvez sauver votre victime. Si vous le sauvez, vous me sauvez aussi. Nous partirons tous les trois, lui, vous et moi, loin de Paris, et je vous ferai une existence de bonheur...

– Il entendra la messe à Saint-Germain-l'Auxerrois, reprit Roncherolles, livide. Puis il sera décapité. Si j'étais le maître je le pendrais. La reine le ménage... Pourquoi ?

Florise frissonna, et, lentement, sans colère :

– Au moment de mourir, entendez-vous, je vous maudis. Lorsque vous songerez à moi, c'est cette malédiction de mourante, tuée par vous, que vous entendrez...

Elle alla appuyer son front aux vitres de la fenêtre.

– Si je pouvais le revoir une fois encore ! murmura-t-elle.

De ses yeux sanglants, Roncherolles la considérait. Il s'avança de quelques pas... Florise se retourna et le vit le poignard à la main. Elle poussa un cri de joie affreuse :

– Frappez ! Épargnez-moi l'horreur de ces dernières heures !

Roncherolles jeta son poignard. Sa pensée s'effondra.

– Te tuer ! Non ! Je te chasse !... Va mourir avec le truand !... Hors d'ici, ribaude !...

Il ouvrait les portes toutes grandes. Ses gardes, ses officiers, assistèrent avec stupeur à ce spectacle du grand-prévôt descendant les escaliers en hurlant :

– Hors d'ici l'amante du truand ! Hors d'ici la ribaude !...

Florise descendait... Le grand portail fut ouvert... Florise le franchit...

Roncherolles s'affaissa, les poings tendus.

III

Saint-Germain-l'Auxerrois

Lorsque Roncherolles revint à lui, il se retrouva couché dans son lit. Le grand-prévôt reconnut près de lui deux médecins de la cour. On l'avait saigné. Puis il vit que l'horloge marquait six heures.

Tout tournait dans sa tête. Ses pensées se heurtaient.

– Où est-elle ? Six heures ! Il faut que j'arrive à temps !... Il se jeta hors du lit et commença à s'habiller.

– Mon cheval ! Vingt hommes d'escorte !

Dix minutes plus tard, il se mettait en route. Les gens qui le voyaient passer suivi de ses gens d'armes disaient :

– Voici M. le grand-prévôt qui s'en va à l'exécution.

C'est en effet vers la place de Grève que se dirigeait Roncherolles. Il y parvint rapidement. La place était déjà noire de monde. Deux compagnies d'arquebusiers et une compagnie d'archers attendaient des ordres. Roncherolles divisa les arquebusiers en quatre sections, dont chacune s'avança, refoulant la foule docile. Le grand-prévôt obtint ainsi un grand espace vide au milieu duquel se dressait l'échafaud qui dominait la place. Le billot était visible de toutes parts. Puis le grand prévôt échelonna les archers depuis la place jusqu'à Saint-Germain-l'Auxerrois en une double haie par où devait arriver le condamné. Il paraissait très calme... Et alors, il entra dans l'église pour attendre.

Quelques minutes avant neuf heures, il y eut un mouvement dans la foule. Une litière fermée, précédée et suivie de cavaliers, venait de s'arrêter. Une femme en descendit et disparut dans la maison des échevins. Nul ne put la reconnaître sous ses voiles. C'était Catherine de Médicis...

Elle fut introduite dans une pièce qui donnait sur la place. La fenêtre fut ouverte. Elle s'assit de manière qu'elle pût tout voir sans être vue du dehors. Alors elle murmura :

– Pourquoi est-il nécessaire que j'assiste à cette exécution ? Pourquoi y va-t-il du bonheur de mon fils ?...

À ce moment, un Huissier entra et dit à la reine :

– Messire de Nostredame est là qui demande audience.

Il était environ sept heures lorsque Roncherolles pénétra dans Saint-Germain-l'Auxerrois, vide, obscure.

– Je n'ai plus de fille, soupirait le grand-prévôt.

Dans cette seconde, ses yeux se fixèrent avec une expression d'indicible haine sur un homme qui lentement se dirigeait vers lui...

– Le mage ! grinça-t-il. Le sorcier ! Le démon !

Nostradamus s'arrêta près de lui. Les deux hommes se regardèrent, aussi blancs l'un que l'autre.

– Que viens-tu faire ici ? râla Roncherolles. Tu viens me voir souffrir ? Prends garde ! La reine te protège... mais moi, ce matin, je ne connais ni roi ni reine, prends garde !

– Me reconnaissez-vous ? demanda Nostradamus.

– Si je te reconnais ? écuma Roncherolles... Misérable, n'est-ce pas toi qui as mis dans mon esprit une terreur qui me paralyse ? N'est-ce pas toi qui m'as arraché ma fille et qui es venu dans mon cachot insulter à ma douleur ? Oh ! c'est sans doute encore par ta science que m'est apparu, à moi et à Saint-André, le spectre de Marie de Croixmart et que le nom de Renaud a retenti dans ma tête !...

– Je viens en leur nom, dit Nostradamus d'une voix tremblante. Roncherolles, c'est Renaud qui te parle.

– Démon ! sanglota Roncherolles. Ces paroles affreuses, tu me les as dites dans mon cachot ! Oui ! je l'ai deviné du premier jour où je t'ai vu, tu viens au nom de Renaud !... Eh bien ! parle ! que m'apportes-tu ?...

– Le pardon ! dit Nostradamus.

– Le pardon ? Tu dis que Marie de Croixmart me pardonne ? Tu dis que Renaud me pardonne ?

– Oui ! Et j'ai le droit de le dire, puisque je suis Renaud !...

– Tu es Renaud ? gronda Roncherolles en reculant.

– Oui ! Comment j'ai survécu, peu importe ! Écoute. Tu as brisé ma vie et celle d'une pauvre femme. Tu nous as condamnés à la douleur, au doute, au désespoir, à la haine. Veux-tu tout réparer d'un seul coup ?

– Ah ! tu es Renaud ? bégaya Roncherolles dans un rire.

– Écoute ! Je viens en suppliant. Tu as une fille. Et moi j'ai un fils... et ce fils... ce fils aime ta fille !...

– Ah ! rugit Roncherolles avec un formidable espoir. Tu as un fils ? Un fils de Marie de Croixmart, dis ? Et ton fils aime ma fille, tu dis cela ?...

– Oui, râla Nostradamus.

– Et tu adores ce fils ? Il est toute ta vie, dis ?

– Sauve-le ! murmura ardemment Nostradamus. Et ma reconnaissance, Roncherolles, sera de l'adoration... Seul, tu peux le sauver... Car ce fils, prisonnier, tout près de la mort, c'est...

– C'est Le Royal de Beaurevers !

– Oui !...

Le grand-prévôt leva les deux poings vers l'autel et rugit :

– Je comprends la haine de mon cœur contre le truand. Je voulais te tuer ! Fou que j'étais ! J'allais te délivrer de la douleur ! Oh ! non, Vis le plus longtemps possible avec cette pensée que Roncherolles pouvait assurer la fuite de ton fils, et que Roncherolles l'a conduit à l'échafaud ! Ah ! tu vas voir comme je vais sauver le sacripant !...

Devant cette explosion de haine, Nostradamus tira son poignard et il allait frapper... Son bras s'immobilisa, ses yeux se fixèrent sur la porte qui s'ouvrait toute grande et il râla :

– Mon fils !...

– Ma fille ! gronda Roncherolles.

Au dehors, une sourde rumeur. À l'intérieur, un cliquetis d'armes, et presque aussitôt des chants funèbres... Le cortège du condamné marchait vers l'autel. C'étaient des moines, la tête couverte de la cagoule, le cierge à la main. C'étaient des hallebardiers. Le glas tintait... Au milieu des moines et des hallebardiers marchait le condamné...

C'est cela que Nostradamus regardait...

Le Royal de Beaurevers avait les mains attachées par devant, les deux poignets croisés l'un sur l'autre. Mais ses pieds étaient libres. Il était nu-tête, moulé dans un justaucorps de soie noire. Il marchait d'un pas ferme, la tête penchée sur sa gauche. Il ne voyait rien – rien qu'un être ! Il n'entendait rien – rien qu'une voix ! Des cris étouffés d'admiration et de pitié s'élevaient sur son passage. Il ne regardait rien – rien qu'un être. Et cet être marchait près de lui... Florise ! Comment ? Par quelle permission arrachée à la miséricorde ou peut-être à la cruauté de la reine ?... Elle marchait près du condamné et elle lui parlait, elle souriait. Parfois, elle se penchait, et lui baisait pieusement les mains.

Roncherolles regardait. Ils s'avançaient vers l'autel comme deux fiancés qui vont se jurer une éternité d'amour.

– Pourquoi vouloir mourir ? grondait Beaurevers...

Il disait cela d'une voix raisonnable. Et elle répondait :

– Lorsque la hache touchera ton cou, cette dague atteindra mon cœur. Ne t'ai-je pas juré que je mourrais si tu mourais ?

– Gardes ! rugit Roncherolles, écartez cette fille !

– La reine l'a voulu ainsi, dit l'officier de hallebardiers. Roncherolles s'approcha de sa fille...

– Va-t'en ! gronda Roncherolles.

Le grand-prévôt dégaina sa dague. À ce moment retentit la clochette. Le prêtre levait haut l'ostensoir. Dans le silence, on entendit Roncherolles qui répétait :

– Va-t-en !...

Dans ce même silence, on entendit Florise qui disait :

– Moi, Florise demoiselle de Roncherolles, devant mon père, devant les hommes qui m'écoutent, devant Dieu qui m'assiste, je déclare prendre pour époux dans la mort Le Royal de Beaurevers ici présent...

Roncherolles leva le bras. Ses yeux jetèrent un éclair de folie. Puis, il se frappa en pleine poitrine et s'affaissa.

Des hommes l'emportèrent hors de l'église tandis qu'il criait :

– Renaud ! Renaud ! Es-tu content ?...

Et il expira...

Florise avait-elle vu ce drame ? C'est peu probable, Nostradamus, lui, avait vu tomber Roncherolles. Le vague espoir qui l'avait soutenu jusque-là, s'effondra alors. Hagard, il courut à la place de Grève, bondit dans la maison des échevins, et parvint jusqu'à Catherine de Médicis...

La messe du condamné était terminée. Le cortège sortit de l'église. Devant le condamné marchait maintenant un homme qui avait attendu à la porte de l'église... Il portait sur l'épaule une lourde hache au tranchant affilé...

Ni Beaurevers ni Florise ne le voyaient. Ils se répétaient :

– Je t'aime...

Le cortège, passant entre la double haie d'archers, s'arrêta au pied de l'échafaud. L'officier des hallebardiers dit à Florise :

– Mademoiselle, vous ne pouvez aller plus loin...

Elle ne répondit pas. Elle jeta ses deux bras au cou de Beaurevers... Alors, des cris montèrent. Il y eut des sanglots... on cria :

– Grâce ! Grâce pour le condamné !...

Ils étaient si beaux, si touchants !... Florise murmura :

– Adieu, mon époux bien-aimé, je t'aime !...

– Je t'aime ! râla Le Royal de Beaurevers.

Ils fermèrent les yeux... leurs lèvres s'unirent en un ineffable baiser... leur premier baiser !...

Le condamné monta sur la plate-forme. Il mit un genou sur le plancher et posa son cou sur le billot, les yeux tournés vers Florise... il souriait !... Il cria :

– Je t'aime !

– Je t'aime ! répondit Florise, son poignard à la main.

Et elle souriait.

– Grâce ! Grâce ! gronda la foule dans un sanglot...

Le bourreau tenait son regard fixé sur une fenêtre de la maison des échevins... Soudain, à cette fenêtre, une forme noire se montra... Catherine de Médicis !... Elle fit un signe – le signe de mort !... La hache levée jeta dans les airs un éclair.

IV

Les gardes du jeune Henri

Myrta, la veille de cette matinée, avait quitté la maison de la rue de la Tisseranderie, chargée d'une mystérieuse mission par Nostradamus. À ce moment, il était environ minuit. Myrta allait jouer la dernière carte de Nostradamus. Myrta allait au Louvre !...

On n'a pas oublié que le jour du tournoi, Myrta s'était rencontrée avec Bouracan, Strapafar, Trinquemaille et Corpodibale, gentils-hommes de la reine, et que les quatre compères lui avaient dit :

– Il y a pour nous au Louvre un mot d'ordre spécial. Quand tu voudras nous voir, tu n'auras qu'à dire : « Pierrefonds ! »

Voilà ce que Myrta avait raconté à Nostradamus, qui, ne pouvant entrer au Louvre, avait pensé à y faire entrer Myrta.

Cette nuit-là, la reine étant en conférence, avait, comme on a vu, chargé nos braves de veiller sur son fils Henri. Catherine redoutait, elle ne savait quelle tentative dirigée contre le fils de son cœur. Les quatre malandrins se trouvaient donc dans la propre chambre de la reine où, pendant cette période, Henri couchait. Ils se considéraient avec des mines de désolation... Ils pensaient à *lui*... Ils parlaient de *lui*... de sa condamnation à mort.

– Messieurs, dit un officier en entrouvrant la porte, il y a là pour vous un émissaire de la reine !

– Un émissaire ! Qu'il entre !...

L'officier s'effaça. Une femme entra et laissa tomber sa capuche.

– Myrta ! s'écrièrent-ils stupéfaits, l'âme ravie.

D'un mot, elle leur imposa silence. D'un regard, elle vit le jeune prince qui dormait dans le lit de la reine. Elle les rassembla autour d'elle, et :

– Voulez-vous le sauver ?

Il n'était pas besoin de le désigner plus clairement. Ils ne répondirent pas. Leurs yeux, leurs attitudes rugissaient que s'il fallait quatre vies pour sauver la sienne, c'était chose faite. Alors, elle expliqua qu'il s'agissait de saisir le petit prince Henri, le sortir du Louvre avant neuf heures du matin, le conduire dans la maison de la rue de la Tisseranderie qu'elle leur dépeignit.

– Ce sera fait ! dit Trinquemaille.

– Nous tuerons la reine, s'il le faut ! dit Strapafar.

Myrta les quitta en répétant :

– Avant neuf heures !...

Demeurés seuls, ils se regardèrent, flamboyants. À ce moment, la porte s'ouvrit... la reine parut.

– Vous pouvez vous retirer dans votre appartement, dit-elle.

Ils demeurèrent écrasés, foudroyés... Jamais Catherine ne fut si près de la mort. L'entrée de plusieurs demoiselles d'honneur la sauva : les quatre se retirèrent, la mort dans l'âme...

La nuit qu'ils passèrent fut terrible. Le matin arriva. Six heures sonnèrent. Sept heures ! Huit heures !... Ils bouillaient. Lorsque Catherine entra dans leur dortoir, et, les trouvant tout harnachés, eut un geste de satisfaction.

– Je vais m'absenter du Louvre pour une heure, dit-elle. Veillez, en mon absence, plus que jamais !...

Elle les conduisit auprès du petit prince Henri, et s'en alla.

Cette nuit terrible, Myrta la passa devant la porte du Louvre par où ils devaient sortir. Vers le matin, Myrta comprit que tout était perdu, puisque les quatre n'étaient pas encore sortis du Louvre... Elle mordait furieusement une écharpe rouge qu'elle portait autour du cou.

En la lui remettant, Nostradamus lui avait dit :

– Cette écharpe agitée signifiera que l'entreprise a réussi.

Puis vint l'affreux moment où Myrta entendit au loin les rumeurs de la foule autour de l'échafaud... où elle entendit le glas !... Elle songeait :

– Il est à l'église... Voici la messe finie... Il se met en marche... en marche vers la mort !...

Elle ferma les yeux... Dans ce moment, une voix prononça :

– Va bien, ma fille, nous tenons lou petit pigeoun, vé !

Délirante, elle regarda... et elle vit Trinquemaille, Strapafar,

Corpodibale qui se hâtaient !... Et en avant d'eux, Bouracan portant sur ses vastes épaules un sac...

Myrta eut un hurlement ; elle arracha l'écharpe de son cou ; elle se rua vers la place de Grève, agitant l'écharpe rouge...

V

La première signature royale de François II

Il faut nous reporter au moment où Catherine, assise près de la fenêtre dans l'hôtel des Échevins, donna l'ordre d'introduire messire de Notredame, qui demandait audience.

– Je vais donc savoir, songea-t-elle, pourquoi il y va du bonheur de mon cher Henri que j'assiste à cette exécution...

Elle se retourna et vit Nostradamus. Il s'était placé de façon à tout voir, lui aussi, l'échafaud, la foule, la place.

– Madame, dit Nostradamus, je sors de l'église. M. de Roncherolles s'est tué d'un coup de poignard.

– Ah ! fit Catherine. Et pourquoi s'est-il tué ? Le savez-vous ?

– Oui. Parce que sa fille Florise aimait celui qui va être exécuté, parce qu'elle s'est promise à lui dans la mort.

– Florise ? Cette petite qui est venue cette nuit me supplier de lui accorder le droit de mourir près de lui ?

– Oui, madame.

– Florise ? Celle pour qui mon époux devait me répudier ? Que vous avez conduite à Pierrefonds ? Qui était en somme ma plus redoutable rivale ?

– Oui, madame.

– Elle adore ce truand... ils sont dignes l'un de l'autre. Eh bien ! qu'ils s'épousent dans la mort !

– Madame, dit Nostradamus, je suis venu vous demander de laisser ces enfants s'épouser non dans la mort, mais dans la vie. Vous me devez beaucoup. Je mets ma science et ma vie à vos ordres. En revanche, je vous demande la vie du condamné...

– Pourquoi vous intéressez-vous à lui ?

– C'est mon fils...

Catherine secoua violemment la tête.

Nostradamus vit ce geste, et comprit que la résolution de Catherine était irrévocable. Il comprit qu'elle ne tuait pas seulement en Beaurevers le détenteur d'un redoutable secret, mais encore le fiancé de Florise !

Nostradamus rassembla ses forces éparses. Il chercha en lui ce fluide magnétique que, si souvent, il avait employé... Et, il sentit que fluide, volonté magnétique, puissance de suggestion, tout lui échappait...

Le cortège funèbre venait d'apparaître sur la place !...

– Les voici ! dit Catherine dans un cri de haine.

Nostradamus regardait de toute son âme, non pas le condamné, mais là-bas, par delà la foule...

– Tentons le dernier effort, dit-il à haute voix. Madame, ayez pitié. Sauvez mon fils...

Catherine haussa les épaules.

– Vous ne voulez pas ?... Eh bien ! soit !

Une transformation instantanée s'opéra dans son attitude.

– Que se passe-t-il donc en lui ? songea la reine stupéfaite.

Par un prodigieux effort, Nostradamus en arrivait à prendre le masque du calme. Et ses yeux souriaient !...

– Je voulais, dit-il, m'éviter une opération difficile. Je l'accomplirai. Qu'on tue mon fils : *Je le ressusciterai !...*

Catherine se dressa, l'âme soudain noyée d'épouvante :

– Ainsi, c'est vrai ? Vous pouvez ressusciter les morts ?...

– Ne vous l'ai-je pas dit ? Je ferai l'opération devant vous !...

– Oui ! fit Catherine, vous me l'avez dit... et je vous ai cru... Mais vous m'avez dit aussi qu'il vous fallait pour cela le sang d'un jeune enfant... de race, pure... d'un enfant de l'amour...

À ce moment, le condamné montait sur l'échafaud.

– C'est vrai ! dit Nostradamus.

Le Royal de Beaurevers se plaçait devant le billot...

– Vous m'avez dit que vous n'oseriez égorger l'enfant...

– C'est vrai ! dit Nostradamus.

L'exécuteur regardait fixement la fenêtre.

– Je veux en faire l'épreuve ! gronda Catherine.

Elle fit au bourreau le signe fatal !... En cet instant, Nostradamus parut flamboyer. Là-bas, au bout de la place, Nostradamus venait de voir l'écharpe rouge qui s'agitait !... Il saisit la main de la reine, et, dans un suprême effort :

– J'oserai égorger pour ressusciter mon fils. J'ai l'enfant. C'est votre fils, madame ! votre fils... Henri !...

Et il s'abattit foudroyé. Catherine penchée jusqu'à mi-corps, le geste fou, la voix délirante, hurla :

– Arrête ! Grâce ! Grâce ! Il y a grâce !...

Et la hache levée ne retomba pas sur le cou du condamné ! Et la foule immense éclata en acclamations frénétiques :

– C'est la reine ! Il y a grâce ! Vive la reine !...

Le Royal de Beaurevers fut reconduit à son cachot en attendant qu'une décision définitive fût prise. Quant à Florise, comment se retrouva-t-elle dans le logis de la rue de la Tisseranderie, dans les bras de Marie de Croixmart, c'est ce que Myrta seule eût pu expliquer...

Catherine de Médicis avait appelé du secours. Elle tremblait convulsivement. La rage, la fureur, la haine lui tenaillaient le cerveau.

Sur ses ordres, des médecins s'empressaient à ranimer Nostradamus. Bientôt il fixait la reine dans les yeux, fort comme l'archange terrassant le démon...

– Si tu as dit vrai, râla la reine... tu es le plus fort ! mais si tu as menti... oh ! malheur à toi, à tous les tiens ! Accompagne-moi au Louvre !

Un quart d'heure plus tard, accompagnée de Nostradamus, une forte escorte surveillant le mage, Catherine entrait au Louvre... Le prince Henri avait disparu. Et disparu aussi les quatre gardes du corps !...

Pendant deux heures, Catherine lutta contre une crise dont elle ne sortit que grâce à Nostradamus. Lorsqu'elle eut repris possession d'elle-même, elle se retrouva seule avec Nostradamus...

– Je suis vaincue, prononça-t-elle. Rendez-moi mon fils...

– Madame, dit Nostradamus, vous allez prier le roi de France d'écrire l'engagement que je vais dicter. C'est un engagement d'honneur, madame. Si malgré cela un malheur arrivait à mon fils ou à sa jeune femme ! quoi que vous tentiez contre moi, si loin que votre fils Henri aille se cacher, même si j'étais enfermé au fond d'un cachot, je l'atteindrais, madame, et son sang... je le prendrais jusqu'à la dernière goutte !...

– Je vous crois ! bégaya Catherine, courbée, les mains jointes...

– C'est bien, faites venir le nouveau roi de France !

Le jeune roi, bientôt, entra dans la chambre, et considéra curieusement Nostradamus. Catherine plaça sur une table un parchemin scellé aux armes de France. Puis elle dit :

– Il faut que vous écriviez ce que cet homme va vous dire...

François II leva les yeux sur sa mère :

– C'est mon premier acte de roi que je vais faire là ? dit-il.

– Oui, sire, dit Nostradamus d'une voix vibrante.

– C'est la première fois que je vais signer en qualité de roi... Je voudrais que ce soit pour quelque chose de beau...

– Sire, dit Nostradamus, je vous jure que le noble désir de Votre Majesté va être satisfait !...

Le jeune roi fut bouleversé de cette émotion et dit :

– Monsieur, n'étiez-vous pas médecin de mon père ?

– Oui, sire !

– Je vous nomme mon médecin, moi aussi !... Dictez.

Et Nostradamus dicta :

« Moi, François, roi de France, deuxième du nom, sur mon honneur, m'engage à ce qui suit : L'homme connu sous le nom de Le Royal de Beaurevers ne sera jamais inquiété pour tout ce qu'il a pu faire ou dire jusqu'à ce présent jour du 6 juillet de l'an 1559. J'autorise le mariage de noble demoiselle Florise de Roncherolles avec ledit sieur Le Royal de Beaurevers, en y mettant cette condition : que tous les biens du sieur de Roncherolles décédé reviendront aux pauvres de Paris. De même, ne seront ni arrêtés, ni inquiétés pour tout acte jusqu'à ce jour les hommes nommés Trinquemaille, Bouracan, Corpodibale et Strapafar. En foi de quoi j'ai signé de mon nom.

« FRANÇOIS, roi de France. »

Le jeune roi signa et remit le parchemin à Nostradamus.

– Et pour vous ? fit-il.

– Sire, dit Nostradamus, le titre que Votre Majesté vient de me conférer m'est une suffisante protection...

Le roi sortit pour aller raconter à sa femme qu'il venait d'accomplir son premier acte royal.

– Madame, dit Nostradamus à Catherine, je vais vous chercher votre enfant et je vous l'amène...

– Quoi ! Avant que votre fils, à vous, ne soit rendu à la liberté ?

– Oui, madame, répondit Nostradamus en s'inclinant.

Catherine éprouva à ce moment l'une des rares émotions bienfaisantes de sa vie. D'une voix émue, elle dit :

– Soyons amis, voulez-vous ?

Nostradamus se pencha sur la main de la reine et l'effleura d'un baiser.

– Allez, reprit Catherine. Et pendant que vous allez chercher mon enfant, je vais mettre votre fils en liberté.

Une heure après ces événements, le prince Henri était dans les bras de sa mère. Et, Le Royal de Beaurevers, Florise, Marie de Croixmart, Nostradamus se trouvaient assemblés dans le logis de la rue de la Tisseranderie, agenouillés dans une suprême prière autour d'un lit où reposait le corps du sire de Roncherolles.

Épilogue

Nostradamus demeura quelque temps encore à Paris, où il fut médecin ordinaire de François II, puis de Charles IX. Il se retira ensuite à Salon, où se trouve son tombeau, en l'église Saint-Laurent. Nostradamus et Marie y connurent le bonheur, si chèrement acheté.

Un an après les événements qui ont fait le sujet de ce drame, le jour anniversaire de cette matinée où ils auraient dû mourir, en cette église de Saint-Germain-l'Auxerrois où ils s'étaient fiancés. Le Royal de Beaurevers et Florise s'épousèrent – et la félicité de ces deux enfants contribua puissamment à embellir la vie de Nostradamus et de Marie.

Quant à Myrta, elle finit sans doute par se consoler, car en 1564, nous la retrouvons épousant un certain chevalier de Gonesse. Elle apportait en dot à son époux une somme de cent mille écus, mise dans sa jolie main par Nostradamus lui-même.

Longtemps, nous avons cherché qui pouvait être ce chevalier de Gonesse ; nous avons eu le mot de l'énigme par d'antiques paperasses, où nous avons pu déchiffrer qu'en l'an 1563 la terre de Gonesse, érigée en chevalerie, fut achetée par Nostradamus pour le compte d'un certain Bouracan.

Parvenu au faîte des grandeurs, Bouracan demeura l'homme modeste qu'il avait toujours été. Il ne voulut d'ailleurs jamais se séparer de Beaurevers, approuvé en cela par Myrta, qui n'eût pas voulu quitter Marie et Florise. Quant à MM. de Trinquemaille, de Strapafar, et de Corpodibale, ils demeurèrent garçons. Ils refusèrent également de quitter Le Royal de Beaurevers.

La renommée de Nostradamus devint prodigieuse ; dans sa paisible retraite, il ne poursuivit pas seulement la guérison des maladies, mais il s'attacha plus que jamais à trouver la vérité sur les principes et les fins de l'âme humaine.

– Il est un maître qui ne veut pas être violenté, avait-il coutume de dire. Ce mage suprême est au travail. Laissez-le faire : il poussera l'humanité à la science intégrale où l'esprit embrassera dans son ensemble l'éblouissante Vérité.

Et si on lui demandait :

– Quel est ce maître ?

– C'est le Temps ! répondit Nostradamus.

Lecteur, si le caprice d'une promenade ou les hasards d'un voyage vous conduisent à Salon, cueillez une fleur sur votre chemin et déposez-la sur le tombeau de Nostradamus.

Milton Keynes UK
Ingram Content Group UK Ltd.
UKHW050835180923
428890UK00009B/412